El templo

Matthew Reilly

Traducción de María Otero González

Título original: *Temple*

Primera edición: abril de 2008
Segunda edición: abril de 2008
Tercera edición: abril de 2008

Ilustración de portada: © Opalworks

Diseño de colección: Alonso Esteban y Dinamic Duo

Derechos exclusivos de la edición en español:
© 2008, La Factoría de Ideas. C/Pico Mulhacén, 24. Pol. Industrial «El Alquitón».
28500 Arganda del Rey. Madrid. Teléfono: 91 870 45 85

informacion@lafactoriadeideas.es
www.lafactoriadeideas.es

ISBN: 978-84-9800-366-6 Depósito Legal: B-127-2008

Impreso por Litografía Rosés S. A.
Energía,11-27
08850 Gavà (Barcelona)
Printed in Spain — Impreso en España

A mi hermano Stephen

Agradecimientos

En esta ocasión debo dar las gracias muy especialmente a las siguientes personas:

A Natalie Freer: ella siempre es la primera persona en leer mis textos y lo hace en tandas de cuarenta páginas. Gracias otra vez por tu extraordinaria paciencia, generosidad y apoyo. A mi hermano, Stephen Reilly, por su lealtad sin igual y sus agudos comentarios sobre mis escritos (¿He mencionado alguna vez que es autor del mejor guión que haya leído jamás?).

A mis padres, una vez más, por su amor, su ánimo y su apoyo. A mi buen amigo John Schrooten por ser, y ya van tres, mi conejillo de Indias. (John es la primera persona que lee mis libros una vez finalizados. Todavía le recuerdo leyendo *Ice Station* mientras veíamos un partido de críquet en el Sydney Cricket Ground.) Gracias también a Nik Kozlina por sus primeros comentarios sobre la obra, ¡y a Simon Kozlina por dejar que el héroe de este libro tuviera su rostro!

Por último, no debo olvidarme de la buena gente que trabaja en Pan Macmillan. Gracias a Cate Paterson, mi editora, por, bueno, hacer que todo esto sea posible. Sus esfuerzos por publicar novelas de suspense no tienen parangón en el mercado literario de este país. A Anna McFarlane, mi correctora, por sacar lo mejor de mí. A todos y cada uno de los comerciales de Pan que, cada día, se encuentran al pie del cañón en las librerías de todo el país. Y, finalmente, quisiera dar las gracias muy especialmente a Jane Novak, mi publicista en Pan, por ser toda una madraza conmigo y por captar la ironía cuando Richard Stubbs y yo hablamos sobre ella, nuestra publicista, en la radio nacional.

Bueno, eso es todo. Ahora, ¡que comience el espectáculo!...

Introducción

Extracto de *Civilization Lost – The Conquest of the Incas,* de Mark J. Holsten. (Advantage Press, Nueva York, 1996)

Capítulo 1
Las consecuencias de la conquista

Jamás se recalcará lo suficiente que la conquista de los incas por parte de los conquistadores españoles representa quizá el mayor choque de culturas en la historia de la evolución humana.

La nación más poderosa de la tierra, con los últimos avances armamentísticos de Europa a su disposición, contra el imperio más poderoso que haya existido nunca en América.

Por desgracia para los historiadores, y gracias en gran medida al insaciable ansia de oro de Francisco Pizarro y de sus conquistadores sedientos de sangre, el mayor imperio del continente americano es también del que menos sabemos.

El saqueo del imperio inca por parte de Pizarro y su ejército de secuaces en 1532 debería ser considerado como uno de los más brutales de la historia escrita. Armados con la más poderosa de las armas coloniales, la pólvora, los españoles se abrieron camino a través de las ciudades y pueblos incas con, según palabras de un comentarista del siglo XX, «una falta de principios que habría hecho estremecer al mismísimo Maquiavelo».

Las mujeres incas fueron violadas en sus hogares u obligadas a prostituirse en mugrientos burdeles improvisados. Los hombres fueron sometidos a torturas constantes; les quemaban los ojos con carbón al rojo vivo y les cortaban los tendones. Los niños fueron llevados en barcos a la costa para después embarcarlos en aterradores galeones de esclavos y enviarlos a Europa.

En las ciudades, los conquistadores saquearon los templos. Fundían las láminas y los ídolos sagrados de oro en lingotes sin ni siquiera pararse a pensar en el significado cultural de los mismos.

Quizá la más famosa de todas las historias de búsquedas de tesoros incas sea la de Hernando Pizarro, hermano de Francisco, y su viaje hercúleo hasta la ciudad costera de Pachacámac en busca de un legendario ídolo inca. Tal como nos describe Francisco de Jérez en su famosa obra *Verdadera relación de la conquista del Perú,* las riquezas que saqueó en su marcha hacia el templo santuario de Pachacámac (no muy lejos de Lima) alcanzan proporciones casi míticas.

De lo poco que queda del imperio inca (edificios que los españoles no destruyeron, reliquias de oro que los incas lograron llevarse consigo valiéndose de la oscuridad de la noche...), un historiador contemporáneo solo puede percibir breves destellos de una otrora grandiosa civilización.

Lo que emerge de esos breves destellos es, no obstante, un imperio lleno de paradojas.

Los incas no conocían la rueda y, sin embargo, construyeron el sistema de carreteras más extenso jamás visto en el continente americano. No sabían fundir el mineral de hierro y, sin embargo, los trabajos con otros metales, en concreto con el oro y la plata, son insuperables. Carecían de un sistema de escritura y, sin embargo, su sistema de registro numérico, un sistema de cuerdas de lana o algodón de uno o varios colores llamado *quipus,* era increíblemente preciso. Se decía que los *quipucamayocs,* los temidos recaudadores de impuestos del imperio, sabían incluso cuándo se perdía algo tan ínfimo como una sandalia.

No obstante, la mayoría de la información y datos de la vida diaria de los incas de que disponemos proviene, inevitablemente, de los españoles. Al igual que veinte años antes hiciera Hernán Cortés en México, los conquistadores llevaron a Perú clérigos para difundir el Evangelio entre los indígenas paganos. Muchos de estos monjes y sacerdotes regresaron finalmente a España y consignaron por escrito lo que vieron. De hecho, muchos de estos manuscritos todavía pueden encontrarse en la actualidad en algunos monasterios europeos, fechados e intactos. [Pág. 12]

Extracto de *Verdadera relación de la conquista del Perú,* de Francisco Jérez. (Sevilla, 1534)

El capitán [Hernando Pizarro] se hospedó con sus hombres en unos grandes aposentos situados en una parte del pueblo. Dijo que había venido por orden del gobernador [Francisco Pizarro] por el oro de aquella mezquita, y que estaban allí para cogerlo y llevárselo al gobernador.

Todos los principales del pueblo y los pajes del ídolo dijeron que se lo darían, y anduvieron disimulando y dilatando. En conclusión, que trajeron muy poco y dijeron que no había más.

El capitán dijo que quería ir a ver aquel ídolo que tenían y que lo llevasen allá, y así fue llevado. El ídolo estaba en una buena casa bien pintada, decorada con el típico estilo indígena; estatuas de piedra de jaguares custodiaban la entrada, tallas de demoníacas criaturas con aspecto felino se alineaban contra las paredes. Dentro, el capitán encontró una sala muy oscura y hedionda, en cuyo centro se alzaba un altar de piedra. Durante nuestro viaje, nos hablaron de un ídolo legendario que se encontraba en el interior del templo santuario de Pachacámac. Los indígenas dicen que ese es su Dios, quien los creó y los sustenta, la fuente de todo su poder.

Pero no encontramos ningún ídolo en Pachacámac. Tan solo un altar de piedra en una sala hedionda.

El capitán ordenó entonces que se tirara abajo la bóveda donde se había guardado aquel ídolo pagano y que se ejecutara a los principales por haberlo ocultado. Así se hizo, también, con los pajes del ídolo. Una vez hubieron terminado, el capitán enseñó a los habitantes del pueblo muchas cosas de nuestra santa fe católica y les enseñó la señal de la cruz.

Extracto de *The New York Times.* (31 de diciembre de 1998, página 12)

LOS ESTUDIOSOS PIERDEN LA CABEZA POR UNOS MANUSCRITOS

TOULOUSE, FRANCIA. Los estudiosos medievales se han encontrado en el día de hoy con una invitación muy especial, ya que los monjes de la abadía de San Sebastián, un apartado monasterio jesuita situado en los montes Pirineos, han abierto las puertas de su magnífica biblioteca medieval a un selecto grupo de expertos laicos por primera vez en más de trescientos años.

El mayor interés para esta exclusiva reunión de eruditos consistía en la oportunidad de ver, de primera mano, la famosa colección de manuscritos de la abadía, en especial los de san Ignacio de Loyola, fundador de la Compañía de Jesús.

Fue, no obstante, el descubrimiento de otros manuscritos que se creían perdidos lo que provocó gritos de deleite y alegría entre el selecto grupo de historiadores que habían logrado entrar en la laberíntica biblioteca de la abadía: el códice perdido de san Luis Gonzaga, o el hasta ahora desconocido manuscrito que se cree fue escrito por san Francisco Javier o, lo más increíble y maravilloso de todo, el descubrimiento de un borrador original del manuscrito de Santiago.

Este manuscrito, escrito en 1565 por un monje español llamado Alberto Luis Santiago, merece casi la categoría de legendario entre los historiadores medievales, sobre todo porque se pensaba que había sido destruido durante la Revolución francesa.

Se cree que este manuscrito esboza, con una precisión y un detallismo descarnado y brutal, la conquista de Perú por los conquistadores durante la década de 1530. Se trata del único escrito, basado en las observaciones de primera mano del autor, en el que se plasma la búsqueda obsesiva por parte de un sanguinario capitán español de un valioso ídolo inca a través de la selva y las montañas de ese país.

Sin embargo, esta muestra resultó ser una de esas en las que está permitido mirar, pero no tocar. Una vez el último erudito fue conducido a regañadientes fuera de la biblioteca, sus enormes puertas de roble se cerraron tras ellos.

Esperemos que no haya que esperar otros trescientos años para que estas puertas vuelvan a abrirse.

Prólogo

Abadía de San Sebastián

Montes Pirineos

Viernes, 1 de enero de 1999. 3.23 a. m.

El joven monje comenzó a llorar desconsoladamente cuando sintió el frío cañón de la pistola contra su sien.

Estaba temblando del miedo y las lágrimas le rodaban por las mejillas.

—¡Por el amor de Dios, Philippe! —dijo—. Si sabe dónde está, ¡dígaselo!

El hermano Philippe de Villiers estaba de rodillas sobre el suelo del comedor de la abadía con las manos en la nuca. A su izquierda, también arrodillado, estaba el hermano Maurice Dupont, el joven monje al que estaban apuntando con una pistola en la cabeza; a su derecha, los otros dieciséis monjes jesuitas que vivían en la abadía de San Sebastián. Los dieciocho monjes, de rodillas, formaban una fila en medio del comedor.

Delante de De Villiers, desplazado ligeramente a su izquierda, se encontraba un hombre vestido con un traje de combate negro que portaba una pistola automática Glock del calibre 18 y un Heckler & Koch G-11, el mejor fusil de asalto avanzado jamás fabricado. En ese preciso instante, la Glock del hombre vestido de negro permanecía firmemente apoyada contra la cabeza de Maurice Dupont.

Otra docena más de hombres vestidos y armados de forma similar se encontraban dispersos por el amplio comedor de la abadía. Todos llevaban pasamontañas negros y estaban a la espera de que Philippe de Villiers respondiera una pregunta muy importante.

—No sé dónde está —dijo De Villiers entre dientes.

—Philippe... —dijo Maurice Dupont.

La pistola que apuntaba a la sien de Dupont se disparó sin ningún aviso previo. El disparo resonó en el silencio de la casi desierta abadía. La cabeza de Dupont estalló como si de una sandía se tratara y una estela de sangre salpicó el rostro de De Villiers.

Nadie fuera de la abadía oiría ese disparo.

La abadía de San Sebastián estaba encaramada en la cima de una montaña, a casi dos mil metros por encima del nivel del mar, escondida entre los picos cubiertos de nieve de los montes Pirineos. Como a uno de los monjes más ancianos le gustaba decir, «era lo más cerca que se podía estar de Dios en la tierra». El vecino más cercano de la abadía de San Sebastián, el famoso observatorio Pic du Midi, estaba situado a casi veinte kilómetros de distancia.

El hombre de la Glock se desplazó hasta el monje que estaba a la derecha de De Villiers y apoyó el cañón de la pistola en su cabeza.

—¿Dónde está el manuscrito? —le preguntó el hombre de la pistola a De Villiers una segunda vez. Tenía un acento bávaro muy marcado.

—Le estoy diciendo que no lo sé —dijo De Villiers.

¡Pam!

El segundo monje cayó de espaldas y se golpeó contra el suelo. De la herida irregular y carnosa de su cabeza comenzó a brotar un charco de líquido rojo. Durante algunos segundos su cuerpo siguió sacudiéndose involuntariamente con fuertes espasmos, dando coletazos contra el suelo como un pez que se ha salido de la pecera.

De Villiers cerró los ojos y comenzó a rezar.

—¿Dónde está el manuscrito? —dijo el alemán.

—No lo...

¡Pam!

Otro monje cayó.

—¿Dónde está?

—¡No lo sé!

¡Pam!

De repente, la Glock estaba apuntando directamente al rostro de De Villiers.

—Esta será la última vez que lo pregunte, hermano De Villiers. ¿Dónde está el manuscrito de Santiago?

De Villiers permaneció con los ojos cerrados.

—Padre nuestro, que estás en los cielos, santificado sea tu...

El alemán apretó el gatillo.

—¡Espere! —dijo alguien que se encontraba al final de la fila.

El asesino alemán se giró y vio cómo un monje anciano se incorporaba y se apartaba rápidamente de la fila de jesuitas arrodillados.

—¡Por favor, por favor! Le ruego que pare. Le diré dónde se encuentra el manuscrito si promete que no matará a nadie más.

—¿Dónde está? —preguntó el asesino.

—Por aquí —le dijo el anciano monje y le indicó el camino a la biblioteca. El asesino le siguió a la habitación contigua.

Unos instantes después regresaron. El asesino llevaba en su mano izquierda un libro de grandes dimensiones encuadernado en cuero.

A pesar de que De Villiers no podía ver su rostro, resultaba obvio que el asesino alemán esbozaba una sonrisa de oreja a oreja tras aquel pasamontañas negro.

—Ahora márchense, déjennos en paz —dijo el anciano jesuita—. Dejen que enterremos a nuestros muertos.

El asesino pareció cavilarlo unos segundos. Después se dio la vuelta y asintió con la cabeza a sus adláteres.

En respuesta a ese gesto, el pelotón de asesinos armados levantaron sus G-11 y abrieron fuego contra los monjes jesuitas.

El estallido devastador del fuego de las ametralladoras redujo a los monjes restantes a jirones. Atacados por la fuerza de unas armas que jamás antes habían visto, sus cabezas estallaron en mil pedazos y sus cuerpos acabaron convertidos en restos de carne.

En cuestión de segundos, todos los jesuitas estaban muertos, todos excepto el anciano monje que había llevado a los alemanes hasta el manuscrito. Ahora estaba solo, en un charco formado por la sangre de sus compañeros, frente a frente con sus torturadores.

El jefe del grupo dio un paso adelante y colocó su Glock en la cabeza del anciano.

—¿Quiénes son? —le preguntó el anciano monje desafiante.

—Somos los Schutzstaffel der Totenkopfverbände —dijo el asesino.

Los ojos del anciano se abrieron como platos.

—Dios mío... —se escapó de su boca.

El asesino sonrió.

—Ni siquiera Él puede salvarte ahora.

¡Pam!

Disparó la Glock una última vez y los asesinos salieron de la abadía y se adentraron en la oscuridad de la noche.

Transcurrió un minuto; después otro.

La abadía permanecía en silencio.

Los cuerpos de los dieciocho hermanos jesuitas yacían en el suelo, bañados en sangre.

Los asesinos nunca lo vieron.

Estaba encima de ellos, escondido dentro del techo del enorme comedor. Era como una especie de buhardilla, un ático en el techo separado del comedor por una delgada pared revestida con paneles de madera. Los paneles de la pared estaban tan viejos y ajados que las grietas entre ellos eran enormes.

Si hubiesen observado detenidamente, los asesinos lo habrían visto, escudriñando a través de una de las grietas, parpadeando aterrorizado.

Un ojo humano.

3701 North Fairfax Drive, Arlington (Virginia)

Oficinas de la Agencia de Investigación de Proyectos Avanzados de Defensa de los EE. UU.

Lunes, 4 de enero de 1999. 5.50 a. m.

Los ladrones se movían con rapidez. Sabían exactamente adónde se dirigían.

Habían escogido el momento perfecto para el asalto. Diez minutos para que dieran las seis. Diez minutos antes de que los vigilantes del turno de noche acabaran su jornada. Diez minutos antes de que los vigilantes del turno de día entraran a fichar. Los vigilantes del turno de noche estarían cansados y no pararían de mirar sus relojes, deseando que llegara la hora de regresar a casa. Sería el momento en el que más vulnerables se encontraran.

El 3701 de North Fairfax Drive era un edificio de ladrillo rojo y ocho plantas que se encontraba justo al otro lado de la estación de metro Virginia Square en Arlington, Virginia. Albergaba las oficinas de la Agencia de Investigación de Proyectos Avanzados de Defensa, la DARPA, la unidad de I+D más avanzada del Departamento de defensa de los Estados Unidos.

Los ladrones recorrieron los pasillos con aquellas luminosas luces blancas mientras sostenían con firmeza sus ametralladoras MP-5SD con silenciador, similares a las empleadas por los grupos de operaciones especiales de la Armada de los Estados Unidos, apretando contra sus hombros los guardamanos y observando fijamente por debajo de los cañones en busca de objetivos.

¡Ra.ta-ta-ta-tá!

Una ráfaga de silenciosas balas abatió a otro soldado de la Armada, el número diecisiete. Sin un instante que perder, los ladrones saltaron por encima del cuerpo y se dirigieron a la cámara de seguridad. Uno de ellos pasó la tarjeta magnética mientras otro empujaba para abrir la enorme puerta hidráulica.

Se encontraban en la tercera planta del edificio. Ya habían pasado siete controles de seguridad de nivel cinco, controles que requerían cuatro tarjetas y seis códigos alfanuméricos distintos para abrirse. Habían entrado en el edificio por la zona de carga subterránea, dentro de una furgoneta cuya llegada estaba prevista. Los guardias de la entrada subterránea habían sido los primeros en caer, seguidos poco tiempo después por los conductores de la furgoneta.

Ya en la tercera planta, los ladrones no habían parado de moverse un instante.

Entraron en la cámara de seguridad, un enorme laboratorio flanqueado a cada lado por unas paredes de porcelana de más de quince centímetros de espesor. Tras esa protección de porcelana había otro muro exterior. Estaba recubierto de plomo y tenía al menos treinta y un centímetros de grosor. Los trabajadores de la DARPA llamaban a este laboratorio la «cámara acorazada» y no les faltaban motivos. Las ondas de radio no podían atravesarlo. Los dispositivos de escucha direccional no podían dar con él. Era la instalación más segura del edificio.

Había sido la instalación más segura del edificio.

Los ladrones se desplegaron con rapidez en cuanto entraron en la sala del laboratorio.

Silencio.

Silencio sepulcral.

Y, de repente, se pararon en seco.

Su botín estaba allí, delante de ellos, ocupando un lugar de honor en el centro del laboratorio.

No era muy grande para lo que era capaz de hacer.

Debía de medir cerca de un metro ochenta y parecía un reloj de arena gigante: dos conos (el inferior señalando hacia arriba y el superior hacia abajo) separados por una fina cámara de titanio que albergaba el núcleo del arma.

Una colección de serpenteantes cables de colores salían de la cámara de titanio, en el centro del dispositivo; la mayoría de ellos desaparecían en el teclado de un ordenador portátil que estaba sujeto a la parte delantera de un modo un tanto rudimentario.

De momento, la diminuta cámara de titanio estaba vacía.

De momento.

Los ladrones no perdieron ni un segundo. Sacaron el dispositivo del generador de corriente y lo colocaron rápidamente en una eslinga hecha a medida para esa tarea.

A continuación volvieron a ponerse en marcha. Salieron del laboratorio. Atravesaron el pasillo. Fueron a la izquierda y luego a la derecha. Torcieron de nuevo a la izquierda y después a la derecha. Recorrieron el fuertemente iluminado laberinto gubernamental, pasando por encima de los cuerpos que habían matado camino del laboratorio. En el transcurso de noventa segundos llegaron de nuevo al garaje subterráneo, donde metieron todo en la furgoneta, incluido su preciado botín. Tan pronto como el último de los hombres hubo metido los pies dentro del vehículo, las ruedas derraparon en el hormigón y la furgoneta salió del área de carga y desapareció a toda velocidad en la noche.

El hombre que estaba al mando del equipo miró su reloj.

Las 5.59 a. m.

Habían tardado nueve minutos en llevar a cabo toda la operación.

Ni más, ni menos.

Primera maquinación

Lunes, 4 de enero, 9.10 horas

William Race llegaba tarde al trabajo. Otra vez.

Se había quedado dormido y el metro se había averiado, y ahora eran las nueve y diez y llegaba tarde a la clase que tenía esa mañana. El despacho de Race se encontraba en la tercera planta del viejo edificio Delaware de la Universidad de Nueva York. El edificio tenía un ascensor antiguo de hierro forjado que subía y bajaba a la velocidad del caracol. Era más rápido subir por las escaleras.

Con treinta y un años, Race era uno de los miembros más jóvenes del Departamento de Lenguas Antiguas de la Universidad de Nueva York. Tenía una estatura media, cerca de metro ochenta, y era un hombre guapo, si bien sin pretensiones de serlo. Tenía el pelo color castaño rojizo y una constitución delgada. Usaba unas gafas con montura de alambre que enmarcaban sus ojos azules y tenía una marca de nacimiento, una mancha marrón triangular, justo debajo de su ojo izquierdo.

Race se apresuró a subir las escaleras mientras un centenar de pensamientos se agolpaban en su mente: la clase de por la mañana sobre el historiador romano Tito Livio, la multa por mal estacionamiento del mes pasado que todavía tenía que pagar y el artículo que había leído por la mañana en el *New York Times* que decía que, debido a que el ochenta y cinco por ciento de la gente usaba para los códigos de seguridad de las tarjetas de crédito fechas importantes como cumpleaños y similares, a los ladrones que sustraían carteras (haciéndose así no solo con las tarjetas de crédito, sino también con carnés de conducir, que contienen la fecha de nacimiento de su propietario) les resultaba más fácil acceder a sus cuentas bancarias. *Maldición,* pensó Race. Iba a tener que cambiar su número PIN.

Llegó a la tercera planta y echó a correr por el pasillo.

Y de repente se frenó en seco.

Había dos hombres en el pasillo, justo delante de él.

Eran soldados.

Iban engalanados con sus trajes de combate: cascos, corazas, M-16... el lote completo. Uno de ellos se encontraba a mitad del pasillo, más cerca de Race. El otro estaba apostado detrás, casi al final del pasillo; permanecía en posición de firmes en la puerta del despacho de Race. No podían parecer más fuera de lugar: soldados en una universidad.

Los dos hombres se cuadraron inmediatamente cuando lo vieron aparecer por las escaleras. Por alguna razón, Race se sintió inferior en su presencia, indisciplinado, indigno de estar allí. Se sentía estúpido con aquel abrigo de Macy, sus vaqueros y corbata y su vieja y estropeada bolsa de deportes Nike en la que llevaba la ropa para echar un partido de béisbol a la hora del almuerzo.

Una vez se hubo acercado más al primer soldado, Race lo miró de arriba abajo, vio el fusil de asalto que llevaba en sus manos, la boina verde hecha de un tejido imitando al terciopelo sobre su cabeza y la insignia con forma de media luna de su hombro que rezaba: «Fuerzas especiales».

—Eh..., hola, soy William Race. Yo...

—Bien, profesor Race. Entre, por favor. Le están esperando.

Race siguió andando por el pasillo hasta llegar al segundo soldado. Era más alto que el primero, más grande. Es más, era enorme, como una montaña humana. Medía al menos un metro noventa y cinco, tenía un rostro dulce y atractivo, cabellos oscuros y unos ojos marrones constantemente entrecerrados a los que parecía no escapársele una. El parche que llevaba en el bolsillo de su pecho decía: «Van Lewen». Las tres bandas de su hombro indicaban que era sargento.

Los ojos de Race se dirigieron después al M-16 del hombre. Tenía un mira láser PAC-4C de última tecnología en el cañón y un lanzagranadas M-203 incorporado en la parte inferior. Aquello eran palabras mayores.

El soldado se echó a un lado de inmediato, permitiendo así que Race entrara en su despacho.

El doctor John Bernstein estaba sentado en el sillón de cuero con respaldo alto situado tras el escritorio de Race. Parecía incómodo. Bernstein era un hombre de cabellos canosos de cincuenta y nueve años de edad y la persona al frente del Departamento de Lenguas Antiguas de la Universidad de Nueva York. El jefe de Race.

Había otros tres hombres en la habitación: dos soldados y un civil.

Los dos soldados iban vestidos y armados de forma muy similar a la de los soldados del pasillo: uniformes, cascos, M-16 con miras láser... y ambos parecían estar extremadamente en forma. Uno parecía un poco mayor que el otro. Sostenía su casco ceremoniosamente, asido firmemente entre su codo y las costillas, y llevaba su pelo oscuro cortado al rape. Apenas le llegaba a la frente, mientras que el pelo castaño rojizo de Race le caía constantemente a la cara.

El tercer desconocido de la habitación, el civil, permanecía sentado en el asiento situado en frente de Bernstein. Era un hombre grande y fornido, y vestía pantalones y camisa. Tenía la nariz chata y unas facciones muy marcadas que parecían haber sido esculpidas en su rostro por el paso de los años y el peso de la responsabilidad. Permanecía sentado en su asiento con la calma seguridad del que está acostumbrado a ser obedecido.

Race tuvo la impresión de que todos los allí presentes llevaban ya un tiempo esperando en el despacho.

Esperándole a él.

—Will —dijo John Bernstein rodeando el escritorio y estrechándole la mano—. Buenos días. Entre por favor. Me gustaría presentarle a alguien. Profesor William Race, este es el coronel Frank Nash.

El fornido civil extendió su mano. Le estrechó la mano con firmeza.

—Coronel retirado. Un placer conocerle —dijo, examinando a Race. Después señaló a los soldados—. Estos son el capitán Scott y el cabo Cochrane del grupo de las fuerzas especiales del Ejército de los Estados Unidos.

—Boinas verdes —le susurró respetuosamente Bernstein a Race. A continuación se aclaró la voz—. El coronel, quiero decir, el doctor Nash pertenece a la Oficina de Tecnología Táctica de la Agencia de Investigación de Proyectos Avanzados de Defensa. Ha venido aquí a solicitar nuestra ayuda.

Frank Nash le acercó a Race su tarjeta de identificación. Race vio una foto tamaño carné de Nash con el logo rojo de la DARPA en la parte superior y un montón de números y códigos debajo. Una banda magnética atravesaba la tarjeta de un lado a otro. Debajo de la foto se encontraban las palabras «Francis K. Nash, Ejército de EE. UU., Cor. (Ret.)». Aquella tarjeta resultaba bastante imponente. Decía a gritos: «persona importante».

Vaya, vaya, pensó Race.

Había oído hablar de la DARPA con anterioridad. Era la rama principal de investigación y desarrollo del Departamento de Defensa; la agencia que había inventado el Arpanet, la precursora de Internet de uso exclusivamente militar. La DARPA también era famosa por su participación en el proyecto *Have Blue* en la década de 1970, el proyecto secreto de las Fuerzas Aéreas que había tenido como resultado la construcción del avión de combate F-117.

Lo cierto es que, todo sea dicho, Race sabía más sobre la DARPA que la mayoría de la gente por la sencilla razón de que su hermano, Martin, trabajaba allí como ingeniero de diseño.

La DARPA trabajaba, fundamentalmente, de forma conjunta con las tres ramas de las fuerzas armadas de los EE. UU. (el Ejército, la Armada y las Fuerzas Aéreas) para desarrollar aplicaciones militares de alta tecnología adecuadas a las necesidades de cada una de las mismas: sistemas antidetección de radares para las Fuerzas Aéreas, chalecos y uniformes antibalas de elevada elasticidad para el Ejército... Tal era la categoría de la DARPA que a menudo sus logros acababan siendo material para leyendas urbanas. Se decía, por ejemplo, que la DARPA había perfeccionado recientemente el J-7, el mítico cinturón cohete que sustituiría en última instancia al paracaídas, pero eso nunca se había demostrado.

La Oficina de Tecnología Táctica, sin embargo, era la punta de la lanza del arsenal de la DARPA, su joya de la corona. Se trataba de la división encargada de desarrollar el armamento estratégico, una tarea que implicaba grandes riesgos, pero también grandes beneficios.

Race se preguntó qué podría estar buscando la Oficina de Tecnología Táctica de la DARPA en el Departamento de Lenguas Antiguas de la Universidad de Nueva York.

—¿Necesita nuestra ayuda? —le preguntó levantando la vista de la tarjeta de identificación de Nash.

—Bueno, lo cierto es que hemos venido aquí en busca de su ayuda.

Mi ayuda, pensó Race. Daba clases de lenguas antiguas, principalmente latín medieval y clásico, además de saber un poco de francés, español y alemán. No se le ocurría nada en lo que pudiese ayudar a la DARPA.

—¿Qué tipo de ayuda? —preguntó.

—Traducción. Necesitamos que nos traduzca un manuscrito. Un manuscrito de hace cuatrocientos años escrito en latín.

—Un manuscrito... —dijo Race. Una petición así no era inusual. A menudo le pedían que tradujera manuscritos medievales. Lo que sí era inusual, sin embargo, era que se lo pidieran en presencia de soldados armados.

—Profesor Race —dijo Nash—. La traducción de este texto es de una urgencia extrema. De hecho, el documento ni siquiera se encuentra aún en los Estados Unidos. Está viniendo de camino mientras hablamos. Lo que necesitaríamos de usted es que se dirigiera con nosotros al lugar donde llegará el documento, Newark, y que nos lo tradujera durante el viaje a nuestro destino.

—¿Durante el viaje? —dijo Race—. ¿Adónde?

—Me temo que eso es algo que no puedo revelarle en estos momentos.

Race estaba a punto de refutarle cuando la puerta del despachó se abrió de repente y entró otro boina verde. Llevaba una radio en la espalda y se dirigió a Nash con celeridad. Le susurró algo al oído. Race captó las palabras «... ordenado la movilización».

—¿Cuándo? —dijo Nash.

—Hace diez minutos, señor —le susurró de nuevo el soldado.

Nash miró rápidamente su reloj.

—Maldita sea.

Se volvió para mirar a Race.

—Profesor Race, no tenemos mucho tiempo, así que iré al grano. Estamos ante una misión de gran importancia; una misión que afecta seriamente a la seguridad nacional de los Estados Unidos. Es una misión que solo tiene una oportunidad. Debemos actuar ya. Pero, para hacerlo, necesito un traductor. Un traductor de latín medieval. Usted.

—¿Cómo de pronto?

—Tengo un coche esperando fuera.

Race tragó saliva.

—No sé...

Podía sentir todos los ojos de los allí presentes puestos en él. Se puso repentinamente nervioso ante la perspectiva de viajar a un destino desconocido con Frank Nash y un equipo de boinas verdes perfectamente equipados. Se sentía presionado.

—¿Y por qué no Ed Devereux de Harvard? —dijo—. Es mucho mejor en latín medieval que yo. Sería mucho más rápido.

Nash le respondió:

—No necesito al mejor y no dispongo de tiempo para viajar a Boston. Su hermano nos mencionó su nombre. Dijo que usted era bueno y que residía en Nueva York y, para serle sincero, es todo lo que necesito. Necesito a alguien cerca que pueda hacer el trabajo ahora.

Race se mordió el labio.

Nash dijo:

—Se le asignará un guardaespaldas durante toda la misión. Recogeremos el manuscrito en Newark dentro de aproximadamente treinta minutos y subiremos a un avión minutos después. Si todo va bien, para cuando aterricemos, usted ya habrá traducido el documento. No tendrá siquiera que bajarse del avión. Y, si tuviera que hacerlo, tendrá a un equipo de boinas verdes velando por su seguridad.

Race frunció el ceño.

—Profesor Race, no será el único profesor de esta misión. Walter Chambers, de la Universidad de Stanford, estará allí, así como Gabriela López de Princeton y también Lauren O'Connor de...

Lauren O'Connor, pensó Race.

Hacía siglos que no oía ese nombre.

Race había conocido a Lauren en sus tiempos universitarios en la Universidad de California del Sur. Mientras que él estudió letras, idiomas, ella se había especializado en ciencias, concretamente en física teórica. Estuvieron saliendo, pero las cosas habían terminado mal. Lo último que supo de ella es que trabajaba en los Laboratorios Livermore, en el departamento de física nuclear.

Race miró a Nash. Se preguntó cuánto sabría Frank Nash acerca de Lauren y él, y si habría dicho su nombre de forma deliberada.

La cuestión era que, si lo había hecho, había dado resultado.

Si algo se podía decir de Lauren era que se trataba de una persona astuta y avispada. Ella no iría a una misión así sin una buena razón. El hecho de que hubiese aceptado ser parte de la aventura de Nash le proporcionaba a la misión una credibilidad inmediata.

—Profesor, será generosamente compensado por su tiempo.

—No es eso lo que...

—Su hermano también forma parte de la misión —dijo Nash, cogiéndole por sorpresa—. No vendrá con nosotros, pero trabajará con el equipo técnico en nuestras oficinas de Virginia.

Marty, pensó Race. Hacía mucho tiempo que no lo veía; desde que sus padres se divorciaron nueve años atrás. Pero si Marty también estaba involucrado, quizá...

—Profesor Race, lo lamento pero tenemos que irnos. Tenemos que irnos ya. Necesito una respuesta.

—Will —dijo John Berstein—. Esta podría ser una gran oportunidad para la universidad...

Race le frunció el ceño y Bernstein se calló. Después se dirigió a Nash:

—Dice usted que se trata de un asunto de seguridad nacional.

—Así es.

—Y no puede decirme adónde nos dirigimos.

—No hasta que estemos en el avión. Entonces podré contárselo todo.

Y voy a tener un guardaespaldas, pensó Race. *Por lo general, uno solo necesita un guardaespaldas cuando alguien quiere acabar con su vida.*

Un silencio sepulcral se había apoderado del despacho.

Race podía sentir cómo todos estaban esperando por su respuesta. Nash. Bernstein. Los tres boinas verdes.

Suspiró. No podía creerse lo que estaba a punto de decir.

—De acuerdo —dijo—. Lo haré.

Race atravesó con rapidez el pasillo tras Nash, vestido aún con chaqueta y corbata.

Era un día frío y húmedo. Mientras recorrían el laberinto de pasillos en dirección a la puerta situada al extremo oeste de la universidad, Race vio que fuera estaba comenzando a llover.

Los dos boinas verdes que habían estado dentro del despacho iban delante de Nash y él; los otros dos, los que habían permanecido en el pasillo, caminaban detrás. Race se sentía como si lo estuviera arrastrando una fuerte corriente.

—¿Podré cambiarme y ponerme una ropa algo menos formal? —le preguntó a Nash. Había llevado consigo su bolsa de deportes. Tenía la ropa ahí.

—Quizá en el avión —le respondió Nash mientras caminaban—. Bien, ahora escuche atentamente. ¿Ve al hombre que está detrás de usted? Es el sargento Leo van Lewen. Él será su guardaespaldas de ahora en adelante.

Race miró hacia atrás mientras caminaba y vio a la montaña humana que había visto antes en el pasillo. Van Lewen. El boina verde se limitó a asentir con la cabeza mientras sus ojos recorrían todo el pasillo.

Nash le dijo:

—De ahora en adelante, usted es una persona importante y eso le convierte en objetivo. Allá donde vaya, él irá con usted. Tenga. Tome esto.

Nash le acercó a Race un auricular y un micrófono de garganta. Race solo había visto los llamados micrófonos de garganta o laringófonos en la tele, en secuencias de los SWAT (las unidades de intervención). El micrófono se colocaba alrededor del cuello y recogía las vibraciones de la laringe.

—Póngaselo tan pronto como suba al coche —dijo Nash—. Se activa con la voz, así que lo único que tendrá que hacer será hablar y le oiremos. Si alguna vez está en apuros, simplemente hable y Van Lewen estará allí en cuestión de segundos. ¿Entendido?

—Entendido.

Llegaron a la entrada oeste de la universidad, donde dos boinas verdes más hacían guardia en la puerta. Nash y Race pasaron a su lado y salieron a la lluvia torrencial de la mañana.

Fue entonces cuando Race vio el «coche» que Nash había dicho que les esperaba delante del edificio.

En la zona de grava donde se realizaban los cambios de sentido, justo delante de ellos, se encontraba una caravana de vehículos.

Cuatro escoltas policiales en moto: dos encabezando la fila de coches y dos detrás. Seis turismos sin distintivos de color aceituna. Y, en el medio, arropados por los escoltas motorizados y los turismos, había dos resistentes todoterrenos blindados. Humvees. Ambos estaban pintados de negro y tenían los cristales tintados.

Al menos quince boinas verdes fuertemente armados y con sus M-16 en ristre rodeaban la caravana de vehículos. La lluvia torrencial que caía en ese momento martilleaba sus cascos, si bien ellos no parecían percatarse de ello.

Nash corrió hacia el segundo Humvee y sostuvo la puerta para que entrara Race. Cuando este hubo entrado le pasó una carpeta manila llena de papeles.

—Échele un vistazo —dijo Nash—. Le contaré más cuando hayamos subido al avión.

La caravana de vehículos se adentró a toda velocidad por las calles de Nueva York. Era mediodía, pero la procesión de ocho coches recorría las empapadas calles de la ciudad, intersección tras intersección, sin encontrarse con un solo semáforo en rojo en todo el trayecto.

Deben de haber modificado los semáforos como hicieron cuando el presidente visitó Nueva York, pensó Race.

Pero esto no era una procesión presidencial. Las caras que ponían los transeúntes al verlos pasar lo decían todo.

Esta era una caravana de vehículos diferente.

No había limusinas, ni gente enarbolando banderas. Tan solo dos Humvees negros blindados en medio de una fila de coches color aceituna surcando los charcos formados por la lluvia torrencial.

Con su guardaespaldas sentado a su lado y su auricular y laringófono ya en su sitio, Race miró por la ventanilla del Humvee.

No había mucha gente que pudiese decir que había vivido una travesía así; salir de la ciudad de Nueva York en hora punta y de esa manera, pensó. Era una experiencia extraña; de otro mundo. Comenzó a preguntarse cuán importante sería esa misión.

Abrió la carpeta que Nash le había dado. Lo primero que vio fue una lista de nombres.

Equipo de investigación Cuzco

Miembros civiles

1. NASH, Francis K. —DARPA. Jefe del proyecto. Físico nuclear.
2. COPELAND, Troy B. —DARPA. Físico nuclear.
3. O'CONNOR, Lauren M. —DARPA. Física teórica.
4. CHAMBERS, Walter J. —Stanford. Antropólogo.
5. LÓPEZ, Gabriela S. —Princeton. Arqueóloga.
6. RACE, William H. —Universidad de Nueva York. Lingüista.

Miembros de las fuerzas armadas

1. SCOTT, Dwayne T. —Ejército de los Estados Unidos (BV). Capitán.
2. VAN LEWEN, Leonardo M. —Ejército de los Estados Unidos (BV). Sargento.
3. COCHRANE, Jacob R. —Ejército de los Estados Unidos (BV). Cabo.
4. REICHART, George P. —Ejército de los Estados Unidos (BV). Cabo.
5. WILSON, Charles T. —Ejército de los Estados Unidos (BV). Cabo.
6. KENNEDY, Douglas K. —Ejército de los Estados Unidos (BV). Cabo.

Race pasó la hoja y vio una fotocopia de un recorte de prensa. El titular estaba en francés: «*Moines massacrés dans un monastère en haute montagne*».

Race lo tradujo: «Monjes masacrados en un monasterio en la montaña».

Leyó el artículo. Estaba fechado el 3 de enero de 1999, el día anterior, y hablaba acerca de un grupo de monjes jesuitas que habían sido asesinados en su monasterio, en los Pirineos franceses.

Las autoridades francesas creían que había sido obra de unos integristas islámicos que protestaban por la intromisión francesa en Argelia. Los dieciocho monjes habían sido asesinados y a todos ellos los habían disparado a bocajarro, al igual que había ocurrido en los últimos asesinatos integristas.

Race pasó a la hoja siguiente.

Era otro recorte de prensa, esta vez del periódico *Los Angeles Times*. Estaba fechado el pasado año y el titular rezaba: «Encontrados dos oficiales federales muertos en la montaña».

El artículo decía que dos miembros del Servicio de Pesca, Fauna y Flora de los Estados Unidos habían sido encontrados muertos en las montañas al norte de Helena, Montana. Ambos oficiales habían sido desollados. Había sido necesaria la intervención del FBI. Estos sospechaban que se trataba de los grupos de milicias locales, que parecían sentir una animadversión natural hacia cualquier tipo de agencia federal. Se creía que los dos oficiales habían encontrado a algunos milicianos cazando de forma ilegal para quedarse con la piel de los animales. Solo que, en vez de despellejar a los animales, los milicianos habían desollado a los oficiales.

Race se estremeció y pasó la hoja.

La siguiente hoja incluida en la carpeta era una fotocopia de un artículo de una publicación universitaria. El artículo estaba en alemán y había sido escrito en noviembre de 1998 por un científico llamado Albert L. Mueller.

Race leyó rápidamente el artículo y lo tradujo. Hablaba del cráter de un meteorito que se había encontrado en la selva de Perú.

Debajo del artículo había un informe patológico de la Policía, también en alemán. En el recuadro que ponía «Nombre del fallecido» estaba escrito «Albert Ludwig Mueller».

Tras el informe del patólogo había algunas hojas más, todas ellas cubiertas de diversos sellos rojos («Confidencial»; «Solo lectura»; «Solo personal del Ejército de EE. UU.»). Race las leyó por encima. Las hojas estaban llenas de complejas ecuaciones matemáticas que no le decían nada.

Después vio un puñado de notas. Casi todas ellas iban dirigidas a gente de la que jamás había oído hablar. En una de las notas, sin embargo, vio su nombre. La nota decía:

---

3 ENERO 1999. 22.01 RED INTERNA DEL EJÉRCITO DE EE. UU. 617 5544 88211-05 N. º 139

De: Nash, Frank
Para: Todos los miembros del equipo Cuzco.
Asunto: MISIÓN SUPERNOVA

Contactar tan pronto como sea posible con Race.
Su participación es crucial para el éxito de la misión.

Se espera que el paquete llegue mañana 4 de enero a Newark a las 09.45. Todos los miembros deberán tener sus equipos cargados en el transporte a las 09.00.

La caravana de vehículos llegó al aeropuerto de Newark. La larga fila de coches entró por la puerta de una zona vallada hasta llegar rápidamente a una pista de aterrizaje privada.

Un enorme avión de carga los estaba esperando en la pista. En la parte trasera del avión había una rampa. Estaba bajada y tocaba el suelo. Cuando la caravana paró al lado del enorme avión, Race vio cómo un camión del Ejército de considerables dimensiones subía por la rampa a la parte trasera de este.

Race salió del Humvee a la lluvia de la mañana. El sargento Van Lewen iba delante guiándole. Sin embargo, tan pronto como salió del vehículo escuchó un monstruoso estruendo proveniente de algo que se encontraba encima de ellos.

Un F-15C Eagle pintado de marrón y verde camuflaje con la palabra «Ejército» estampada en su cola rugió por encima de su cabeza y chirrió cuando aterrizó en la pista mojada delante de ellos.

Mientras Race veía cómo el caza giraba en la pista de aterrizaje y rodaba en dirección a donde se encontraban, sintió que Frank Nash lo agarraba suavemente del brazo.

—Vamos —dijo Nash, conduciéndolo hacia el avión de carga—. Todos los demás ya están a bordo.

Cuando ya estaban llegando al avión de carga, Race vio aparecer a una mujer por una de las puertas laterales. La reconoció al momento.

—Eh, Will —saludó Lauren O'Connor.

—Hola, Lauren.

Lauren O'Connor tenía treinta y pocos años, pero no parecía tener más de veinticinco. Race observó que se había cortado el pelo. En la universidad lo llevaba largo, ondulado y de color castaño. Ahora lo llevaba corto, recto y caoba. Muy de finales de los noventa.

Sus grandes ojos marrones, sin embargo, seguían igual, al igual que su cutis, sin rastro de imperfecciones o maquillaje. Y allí, en la puerta del avión de carga, apoyada contra el armazón con los brazos cruzados, la cadera ladeada y vestida con su ropa de excursionismo caqui, tenía el mismo aspecto de siempre. Alta y sexi, ágil y atlética.

—Ha pasado mucho tiempo —dijo sonriendo.

—Sí, es cierto —continuó Race.

—Así que William Race. Experto lingüista. Asesor de la Agencia de Investigación de Proyectos Avanzados de Defensa. ¿Sigues jugando al fútbol americano, Will?

—Solo con los amigos —dijo Race. En la universidad se había apuntado a fútbol americano. Era el más bajo del equipo, pero también el más rápido. También había hecho atletismo.

—¿Y qué hay de ti? —preguntó. Se percató del anillo que llevaba en su mano izquierda. Se preguntó con quién se habría casado.

—Bueno —dijo y se le iluminaron los ojos—, estoy entusiasmada con esta misión. No todos los días se participa en la búsqueda de un tesoro.

—¿Eso es de lo que se trata?

Antes de que Lauren pudiera responder, un fuerte silbido les hizo girarse.

El F-15 se había detenido a menos de cincuenta metros del avión de carga. Tan pronto como se abrió la puerta de la cabina, el piloto bajó de un brinco a la pista mojada y, encorvado para guarecerse de la lluvia torrencial, fue corriendo hacia ellos.

El piloto llegó hasta donde se encontraba Nash y le pasó un maletín.

—Doctor Nash —dijo—. El manuscrito.

Nash cogió el maletín y se dirigió con paso enérgico a donde Lauren y Race se encontraban.

—De acuerdo —dijo, conduciéndolos dentro del avión de carga—. Es hora de ponerse en marcha.

El gigantesco avión de carga rugió cuando tomó velocidad en la pista y despegó bajo un cielo encapotado por la lluvia.

El avión era un Lockheed C-130E Hércules y su interior estaba dividido en dos partes. La parte inferior albergaba la carga y la parte de arriba el compartimiento de los pasajeros. Race se sentó en la zona de arriba con los otros cinco científicos de la expedición. Los seis boinas verdes que los acompañaban se encontraban en la zona de carga, comprobando y guardando las armas.

De los cinco civiles, Race conocía a dos: Frank Nash y Lauren O'Connor.

—Ya tendremos tiempo para las presentaciones después —dijo Nash. Se sentó al lado de Race y colocó el maletín sobre su regazo—. Lo importante ahora es que nos pongamos manos a la obra.

Comenzó a desabrochar las hebillas del maletín.

—¿Puede decirme ya adónde vamos? —le preguntó Race.

—Oh, sí. Por supuesto —dijo Nash—. Siento no habérselo podido decir antes, pero su despacho no era seguro. Las ventanas podían haber sido «laseadas».

—¿«Laseadas»?

—Con un dispositivo de escucha por láser. Cuando hablamos dentro de un despacho como el suyo, nuestras voces hacen que las ventanas vibren. Los edificios de oficinas más modernos han sido equipados para contrarrestar los dispositivos de escucha direccional; disponen de señales electrónicas de interferencia en los cristales de las ventanas. Los edificios más antiguos, como el suyo, no. Habrían podido escucharnos.

—Entonces, ¿adónde vamos?

—A Cuzco, Perú, la capital del imperio inca antes de que los conquistadores españoles llegaran en 1532 —dijo Nash—. Ahora solo es una ciudad grande sin más. Solo quedan algunas ruinas incas que son una gran atracción turística, al menos eso es lo que me han dicho. No haremos ninguna parada, tan solo repostaremos un par de veces en el aire.

Abrió el maletín y sacó algo de él.

Era un montón de papeles. Una pila de hojas tamaño A-3, puede que cuarenta en total. Race vio la primera hoja del montón. Era una fotocopia de una portada ilustrada.

Era el manuscrito del que Nash le había hablado antes, o al menos una fotocopia del mismo.

Nash le pasó la pila de papeles a Race y sonrió.

—Esta es la razón por la que está usted aquí.

Race cogió los papeles y observó la portada.

Había visto manuscritos medievales antes; manuscritos minuciosamente reproducidos a mano por monjes devotos de la Edad Media, tiempo antes de la invención de la imprenta. Estos manuscritos se caracterizaban por una complejidad de motivos y arte caligráfico casi imposibles: una caligrafía perfecta, que incluía maravillosas y detallistas letras al inicio de cada capítulo, así como pictogramas con todo lujo de detalles en los márgenes que transmitían el tono de la obra. Luminosos y alegres para los libros agradables; oscuros y aterradores para las historias más sombrías. Tal era la minuciosidad de estos escritos que se decía que un monje podía pasarse toda la vida reproduciendo un manuscrito.

Pero el manuscrito que Race estaba viendo en esos momentos, incluso esa copia fotocopiada, no se parecía en nada a lo que había visto hasta entonces.

Era magnífico.

Pasó las hojas.

La escritura era espléndida, minuciosa, compleja, y los márgenes laterales estaban llenos de dibujos de enredaderas retorcidas y serpenteantes. Extrañas estructuras de piedra, cubiertas de moho y sombras, ocupaban las esquinas inferiores de cada página. El efecto global era de oscuridad y aprensión, de una malevolencia inquietante.

Race volvió atrás hasta llegar a la portada, que rezaba:

NARRATIO VER PRIESTO IN RURIS INCARIIS:
OPERIS ALBERTO LUIS SANTIAGO
ANNO DOMINI MDLXV

Race lo tradujo. *La verdadera relación de un monje en la tierra de los incas:* un manuscrito de Alberto Luis Santiago. Estaba fechado en el año 1565.

Race se volvió para mirar a Nash.

—Bueno, creo que ya va siendo hora de que me hable de su misión.

Nash se lo explicó.

El hermano Alberto Santiago fue un joven misionero franciscano al que enviaron a Perú en 1532 para trabajar junto a los conquistadores. Mientras estos expoliaban y saqueaban el lugar, los monjes como Santiago eran enviados allí para convertir a los indígenas incas a la sabiduría de la santa Iglesia católica.

—Aunque fue escrito en 1565, tiempo después de que Santiago regresara finalmente a Europa —dijo Nash—, se dice que el manuscrito de Santiago relata un episodio que ocurrió alrededor de 1535, durante la conquista de Perú por parte de Francisco Pizarro y sus conquistadores. Según monjes medievales que afirmaron haberlo leído, el manuscrito cuenta una historia sorprendente: la obstinada persecución de Hernando Pizarro de un príncipe inca que, durante el punto álgido del sitio a Cuzco, logró sacar al ídolo más venerado por los incas de la ciudad amurallada y escapar con él a la selva occidental de Perú.

Nash se balanceó en su asiento.

—Walter —dijo, asintiendo con la cabeza, al hombre calvo y con gafas que estaba sentado al otro lado del pasillo central—. Écheme una mano con esto. Le estoy hablando al profesor Race del ídolo.

Walter Chambers se levantó de su asiento y se sentó enfrente de Race. Era un hombre menudo, muy poquita cosa, estaba prácticamente calvo y parecía un ratón de biblioteca; el típico hombre que uno se imagina yendo a trabajar con pajarita.

—William Race. Walter Chambers —dijo Nash—. Walter es antropólogo. Trabaja en la Universidad de Stanford. Es experto en culturas centroamericanas y sudamericanas: los mayas, los aztecas, los olmecas y, sobre todo, los incas.

Chambers sonrió.

—¿Así que quiere saber acerca del ídolo?

—Eso parece —dijo Race.

—Los incas lo llamaban el «Espíritu del Pueblo» —dijo Chambers—. Era un ídolo tallado en una piedra, pero en una piedra muy extraña, de un color negro reluciente y veteada con finísimas líneas púrpura.

»Era la posesión más preciada de los incas. Es más, la consideraban su alma y corazón. Y cuando digo esto, lo digo en el sentido literal de la palabra. Para ellos, el Espíritu del Pueblo era mucho más que un mero símbolo de su poder; para ellos era la fuente de ese poder. Y, además, existen historias acerca de sus poderes mágicos, acerca de cómo era capaz de tranquilizar al más fiero de los animales o de cómo, cuando se le introducía en el agua, el ídolo cantaba.

—¿Cantaba? —dijo Race.

—Sí —dijo Chambers—. Cantaba, emitía una especie de zumbido.

—Bien. ¿Cómo es el ídolo?

—Se le ha descrito en muchos sitios, incluidas las dos obras más completas sobre la conquista de Perú, la *Relación* de Francisco Jérez y los *Comentarios reales* de Inca Garcilaso de la Vega. Pero las descripciones varían. Hay quien dice que medía unos treinta centímetros y otros que solo medía quince; algunos dicen que estaba minuciosamente tallado y pulido y otros que sus bordes eran afilados e irregulares, poco precisos. Sin embargo, hay una característica del ídolo común a todas las descripciones: la talla del Espíritu del

Pueblo tenía la forma de la cabeza de un jaguar, de un jaguar con las fauces abiertas, gruñendo.

Chambers se recostó sobre su asiento.

—Desde el momento en que Hernando Pizarro supo de la existencia de ese ídolo, quiso tenerlo en su poder. Y más después de que los guardias que velaban el santuario del ídolo en Pachacámac se lo llevaran delante de sus narices. Verá, Hernando Pizarro fue quizá el más despiadado de los hermanos Pizarro que fueron a Perú. Supongo que sería lo que hoy en día llamamos un psicópata. Según se dice, torturaba aldeas enteras por diversión. Y la búsqueda del ídolo se convirtió en una obsesión para él. Pueblo tras pueblo, y aldea tras aldea, allá donde fuera exigía saber el lugar donde se encontraba el ídolo. Pero no importaba a cuántos indígenas torturara o cuántas aldeas arrasara, los incas nunca le dirían dónde se hallaba su preciado ídolo.

»Pero entonces, en 1535, no se sabe cómo, Hernando descubrió dónde la figura. Se encontraba dentro de una enorme cámara de piedra en el Coricancha, el famoso Templo del Sol, situado en el centro de la ciudad asediada de Cuzco.

»Por desgracia para Hernando, llegó a Cuzco justo a tiempo para ver cómo un joven príncipe inca llamado Renco Capac escapaba con el ídolo, tras lograr con su osadía penetrar las filas españolas e incas. Según aquellos monjes medievales que lo leyeron, el manuscrito de Santiago relata con todo lujo de detalles la persecución de Hernando a Renco después de que el joven príncipe lograra escapar de Cuzco; una deslumbrante persecución por los Andes y la selva Amazonas.

—Lo que el manuscrito, supuestamente, también revela —dijo Nash—, es el lugar final donde se guardó el Espíritu del Pueblo.

Entonces es el ídolo lo que están buscando, pensó Race.

No obstante, no dijo nada. Sobre todo porque aquello no parecía tener ningún sentido.

¿Por qué iba a enviar el Ejército de los EE. UU. a un equipo de físicos nucleares a Sudamérica para dar con un ídolo? ¿Y basándose en lo que decía un manuscrito escrito en latín hace cuatrocientos años? Ya puestos, también podrían guiarse por el mapa del tesoro de algún pirata.

—Sé lo que está pensando —dijo Nash—. Si alguien llega a contarme esta historia hace una semana, habría pensado exactamente lo mismo que usted. Pero, hasta hace un par de semanas, nadie sabía siquiera dónde se encontraba el manuscrito de Santiago.

—Pero ahora lo tienen —dijo Race.

—No —dijo con brusquedad Nash—. Tenemos una copia del manuscrito. Alguien tiene el original.

—¿Quién?

Nash señaló con la cabeza a la carpeta que Race tenía sobre su regazo.

—¿Ha visto el artículo de periódico que le di antes? ¿El que habla acerca de unos monjes jesuitas que fueron asesinados en su monasterio en los Pirineos?

—Sí...

—Dieciocho monjes asesinados. Todos ellos disparados a quemarropa con armas de gran potencia. A primera vista, parece la obra de terroristas argelinos vulgares y corrientes. Son conocidos por atacar monasterios aislados y su modus operandi favorito es disparar a sus víctimas desde muy cerca. Eso es lo que dice la prensa francesa.

»Pero —Nash levantó un dedo— lo que la prensa no sabe es que, durante la matanza, un monje logró escapar. Un jesuita estadounidense de periodo sabático en Francia. Logró esconderse en un altillo encima del comedor. Después de que la policía francesa le tomara declaración, fue trasladado a nuestra embajada en París. En la embajada se le tomó declaración de nuevo, solo que esta vez fue un oficial de la CIA quien lo hizo.

—¿Y?

Nash miró a Race directamente a la cara.

—Los hombres que irrumpieron en el monasterio no eran terroristas argelinos, profesor Race. Eran un comando. Soldados. Soldados blancos. Llevaban pasamontañas negros e iban armados hasta los dientes con un armamento bastante impresionante. Y hablaban entre ellos en alemán.

»Más interesante todavía —prosiguió Nash—, es lo que iban buscando. Al parecer, los soldados juntaron a todos los monjes en el comedor de la abadía y los hicieron arrodillarse. Después cogieron a uno de los monjes y le exigieron que les dijera dónde se encontraba el manuscrito de Santiago. Cuando el monje dijo que no sabía dónde estaba, dispararon a dos monjes, los dos que estaban a su lado. Después volvieron a preguntarle. Cuando dijo una vez más que no lo sabía, mataron a los dos monjes siguientes en la fila. Esto se habría prolongado hasta que hubiesen muerto todos, pero entonces uno de ellos se levantó y dijo que sabía dónde se encontraba el manuscrito.

—Dios santo... —dijo Race.

Nash sacó una fotografía de su maletín.

—Tenemos razones para creer que este hombre fue el responsable de tal atrocidad: Heinrich Anistaze, otrora mayor de la *Stasi*, la policía secreta de la RDA.

Race miró la foto. Era una foto de ocho por diez, con brillo, de un hombre que salía de un coche. El hombre era alto y ancho de espaldas; tenía el pelo oscuro y corto, peinado hacia delante, y dos estrechas rendijas por ojos. Sus ojos eran severos, fríos, unos ojos que parecían estar perpetuamente entrecerrados. En la foto tendría unos cuarenta y cinco años.

—Fíjese en la mano izquierda —dijo Nash.

Race miró la fotografía más de cerca. El hombre tenía la mano apoyada encima de la puerta del coche. Y entonces Race lo vio.

A Heinrich Anistaze le faltaba el dedo anular de la mano izquierda.

—Durante la Guerra Fría, Anistaze fue capturado por miembros de una organización mafiosa de la República Democrática Alemana que la *Stasi* estaba intentando desarticular. Le obligaron a cortarse su propio dedo para después mandárselo por correo a sus superiores. Pero Anistaze logró escapar y volvió, esta vez con el apoyo de las fuerzas de la *Stasi.* Huelga decir que, tras este suceso, la mafia ya no volvió a ser un problema en la Alemania Oriental comunista.

»Sin embargo, para nosotros revisten mayor importancia los métodos que ha empleado en otras circunstancias. Verá, parece ser que Anistaze tenía un modo muy peculiar de lograr que la gente hablara: ejecutaba a las personas que estaban a ambos lados de la persona que se negaba a darle la información que él buscaba.

Se produjo un breve silencio.

—De acuerdo con los informes más recientes de Inteligencia —dijo Nash—, Anistaze ha estado trabajando desde el final de la Guerra Fría en un puesto extraoficial, como asesino para el gobierno alemán unificado.

—Entonces, los alemanes tienen el manuscrito original —dijo Race—. ¿Cómo lograron hacerse con esta copia?

Nash asintió sabiamente.

—Los monjes le dieron a los alemanes el manuscrito original. El manuscrito a mano y sin ilustrar escrito por el propio Alberto Santiago.

»Lo que los monjes no dijeron a los alemanes, sin embargo, es que en 1599, treinta años después de la muerte de Santiago, otro monje franciscano comenzó a transcribir el manuscrito de Santiago a un texto más elaborado y con ilustraciones, que fuera más apropiado para los ojos de los reyes. Por desgracia, este segundo monje murió antes de que pudiera terminar esa transcripción, así que lo que queda es una segunda copia del manuscrito de Santiago, si bien una copia parcialmente completa, que se conservaba también en la abadía de San Sebastián. El ejemplar fotocopiado de que disponemos es de esta copia del manuscrito.

Race levantó la mano.

—Vale, de acuerdo —dijo—. Espere un segundo. ¿Por qué todos estos asesinatos e intrigas por un ídolo inca desaparecido? ¿Qué podrían querer los gobiernos estadounidense y alemán de un trozo de piedra de cuatrocientos años de antigüedad?

Nash esbozó una sonrisa lúgubre.

—Verá, profesor. No estamos buscando al ídolo —dijo—. Lo que buscamos es la sustancia de que está hecho.

—¿Qué quiere decir?

—Profesor, lo que quiero decir es esto: creemos que el Espíritu del Pueblo fue tallado en un meteorito.

—El artículo de la publicación —dijo Race.

—Exacto —dijo Nash—. Escrito por Albert Mueller de la Universidad de Bonn. Antes de su prematura muerte, Mueller estaba estudiando un cráter de un meteorito de más de metro y medio de ancho en una selva situada al sureste de Perú, a unos ochenta kilómetros al sur de Cuzco. Tras medir el tamaño del cráter y la velocidad del crecimiento de la selva a su alrededor, Mueller calculó que un meteorito de elevada densidad y cerca de sesenta centímetros de diámetro había impactado en la Tierra en ese lugar, entre 1460 y 1470.

—Datos que —añadió Walter Chambers— concuerdan perfectamente con el apogeo del Imperio inca en Sudamérica.

—Lo que es más importante para nosotros —prosiguió Nash—, es lo que Mueller encontró en las paredes de ese cráter. En ellas había depositados restos de una sustancia conocida como tirio-261.

—¿Tirio-261? —dijo Race.

—Es un isótopo poco común del elemento tirio —dijo Nash—, y no se encuentra en la Tierra. De hecho, solo se ha encontrado este elemento petrificado, presumiblemente como resultado de impactos de asteroides previos en un pasado remoto. Es originario de las Pléyades, un sistema de estrellas binario que no está muy lejos del nuestro. Pero, dado que proviene de un sistema de estrellas binario, el tirio tiene una densidad mucho mayor que incluso el más pesado de los elementos terrestres.

Todo aquello comenzaba a cobrar algo más de sentido para Race. Sobre todo, lo de que el Ejército hubiese mandado a un equipo de físicos a la selva.

—¡Coronel! —gritó una voz de repente.

Nash y Race giraron sus asientos y vieron a Troy Copeland, uno de los científicos, salir de la cabina de mando y recorrer a zancadas el pasillo hasta llegar a ellos. Copeland era un hombre alto, enjuto, con rostro de halcón y unos ojos diminutos pero intensos. Era uno de los miembros de la DARPA, un físico nuclear, recordó Race. Tenía toda la pinta de ser un individuo carente por completo de sentido del humor.

—Coronel, tenemos un problema —dijo.

—¿Qué ocurre? —dijo Nash.

—Acabamos de recibir una alerta prioritaria desde Fairfax Drive —dijo Copeland.

Race había oído esas dos palabras antes. Fairfax Drive era la abreviatura de 3701 North Fairfax Drive, Arlington (Virginia). Las dependencias de la DARPA.

—¿Acerca de? —preguntó Nash.

Copeland respiró profundamente.

—Se ha producido un robo esta madrugada. Hay diecisiete miembros del personal de seguridad muertos. Toda la vigilancia del turno de noche ha sido asesinada.

El rostro de Nash se tornó lívido.

—No habrán...

Copeland asintió con el gesto serio.

—Han robado la Supernova.

Nash se quedó un segundo mirando a la nada.

—Fue lo único que se llevaron —dijo Copeland—. Sabían perfectamente dónde se encontraba. Conocían los códigos de la cámara de seguridad y tenían las llaves tarjeta. Debemos suponer que también conocen los códigos de la cámara estanca de titanio del propio dispositivo y quizá cómo detonarlo.

—¿Alguna idea de quién ha podido ser?

—El NCIS[1] está allí ahora. Los primeros indicios apuntan a que ha sido obra de un grupo paramilitar tipo los Freedom Fighters.

—Mierda —dijo Nash—. ¡Mierda! Deben de saber lo del ídolo.

—Es probable.

—Entonces tendremos que llegar allí primero.

—Estoy de acuerdo —dijo Copeland.

Race se limitó a observar la conversación como un espectador en un partido de tenis. A grandes rasgos, se había producido un robo en la sede de la DARPA, pero lo que habían robado exactamente seguía siendo un misterio para él. Algo llamado «Supernova». ¿Y quiénes eran esos «Freedom Fighters»?

Nash se puso en pie.

—¿Cuánta ventaja les llevamos? —preguntó.

—Puede que tres horas, o ni eso —dijo Copeland.

—Entonces tenemos que darnos prisa. —Nash se giró hacia Race—. Profesor Race, lo siento, pero las cartas de este juego acaban de ponerse sobre la mesa. No hay tiempo que perder. Es primordial que el manuscrito esté

---

[1] N. de la T.: Servicio de investigación criminal de la Armada de los Estados Unidos.

traducido para cuando estemos sobrevolando Cuzco porque, en cuanto pongamos un pie allí, créame, ya no pararemos de correr.

Nash, Copeland y Chambers se marcharon a otras dependencias del avión, dejando solo a Race con el manuscrito.

Race miró de nuevo la portada y ojeó la textura rugosa de la tinta de la fotocopiadora. Después respiró profundamente y pasó la hoja.

Vio la primera línea, que estaba escrita en una magnífica caligrafía medieval:

MEUS NOMINUS EST ALBERTO LUIS SANTIAGO ET ILLE EST MEUM REM...

Comenzó a traducir: Mi nombre es Alberto Luis Santiago y esta es mi historia...

Primera lectura

El primer día del noveno mes del año 1535 de Nuestro Señor me convertí en un traidor a mi país.

El motivo: ayudé a escapar de la prisión de mis compatriotas a un hombre.

Su nombre era Renco Capac y afirmaba ser un príncipe inca, el hermano menor de su gobernador supremo, Manco Capac, el hombre al que llamaban Sapa Inca.

Era un hombre guapo, con la piel aceitunada y el pelo negro y largo. Su rasgo más característico, sin embargo, era una marca de nacimiento prominente que tenía justo debajo de su ojo izquierdo. Parecía la cima de una montaña invertida, un triángulo desigual de piel marrón que descansaba encima de su piel inmaculada.

La primera vez que vi a Renco fue a bordo del *San Vicente,* un barco prisión anclado en medio del río Urubamba, a unos dieciséis kilómetros al norte de la capital de los incas, Cuzco.

El *San Vicente* era el barco prisión más infecto de todos los que permanecían anclados en los ríos de Nueva España. Era un viejo galeón de madera al que, como ya no podía surcar los océanos, le habían quitado el mástil y lo habían transportado por tierra hasta ese lugar con el único propósito de encerrar allí a los indios peligrosos u hostiles.

Armado, como era habitual, con mi preciada Biblia encuadernada en cuero (una versión de trescientas páginas escritas a mano del gran libro, que había sido un regalo de mis padres después de ordenarme), me dirigí al barco prisión para enseñar a esos paganos la palabra de Nuestro Señor.

Fue en calidad de ministro de nuestra fe como conocí al joven príncipe Renco. A diferencia de la mayoría de los que se encontraban en esa prisión (pobres infelices de desagradable aspecto y malolientes, quienes, debido a las condiciones vergonzosas en las que mis compatriotas les tenían, se asemejaban más a perros que a hombres), él era educado y culto. Poseía asimismo una sensibilidad única que jamás había visto en ningún otro hombre antes; una ternura, una comprensión, una mirada que penetró en lo más profundo de mi alma.

Estaba dotado, además, de una inteligencia considerable. Mis compatriotas no llevaban en Nueva España más que tres años y él ya hablaba nuestro idioma. También estaba deseoso de conocer nuestra fe y entender a mi gente y nuestras formas, y a mí me encantaba enseñarle. En cualquier caso, pronto entablamos una amistad y comencé a visitarle con más frecuencia.

Entonces un día me habló de su misión.

Antes de que fuera capturado, al menos así decía él, a este príncipe le habían encomendado la misión de viajar hasta Cuzco y salvar un ídolo de algún tipo. No un ídolo corriente, sino un ídolo muy venerado, quizá el más venerado por los indígenas. Un ídolo que, según ellos, personificaba su espíritu.

Pero Renco fue atrapado durante su viaje a Cuzco; el gobernador le tendió una emboscada con la ayuda de los chancas, una tribu extremadamente hostil de las selvas del norte, que habían sido subyugada por los incas en contra de su voluntad.

Al igual que muchas otras tribus de esa región, los chancas vieron la llegada de mis compatriotas como una forma de acabar con el yugo de la tiranía inca. Ofrecieron con presteza sus servicios como informadores y guías al gobernador, labor por la que recibirían a cambio mosquetes y espadas de metal, pues las tribus de Nueva España desconocían el bronce o el hierro.

Cuando Renco me habló de su misión y de su captura a manos del gobernador, pude ver por encima de su hombro a un miembro de la tribu chanca que también había sido capturado y llevado al San Vicente.

Su nombre era Castino y era una especie de bestia repugnante. Alto y peludo, sin afeitar y sin asearse, no podía ser más distinto al joven y elocuente Renco. Era una criatura completamente repulsiva, la forma humana más aterradora sobre la que jamás había posado mis ojos. Un trozo de hueso blanco afilado atravesaba la piel de su mejilla izquierda, la marca distintiva de los chancas. Castino siempre miraba de reojo, con malevolencia, a Renco, cada vez que yo iba a visitar al joven príncipe.

El día que me habló de su misión para salvar el ídolo, Renco estaba extremadamente angustiado.

El objeto de su búsqueda, dijo, se encontraba en una cámara dentro del Coricancha, o Templo del Sol, en Cuzco. Pero Renco se había enterado ese día, tras escuchar a hurtadillas una conversación entre dos guardias a bordo del barco, que la ciudad de Cuzco acababa de caer y que los españoles habían entrado en ella, saqueándola sin encontrar oposición alguna.

A mis oídos también había llegado la toma de Cuzco. Se decía que el saqueo que estaban llevando a cabo en esa ciudad era uno de los más voraces de toda la conquista. Corrían los rumores de que los soldados españoles, en su ansia por hacerse con las montañas de oro que se encontraban en el interior de las murallas de la ciudad, se estaban matando entre ellos.

Esas historias me llenaban de consternación. Había llegado a Nueva España hacía tan solo seis meses con todos mis estúpidos ideales de novicio (mis deseos de convertir a todos los indígenas paganos a nuestra noble fe católica, mis sueños de liderar a una columna de soldados enarbolando mi crucifijo, mis falsas ilusiones de construir iglesias con elevadas agujas que serían la envidia de Europa...). Pero todos esos ideales se disiparon ante los gratuitos actos de crueldad y codicia de mis compatriotas, actos de los que era testigo cada día.

Asesinatos, saqueos, violaciones... esos no eran actos de personas que luchaban en nombre de Dios. Eran actos de canallas, de villanos. Y en los momentos en que mi desilusión alcanzaba su punto más álgido, como cuando vi cómo un soldado español decapitaba a una mujer para quedarse con su collar de oro, me preguntaba si estaría luchando en el bando correcto. Que los soldados españoles hubiesen acabado matándose entre ellos durante el saqueo de Cuzco no me pilló por sorpresa.

No obstante, debería añadir a esta coyuntura que a mi persona ya habían llegado rumores sobre el ídolo sagrado de Renco.

Por todos era sabido que Hernando Pizarro, hermano y teniente jefe del gobernador, había ofrecido una recompensa increíble por cualquier información que le condujera al paradero del ídolo. Prueba de la reverencia y devoción que sentían los incas hacia su ídolo es que ninguno, ni uno solo de ellos, reveló dónde se encontraba a cambio de la fabulosa recompensa que ofrecía Hernando. Me avergüenza decir que dudo mucho de que en circunstancias parecidas mis compatriotas hubieran hecho lo mismo.

Pero, de todas las historias que había oído acerca del saqueo de Cuzco, nada había escuchado sobre el descubrimiento del preciado ídolo.

Es más, si lo hubiesen encontrado, la noticia habría corrido como la pólvora. El afortunado soldado de a pie que hubiese dado con él habría sido armado caballero al instante, el gobernador le habría nombrado marqués allí mismo y habría vivido el resto de su vida en España con lujos ilimitados.

Y sin embargo, esa historia no había llegado a mis oídos.

Lo que me llevó a concluir que los españoles todavía no habían encontrado al ídolo en Cuzco.

—Hermano Alberto —dijo Renco con ojos suplicantes—, ayúdeme. Ayúdeme a escapar de esta jaula flotante para que pueda completar mi misión. Solo yo puedo rescatar el ídolo de mi gente. Y, con Cuzco en poder de los españoles, es solo cuestión de tiempo que lo encuentren.

Bueno.

No sabía qué decirle. No podía hacer una cosa así. No podía dejarlo escapar. Me convertiría en un hombre perseguido, en un traidor a mi país. Si me descubrieran, yo sería al que encerrarían en aquel infernal calabozo flotante. Así que me fui de la prisión sin decir nada más.

Pero regresaba. Y cada vez que lo hacía volvía a hablar con Renco y él me volvía a pedir que lo ayudara con sus ojos suplicantes y aquella voz apasionada.

Y, cada vez que observaba el asunto desde más cerca, mi mente siempre volvía a dos cosas: mi desilusión total y absoluta ante los actos infames de aquellos hombres a los que yo llamaba mis compatriotas y, a la inversa, mi admiración por la estoica negativa de los incas a revelar el lugar secreto de su ídolo ante tan aplastante adversidad.

Además, nunca antes había visto una devoción tan inquebrantable. Envidiaba su fe. Sabía que Hernando había torturado a aldeas enteras en su obsesiva búsqueda del ídolo y hasta mis oídos habían llegado las atrocidades que habían cometido. Me pregunté cómo reaccionaría yo si viera a mis parientes masacrados, torturados, asesinados. En esas circunstancias, ¿habría desvelado la ubicación de Jerusalén?

Al final, concluí que sí lo habría hecho y me sentí doblemente avergonzado.

Así que, a pesar de mí mismo, de mi fe y de mi lealtad a mi país, decidí ayudar a Renco.

Salí de la prisión y regresé más tarde, a la noche, llevando conmigo a un joven paje inca llamado Tupac, tal como Renco me había dicho. Ambos llevábamos un manto con capucha para guarecernos del frío y teníamos los brazos cruzados por dentro de las mangas.

Llegamos al puesto de guardia situado en la ribera del río. Puesto que la mayoría de las fuerzas de mi país se hallaban en Cuzco participando en el saqueo, solo un reducido grupo de soldados se encontraba en el campamento cercano al barco. Es más, solo un guardia, un matón gordo y desaseado de Madrid, con aliento a alcohol y mugre bajo las uñas, vigilaba el puente que conducía hasta el barco prisión.

Tras mirar de nuevo a Tupac (entonces no era inusual que los jóvenes indios hicieran de pajes para monjes como yo), el guardia nocturno eructó estrepitosamente y nos mandó escribir nuestros nombres en el registro.

Escribí los dos nombres en el libro. Cuando hube terminado, nos dirigimos los dos a la estrecha pasarela de madera que se extendía desde la ribera del río hasta una puerta situada en un lateral del barco prisión, en medio del río.

Sin embargo, tan pronto como pasamos al mugriento guardia nocturno, el joven Tupac se volvió rápidamente, agarró al hombre por detrás y giró su cabeza, rompiéndole el cuello al instante. El cuerpo del guardia se desplomó sobre su asiento. Me estremecí ante la violencia de aquella acción, pero, aunque pueda parecer extraño, me di cuenta de que no sentía demasiada lástima por el guardia. Había tomado una decisión, había jurado lealtad al enemigo y ya no había marcha atrás.

Mi joven acompañante cogió con rapidez el rifle del guardia y su *pistallo* o pistola (como algunos de mis compatriotas las llamaban) y, por último, sus llaves. Después Tupac ató una piedra al pie del guardia y tiró el cuerpo al río.

Bajo el claro de la luna cruzamos la pasarela de madera desvencijada y entramos en el barco.

El guardia que estaba en el interior se puso en pie cuando nos vio entrar a la sala de las celdas, pero Tupac era demasiado rápido para él. Disparó con su pistola al guardia sin perder un solo instante. La explosión del disparo en el espacio cerrado del barco prisión fue ensordecedora. Los prisioneros se despertaron sobresaltados ante tan terrorífico sonido.

Renco ya estaba despierto cuando llegamos a su celda.

La llave del guardia entró perfectamente en el cerrojo de su celda y la puerta se abrió con facilidad. Los prisioneros a nuestro alrededor gritaban y golpeaban los barrotes de sus celdas, suplicándonos que los soltáramos. Mis ojos recorrieron toda la sala hasta que, en medio de todo aquel tumulto, vi una mirada que me heló el corazón.

Vi al chanca, Castino, de pie en su celda, totalmente tranquilo, mirándome de hito en hito.

Ya fuera de su celda, Renco corrió hasta el cuerpo del guardia, cogió sus armas y me las dio.

—Vamos —dijo despertándome de la mirada hipnótica de Castino. Vestido tan solo con los andrajos de la prisión, Renco se apresuró a quitarle la ropa al cuerpo del guardia. Después se puso la chaqueta de cuero grueso, los pantalones y las botas de montar de este.

Tan pronto se hubo vestido, se incorporó de nuevo y comenzó a abrir algunas celdas. Observé que solo abrió las celdas de los guerreros incas y no las de los prisioneros de tribus subyugadas como los chancas.

Y, al instante, Renco ya estaba saliendo de la sala con un rifle en la mano, ignorando los gritos del resto de los prisioneros y gritándome que lo siguiera.

Recorrimos de nuevo la desvencijada pasarela en medio de los prisioneros. Sin embargo, el alboroto a bordo del barco también se había escuchado fuera. Cuatro españoles del campamento cercano llegaron a caballo a la ribera del río justo cuando acabábamos de bajar de la pasarela. Nos dispararon con sus mosquetes. El ruido de sus armas resonó como truenos en la noche.

Renco les disparó, blandiendo su mosquete como el más avezado de los infantes españoles, y logró derribar a uno de ellos de su montura. Los otros prisioneros incas echaron a correr delante de nosotros y redujeron a dos más.

El cuarto jinete hizo que su corcel diera la vuelta, situándose así enfrente de mi persona. En solo un segundo, vi cómo escudriñaba mi apariencia y me reconocía: un europeo ayudando a los paganos. Vi cómo la ira y el odio ardían en sus ojos; a continuación, alzó su rifle hacia mí.

Sin nada más con lo que poder apelar, levanté a toda prisa mi propia pistola y disparé. Tronó con fuerza en mi mano y podría jurar por el Libro Sagrado que su retroceso casi me arranca el brazo de cuajo. El jinete dio un brinco hacia atrás en su montura y cayó al suelo, muerto.

Yo permanecí allí, quieto, aturdido, con la pistola en mi mano y mirando fijamente al cuerpo sin vida que yacía en el suelo. Intenté por todos los medios convencerme de que no había hecho nada malo. Él iba a matarme...

—¡Hermano! —gritó Renco de repente.

Me di la vuelta al instante y lo vi encima de uno de los caballos españoles—. ¡Venga! —dijo—. ¡Suba a este caballo! ¡Tenemos que llegar a Cuzco!

La ciudad de Cuzco se encuentra en un valle montañoso que va de norte a sur. Se trata de una ciudad amurallada situada entre dos ríos paralelos: el Huatanay y el Tullumayo, que hacen más bien las veces de fosos.

En una montaña al norte de la ciudad, alzándose sobre esta, se encuentra la mayor demostración de poder de todo el valle de Cuzco. Allí, avistando la ciudad como si de un dios se tratara, se encuentra la fortaleza de piedra de Sacsayhuaman.

Sacsayhuaman es una estructura sin par, una construcción que jamás he visto en ninguna otra parte del mundo. No hay nada en España, ni siquiera en toda Europa, que pueda compararse a su tamaño y dominante presencia.

Es una ciudadela aterradora, ciertamente. De forma piramidal, consta de tres niveles colosales (cada uno de ellos de fácilmente cien palmos de altura) y sus muros han sido construidos con bloques gigantes de cientos de toneladas.

Los incas no disponen de mortero, pero compensan con creces esa deficiencia con sus extraordinarias habilidades en el arte de la mampostería. En vez de unir las piedras con pastas, los incas construyen todas sus fortalezas, templos y palacios creando enormes rocas de formas regulares y colocándolas unas junto a otras de forma que cada roca encaje perfectamente con la siguiente. Tan exactas son las junturas entre las monumentales piedras, tan perfecta es su talla, que es imposible meter la hoja de un cuchillo entre ellas.

Fue en este escenario donde tuvo lugar el intrigante sitio de Cuzco.

Llegados a este punto, resulta necesario decir que el sitio de Cuzco debería ser considerado como uno de los más extraños de la historia bélica moderna.

La rareza de este asedio proviene del siguiente hecho: durante este sitio, los invasores (mis compatriotas los españoles) estaban dentro de las murallas de la ciudad, mientras que los dueños de esta, los incas, se encontraban fuera de las murallas.

En otras palabras, los incas estaban sitiando su propia ciudad.

En honor a la verdad, esta situación se produjo como resultado de una sucesión de largos y complicados acontecimientos. En 1533, mis compatriotas españoles entraron en Cuzco sin encontrar resistencia y, al principio, fueron cordiales con los incas. Una vez fueron conscientes del alcance de las riquezas que se encontraban tras esas murallas, toda pretensión de cortesía se esfumó.

Mis compatriotas saquearon Cuzco con un frenesí jamás antes visto. Los hombres indígenas fueron brutalmente esclavizados y las mujeres violadas. El oro de la ciudad fue fundido y cargado en carros, tras lo que los incas comenzaron a llamar a mis compatriotas españoles «comedores de oro». Al parecer, pensaban que su insaciable sed de oro provenía de su necesidad de comérselo.

En 1535, el Sapa Inca Manco Capac, hermano de Renco, que hasta ese momento se había mostrado conciliador con mis compatriotas, huyó de la ciudad a las montañas y reunió un enorme ejército con el que planeaba recuperar Cuzco.

El ejército inca (con cien mil poderosos guerreros, pero tan solo armados con palos, garrotes y flechas) se lanzó enfurecido sobre la ciudad de Cuzco y tomó Sacsayhuaman, la enorme ciudadela de piedra, en un día. Los españoles se refugiaron tras las murallas de la ciudad.

Y así fue como comenzó el sitio.

Que duraría tres meses.

Nada en este mundo podría haberme preparado para lo que mis ojos contemplaron cuando entramos por las colosales barreras pétreas situadas al extremo norte del valle de Cuzco.

Era de noche, pero podía haber sido perfectamente de día. Había fuego por todas partes, tanto dentro como fuera de la ciudad. Aquello parecía el mismísimo Infierno.

El mayor ejército que mis ojos jamás antes habían visto llenaba el valle que se alzaba ante mí. Una masa ondulante de hombres manaba de la ciudadela de la montaña en dirección a la ciudad; cien mil incas, todos ellos a pie, gritaban y agitaban sus armas y antorchas. Tenían toda la ciudad rodeada. Tras las murallas de la ciudad podía verse cómo el fuego devastaba las construcciones de piedra allí emplazadas.

Renco me adelantó y cabalgó en dirección al hervidero de gente y, al igual que hizo el mar Rojo con Moisés, la multitud se echó a ambos lados para dejarlo pasar.

Y, cuando lo hizo, un enorme rugido salió de los incas allí presentes, una ovación de júbilo, un grito de tal fervor y celebración que hizo que se me erizaran los cabellos.

Era como si todos hubiesen reconocido a Renco al instante, a pesar de que iba vestido con la ropa del guardia español. Se echaron a un lado para dejarlo pasar. Parecía como si todos y cada uno de ellos conocieran su misión y estuvieran dispuestos a hacer todo lo que estuviera en sus manos para que lo lograra.

Renco y yo nos abalanzamos por entre la masa de gente y galopamos a una velocidad vertiginosa, mientras las hordas de incas se abrían, entre vítores, ante nosotros.

Desmontamos casi a los pies de la poderosa fortaleza Sacsayhuaman y echamos a andar rápidamente por entre la multitud de guerreros indígenas. Mientras atravesábamos las filas incas, vi que a nuestro alrededor habían clavado numerosas estacas. En la parte superior de estas se hallaban cabezas sangrantes de soldados españoles. En algunas estacas habían empalado los cuerpos de los españoles capturados. Sus cabezas y pies habían sido cortados. Apresuré mi paso, consciente de que tenía que permanecer cerca de mi amigo Renco.

Entonces, de repente, la muchedumbre que estaba delante de nosotros se separó y vi, delante de nosotros en una de las entradas a la gigantesca fortaleza pétrea, a un indígena espléndidamente vestido. Llevaba una deslumbrante capa roja y un collar enchapado en oro, y en su cabeza descansaba una magnífica corona incrustada de joyas. Estaba rodeado por un séquito de, al menos, veinte guerreros y guardias.

Era Manco. El Sapa Inca.

Manco abrazó a Renco e intercambiaron unas palabras en quechua, la lengua de los incas. Renco me las tradujo de la siguiente forma:

—Hermano —dijo el Sapa Inca—, nos inquietaba tu paradero. Habíamos oído rumores de que habías sido capturado, o peor, asesinado. Y tú eres el único al que le está permitido entrar en la cámara y rescatar...

—Sí, hermano. Lo sé —contestó Renco—. Escucha, no tenemos tiempo. Tengo que entrar en la ciudad ahora. ¿Habéis usado la entrada del río?

—No —respondió Manco—. Hemos evitado usarla tal como nos ordenaste, para no alertar a los «comedores de oro» de su existencia.

—Bien —dijo Renco. Vaciló unos instantes antes de volver a hablar—. Tengo otra pregunta.

—¿Cuál es?

—Bassario —dijo Renco—. ¿Está dentro de las murallas de la ciudad?

—¿Bassario? —Manco frunció el ceño—. Bueno, yo... no lo sé...

—¿Estaba en la ciudad cuando esta cayó?

—Bueno, sí.

—¿Dónde estaba?

—¿Que dónde? Estaba en la prisión —afirmó Manco—. Donde ha estado el último año. Allí donde pertenece. ¿Por qué necesitas a un demonio como Bassario?

—No te preocupes por eso ahora, hermano —dijo Renco—. Pues no revestirá ninguna importancia si no encuentro primero el ídolo.

Entonces, detrás nuestro, se produjo un enorme alboroto y tanto Renco como yo nos dimos la vuelta para ver qué ocurría.

Lo que vi llenó mi corazón de un terror inimaginable: una columna de soldados españoles, no menos de trescientos, resplandecientes en sus armaduras forjadas en plata y sus característicos yelmos, estaban cargando contra el valle desde las barreras del norte, abriendo fuego con sus mosquetes.

Sus caballos estaban cubiertos por una pesada coraza plateada y, de esa forma protegidas, las tropas españolas a caballo comenzaron a abrirse camino a través de las filas de soldados incas que tenían delante.

Mientras observaba cómo la columna de conquistadores se abría paso entre las filas de los incas, aplastando a aquellos con los que se topaban en el camino, vi a dos de los jinetes al frente de la procesión a quienes reconocí. El primero de ellos era el capitán, Hernando Pizarro, hermano del gobernador y hombre crudelísimo. Su bigote negro y descuidada barba tan característicos eran visibles incluso desde donde yo me encontraba, a cuatrocientos pasos de distancia.

El segundo jinete era un hombre al que reconocí con cierto grado de terror. Tanto que lo miré una segunda vez para cerciorarme. Pero mis peores pesadillas se vieron confirmadas.

Era Castino, el chanca salvaje que había estado en el *San Vicente* con Renco. Solo que ahora cabalgaba con sus manos sin esposar, libre y codo con codo con Hernando.

Entonces lo entendí todo.

Castino había debido de escuchar mis conversaciones con Renco...

Estaba conduciendo a Hernando a la cámara del interior del Coricancha.

Renco también lo sabía.

—Por todos los dioses —dijo. Se giró hacia su hermano apresuradamente—. Debo irme. Debo irme ahora.

—Apresúrate, hermano —dijo Manco.

Renco asintió al Sapa Inca y después se dirigió a mí y me dijo en español:

—Debemos darnos prisa.

Dejamos al Sapa Inca y nos dirigimos a toda prisa al lado sur de la ciudad, el punto más alejado de Sacsayhuaman. Mientras lo hacíamos, vi cómo Hernando y sus jinetes cargaban contra la puerta norte de la ciudad.

—¿Adónde vamos? —pregunté mientras nos abríamos paso a zancadas por entre la furiosa multitud.

—Al río situado en la parte sur de la ciudad —fue todo lo que me dijo mi compañero como respuesta.

Finalmente, llegamos al río situado junto a la muralla sur de la ciudad. Alcé la vista a la muralla, que estaba al otro lado de la corriente, y vi a soldados españoles armados con mosquetes y espadas que se dirigían hacia estas. La luz naranja del fuego perfilaba sus siluetas.

Renco se dirigió deliberadamente hacia el río y, para mi sorpresa, metió las botas en el agua.

—¡Espere! —grité—. ¿Adónde va?

—Aquí —dijo, indicando el río.

—Pero... No puedo. No puedo acompañarle.

Renco me agarró del brazo con firmeza.

—Mi amigo Alberto, le agradezco desde lo más profundo de mi ser lo que ha hecho por mí, lo que ha arriesgado para permitirme completar mi misión. Pero ahora debo darme prisa si quiero llevar esa búsqueda a buen término. Venga conmigo, Alberto. Permanezca junto a mí. Complete mi misión conmigo. Mire a esa gente. Mientras esté a mi lado, será un héroe para ellos. Pero si no permanece conmigo, solo será otro «comedor de oro» que debe ser asesinado. Y yo debo irme ahora. No puedo quedarme atrás. Si se queda aquí, no podré ayudarle. Venga conmigo, Alberto. Atrévase a vivir.

Miré a los soldados incas que se encontraban a mis espaldas. Incluso a pesar de lo primitivo de sus palos y garrotes, tenían un aspecto feroz y peligroso. Vi la cabeza de un soldado español clavada en una estaca. Su boca estaba abierta, con una mueca que más bien parecía un bostezo esperpéntico.

—Creo que iré con usted—dije. Me giré y me metí hasta la cintura en el agua junto a Renco.

—De acuerdo, entonces. Tome aire —dijo—, y sígame.

Y, tras eso, Renco contuvo la respiración y desapareció bajo las aguas. Negué con la cabeza y, a pesar de mi reticencia, respiré profundamente y lo seguí bajo la superficie.

Silencio.

Los cánticos y gritos de las hordas incas habían desaparecido.

En la oscuridad del turbio río seguí los pies en movimiento de Renco hasta el interior de un tubo de piedra circular situado bajo el agua en la muralla de la ciudad.

Me costaba atravesar aquel túnel cilíndrico sumergido, era un espacio muy estrecho. Y parecía no tener fin. Pero entonces, justo cuando parecía que mis pulmones iban a estallar, vi el final del tubo y las ondas de la superficie tras este y me apresuré hacia ellas.

Salí a la superficie y me encontré en una especie de cloaca subterránea iluminada con antorchas dispuestas en los muros. El agua me llegaba por la cintura. Muros de piedra húmedos me rodeaban y túneles pétreos de formas cuadradas se extendían en la oscuridad. El olor hediondo de las heces humanas llenaba el aire.

Renco ya se encontraba lejos de mí, caminando por el agua en dirección a un cruce en el sistema de túneles. Me apresuré tras él.

Atravesamos los túneles. Primero a la izquierda y luego a la derecha. A la izquierda y luego a la derecha. Logramos abrirnos camino apresuradamente por aquel laberinto subterráneo. En ningún momento Renco pareció perdido o dubitativo. Se movía por los túneles seguro y resuelto.

Y, de repente, se detuvo y alzó la vista al techo de piedra que se encontraba encima de nosotros.

Yo me quedé tras él, perplejo. No veía diferencia alguna entre este túnel y cualesquiera de los otros seis que habíamos atravesado.

Y entonces, por algún motivo desconocido para mí, Renco se hundió bajo aquellas aguas hediondas. Momentos después emergió con una piedra del tamaño de un puño humano. A continuación, escaló por el muro hasta salir del agua y se sentó a horcajadas sobre la estrecha cornisa que bordeaba el túnel. Con la piedra que había encontrado comenzó a golpear la parte inferior de una de las losas que conformaban el techo del túnel.

Pam. Pam. Pam.

Renco esperó un instante. Después repitió la misma secuencia.

Pam. Pam. Pam.

Era algún tipo de código. Renco volvió al agua y ambos permanecimos observando en silencio el techo de piedra húmedo, esperando a que algo sucediera.

Pero nada sucedía.

Seguimos esperando. Me percaté de que había un pequeño símbolo tallado en una esquina de la losa que Renco había estado golpeando. Era una talla de un círculo con una «W» inscrita en él.

Y de repente, *¡bum, bum, bum!*, pudimos escuchar una serie de ruidos sordos desde el otro lado del techo. Alguien estaba repitiendo el código de Renco.

Renco suspiró aliviado. Después volvió a colocarse sobre la cornisa y golpeó una nueva secuencia.

Momentos después, todo aquel techo de forma cuadrangular se deslizó, rechinando fuertemente contra las piedras vecinas y revelando un lugar oscuro, una especie de caverna, sobre nuestras cabezas.

Renco salió rápidamente del agua y trepó hasta el agujero del techo. Le seguí.

Aparecí en el interior de una sala espléndida; una cámara similar a una bóveda, adornada en sus cuatro costados por increíbles imágenes de oro. Los muros estaban hechos con sólidos bloques de piedra, cada uno de ellos de cerca de tres metros de ancho y probablemente el mismo grosor. Aparentemente, no había ninguna puerta salvo una piedra más pequeña, de solo metro ochenta de altura, emplazada dentro de uno de aquellos muros macizos.

Me encontraba en la cámara abovedada del Coricancha.

Una sola antorcha llameante iluminaba aquel lugar profundo y oscuro. Un fornido soldado inca la sostenía. Otros tres soldados igualmente corpulentos permanecían detrás del portador de la antorcha, observándome.

Sin embargo, había otra persona en la cámara. Una mujer anciana que solo tenía ojos para Renco.

Era una mujer hermosa de cabellos canos y piel arrugada. Me figuré que en su juventud tuvo que haber sido una mujer de una belleza apabullante. Llevaba un sencillo vestido blanco de algodón y un tocado de oro y esmeraldas. Debo decir que con su sencillo atuendo blanco tenía un aspecto angelical, casi celestial, como si fuera la sacerdotisa de algún...

¡Bum!

Me di la vuelta sobresaltado por aquel ruido. Renco también.

¡Bum!

Parecía venir del otro lado de los muros. Alguien estaba golpeando el exterior de la puerta de piedra.

Me quedé helado.

Los españoles.

Hernando.

Estaban intentando entrar.

La anciana sacerdotisa le dijo algo a Renco en quechua. Renco respondió rápidamente y después hizo señas en mi dirección.

¡Bum! ¡Bum!

La anciana sacerdotisa se giró a toda prisa hacia un pedestal que estaba detrás de ella. Vi que sobre el pedestal había un objeto cubierto por una tela de color púrpura similar a la seda.

La sacerdotisa cogió el objeto sin quitarle la tela y, a pesar de los insistentes golpes que se oían, se lo entregó de forma solemne a Renco. No podía ver lo que había debajo de la tela. Fuera lo que fuera, tenía el tamaño y la forma de una cabeza humana.

Renco cogió el objeto con respeto.

¡Bum! ¡Bum!

Me pregunté incrédulo por qué no se daban más prisa mientras mis ojos recorrían todos y cada uno de los muros de piedra a nuestro alrededor.

Una vez tuvo el objeto en sus manos, Renco le quitó lentamente el trozo de tela.

Y entonces lo vi.

Y, durante unos instantes, fui incapaz de hacer otra cosa que no fuera mirarlo.

Era el ídolo más hermoso, y a la vez más aterrador, que jamás antes había visto.

Era completamente negro, estaba tallado en un bloque cuadrado de un tipo de piedra muy rara. Tenía los bordes afilados y ásperos; una talla rudimentaria, irregular. En medio del bloque habían tallado el rostro de un fiero felino de montaña con las fauces abiertas. Parecía como si el felino, trastornado por la furia y la ira, hubiese logrado sacar la cabeza de la misma piedra.

Unas imperfecciones en la piedra, como estrechos arroyos del color púrpura más brillante, recorrían verticalmente el rostro del felino, lo que le hacía aún más aterrador, si es que eso era posible.

Renco volvió a tapar el ídolo. Mientras lo hacía, la anciana sacerdotisa dio un paso adelante y le colocó algo alrededor del cuello. Era un cordel fino de cuero con una deslumbrante piedra preciosa verde, una esmeralda que tenía fácilmente el tamaño de una oreja humana. Renco aceptó el regalo con una reverencia solemne y después se giró hacia mí.

—Debemos irnos ya —dijo.

Entonces, con el ídolo bajo su brazo, se dirigió hacia el agujero del suelo. Corrí tras él. Los cuatro fornidos soldados cogieron la enorme losa de piedra que cubriría nuestra salida. La anciana sacerdotisa no se movió.

Renco descendió hasta la cloaca. Yo bajé después que él. Mientras lo hacía, sin embargo, noté algo raro.

La cámara estaba en silencio.

Los golpes del exterior habían cesado.

Y, al reflexionar un poco más sobre aquello, me di cuenta con cierto terror de que los golpes habían cesado bastante antes.

Fue entonces cuando la entrada a la cámara explotó hacia el interior.

Un destello blanco estalló por entre los bordes de la entrada de piedra y, un segundo después, el metro ochenta de la puerta de piedra explotó en mil pedazos. Fragmentos de piedra del tamaño de puños golpearon los muros de la cámara.

No lograba entenderlo. Un ariete probablemente no habría podido romper semejante piedra de un golpe...

Y entonces el humo y el polvo de la entrada comenzaron a disiparse y pude ver el enorme tubo negro de un cañón en el lugar donde antes había estado la puerta de piedra que daba a la cámara.

La cabeza me daba vueltas.

¡Habían volado la puerta de la cámara con un cañón!

—¡Vamos! —Renco gritó desde la cloaca, debajo de mí.

Comencé a descender a toda prisa por el agujero, justo cuando los primeros soldados españoles se abrieron camino entre la nube de polvo, disparando sus mosquetes en todas direcciones.

Y, mientras desaparecía bajo el agujero del suelo, lo último que vi fue al capitán, Hernando Pizarro, que entraba a zancadas en la cámara, pistola en mano. Sus ojos estaban embravecidos y su cabeza giraba en una y otra dirección en busca del ídolo que tanto ansiaba.

Y entonces, durante un horripilante segundo, vi que Hernando bajaba la vista hacia donde yo me encontraba y me miraba fijamente a los ojos.

Corrí como un loco por los túneles encharcados de la oscura cloaca, intentando con todas mis fuerzas seguir el ritmo de Renco. Escuchábamos los gritos en español que resonaban en los firmes muros de piedra de los túneles y veíamos sus sombras, alargadas y amenazantes, extendiéndose a nuestras espaldas.

Delante de mí, Renco caminaba por el agua con el ídolo inca bajo su brazo.

Nos apresuramos a atravesar los túneles, con el agua por la cintura. Nos sumergimos por la izquierda, torcimos a la derecha, zigzagueando hasta llegar al laberinto de piedra que nos condujera de nuevo hacia la entrada del río y la libertad.

Después de un rato, sin embargo, comencé a darme cuenta de que estábamos yendo en la dirección equivocada.

Renco no nos estaba conduciendo a la entrada del río.

—¿Adónde vamos? —le pregunté desde detrás.

—¡Tan solo sígame! —me respondió.

Estaba doblando una esquina cuando una de las antorchas del muro situada justo encima de mi cabeza cayó de su soporte por el disparo de un mosquete. Me giré y vi a un grupo de seis conquistadores que atravesaban las aguas del túnel a mis espaldas. Las llameantes luces de las antorchas del corredor destellaban en sus yelmos.

—¡Están justo detrás de nosotros! —grité.

—¡Entonces corra más rápido!

Se oyeron más disparos de mosquetes, potentes como truenos, ensordecedores. Los proyectiles explotaron contra los muros de piedra del túnel.

Justo entonces, vi cómo Renco saltaba a una cornisa y empujaba con su hombro una losa del techo, una losa que tenía en la esquina inferior el mismo símbolo misterioso que había visto antes, el círculo con una «W» dentro. Salté a la cornisa tras él y le ayudé a empujar la piedra, tras la que se veía una noche estrellada.

Renco trepó y salió primero y yo le seguí inmediatamente después. Nos encontrábamos ahora en una estrecha calle adoquinada. A ambos lados del callejón se alineaban grises muros impenetrables.

Me apresuré a colocar la losa cuando de repente un disparo proveniente del túnel resonó contra el borde del agujero. A punto estuvo de alcanzarme los dedos.

—Déjelo. Por aquí —dijo Renco tirando de mí hacia la estrecha calle.

Los muros que nos flanqueaban se iban convirtiendo en formas borrosas e indistinguibles mientras corríamos por entre los sinuosos callejones de Cuzco con los soldados de Hernando pisándonos los talones.

De tanto en tanto, mientras intentábamos eludir a nuestros perseguidores, veíamos brigadas de tropas españolas corriendo por las calles en dirección a las murallas.

Nosotros también vimos, me avergüenza decirlo, estacas no muy diferentes a las que estaban en el exterior de la ciudad. Podían verse en todas y cada una de las plazas de la ciudad; filas y filas de estacas en las que habían empalado cuerpos mutilados de soldados incas capturados. A todos ellos les habían cortado las manos, la cabeza y los genitales.

En una de esas plazas, Renco vio un arco inca que pendía de uno de los cuerpos profanados. Lo cogió, así como una aljaba llena de flechas que había en el suelo y después volvió a adentrarse en el laberinto de callejones. Yo le seguía muy de cerca, pues no me atrevía a perderlo de vista.

Pero entonces, Renco giró bruscamente y entró en un lugar muy peculiar. Se trataba de una estructura de piedra achaparrada. Era de una solidez extraordinaria, tanto que parecía fortificada.

Atravesamos unas salas exteriores antes de descender por una escalera de piedra que daba a un corredor subterráneo muy largo.

El corredor estaba dividido en dos niveles; el nivel inferior era más amplio y el superior era un rellano no mucho más grande que un balcón que atravesaba la circunferencia del vestíbulo.

Pero fue el nivel inferior lo que atrajo mi atención.

En el mugriento suelo de ese corredor había cerca de cien agujeros, hoyos, sobre los que se alzaba una red de estrechos puentes de piedra. Invadido por una repentina sensación de temor, me percaté de dónde nos encontrábamos.

Estábamos en una mazmorra inca.

En ese momento recordé que los incas aún no habían descubierto el hierro y, por tanto, carecían de barrotes con que construir sus celdas. Por lo que mis ojos acababan de contemplar, un hoyo había sido la respuesta a su dilema.

Alcé la vista al balcón desde el que se divisaba la planta inferior. Era un camino de vigilancia por donde los guardianes de prisión patrullaban y desde el que, a su vez, podían vigilar a los prisioneros.

Renco no perdió un instante. Atravesó uno de los estrechos puentes de piedra y se agachó para escudriñar los hoyos. Gritos y lamentos emergían de estos, procedentes de los hambrientos prisioneros que habían sido abandonados a su suerte cuando el sitio había comenzado una semana atrás.

Renco se detuvo encima de uno de los hoyos. Lo seguí por el puente de piedra y bajé la vista hasta aquel sucio agujero. Este es el fiel relato de lo que vi:

El hoyo debía de tener al menos cinco pasos de profundidad y muros de barro. Era imposible escapar de allí. Al fondo de aquel lugar se encontraba un hombre de estatura media, mugriento y putrefacto. Aunque el hombre estaba famélico, no parecía para nada angustiado ni tampoco gritaba como el resto de las pobres y desesperadas criaturas del corredor de la prisión. Permanecía sentado, con la espalda apoyada contra el muro de su hoyo, con aspecto relajado y tranquilo, si es que se podía estar así en esas circunstancias. Su compostura, esa frialdad displicente propia de los delincuentes, hizo que se me erizara la piel. Me pregunté qué podría querer Renco de un personaje así.

—Bassario —dijo Renco.

El delincuente sonrió.

—Vaya, si es el príncipe Renco...

—Necesito tu ayuda —dijo Renco sin rodeos.

Al prisionero pareció hacerle gracia.

—No se me ocurre qué podría querer el bueno del príncipe de mis habilidades. ¿Qué ocurre, Renco? ¿Ahora que tu reino está en ruinas te estás planteando embarcarte en una vida delictiva?

Renco miró hacia la entrada que daba a la cámara subterránea, pues los españoles tenían que estar al caer. Yo compartía su preocupación. Llevábamos demasiado tiempo en aquella mazmorra.

—Solo te lo preguntaré una vez, Bassario —dijo Renco con firmeza—. Si decides ayudarme, te sacaré de aquí. Si decides lo contrario, dejaré que mueras en este hoyo.

—Una elección interesante —observó el delincuente.

—¿Y bien?

Bassario se puso en pie.

—Sácame de este agujero.

Renco corrió a por una escalera de madera que estaba apoyada en la pared más alejada.

En cuanto a mí, estaba preocupado por Hernando y sus hombres. Podían llegar en cualquier momento y ahí estábamos Renco y yo, ¡regateando con un preso! Me dirigí apresuradamente a la puerta por la que habíamos entrado al corredor de la prisión. Cuando llegué allí me asomé por el marco de piedra de la puerta y vi la figura oscura y demoníaca de Hernando Pizarro subiendo a zancadas las escaleras en nuestra dirección.

Aquella visión me heló la sangre: esos ojos que brillaban salvajes, su bigote negro ganchudo, su desaseada barba negra que no había afeitado en semanas…

Di la espalda a la puerta y eché a correr.

—¡Renco!

Renco acababa de bajar la escalera al hoyo de Bassario cuando se giró y vio detrás de mí al primer soldado español entrando en el corredor de la prisión.

Las manos de Renco se movieron con presteza y en un segundo ya tenía el arco con la flecha en posición de disparo. Dejó volar su misil, que atravesó como un rayo la habitación, en dirección a mi cabeza. Me agaché y la flecha impactó en la frente del hombre que estaba a mis espaldas. Cayó al suelo con un golpe seco.

Me apresuré a atravesar los puentes de piedra hasta los hediondos hoyos de la mazmorra.

Mientras, un mayor número de conquistadores comenzaban a entrar al corredor, Hernando entre ellos, disparando sus mosquetes sin cesar.

Para entonces, Bassario ya había salido de su hoyo y Renco y él corrían por el mugriento suelo hacia el final del corredor.

—¡Alberto, por aquí! —gritó Renco y señaló una enorme puerta de piedra situada al final de la mazmorra.

Vi la salida. Encima tenía una roca cuadrada que estaba suspendida gracias a un mecanismo similar al de una polea. No era una roca demasiado grande, apenas del tamaño de un hombre, y tenía exactamente el mismo tamaño y forma de la puerta que se encontraba debajo. Dos tramos de cuerda tensados la sujetaban por encima de la puerta, cada uno de ellos sobrecargados con piedras que hacían las veces de contrapeso, lo que facilitaba que los guardias que se encontraban en el nivel elevado pudieran subir o bajar la roca y así tapar la apertura.

Corrí hacia la puerta.

De repente sentí el peso de un golpe terrible en la espalda y fui arrojado hacia delante. Caí sobre los estrechos puentes de piedra y fue entonces cuando vi, para mi sorpresa, que había sido golpeado por un soldado español.

Este se arrodilló a horcajadas al lado de mi cuerpo y sacó su puñal. Estaba a punto de clavármelo cuando una flecha le atravesó el pecho. La flecha golpeó en el soldado con tanta fuerza que le arrancó el yelmo de la cabeza y lo tiró del puente. Cayó al hoyo que estaba debajo de nosotros.

Miré al hoyo al que había caído, solo para ser testigo de cómo cuatro desaliñados prisioneros se abalanzaban sobre él al unísono. Los prisioneros me impidieron seguir viendo al desventurado soldado, pero instantes después oí el grito de terror más terrible que mis oídos jamás habían escuchado. Los prisioneros se lo estaban comiendo vivo.

Levanté la vista y vi a Renco deslizándose hacia donde me encontraba.
—¡Vamos! —me dijo. Me agarró del brazo y me ayudó a ponerme en pie.
Me incorporé y vi que Bassario había llegado a la puerta.
Los disparos de los mosquetes resonaban en la sala y hacían saltar brillantes chispas naranjas cuando rebotaban contra el puente.
Justo entonces, un disparo perdido impactó en una de aquellas cuerdas suspendidas encima de la puerta.
La cuerda se rompió, vibrando bruscamente, y la roca comenzó a bajar.
Bassario alzó la vista horrorizado y después miró a Renco.
—No —murmuró Renco al ver cómo descendía la roca.
La puerta, a cuarenta pasos de distancia de nosotros, la única salida de la mazmorra, ¡estaba a punto de ser sellada!
Evalué la distancia, tomando la velocidad a la que la roca estaba bajando.
No había forma alguna de lograrlo.
La puerta estaba demasiado lejos y la roca descendía demasiado rápido. En breves instantes, la roca sellaría la puerta y nos quedaríamos atrapados en la mazmorra a merced de mis compatriotas sedientos de sangre que en aquel momento corrían por el puente y abrían fuego con sus mosquetes en nuestra dirección.
Nada podría salvarnos.
Renco, obviamente, no lo veía de ese modo.
A pesar del número de mosqueteros que teníamos tras nosotros, el joven príncipe comenzó a mirar en todas direcciones hasta divisar el yelmo del soldado que había caído al hoyo.
Se abalanzó sobre él, lo cogió y después se giró y lo lanzó de lado. El yelmo se deslizó por el suelo de la mazmorra hacia la puerta que estaba a punto de cerrarse.
La roca de la puerta seguía descendiendo, chirriando por el choque con los lados de la puerta.
Noventa centímetros
Sesenta.
Treinta.
En ese preciso momento el yelmo se deslizó hasta el umbral de la puerta y se quedó atrapado entre la roca y el suelo mugriento, frenando así el descenso de la roca. Ahora la roca estaba a apenas treinta centímetros del suelo, manteniéndose en equilibrio sobre la cresta de acero del yelmo.
Miré atónito a Renco.
—¿Cómo ha hecho eso? —le dije.
—Da igual —dijo—. ¡En marcha!
Abandonamos el puente y atravesamos corriendo el tramo que conducía a la puerta parcialmente abierta, donde Bassario nos estaba esperando. Desde un

oscuro rincón de mi mente, me pregunté por qué Bassario no se había fugado mientras Renco estaba ocupado salvándome la vida. Quizá pensó que tenía más posibilidades de sobrevivir si permanecía con Renco. O quizá hubiera otra razón...

El fuego ensordecedor de los mosquetes resonaba por todas partes. Renco se tumbó boca arriba y deslizó primero los pies por el estrecho hueco entre la roca y el suelo. Bassario le siguió. Yo no me deslicé con tanta gracilidad como ellos. Apoyé la cabeza contra el suelo cubierto de polvo y me arrastré con torpeza por el agujero hasta el túnel pétreo que me esperaba al otro lado.

Estaba incorporándome cuando Renco dio una patada al yelmo y la enorme piedra de forma cuadrangular selló por completo la puerta con un golpe seco.

Suspiré jadeante.

Estábamos a salvo. Por ahora.

—Debemos darnos prisa —dijo Renco—. Es hora de que digamos adiós a esta maldita ciudad.

De nuevo en los callejones. A toda velocidad.

Renco encabezaba la marcha. Bassario iba detrás de él y yo era el último de los tres. En nuestra huida nos encontramos con un arsenal de armas españolas. Bassario cogió un arco y una aljaba llena de flechas; Renco cogió una aljaba, una cartera de cuero sin tratar en la que metió el ídolo y una espada. Yo cogí un refulgente sable, pues, si bien yo solo era un humilde monje, provenía de una familia que había dado alguno de los mejores esgrimistas de toda Europa.

—Por aquí —dijo Renco corriendo hacia una escalera de piedra.

Corrimos hacia ellas y subimos a unos tejados irregulares. Renco echó a correr por los tejados, salvando pequeños muros divisorios y saltando de un edificio a otro.

Bassario y yo lo seguimos, hasta que Renco se paró tras un muro no muy elevado. Su pecho subía y bajaba mientras respiraba agitadamente.

Miró al otro lado del muro que estaba por encima de él. Yo hice lo mismo. Lo que vimos fue esto: una enorme plaza adoquinada con cerca de dos docenas de soldados españoles y otros tantos caballos. Algunos de los caballos estaban sueltos mientras que otros estaban enganchados a carros y carretas.

En el lado más alejado de la plaza, en la muralla exterior de la ciudad, había una enorme puerta de madera. Esta puerta, sin embargo, no era autóctona de Cuzco, sino más bien un feo apéndice añadido a la puerta de piedra de la ciudad por mis compatriotas, después de que la ciudad fuese tomada.

Justo delante de la enorme puerta de madera se encontraba un carro tirado por dos caballos que miraban a la ciudad, si bien estaban un poco alejados de la puerta. En la parte trasera de este carro había un cañón de considerable tamaño que señalaba en dirección opuesta.

Más cerca de nosotros, al pie del edificio sobre el que estábamos, había cerca de treinta prisioneros incas con un aspecto lamentable. Una cuerda negra, entrelazada entre las esposas de acero que cada prisionero llevaba en las muñecas, los mantenía unidos en una larga y desalentada fila.

—¿Qué vamos a hacer ahora? —le pregunté con inquietud a Renco.

—Nos vamos.

—¿Cómo?

—Por ahí —dijo, señalando la puerta del lado más alejado de la plaza.

—¿Y qué hay de la entrada por la cloaca? —le dije, pensando que esa era la ruta de escape más obvia.

—Un ladrón jamás usa dos veces la misma entrada —dijo Bassario—. Al menos, no una que haya sido descubierta. ¿Estoy en lo cierto, príncipe?

—Correcto —dijo Renco.

Me giré para observar al delincuente Bassario. Lo cierto era que se trataba de un hombre bastante atractivo a pesar de su aspecto sucio. Sus ojos brillaban y sonreía de oreja a oreja; la sonrisa de un hombre feliz de formar parte de una aventura. Yo no podía decir que compartiera su alegría.

Renco comenzó a hurgar en su aljaba. Sacó algunas flechas cuyas puntas habían sido envueltas en tela y que tenían forma de cabezas bulbosas redondas.

—Bien —dijo mirando a su alrededor. Encontró una antorcha colgada en un muro cercano—. Muy bien.

—¿Qué piensa hacer? —le pregunté.

Renco no parecía escucharme. Tan solo miraba a los tres caballos desatendidos del otro lado de la plaza.

—Renco —insistí—, ¿qué piensa hacer?

Renco se giró para mirarme y esbozó una sonrisa irónica.

Apreté el paso y me dirigí hacia la plaza con las manos dentro de las mangas de mi hábito empapado. La capucha, completamente mojada, tapaba mis cabellos húmedos.

Mientras atravesaba la plaza, mantuve todo el tiempo la cabeza agachada, echándome a un lado con destreza cuando grupos de soldados pasaban cerca de mí y escondiéndome cuando los caballos se giraban en mi dirección, en un intento desesperado por no llamar la atención.

Renco supuso que los soldados de la plaza todavía no sabrían que un monje español renegado, yo, estaba ayudando a los incas. Por ello, mientras no se percataran de mis ropas empapadas, no debería tener problemas para acercarme a los tres caballos y llevarlos a un callejón cercano donde Renco y Bassario pudieran montarlos.

Pero primero tenía que dejar libre el camino a la puerta, lo que significaba apartar del sendero al carro con el cañón. Eso sería más difícil. Tenía que asustar «accidentalmente» a los caballos enjaezados al carro. Para ello llevaba escondida dentro de una de mis mangas una de las afiladas flechas de Renco listo para, que Dios me perdone, pinchar subrepticiamente a una de esas pobres criaturas cuando pasara a su lado.

Crucé la plaza lentamente, apartando la mirada, pues no me atrevía a posar mis ojos en nada ni nadie por miedo a ser descubierto.

Al igual que en las otras plazas de la ciudad, esta también estaba llena de estacas. Habían empalado cabezas en algunas de ellas. La sangre todavía estaba fresca y goteaba hasta el suelo. Sentí un temor extremo al pasar a su lado; ese sería mi destino si no salía pronto de Cuzco.

Avisté la puerta y con ella el carro que se encontraba delante. Vi los caballos y estreché fuertemente contra mi pecho la flecha que llevaba bajo la manga. Dos pasos más y...

—¡Eh! ¡Tú! —gritó una voz tosca tras de mí.

Me quedé helado. No alcé la vista.

Un soldado corpulento y barrigón se colocó delante de mí, interponiéndose entre mi persona y los dos caballos. Portaba su yelmo puntiagudo de conquistador y su voz estaba impregnada de autoridad. Un soldado de alto rango.

—¿Qué está haciendo aquí? —dijo de manera cortante.
—Lo siento, lo siento mucho... Me he quedado atrapado en la ciudad y... —dije.
—Vuelva a sus dependencias. Este no es un lugar seguro. Hay indígenas en la ciudad. Creemos que van tras el ídolo del capitán.
No podía creerlo. ¡Tan cerca de mi objetivo y tenía que darme la vuelta! Hice un amago de marcharme a regañadientes, cuando de repente una enorme y fuerte mano se posó sobre mi hombro.
—Un momento, monje... —comenzó el soldado. Pero se calló al sentir la humedad de mis ropajes—. ¿Pero qué...?
Justo en ese momento un silbido llenó el aire a mi alrededor y una flecha impactó en la cara del soldado corpulento, destrozándole la nariz y provocando una explosión de sangre que me salpicó la cara.
El soldado cayó al suelo como una piedra. Los otros soldados de la plaza lo vieron caer y se giraron para ver de dónde procedía el peligro.
De repente, un segundo silbido se apoderó de nuevo del aire, y esta vez una flecha llameante voló desde uno de los oscuros tejados que rodeaban la plaza. La flecha rozó el carro que tenía delante e impactó en la puerta de madera que había detrás.
El silencio se vio reemplazado por gritos cuando los conquistadores comenzaron a abrir fuego hacia el lugar de donde provenían las flechas.
Yo, sin embargo, estaba mirando a algo totalmente distinto.
Estaba mirando al cañón que estaba encima del carro o, más concretamente, a la mecha que sobresalía de la recámara del cañón.
Estaba encendida.
¡La flecha llameante (en ese momento no lo sabía, pero luego comprendí que había sido Bassario quien la había lanzado) había sido lanzada con tal puntería que había encendido la mecha del cañón!
No esperé a lo que pudiera pasar después. Tan solo corrí hacia los tres caballos lo más rápido que pude. Justo cuando llegué a ellos, el cañón estalló.
Aquel fue el sonido más ensordecedor que había escuchado en mi vida. Una explosión monstruosa, de tal intensidad y potencia que hizo que el suelo se tambaleara bajo mis pies.
Del tubo del cañón salió una enorme nube de humo y la gran puerta de madera que se encontraba delante se quebró como habría hecho una insignificante ramita. Cuando el humo se hubo dispersado, pude ver un enorme agujero de tres metros en la mitad inferior de la puerta.
Los caballos enjaezados al carro se desbocaron al escuchar tan atronadora explosión. Se encabritaron y se dieron a la fuga galopando hacia los callejones de Cuzco y dejando la puerta dañada al descubierto.

Los tres caballos que me habían encomendado conseguir también se desbocaron. Uno de ellos salió corriendo, pero los otros dos se calmaron cuando los sostuve firmemente de las riendas.

Los soldados españoles seguían disparando a ciegas a los tejados umbríos. Alcé la vista a la oscuridad. No pude ver ni a Renco ni a Bassario.

—¡Monje! —gritó de repente alguien a mis espaldas.

Me giré y vi a Bassario, que venía corriendo con el arco en la mano.

—Bueno, no podías haber metido más la pata, ¿verdad, monje? —dijo con una sonrisa mientras subía a la montura de uno de mis caballos—. Lo único que tenías que hacer era asustar a los caballos.

—¿Dónde está Renco? —pregunté.

—Está viniendo —dijo Bassario.

Entonces una serie de gritos estridentes recorrió la plaza. Me volví al instante y vi cómo la fila de prisioneros incas esposados cargaban contra los españoles de la plaza. Los incas estaban libres, ¡ya no estaban unidos por aquella cuerda negra!

De repente, escuché un grito mortal y vi a Renco en uno de los tejados, encima de un conquistador muerto. Le quitó a toda prisa la pistola, mientras seis españoles más subían apresurados las escaleras del lateral del edificio para darle caza.

Renco me miró y gritó:

—¡Alberto! ¡Bassario! ¡La puerta! ¡A la puerta!

—¿Y qué hay de usted? —grité.

—¡Yo iré detrás! —respondió mientras se agachaba para esquivar el disparo de un mosquete—. ¡Márchense! ¡Márchense!

Me subí a la montura del segundo caballo.

—¡Vamos! —gritó Bassario espoleando a su caballo.

Espoleé a mi corcel y salimos disparados hacia la puerta.

Fue entonces cuando me di la vuelta en mi montura y presencié algo increíble.

Vi una flecha (una flecha afilada, no llameante) planear sobre la plaza desde uno de los tejados. Detrás, ondulante como el cuerpo de una serpiente, estaba atada una cuerda, una cuerda negra, ¡la cuerda que otrora mantenía unidos a los prisioneros incas!

La flecha pasó por encima de mi cabeza y, con un fuerte golpe, se alojó en la mitad superior intacta de la puerta de madera. En cuanto impactó contra la puerta vi cómo la cuerda se tensaba.

Y entonces avisté a Renco al otro lado de la cuerda, en lo alto de uno de los tejados con las piernas totalmente separadas y su recién encontrada cartera sobre su hombro izquierdo. Vi cómo pasaba por encima de la cuerda el cinturón de cuero de los pantalones españoles y se agarraba fuertemente a él con una mano. Después saltó del tejado y se balanceó, no, se deslizó por toda la plaza pendiendo de aquel cinturón que sujetaba con una sola mano.

Algunos soldados españoles abrieron fuego contra él, pero el joven y gallardo príncipe usó la mano que tenía libre para sacar la pistola de su pretina y comenzó a dispararlos, mientras se deslizaba por la cuerda a una velocidad increíble.

Espoleé de nuevo a mi corcel para que ganara velocidad y galopamos hasta colocarnos bajo la cuerda de Renco, justo cuando este llegó al final de la misma. Se soltó del cinturón y cayó perfectamente sobre la grupa de mi caballo.

Delante de nosotros, Bassario atravesó el enorme socavón de la puerta cual avezado jinete. Renco y yo lo seguimos y saltamos a través del agujero entre una lluvia de disparos.

Salimos a la fría noche, cabalgando a toda velocidad por las enormes losas de piedra que conformaban un puente sobre el foso norte de la ciudad y lo primero que escuché mientras cruzábamos aquel puente fueron los gritos de júbilo de las hordas de guerreros incas en el valle que se apostaba ante nosotros.

—¿Cómo va eso? —dijo una voz de repente.

Race levantó la vista del manuscrito y durante unos instantes no supo dónde se encontraba. Miró por la ventanilla que estaba a su derecha y vio un mar de montañas cubiertas de nieve y la infinita extensión del cielo azul.

Se sacudió la cabeza. Había estado tan absorto en la historia que se había olvidado de que se encontraba a bordo del avión de carga del Ejército.

Troy Copeland estaba delante de él. Era uno de los miembros de la DARPA del equipo de Nash, el físico nuclear con cara de halcón.

—¿Qué tal va? —preguntó Copeland señalando con la cabeza al montón de papeles que Race tenía sobre su regazo—. ¿Ha encontrado dónde se halla el ídolo?

—Bueno, he encontrado el ídolo —respondió Race hojeando el resto del manuscrito. Llevaba leído cerca de tres cuartas partes de él—. Creo que estoy a punto de descubrir adónde lo llevaron.

—Bien —dijo Copeland dándose la vuelta—. Manténganos informados.

—Espere —añadió Race—. Antes de que se vaya, ¿puedo preguntarle algo?

—Claro.

—¿Para qué se usa el tirio-261?

Copeland frunció el ceño ante la pregunta.

—Creo que tengo derecho a saberlo —dijo Race.

Copeland asintió lentamente.

—Sí... sí. Supongo que sí. —Respiró profundamente—. Como creo que le han dicho anteriormente, el tirio-261 no es autóctono de la Tierra. Proviene de un sistema de estrellas binario llamado Pléyades, un sistema que no está muy lejos del nuestro.

»Como usted podrá imaginarse, los planetas que se encuentran en sistemas de estrellas binarios se ven afectados por todo tipo de fuerzas debido a sus soles gemelos: la fotosíntesis se duplica; los efectos gravitacionales, así como la resistencia a la gravedad, son enormes. Por ello, los elementos encontrados en planetas pertenecientes a sistemas binarios son por lo general más pesados y densos que elementos similares encontrados aquí en la Tierra. El tirio-261 es uno de ellos.

»Se encontró por primera vez en estado petrificado en las paredes del cráter de un meteoro en 1972, en Arizona. E incluso a pesar de que ese ejemplar llevaba millones de años inerte, su potencial conmocionó a la comunidad científica.

—¿Por qué?

—Bueno, verá, en cuanto al nivel molecular se refiere, el tirio guardia un parecido asombroso con los elementos terrestres uranio y plutonio. Pero el tirio supera a ambos en lo que respecta a su magnitud. Es más denso que nuestros dos elementos nucleares más potentes juntos. Lo que significa que es infinitamente más poderoso.

Race comenzó a sentir una sensación de terror recorriéndole la espalda. ¿Adónde quería llegar Copeland?

—Pero, como he dicho antes, el tirio solo se ha encontrado en la tierra petrificado. Desde 1972, se han descubierto dos muestras más, pero de nuevo ambos ejemplares tenían al menos cuarenta millones de años de antigüedad, imposibilitando así su uso porque el tirio petrificado es inerte. Está muerto, químicamente hablando.

»Lo que llevamos esperando durante los últimos veintisiete años es el descubrimiento de un ejemplar que siga molecularmente activo. Y ahora creemos haberlo encontrado en un meteorito que cayó en la selva de Perú hace quinientos años.

—¿Qué es lo que hace el tirio? —preguntó Race.

—Muchas cosas —dijo Copeland—. Muchísimas. Su potencial como fuente de energía es gigantesco. Calculando por lo bajo, se cree que un reactor compuesto por la cantidad apropiada de tirio generaría electricidad a un ritmo seis veces mayor que el de todas las centrales nucleares de los Estados Unidos juntas.

»Pero tiene, además, una ventaja añadida. A diferencia de nuestros elementos nucleares terrestres, cuando el tirio se usa como el elemento central de un reactor de fusión, se descompone con una efectividad del cien por cien. En otras palabras, no produce residuos contaminantes. Por ello, no se parece en nada a ninguna de las fuentes de energía de la Tierra. Los residuos del uranio deben almacenarse en barras radioactivas. Qué diablos, si hasta la gasolina produce monóxido de carbono. Pero el tirio produce una energía limpia. Es una fuente de energía totalmente eficiente. Es perfecto. Es tan puro, internamente hablando, que de acuerdo con nuestro modelado, una muestra de tirio sin tratar solo emitiría cantidades microscópicas de radiación pasiva.

Race alzó la mano.

—Vale, de acuerdo. Todo eso suena muy bien pero no sabía que la DARPA se dedicara a suministrar a Estados Unidos centrales eléctricas. ¿Qué más hace el tirio?

Copeland sonrió. Lo había pillado.

—Profesor, durante los diez últimos años, la Oficina de Tecnología Táctica de la DARPA ha estado trabajando en una nueva arma, un arma sin igual. Se trata de un arma cuyo nombre en clave es Supernova.

Tan pronto como Copeland dijo la palabra, una luz se encendió en la mente de Race. Recordó la conversación que había escuchado entre Copeland y Nash poco después de subir a bordo del avión. Una conversación en la que habían mencionado un robo en Fairfax Drive; la sustracción de un dispositivo llamado Supernova.

—¿En qué consiste exactamente esa Supernova?

—En pocas palabras —dijo Copeland—, la Supernova es el arma más poderosa jamás desarrollada en la historia de la humanidad. Es lo que llamamos un asesino planetario.

—¿Un qué?

—Un asesino planetario. Un arma nuclear tan poderosa que, si se detonara, destrozaría prácticamente una tercera parte de la masa terrestre. Sin esa tercera parte, la órbita de la Tierra alrededor del Sol se vería alterada. Nuestro planeta giraría sin control por el espacio, cada vez más y más lejos del Sol. En cuestión de minutos la superficie de la Tierra, lo que quedara de ella, se enfriaría tanto que la vida humana sería imposible en ella. La Supernova, profesor Race, es la primera arma creada por el hombre capaz de acabar con la vida que conocemos de este planeta. De ahí su homónimo, el nombre que le damos a una explosión estelar.

Race tragó saliva. Se sentía realmente débil.

Un millón de preguntas se agolpaban en su cabeza.

Preguntas como: ¿Por qué alguien construiría un arma tal? ¿Qué razones podrían existir para crear un arma que podría matar a todos los habitantes del planeta, incluidos a sus propios creadores? Y, teniendo en cuenta todo aquello, ¿por qué su país estaba construyéndola?

Copeland continuó.

—La cuestión es, profesor, que la Supernova que tenemos en estos momentos es un prototipo, un proyectil viable. Esa arma, la que robaron de las oficinas centrales de la DARPA, no sirve para nada. Por la simple razón de que la Supernova requiere para su funcionamiento que se le añada una cosa. El tirio.

Uh, fantástico... pensó Race.

—En ese aspecto —dijo Copeland—, la Supernova no es muy diferente a una bomba de neutrones. Se trata de un arma de fisión, lo que significa que funciona de acuerdo con el principio de desintegración del átomo. Se emplean dos cabezas termonucleares para fisionar una masa subcrítica del tirio, desencadenando así la megaexplosión.

—De acuerdo, espere un segundo —dijo Race—. A ver si lo he entendido. ¿Ustedes han construido un arma, un arma capaz de destrozar el planeta que depende de un elemento que ni siquiera tienen aún?

—Correcto —indicó Copeland.

—Pero, ¿por qué? ¿Por qué Estados Unidos va a fabricar un arma que pueda hacer todo eso?

Copeland asintió con la cabeza.

—Esa es una pregunta que siempre resulta difícil de responder. Lo que quiero decir es que...

—Hay dos razones —explicó de repente una voz más grave a las espaldas de Race.

Era Frank Nash.

Nash señaló con la cabeza al manuscrito que descansaba sobre el regazo de Race.

—¿Ha encontrado ya el lugar donde se halla el ídolo?

—Aún no.

—Entonces intentaré explicárselo lo más pronto posible para que vuelva al trabajo. Antes que nada, quiero que sepa que lo que le voy a decir es sumamente confidencial. Solo hay dieciséis personas en el país que saben lo que voy a contarle y cinco de ellas están a bordo de este avión. Si se lo menciona a alguien una vez hayamos completado esta misión, pasará los próximos setenta y cinco años en la cárcel. ¿Lo ha comprendido, profesor?

—Sí.

—Bien. Hay dos razones para la construcción de la Supernova. La primera es esta: hace cerca de dieciocho meses, se descubrió que científicos subvencionados por el Estado alemán habían comenzado la construcción secreta de una Supernova. Nuestra respuesta fue simple: si ellos van a construir una, nosotros también.

—Es de una lógica aplastante —dijo Race.

—Es exactamente la misma lógica que Oppenheimer esgrimió para justificar la construcción de la bomba atómica.

—Vaya, vaya. Así que hasta los grandes les respaldan —comentó Race secamente—. ¿Y la segunda razón?

Nash dijo:

—Profesor, ¿ha oído alguna vez hablar de un hombre llamado Dietrich von Choltitz?

—No.

—El general Dietrich von Choltitz era el general al mando de las fuerzas alemanas en París cuando los nazis se retiraron de Francia en agosto de 1944. Después de que fuera obvio que los Aliados iban a retomar París, Hitler envió a Choltitz un comunicado. En él le ordenaba que colocara miles de bombas por toda la ciudad antes de irse para que, cuando se hubieran marchado las tropas, París volara por los aires.

»Ahora bien, hay que decir en su honor que Choltitz desobedeció la orden. No quería pasar a la historia como el hombre que destruyó París. Pero lo importante aquí es la lógica subyacente tras la orden de Hitler. Si él no podía tener París, nadie más podría.

—¿Adónde quiere llegar entonces? —dijo Race con cautela.

—Profesor, la Supernova es un paso más en el plan estratégico de alto nivel que ha existido en la política exterior de los Estados Unidos durante los últimos cincuenta años. Ese plan se llama el plan Choltitz.

—¿Qué quiere decir?

—Lo que quiero decir es esto. ¿Sabía usted que durante la Guerra Fría, la Armada estadounidense tenía ordenes de que se garantizara que en cualquier momento estuviera disponible un número de submarinos, con misiles balísticos nucleares, emplazados en ubicaciones estratégicas de determinados puntos alrededor del mundo? ¿Sabe para qué eran esos submarinos?

—¿Para qué?

—Las órdenes que tenían esos submarinos eran muy sencillas. En caso de que la Unión Soviética derrotara a los Estados Unidos en un ataque repentino o imprevisto, esos submarinos tenían órdenes de lanzar una lluvia de misiles nucleares no solo a objetivos soviéticos, sino también a todas las ciudades principales de Europa y Estados Unidos continental.

—¿Cómo?

—El plan Choltitz, profesor Race. Si no podemos tenerlo, nadie podrá.

—Pero estamos hablando de algo a escala mundial —dijo Race incrédulo.

—Cierto, muy cierto. De ahí la razón para la construcción de la Supernova. Los Estados Unidos son la nación más poderosa de la Tierra. En caso de que cualquier nación buscara alterar esa situación, les haríamos saber que poseemos una Supernova. Si van más allá y el conflicto continúa y los Estados Unidos son derrotados, o peor, destruidos, entonces detonaremos el arma.

Race sintió que se le hacía un nudo en el estómago.

¿Iban en serio? ¿Acaso eso era política? ¿Si Estados Unidos no pudiera controlar el mundo, lo destruiría?

—¿Cómo pueden construir algo así?

—Profesor Race, ¿qué ocurriría si China decidiera declarar la guerra a Estados Unidos? ¿Qué ocurriría si ganaran? ¿Querría que los estadounidenses estuvieran sometidos al régimen chino?

—Pero, ¿preferiría morir?

—Sí.

—Y llevarse al resto del mundo con usted —dijo Race—. Ustedes deben de ser los peores perdedores de todos los tiempos.

—Fuere como fuere —dijo Nash cambiando el tono—, la ley de las consecuencias no deliberadas ha surtido efecto en esta situación. La noticia de la creación de un arma con el potencial para destruir el planeta ha hecho que otros grupos hayan salido a la luz, grupos para los que esta arma sería una baza muy poderosa en sus cruzadas.

—¿Qué tipo de grupos?

—Algunos grupos terroristas. Gente que si tuvieran en sus manos una Supernova viable chantajearían al mundo entero.

—Bien —dijo Race—, y ahora su Supernova ha sido robada, probablemente por terroristas.

—Correcto.

—Han abierto la caja de Pandora, doctor Nash.

—Sí. Sí, eso me temo. Y por eso es tan importante que lleguemos al ídolo antes de que otros lo hagan.

Tras eso, Nash y Copeland volvieron a dejar a Race a solas con el manuscrito.

Race se tomó unos instantes para poner orden en sus pensamientos. Su cabeza no paraba de dar vueltas. Supernovas. Destrucción mundial. Grupos terroristas. No era capaz de concentrarse.

Intentó quitarse todo eso de la cabeza y se obligó a centrarse y volverse a situar en la acción del manuscrito, justo en la parte en la que Renco y Alberto Santiago habían salido a toda velocidad de la ciudad sitiada de Cuzco.

Race respiró profundamente, se colocó las gafas y se adentró de nuevo en el mundo de los incas.

Segunda lectura

Renco, Bassario y yo corrimos por entre la oscuridad de la noche, espoleando nuestros caballos, haciéndoles cabalgar más rápido de lo que jamás antes habían hecho, pues detrás de nosotros, pisándonos los talones, estaban los españoles (Hernando y su legión de tropas a caballo) cabalgando por aquellos terrenos, intentando darnos caza como si de perros se tratara.

Tras salir por las puertas situadas al norte del valle de Cuzco giramos a la derecha y pusimos rumbo al noreste. Llegamos al río Urubamba, el mismo río donde se encontraba el barco prisión en el que había estado Renco. Lo atravesamos casi a la altura del pueblo de Pisac.

Y así comenzó nuestro viaje, nuestra huida desesperada por la selva.

No les importunaré, queridos lectores, con cada incidente insignificante de nuestro arduo viaje, pues duró demasiados días y los incidentes que tuvieron lugar fueron demasiados numerosos. Solo mencionaré aquellos que guarden relación con mi historia.

Pusimos rumbo a un pueblo llamado Vilcafor, tal como me informó Renco, del que su tío era el jefe. Este pueblo se encontraba a los pies de las grandes montañas más al norte, justo en el lugar donde aquellas montañas se unían por el este con la gran selva tropical.

Según parece, Vilcafor era una ciudadela secreta, fuertemente fortificada y bien defendida, que los nobles incas mantenían para utilizarla en tiempos de crisis. Su emplazamiento era un secreto celosamente guardado y solo se podía encontrar siguiendo una serie de tótems de piedra dispuestos cada ciertos intervalos en la selva, y eso solo cuando se conocía el código para encontrar los tótems. Pero para llegar a la selva, primero había que atravesar las montañas.

Y así fue como atravesamos las montañas, los increíbles monolitos rocosos que dominaban Nueva España. No exagero al decir cuán magníficas eran las montañas de aquel país. Sus acantilados rocosos y altas cumbres, cubiertas de nieve todo el año, pueden verse a cientos de kilómetros de distancia, incluso desde las densas selvas tropicales.

Tras unos días de viaje, nos deshicimos de nuestros caballos, pues preferimos atravesar los delicados senderos de la montaña a pie. Con sumo cuidado, cruzamos estrechos y resbaladizos senderos emplazados en los empinados desfiladeros de las montañas y atravesamos con cautela largos puentes de cuerda suspendidos sobre los ríos.

Y, mientras tanto, resonando en los laberínticos y estrechos desfiladeros que íbamos dejando atrás, podíamos oír los gritos y las pisadas de los españoles.

Llegamos a varios pueblos incas situados en medio de espléndidos valles montañosos. Cada pueblo recibía el nombre de su jefe: Rumac, Sipo y Huanco.

En esos pueblos nos abastecieron de comida, guías y llamas. La generosidad de esa gente era increíble. Era como si cada uno de sus habitantes supiera de Renco y su misión y se me antojaba imposible que se movieran más rápido para ayudarnos. Cuando teníamos tiempo, Renco les enseñaba el ídolo tallado en la piedra negra y todos ellos se inclinaban y guardaban silencio ante él.

Pero casi nunca disponíamos de ese tiempo.

Los españoles nos perseguían con obstinación.

En una ocasión, cuando dejamos Ocuyu, un pueblo situado a los pies de un enorme valle, tan pronto como llegamos a la cima de una colina lejana, escuchamos el sonido de mosquetes tras nosotros. Me giré para mirar al valle.

Lo que vi llenó mi corazón de horror.

Vi a Hernando y sus tropas, una columna gigantesca de al menos cien hombres, marchando a pie por el extremo más alejado del valle. Los soldados a caballo flanqueaban al enorme grueso de soldados a pie. Cabalgaban por delante de ellos en dirección al pueblo que acabábamos de dejar, disparando con sus mosquetes a los incas, desarmados.

Más tarde, Hernando dividió su legión de cien hombres en divisiones de treinta y tres. Después alternó los tiempos de marcha de forma que, mientras una división marchaba, las otras dos descansaban. Esas dos divisiones marcharían después, rebasando al primer grupo en su turno y así sucesivamente. El resultado era una masa de hombres en constante movimiento, una masa que siempre avanzaba, siempre se acercaba a nosotros.

Y, mientras tanto, Renco, Bassario y yo avanzábamos a trompicones, moviéndonos con dificultad por la selva rocosa, intentando combatir la fatiga que se apoderaba de nosotros a cada paso.

De una cosa estaba seguro: los españoles iban a cogernos. La única duda era cuándo.

Aun así seguimos avanzando.

En un punto de nuestro viaje, y debo decir que justo cuando mis compatriotas estaban tan cerca de nosotros que podíamos oír sus gritos resonando en los cañones a nuestras espaldas, nos detuvimos en un pueblo llamado Colco, situado en la ribera de un río montañoso llamado Paucartambo.

Fue en este pueblo donde obtuve una pista relativa a por qué Renco había llevado con nosotros a Bassario.

En el pueblo de Colco había una cantera. Como ya dije anteriormente, los indígenas son unos maestros en el arte de la mampostería. Todos sus edificios están construidos con piedras finamente talladas, algunas de ellas más altas que seis hombres juntos y con un peso superior a cien toneladas. Esas piedras se extraen de las colosales canteras de pueblos como Colco.

Tras hablar brevemente con el jefe del pueblo, Renco fue acompañado a la cantera, un enorme socavón que había sido cavado en un lateral de la montaña. Volvió después con un saco de piel de cabra en su mano. De su interior sobresalían objetos de bordes afilados y rocosos. Renco le pasó el saco a Bassario y seguimos nuestro camino.

No sabía lo que había en ese saco, pero cuando nos parábamos a descansar por la noche, Bassario se escabullía a un rincón del lugar donde acampábamos y encendía su propio fuego. Después se sentaba con las piernas cruzadas y trabajaba con lo que quiera que fuese el contenido del saco de espaldas a Renco y a mí.

Tras once días de un viaje terrible y cruel, salimos de las montañas y contemplamos una visión memorable, algo que jamás antes había contemplado.

Vimos cómo la selva tropical se extendía ante nosotros, una alfombra verde inmaculada que se prolongaba hasta el lejano horizonte. Lo único que alteraba la uniformidad de aquella alfombra eran las mesetas, las formaciones planas y escalonadas del paisaje que marcaban la transición gradual de las accidentadas montañas a la cuenca verde del río, y las amplias bandas marrones que serpenteaban a través de la densa selva, los grandes ríos de la selva tropical.

Y así fue cómo nos adentramos en la selva.

Aquello era como el Infierno en la Tierra.

Durante días viajamos por las sombras eternas de la selva. Había humedad, todo parecía mojado y, Dios, cuán peligroso era. Serpientes obscenamente gruesas pendían de los árboles, pequeños roedores corrían bajo nuestros pies y una noche (estoy seguro de ello), vi la silueta velada de una pantera, una sombra superpuesta en la oscuridad, que se movía silenciosa sobre sus zarpas acolchadas en alguna rama cercana.

Y luego, por supuesto, estaban los ríos, donde acechaba el mayor de los peligros.

Los caimanes.

La visión de sus escarpadas cabezas triangulares era suficiente para que a uno se le helara la sangre, y sus cuerpos (oscuros, pesados y blindados), tenían al menos dos metros de largo. Sus repulsivos ojos de reptil nos observaban sin pestañear.

Descendimos por los ríos en canoas de junco donadas por las gentes de los pueblos de Paxu, Tupra y Roya, barcas que parecían patéticamente pequeñas en comparación con los desmesurados caimanes a nuestro alrededor. Descendimos los empinados acantilados de las mesetas con la ayuda de expertos guías incas.

Por las noches, a la luz del fuego, Renco me enseñaba su lengua, el quechua. A cambio, yo le enseñaba el arte de la espada con los dos sables españoles que habíamos hurtado mientras escapábamos de Cuzco.

Mientras Renco y yo practicábamos la esgrima, Bassario, si no estaba trabajando en algún rincón alejado del campamento, practicaba con su arco. Según parece, antes de ser encarcelado (por motivos que desconozco), Bassario había sido uno de los mejores arqueros del imperio inca. Como para no creerlo. Tal era su habilidad que una noche lo vi lanzar al aire una fruta tropical y atravesarla instantes después con una flecha.

Tiempo después, sin embargo, nos percatamos de que las duras condiciones del terreno habían ralentizado a nuestros perseguidores. Los ruidos de Hernando y sus hombres cortando a hachazos las ramas de la selva tras nosotros se volvían cada vez más débiles. Incluso llegué a pensar que quizá Hernando había renunciado a su propósito.

Pero no. Cada día, mensajeros de los pueblos que habíamos atravesado nos alcanzaban y nos informaban del saqueo de sus pueblos. Hernando y sus hombres todavía iban tras nosotros.

Así que seguimos avanzando.

Y entonces un día, no mucho después de que dejáramos el pueblo de Roya, cuando yo estaba encabezando nuestra expedición, eché a un lado una rama enorme y me encontré con los ojos de una criatura felina.

Retrocedí con un grito y caí de lleno en el fango.

Lo siguiente que oí fue a Bassario riendo entre dientes.

Alcé la vista y vi que había revelado un enorme tótem de piedra. El felino que había visto no era más que una talla en piedra de una enorme criatura felina. Pero la talla estaba cubierta por un hilo de agua que hacía que el viajero incauto pensara que estaba vivo de verdad.

Cuando lo miré más de cerca, sin embargo, me di cuenta de que la talla del tótem no era muy distinta a la del ídolo causante de nuestro frenético viaje. Era una especie de jaguar, con grandes fauces, que gruñía, no, rugía, al incauto explorador que tropezaba con él.

Más de una vez me pregunté el porqué de la fascinación de los incas hacia esos animales.

Idealizaban a esas criaturas y los trataban como a dioses. Es mas, los guerreros que mostraban una coordinación felina en sus movimientos eran los más reverenciados en sus ejércitos, pues se consideraba una gran habilidad poder caer de pie y a continuación volver inmediatamente al ataque. Se decía que esos guerreros estaban poseídos por el *jinga*.

La noche antes de que me topara de una forma tan vergonzosa con el tótem de piedra, Renco me había contado que la criatura más temida de su mitología era un enorme felino negro conocido como el *titi* en aimara, o el *rapa* en quechua. Al parecer, esta criatura es tan negra como la noche y casi tan alta como un hombre, incluso a cuatro patas. Además, mata con una ferocidad sin igual.

Es más, Renco dijo que es el animal salvaje más temido, el tipo de animal que mata por el mero placer de matar.

—Bien hecho, hermano Alberto —dijo Renco mientras yo yacía en el fango mirando al tótem—. Acaba de encontrar el primero de los tótems que nos conducirán hasta Vilcafor.

—¿Cómo nos guiarán hasta allí? —le pregunté mientras me ponía en pie.

Renco dijo:

—Hay un código que solo conocen los nobles incas...

—Pero si te lo dice, tendrá que matarte —interrumpió Bassario con una descortés sonrisa.

Renco sonrió con indulgencia a Bassario.

—Cierto —dijo—. Pero en caso de que muriera, alguien debería continuar con mi misión. Y, para hacerlo, ese alguien tendría que conocer el código de los tótems. —Renco se giró y me miró—. Esperaba que estuviera dispuesto a cargar con esa responsabilidad, Alberto.

—¿Yo? —dije tragando saliva.

—Sí —dijo Renco—. Alberto, veo en usted cualidades de un héroe, incluso aunque no lo sea. Posee honor y coraje en mayores cantidades que la media. No dudaría en confiarle el destino de mi gente en caso de que yo cayera, si quisiera hacerlo.

Incliné la cabeza y asentí, accediendo a sus deseos.

—Bien —sonrió Renco—. Tú, por otra parte —dijo sonriendo sarcásticamente a Bassario—, me crearías muchas dudas. Aléjate un poco.

Una vez Bassario se hubo alejado unos cuantos pasos de nosotros, Renco se inclinó hacia mí y me señaló la talla de piedra del *rapa* que estaba delante de nosotros.

—El código es simple: sigue la cola del *rapa*.

—Sigue la cola del *rapa*... —dije mirando al tótem. Cierto, en la parte de atrás de la talla había una cola de felino que señalaba en dirección norte.

—Pero —Renco alzó de repente un dedo—, no debemos seguir todos los tótems basándonos en esa directriz. Esa es una regla que solo los nobles de más edad conocen. De hecho, solo me lo dijo la alta sacerdotisa del Coricancha cuando llegamos allí para coger el ídolo.

—¿Cuál es la regla entonces? —pregunté.

—Tras el primer tótem, no hay que hacer lo mismo con el segundo. En esos casos se debe seguir el tótem por la dirección de la Marca del Sol.

—¿La Marca del Sol?

—Una marca no muy distinta de esta —dijo Renco señalando la pequeña marca triangular bajo su ojo izquierdo, la mancha marrón oscura que parecía una montaña invertida.

—Cada segundo tótem después del primero —dijo—, no debemos seguir la cola del *rapa,* sino ir en la dirección de la Marca del Sol.

—¿Qué ocurre si se continúa siguiendo la cola del *rapa?*—pregunté—. ¿No se darán cuenta nuestros enemigos de que están viajando en la dirección equivocada cuando vean que no hay más tótems?

Renco me sonrió.

—Oh, no, Alberto. Hay más tótems, incluso aunque se vaya en la dirección equivocada. Pero solo llevan al viajero engañado más y más lejos de la ciudadela.

Y así seguimos los tótems a través de la selva tropical.

Estaban colocados en intervalos distintos (algunos a unos cientos de pasos de sus predecesores y otros a kilómetros por tierra), así que teníamos que tener cuidado de viajar sin dar rodeos. A menudo nos ayudaba el sistema del río, pues algunos tótems habían sido cuidadosamente colocados a lo largo de las riberas de los mismos.

Nos desplazamos, siguiendo los tótems, en dirección norte, y cruzamos la cuenca de la enorme selva hasta llegar a una nueva meseta que conducía a las montañas.

Esta meseta se extendía de norte a sur. Era una meseta gigante cubierta por la selva, un paso que Nuestro Señor había construido para ayudarle a acercar la selva a las faldas de las montañas. Había cataratas en toda su extensión. Era una visión realmente increíble.

Trepamos por la cara este de la meseta, similar a un acantilado, transportando con nosotros las canoas de junco y las palas. Fue entonces cuando llegamos a un tótem final que nos dirigía río arriba, hacia unas montañas gigantes cubiertas de nieve que se elevaban sobre la selva.

Remamos contracorriente bajo la lluvia torrencial de la tarde. Sin embargo, poco después, la lluvia cesó y la neblina que lo siguió le dio un aspecto espeluznante a la selva. Un silencio sepulcral se apoderó de nosotros y, por raro que parezca, los sonidos de la selva también cesaron abruptamente.

Los pájaros dejaron de gorjear. No había roedores en la maleza.

Sentí cómo el miedo recorría mi cuerpo.

Algo no iba bien.

Renco y Bassario debieron de sentirlo también, pues comenzaron a remar más despacio, metiendo los remos con cuidado en la superficie cristalina del agua, como si no se atrevieran a romper ese silencio antinatural.

Giramos en una curva del río y, de repente, vimos una ciudad en la ribera de este, escondida en los pies de una enorme sierra montañosa. Una imponente estructura de piedra se alzaba orgullosa en el centro de un grupo de diminutas cabañas. Una zanja similar a un foso rodeaba todo el enclave.

La ciudadela de Vilcafor.

Pero ninguno de nosotros se fijó demasiado en la ciudadela. Ni tampoco nos percatamos de que el pueblo alrededor de la ciudadela estaba en ruinas.

No. Solo teníamos ojos para los cuerpos, las veintenas de cuerpos que yacían en la calle principal de la ciudad, cubiertos de sangre.

Segunda maquinación

Lunes, 4 de enero, 15.40 horas

Race le dio la vuelta a la página, buscando el siguiente capítulo, pero no estaba allí. Según parecía, esa era la última página del manuscrito.

Maldita sea, pensó.

Miró por la ventanilla del Hércules y vio los motores sobre el ala pintada de verde y las cimas cubiertas de nieve de los Andes bajo ellos.

Observó a Nash, que estaba sentado al otro lado del pasillo, trabajando con su portátil.

—¿Es todo lo que hay? —preguntó.

—¿Perdón? —Nash frunció el ceño.

—El manuscrito. ¿Eso es todo lo que tenemos?

—¿Quiere decir que ya lo ha terminado de traducir?

—Sí.

—¿Ha encontrado el emplazamiento del ídolo?

—Bueno, más o menos —dijo Race mirando a las notas que había tomado mientras traducía el manuscrito. Estas decían así:

- ABANDONAN CUZCO— VAN A LAS MONTAÑAS.
- PUEBLOS: RUMAC, SIPO, HUANCO, OCUYU.
- COLCO, RÍO PAUCARTAMBO. ALLÍ HAY UNA CANTERA.
- 11 DÍAS – LLEGAN A LA SELVA.
- PUEBLOS A LO LARGO DEL RÍO: PAXU, TUPRA, ROYA.
- LOS TÓTEMS DE PIEDRA TALLADOS CON LA FORMA DE UNA CRIATURA FELINA NEGRA CONDUCEN A LA CIUDADELA DE VILCAFOR.
- CÓDIGO DEL TÓTEM: PARA EL PRIMER TÓTEM, SEGUIR LA COLA DEL RAPA; PARA CADA SEGUNDO TÓTEM, SEGUIR LA «MARCA DEL SOL».
- SIGUEN LOS TÓTEMS. VAN HACIA EL NORTE POR LA CUENCA DE LA SELVA; LLEGAN A UNA MESETA QUE CONDUCE A LOS PIES DE UNA MONTAÑA.
- TRAS EL TÓTEM FINAL SE DIRIGEN RÍO ARRIBA HACIA LAS MONTAÑAS; ENCUENTRAN LA CIUDADELA EN RUINAS.

—¿Qué quiere decir «más o menos»? —preguntó Nash.

—Bueno, esa es la cuestión —dijo Race—. El manuscrito prácticamente termina en mitad de una frase, cuando han llegado al pueblo de Vilcafor. Obviamente, hay más por leer, pero no está aquí. —Omitió que la historia le estaba empezando a parecer muy interesante y quería seguir leyéndola—. ¿Está seguro de que eso es todo lo que tenemos?

—Me temo que sí —dijo Nash—. Recuerde que esto no es el manuscrito original, sino una copia a medio terminar transcrita por un monje muchos años después de que Santiago escribiera el original. Es todo lo que hay, todo lo que el otro monje pudo copiar del original.

Frunció el ceño.

—Esperaba que con esta copia del manuscrito lográramos averiguar el emplazamiento exacto del ídolo, pero, dado que no es así, lo que necesito saber son las generalidades: dónde buscar, dónde empezar a hacerlo. Disponemos de la tecnología para localizar el ídolo si sabemos dónde comenzar nuestra búsqueda. Y parece que, por lo que ha leído hasta ahora, dispone de suficiente información para decirme dónde comenzar a buscar. Así que cuénteme qué es lo que sabe.

Race le enseñó a Nash sus notas y le contó la historia de Renco Capac y su viaje desde Cuzco. A continuación le explicó que, por lo que había leído, el lugar al que Renco pretendía llegar era un pueblo ciudadela a los pies de los Andes llamado Vilcafor. También le dijo a Nash que, siempre que averiguaran una cosa, el manuscrito les diría cómo llegar a ese pueblo.

—¿Y cuál es esa cosa? —preguntó Nash.

—Dando por sentado que los tótems siguen allí —dijo Race—, deben averiguar qué es la Marca del Sol. Si no saben lo que es, entonces no podrán leer los tótems.

Nash frunció el ceño y se volvió hacia Walter Chambers, el antropólogo y experto en la cultura inca, que estaba sentado a unos cuantos asientos más allá.

—Walter. ¿Sabe usted algo acerca de una Marca del Sol en la cultura inca?

—¿La Marca del Sol? Sí, claro, por supuesto.

—¿Qué es?

Chambers se encogió de hombros y se acercó a donde se encontraban.

—Tan solo es una marca de nacimiento. Parecida a la que tiene el profesor Race ahí. —Señaló con la barbilla a las gafas de Race, más concretamente a la mancha marrón triangular de debajo de su ojo izquierdo. Race se puso rojo. Había odiado esa marca de nacimiento desde niño. Le parecía como si tuviera una mancha de café en la cara.

—Los incas pensaban que las marcas de nacimiento eran signos de distinción —dijo Chambers—. Signos enviados por los mismísimos dioses. La Marca del Sol era una marca de nacimiento muy especial, una imperfección en la cara, justo debajo del ojo izquierdo. Era especial porque los incas creían que era una marca enviada por su dios más poderoso, el dios del Sol. Tener un hijo con esa marca era considerado un gran honor. La Marca del Sol indicaba que ese niño era especial; que, de alguna manera, estaba destinado a hacer algo grande.

Race dijo:

—Entonces, si alguien nos dijera que siguiéramos la estatua en la dirección de la Marca del Sol, ¿nos estaría diciendo que fuéramos por la izquierda de la estatua?

—Sí, eso sería lo correcto —dijo Chambers dubitativo—. Creo.

—¿Qué quiere decir «creo»? —preguntó Nash.

—Verá, durante los últimos diez años ha tenido lugar un debate importante entre los antropólogos referente a si la Marca del Sol se hallaba en el lado izquierdo del rostro o en el derecho. Todas las tallas y los pictogramas incas representan la Marca del Sol, bien en representaciones de humanos o de animales u otros, bajo el ojo izquierdo de la talla. Los problemas surgen, sin embargo, cuando uno lee textos españoles como la *Relación* o los *Comentarios reales,* que hablan de gente como Renco Capac y Tupac Amaru, textos según los cuales estas personas tenían la Marca. El problema es que esos libros dicen que Renco y Amaru tenían la marca bajo su ojo derecho. Y hechos así hacen que reine la confusión.

—Entonces, ¿usted qué es lo que piensa?

—Lado izquierdo, sin duda.

—¿Y podríamos encontrar el camino hasta la ciudadela? —preguntó Nash, preocupado.

—Coronel, puede fiarse de mí cuando le digo que si seguimos a las estatuas por la izquierda, encontraremos esa ciudadela —dijo Chambers con confianza.

Justo entonces, una especie de timbre sonó, procedente de algo cercano.

Race se giró. El sonido provenía del portátil de Nash. Debía de haber recibido un correo electrónico. Nash volvió a su asiento para leerlo.

Chambers se volvió hacia Race.

—Todo esto es muy excitante, ¿no le parece?

—Excitante no es la palabra que yo emplearía —dijo Race. Se alegraba de haber terminado de traducir el manuscrito antes de que hubieran aterrizado en Cuzco. Si Nash iba a aventurarse dentro de la selva para buscar el ídolo, él no quería formar parte de ello.

Miró su reloj.

Eran las 16.35. Se estaba haciendo tarde.

En ese momento, Nash apareció delante de él.

—Profesor —dijo—. Si está preparado y así lo desea, me gustaría que viniera con nosotros a Vilcafor.

Había algo en su tono que hizo que Race se pusiera alerta. Aquello no había sido una pregunta, sino una orden.

—Pensaba que había dicho que si traducía el manuscrito antes de que aterrizáramos ni siquiera tendría que bajarme del avión.

—Dije que podría darse esa situación. Recordará usted que también le dije que, si tuviese que bajar del avión, tendría un equipo de boinas verdes velando por usted. Esta es la situación que se nos presenta ahora.

—¿Por qué? —preguntó Race.

—He pedido que dos helicópteros nos reciban en Cuzco —dijo Nash—. Los usaremos para seguir la senda de Santiago por el aire. Por desgracia, pensaba que el manuscrito sería más concreto en su descripción del emplazamiento del ídolo, más detallado. Pero ahora vamos a necesitarle para el viaje a Vilcafor, por si hubiese alguna ambigüedad entre el texto y el terreno.

A Race no le gustaba cómo sonaba todo aquello. Él había cumplido su parte del trato, y la idea de adentrarse en la selva del Amazonas le inquietaba.

Además, el tono con que Nash se lo había pedido le inquietaba todavía más. Tenía la sensación de que ahora que Nash le tenía a bordo del avión, sin otra opción que la de viajar hasta Cuzco, sus opciones y su capacidad para decir que no eran extremadamente limitadas. Se sentía atrapado, presionado a ir a un lugar al que no quería ir. Aquello no formaba parte del trato.

—¿No podría quedarme en Cuzco —sugirió de manera poco convincente—, y mantener el contacto con ustedes desde allí?

—No —dijo Nash—. Definitivamente no. Estamos llegando a Cuzco, pero no nos quedaremos allí. Este avión y todos los miembros del ejército de los Estados Unidos que nos están esperando en Cuzco abandonarán la ciudad poco después de que pongamos rumbo a la selva en los helicópteros. Lo siento, profesor, pero le necesito. Necesito que me ayude a llegar a Vilcafor.

Race se mordió el labio. ¡Dios...!

—Bueno... De acuerdo —dijo a regañadientes.

—Bien —dijo Nash poniéndose en pie—. Muy bien. Le oí antes que tenía algo de ropa más informal en una bolsa, ¿no es cierto?

—Sí.

—Bueno, le sugiero que se cambie. Ahora va a ir a la selva.

El Hércules sobrevoló las montañas.

Race salió de los aseos situados en la parte inferior del avión vestido con una camiseta blanca, vaqueros y unas zapatillas negras, la ropa que se había llevado para el partido de béisbol de la hora del almuerzo. También llevaba una gorra bastante vieja y estropeada, una gorra de béisbol azul marina de los New York Yankees.

Vio a los boinas verdes, que estaban preparando y limpiando sus armas para la misión venidera. Uno de los soldados, un cabo pelirrojo de edad avanzada llamado Jake *Buzz* Cochrane, charlaba animadamente mientras limpiaba el mecanismo de disparo de su M-16.

—Como os cuento, tíos, fue increíble —estaba diciendo—. Vaya peras. Toda una mujercita con su Doreen barato. Créanme caballeros, ella es sin duda la mejor puta de toda Carolina del Sur...

En ese momento, Cochrane vio a Race, que estaba en la puerta de los aseos, escuchándolos. Dejó inmediatamente de hablar.

Todos los demás boinas verdes se dieron la vuelta y Race se sintió acomplejado.

Se sintió fuera de lugar, como alguien que no formaba parte de la hermandad. Alguien que no pertenecía a ese lugar.

Vio a su guardaespaldas, el sargento Van Lewen, merodeando por el perímetro del círculo, y sonrió.

—Qué hay.

Van Lewen le devolvió la sonrisa.

—¿Cómo va eso?

—Bien. Muy bien —dijo Race de forma no muy convincente.

Pasó al lado del ahora silencioso grupo de boinas verdes y se dirigió hacia las empinadas escaleras que conducían a la zona de pasajeros.

Mientras subía las escaleras, sin embargo, escuchó al boina verde Cochrane murmurar algo desde la zona de carga.

Se suponía que no tenía que haberlo oído, pero lo hizo.

Cochrane había dicho:

—Puto mariquita.

Mientras Race volvía al pasillo central del compartimiento de pasajeros se escuchó una voz por los altavoces.

—Comenzando el descenso. Tiempo estimado de llegada a Cuzco, veinte minutos.

De camino a su asiento, Race pasó al lado de Walter Chambers. El científico tenía en la mano las notas de Race junto con otra hoja de papel. Era una especie de mapa que tenía anotaciones y marcas hechas con un rotulador.

Chambers alzó la vista y vio a Race.

—Ah, profesor —dijo—. El hombre que estaba buscando. Necesito que me explique una cosa, estas notas de aquí: «Paxu, Tupra y Roya». —Señaló a las notas de Race—. Están en orden, ¿no? Me refiero al orden en que Renco las visitó.

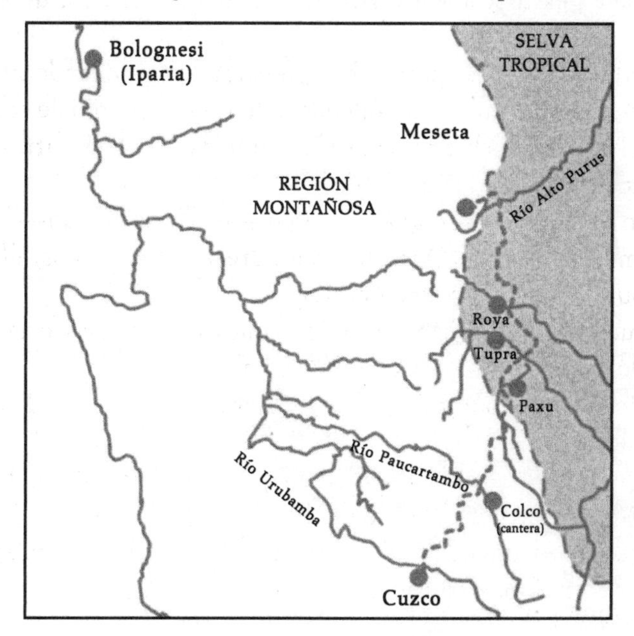

—Están en el mismo orden en que aparecen en el manuscrito.

—Vale, bien.

—Walter —dijo Race sentándose al lado de Chambers—. Hay algo que esperaba poder preguntarle.

—¿Y bien?

—En el manuscrito, Renco menciona a una criatura llamada *titi* o *rapa*. ¿Qué es exactamente?

—Ah, el *rapa*. —Chambers asintió—. Lo cierto es que no pertenece a mi campo de estudio, pero sé un poco del tema.

—¿Y?

—Al igual que en muchas otras culturas sudamericanas, los incas sentían una gran fascinación por los grandes felinos. Les construían estatuas, tanto grandes como pequeñas, y a veces tallaban bajorrelieves en las paredes de las rocas. Es más, la ciudad de Cuzco fue construida en forma de puma.

»Esta fascinación por los grandes felinos, sin embargo, es un fenómeno bastante extraño, pues Sudamérica es conocida por su escasez de grandes felinos. Los únicos felinos de grandes dimensiones autóctonos de este continente son el jaguar, o pantera, y el puma, que son felinos de tamaño medio. Ni siquiera se acercan en tamaño al tigre, que es el más grande de los felinos.

Chambers se movió en el asiento.

—El *rapa,* sin embargo, es otra historia completamente distinta. Es algo así como la versión sudamericana del Bigfoot o del monstruo del lago Ness. Es una criatura legendaria, un enorme felino negro.

»Al igual que con Bigfoot y Nessie, cada cierto tiempo se oyen historias de gente que afirma haberlo visto (granjeros en Brasil que se quejan de que su ganado ha aparecido mutilado; turistas que han hecho la ruta inca en Perú y sostienen haber visto a grandes felinos merodeando por la noche; y, en ocasiones, gentes de la zona que aparecen brutalmente asesinadas en las tierras bajas de Colombia). Pero no hay pruebas fehacientes de ello. Existen algunas fotos, pero todas ellas han sido desacreditadas. Se trataba de fotos borrosas y mal enfocadas. Vamos, que lo que salía en la foto podía ser cualquier cosa, desde una pantera a un oso andino.

—Así que se trata de un mito —dijo Race—. El mito del felino gigante.

—No desestime los mitos de los felinos gigantes tan rápido, profesor Race —dijo Chambers—. Son algo muy habitual en todo el mundo. India. Sudáfrica. Siberia. Le sorprendería saber que las creencias más vehementes sobre los mitos de los felinos gigantes provienen de Inglaterra.

—¿Inglaterra?

—La bestia de Exmoor, la bestia de Bahn. Felinos gigantes que merodean por los páramos a altas horas de la noche. Jamás han sido capturados ni fotografiados. Pero sus huellas se encuentran a menudo en el fango. Por todos los santos, si lo que cuentan es cierto, existe la posibilidad de que el perro de Baskerville no fuera sino un felino de grandes dimensiones.

Race reprimió la risa y dejó que Chambers siguiera trabajando. Volvió a su asiento. Tan pronto como se hubo sentado, sin embargo, sintió que alguien se sentaba a su lado. Era Lauren.

—Ah, la gorra de la suerte —dijo, mirando la maltrecha gorra azul de los Yankees de Race—. No sé si llegué a decírtelo, pero siempre odié esa maldita gorra.

—Sí me lo dijiste —dijo Race.

—Pero sigues llevándola.

—Es una buena gorra.

Los ojos de Lauren evaluaron su camiseta, vaqueros y zapatillas Nike. Race, por su parte, se fijó en que llevaba una camisa estrecha de color caqui con las mangas remangadas, pantalones del mismo color y unas botas de *trekking* con aspecto de ser muy resistentes.

—Bonito conjunto —dijo antes de que él pudiera decirle lo mismo.

—¿Qué puedo decir? —respondió—. Cuando me vestí esta mañana para ir al trabajo no tenía pensado ir a la selva.

Lauren echó la cabeza hacia atrás y se rió. Era la misma risa que Race recordaba. Totalmente teatral y de una sinceridad más que dudosa.

—Había olvidado lo lacónico que eras —dijo.

Race sonrió débilmente e inclinó la cabeza.

—¿Cómo te ha ido todo este tiempo, Will? —le preguntó con cariño.

—Bien —mintió—. ¿Y a ti? Bien, obviamente. Quiero decir, ¡uau!, la DARPA...

—Me va bien —dijo—. La vida me va muy bien. Escucha, Will... —Y helo ahí. El punto de transición. Lauren siempre había sido muy buena en eso de ir al grano—. Quería hablar contigo antes de que aterrizáramos. Solo quería decirte que no quiero que lo que ocurrió entre nosotros interfiera en lo que hemos venido a hacer aquí. Nunca quise hacerte daño...

—No me hiciste daño —comentó Race, quizá demasiado rápido. Se puso a mirar los cordones de sus zapatillas—. Bueno, nada que no se curara en poco tiempo.

Aquello no era exactamente cierto.

Le había costado bastante más que «un poco de tiempo» olvidar a Lauren O'Connor.

Su relación había sido la clásica relación: la típica pareja dispar de toda universidad estadounidense que se precie. Race era inteligente, pero no tenía dinero. Lauren era brillante y su familia tenía dinero para dar y tomar. Race fue a la Universidad de California del Sur con una beca parcial de deporte. A cambio de jugar al fútbol americano en su equipo, la universidad le pagaría la mitad de su matrícula. Lograba juntar la otra mitad trabajando por las noches tras la barra de un club. Los padres de Lauren le habían pagado toda la matrícula en un solo pago.

Estuvieron juntos dos años. El jugador de fútbol americano con notas decentes, pero no espectaculares, en letras y la científica brillante, alta y guapa que sacaba sobresalientes en todo.

A Race le encantaba. Lauren era todo lo que había deseado en una pareja (inteligente, extravertida y con humor ácido). En los partidos, ella resaltaba como el sol en un día nublado. Y cuando ella lo iba a buscar a la habitación y le sonreía al encontrarlo, Race se derretía.

Se enamoró de ella.

Y entonces, Lauren logró una beca para estudiar durante un año en el Instituto Tecnológico de Massachussets para estudiar física teórica o algo así. Ella se fue. Él la esperó. La típica relación a distancia. Amor vía telefónica. Race le fue fiel. Vivía por y para su llamada semanal.

Y, por fin, ella regresó.

Estaba en el aeropuerto esperándola. Tenía un anillo en el bolsillo. Había practicado el discurso miles de veces para, cuando llegara el momento adecuado, arrodillarse y pedírselo.

Pero cuando salió de la puerta de llegadas aquel día, Lauren ya tenía un anillo de diamantes en su dedo anular.

—Will, lo siento —dijo—. Pero... Bueno... He conocido a alguien.

Race no pudo siquiera sacar el anillo del bolsillo.

Y así se había pasado el resto de su estancia en la universidad, rodeado de libros, soltero convencido e inconcebiblemente miserable.

Se licenció el cuarto de su clase en lenguas antiguas y, para su total sorpresa, recibió una oferta para enseñar en la Universidad de Nueva York. Con nada que desear ni que querer hacer, salvo quizá cortarse las venas, la aceptó.

Y ahora... ahora era un humilde profesor que trabajaba en un viejo despacho en la ciudad de Nueva York mientras que ella era una física teórica que trabajaba en el departamento principal de armas de alta tecnología mejor considerado de los Estados Unidos. *Mmm.*

Race jamás esperó volver a verla. *Ni tampoco,* pensó, *quería volver a verla.* Pero cuando Frank Nash había dicho su nombre por la mañana, algo dentro de él había hecho *clic.* Sentía la curiosidad de ver qué había sido de ella.

Bueno, ahora ya la había visto y le había quedado muy claro. Ella había logrado muchas más cosas que él.

Race parpadeó y apartó a un lado ese pensamiento.

Volvió al presente y cayó en la cuenta de que estaba mirando su alianza.

Por Dios, contrólate, pensó para sí.

—Frank ha dicho que hiciste un buen trabajo con el manuscrito —dijo Lauren.

Race tosió, tanto para aclararse la voz como las ideas.

—Todo lo bien que pude... Bueno, es a lo que me dedico.

—Deberías estar orgulloso de lo que haces —dijo. Después le sonrió—. Me alegro de volver a verte, Will.

Race le devolvió la mejor sonrisa de la que fue capaz.

A continuación, Lauren se puso en pie y miró a su alrededor.

—Bueno, será mejor que vuelva a mi sitio. Parece que vamos a aterrizar.

El Hércules aterrizó a última hora de la tarde en una polvorienta pista de aterrizaje privada al borde del valle de Cuzco.

El equipo bajó del avión para subir al camión que había hecho el viaje a Sudamérica en las entrañas del aparato y que sería el que transportaría a la tropa. El enorme camión retumbó al bajar por la rampa de carga trasera y puso rumbo inmediatamente al norte, hacia el río Urubamba, por un camino deficientemente pavimentado.

Fue un trayecto movido. Race estaba sentado en la parte trasera del camión al lado de su guardaespaldas, el sargento Van Lewen.

Los otros miembros del equipo (los tres miembros de la DARPA: Nash, Lauren y el físico con cara de halcón, Copeland; Chambers, el antropólogo, y Gaby López, una mujer latinoamericana sorprendentemente joven que era la arqueóloga del equipo) estaban sentados con sus respectivos militares guardaespaldas.

En un punto del viaje, el camión subió por una colina y Race pudo ver la extensión del valle de Cuzco.

En el lado izquierdo del valle, sobre una colina cubierta de hierba, se encontraban las ruinas del Sacsayhuaman, la fortaleza sobre la que tan recientemente había leído. Todavía podían distinguirse sus tres gigantescos niveles, pero el paso del tiempo y las condiciones meteorológicas le habían robado su majestuosidad. Lo que hacía cuatrocientos años había sido una espléndida e imponente fortaleza digna de los ojos de los reyes, ahora eran ruinas dignas solo de los ojos de los turistas.

A la derecha, Race vio un mar de tejados de terracota, la ciudad actual de Cuzco. La muralla que la rodeaba había sido quitada hacía tiempo. Más allá de los tejados estaban las montañas baldías del sur de Perú, pardas y agrestes, tan desoladoras como espectaculares eran las cimas cubiertas de nieve de los Andes.

Diez minutos después, el camión llegó al río Urubamba, donde esperaba un hombre de treinta y tantos años vestido con un traje de lino blanco y un sombrero panamá color crema. Su nombre era Nathan Sebastian y era teniente del ejército de los Estados Unidos.

Tras Sebastian, flotando perezosamente sobre el río al lado de un embarcadero en forma de «T», había dos helicópteros militares.

Eran Bell Textron UH-1N, Hueys. Pero habían sido ligeramente modificados. Habían quitado los largos y estrechos puntales de aterrizaje y los habían sustituido por pontones que flotaban sobre la superficie del río. Race vio que uno de los helicópteros tenía una serie de complejos dispositivos electrónicos suspendidos bajo su morro en forma de rana.

El camión derrapó y se paró cerca del embarcadero. Race y los demás se bajaron de él.

El teniente Sebastian fue directo hacia Nash.

—Los helicópteros están listos, coronel, tal como usted pidió.

—Buen trabajo, teniente —dijo Nash—. ¿Qué sabemos de nuestros competidores?

—Rastreamos hace diez minutos con el escáner, señor. En estos momentos Romano y su equipo están sobrevolando Colombia rumbo a Cuzco.

—Dios, ya están sobre Colombia —dijo Nash mordiéndose el labio—. Están acortando distancias.

—El tiempo estimado de su llegada a Cuzco es de tres horas, señor —dijo Sebastian.

Nash miró su reloj. Eran las cinco en punto.

—Entonces no tenemos mucho tiempo —dijo—. Carguemos los helicópteros y pongámonos en marcha.

Nash no había terminado de dar la orden y los boinas verdes ya estaba cargando seis enormes maletas Samsonite en los dos Hueys. Una vez las hubieron guardado, los doce miembros del equipo se dividieron en dos grupos de seis y subieron a bordo.

Los dos helicópteros despegaron del río. Sebastian, mientras, permanecía en el embarcadero sujetándose su estúpido sombrero.

Los dos Hueys se elevaron sobre las cimas montañosas cubiertas de nieve.

Race estaba sentado en la parte de atrás del segundo helicóptero, observando sobrecogido los espectaculares desfiladeros que se vislumbraban bajo ellos.

—Muy bien, escúchenme todos —se oyó decir a Nash a través de los auriculares—. Creo que tenemos cerca de dos horas más de luz. Me gustaría avanzar todo lo que pudiéramos a la luz del día. Lo primero que tenemos que hacer es encontrar el primer tótem. ¿Walter? ¿Gaby?

Nash tenía a Chambers y a Gaby López con él en el helicóptero principal. Los dos Hueys se dirigieron hacia las montañas, pasado el río Paucartambo, en dirección a los tres pueblos que se mencionaban en el manuscrito de Santiago: Paxu, Tupra y Roya.

De acuerdo con el manuscrito, encontrarían el primer tótem cerca del último pueblo mencionado: Roya. Ahora era menester de Chambers y López, el antropólogo y la arqueóloga, deducir la localización actual de aquel pueblo situado a orillas del río.

Y así, reflexionó Race, lo que a Renco Capac y Alberto Santiago les había llevado once días, ellos lo hicieron en cincuenta minutos. Tras sobrevolar por encima de las cimas puntiagudas y recortadas de los Andes durante cerca de una hora, de repente, las montañas bajo ellos se quedaron a un lado y Race vio una extensión espectacular de follaje verde y plano que se extendía hasta donde alcanzaban sus ojos. Aquel era un paisaje increíble. El inicio de la cuenca del río Amazonas.

Volaron bajo, rumbo al noreste. Las palas del rotor de los dos helicópteros golpeaban con fuerza el silencioso aire de la tarde.

Sobrevolaron algunos ríos, líneas marrones alargadas y gruesas que serpenteaban hasta la impenetrable selva. En ocasiones veían los restos de pueblos antiguos en la ribera del río; algunos de ellos con restos de piedras en el centro de las plazas, otros cubiertos por la maleza.

En un momento del viaje, Race vio el resplandor amarillo y tenue de unas luces eléctricas que se asomaban por el cada vez más oscuro horizonte.

—La mina de oro Madre de Dios —informó Lauren inclinándose hacia él para ver mejor el resplandor—. Una de las mayores minas a cielo abierto del mundo, y también una de las más antiguas. Es lo más parecido a la civilización que se encuentra por aquí. Un cono de tierra hundido en la zona. Había oído que la habían abandonado el año pasado. Supongo que la han vuelto a abrir...

En ese momento se escucharon voces alborotadas por la radio. Chambers y López estaban diciendo algo acerca del pueblo que se encontraba bajo los dos Hueys.

La siguiente voz que se escuchó pertenecía a Frank Nash. Estaba ordenando a los helicópteros aterrizar.

Los dos helicópteros aterrizaron sobre un claro desierto al lado de la ribera del río. Nash, Chambers y López bajaron de su helicóptero.

En medio del claro cubierto de hierba había algunos monumentos pétreos invadidos por el musgo. Tras examinar durante unos minutos los monumentos y compararlos con sus cuadernos, Chambers y López afirmaron que con casi total certeza ese era el emplazamiento del pueblo de Roya.

Tras confirmar la identidad del pueblo, Race y el resto del equipo bajaron de los helicópteros y comenzaron a inspeccionar los alrededores. Diez minutos después, Lauren encontró el primer tótem de piedra, a cerca de quinientos metros al noroeste del pueblo.

Race se quedó mirando el tótem gigante de piedra, sobrecogido.

Era infinitamente más aterrador de lo que se imaginaba.

Medía casi dos metros ochenta de alto y era todo de piedra. Había sido víctima de algunos actos de vandalismo: crucifijos y símbolos cristianos que habían sido grabados por conquistadores temerosos de Dios cuatrocientos años atrás.

La talla en piedra del *rapa,* sin embargo, no se parecía a nada de lo que hubiera visto anteriormente. Era absolutamente espeluznante.

Estaba mojada, cubierta por un hilo de agua. Y esa capa de humedad le daba a la talla un efecto realmente extraño. Hacía que la estatua pareciese cobrar vida.

Race tragó saliva mientras contemplaba el decrépito y antiguo tótem.

Dios santo.

Una vez hubieron encontrado el primer tótem, el equipo corrió a los helicópteros y despegaron a toda velocidad.

El helicóptero de Nash era el que encabezaba la marcha, volando bajo sobre la selva y siguiendo la dirección de la cola del *rapa.*

Race oyó la voz de Nash a través de los cascos.

—... Conectad el magnetómetro. Una vez hayamos obtenido una lectura sobre el próximo tótem, volveremos a usar los focos...

—Entendido.

Race frunció el ceño. Quería preguntar a alguien qué era un magnetómetro, pero no quería quedar como un ignorante delante de Lauren, no más de lo que ya había quedado.

—Es un dispositivo que emplean los arqueólogos para localizar reliquias situadas bajo tierra —dijo Lauren sonriéndolo irónicamente.

Maldita sea, pensó Race.

—También tiene un uso comercial, pues las empresas que se dedican a la exploración de recursos lo emplean para detectar reservas subterráneas de petróleo y mineral de uranio —añadió.

—¿Cómo funciona?

—Un magnetómetro de cesio como el que estamos utilizando detecta las variaciones mínimas en los campos magnéticos de la Tierra, variaciones causadas por objetos que interrumpen la corriente ascendente de ese campo magnético. Durante años los arqueólogos han usado los magnetómetros en México para encontrar restos aztecas enterrados. Nosotros estamos usando el nuestro para encontrar el siguiente tótem.

—Pero los tótems están en la superficie —dijo Race—. ¿No le causará problemas al magnetómetro que haya animales y árboles alrededor?

—Puede ser un problema —dijo Lauren—, pero no en este caso. Nash habrá ajustado su lector para que solo detecte objetos de una densidad y profundidad concreta. Los árboles tienen una densidad de apenas unos miles de megabares y los animales, puesto que se componen de carne y hueso, tienen todavía menos. La piedra inca, sin embargo, es cerca de cinco veces más densa que el más grueso de los árboles de la selva...

—Muy bien —dijo de repente la voz de Nash—. Tengo una lectura. Justo delante. Cabo, encienda los focos.

Y así se hizo.

Durante la hora siguiente, mientras la luz iba desapareciendo y las sombras se cernían más y más sobre nosotros, Race se limitó a escuchar, mientras Nash, Chambers y López descubrían un tótem tras otro. Después de que el magnetómetro detectara un tótem, los Hueys se mantenían en el aire sobre la zona y la iluminaban con los cegadores focos blancos de los helicópteros. A continuación, dependiendo del tótem que hubiesen descubierto, iban en dirección de la cola del *rapa* o bien a la izquierda de la criatura, en la dirección de la Marca del Sol.

Los dos helicópteros volaron hacia el norte junto a la meseta que separaba las montañas de la selva.

Justo cuando estaba anocheciendo, Race escuchó de nuevo la voz de Nash.

—De acuerdo, nos estamos acercando a la meseta —dijo Nash—. Puedo ver una catarata...

Race se incorporó de su asiento y se inclinó para mirar a través del parabrisas delantero de su helicóptero. Vio cómo el Huey se alzaba sobre una magnífica catarata que marcaba el borde de la meseta.

—De acuerdo... Sigamos ahora el río...

El día fue oscureciéndose más y más, y muy pronto todo lo que Race pudo ver fueron las luces rojas de la cola del helicóptero de Nash, que se ladeaba e inclinaba mientras el Huey seguía la senda del enorme y negro río bajo ellos. El haz de luz de los focos se posaba sobre las olitas de la superficie del agua. Ahora se dirigían hacia el oeste, hacia la muralla de montañas que descollaban sobre la selva.

Y, de repente, Race vio cómo el helicóptero de Nash se ladeaba bruscamente hacia la derecha y doblaba una curva del río densamente arbolada.

—Un segundo —dijo la voz de Nash.

Race miró por el parabrisas. El helicóptero de Nash comenzó a dirigirse hacia la ribera situada a su izquierda.

—Espere... Veo un claro. Parece estar cubierto de musgo y hierba, pero... Un momento, es ahí. Sí, puedo verlo. Puedo distinguir los restos de un edificio con forma piramidal... Parece la ciudadela. De acuerdo, pues. Listos para aterrizar.

En el mismo momento en que los Hueys de Nash estaban aterrizando en el pueblo de Vilcafor, tres aviones militares mucho más grandes aterrizaban en el aeropuerto de Cuzco.

Eran aeroplanos: un avión estratégico de carga C-17 Globemaster III y dos cazas F-14. Los tres aviones rodaron hasta detenerse al final de la pista de aterrizaje, donde les esperaba un grupo de aparatos que habían llegado a Cuzco minutos antes.

Tres enormes helicópteros CH-53E Super Stallion esperaban al final de la pista al avión de carga Globemaster. Conformaban una imagen imponente. De gran tamaño y dureza, eran los helicópteros pesados más rápidos y potentes del mundo.

El traspaso de pasajeros y enseres se realizó rápidamente.

Tres siluetas salieron del Globemaster y corrieron por la pista hasta los helicópteros. Uno de ellos (negro, con gafas de montura dorada y menor estatura que los otros dos) llevaba algo bajo su brazo, un objeto que parecía un libro con tapas de cuero.

Los tres subieron a bordo de uno de los Super Stallion. Tan pronto como subieron a bordo, los tres helicópteros despegaron de la pista y pusieron rumbo al norte.

Pero alguien los había estado observando.

Situado a una distancia prudente del aeropuerto y observando a los helicópteros con unos potentes prismáticos, había un hombre vestido con un traje de lino blanco y un sombrero panamá color crema.

El teniente Nathan Sebastian.

Los dos Hueys de Frank Nash aterrizaron sobre el río, junto a lo que quedaba de Vilcafor, bajo la tenue luz del anochecer y un aguacero de lluvia torrencial.

Tras posarse sobre la superficie del río, los dos pilotos giraron sus aparatos de forma que sus pontones encallaran con cuidado en el lodo de la ribera.

Los boinas verdes fueron los primeros en bajarse con sus M-16 en ristre. Los miembros civiles del equipo bajaron tras ellos. Race fue el último de todos en bajar. Permaneció en el borde del río, desarmado, mirando sobrecogido los restos de la ciudadela de Vilcafor.

El pueblo se componía fundamentalmente de una calle central cubierta de hierba a casi cien metros de distancia del río. Estaba flanqueada a ambos lados por chozas de piedra sin tejado cubiertas de musgo y maleza. Todo el pueblo estaba cubierto de follaje. Era como si la selva que lo rodeaba hubiese cobrado vida y lo hubiera devorado entero.

Al final de la calle, donde se encontraba Race, se hallaba el río y los restos destartalados de un viejo embarcadero de madera. Al otro extremo de la calle, mirando por encima del pueblo como si de algún tipo de dios protector se tratara, estaban los restos de la ciudadela de forma piramidal.

A decir verdad, la ciudadela no era mucho mayor que una casa residencial de dos pisos. Pero estaba construida con algunas de las piedras más sólidas que Race jamás había visto. Era la mampostería inca de la que hablaba el manuscrito. Las gigantes rocas cuadradas que habían sido trabajadas por los canteros incas y perfectamente colocadas después junto a rocas trabajadas de forma similar. No era necesario el mortero y no lo habían utilizado.

La ciudadela tenía dos niveles, ambos de forma circular. El nivel superior formaba un círculo concéntrico que descansaba encima del inferior, de mayor tamaño.

Toda la estructura, sin embargo, parecía desgastada, deteriorada y en mal estado. Las otrora intimidantes murallas de piedra estaban ahora surcadas de verdes enredaderas y una red de grietas zigzagueantes. Todo el nivel superior estaba desmoronado. El nivel inferior estaba en buena parte intacto, pero totalmente cubierto de maleza. Una enorme puerta de piedra descansaba en un extraño ángulo dentro de la entrada principal al edificio.

A un lado de la ciudadela, algo llamó su atención.

El pueblo de Vilcafor estaba rodeado por un foso vacío, una zanja enorme con forma de herradura que rodeaba todo el pueblo; comenzaba en la ribera del río y acababa en la misma. Dos enormes diques de piedra evitaban que el agua del río entrara en el foso.

Debía de tener cerca de cuatro metros y medio de ancho y la misma profundidad. Matorrales espinosos se abrían paso hasta su fondo, seco. Dos viejos puentes hechos con troncos de madera lo atravesaban. Al igual que en el resto del pueblo, la selva invasora también los había cubierto. Entre los troncos que conformaban los puentes, descontroladas enredaderas surgían y se entrelazaban entre sí.

Race se quedó inmóvil allí, donde la antigua calle inca llegaba a su fin. La lluvia torrencial le goteaba por la visera de su gorra.

Se sentía como si se estuviera adentrando en otro mundo.

Un mundo antiguo.

Un mundo peligroso.

—No te quedes demasiado tiempo cerca del agua —le dijo Lauren cuando pasó a su lado.

Race se volvió, pues no entendía bien a qué se podía referir. Lauren encendió su linterna y señaló el río situado a sus espaldas.

Fue como si alguien hubiera dado al interruptor de la luz.

Race los vio enseguida, brillando bajo la luz de la linterna de Lauren.

Ojos.

No menos de cincuenta pares de ojos que sobresalían del agua, negra como la tinta, y que lo observaban desde la superficie del río salpicada de gotas de lluvia.

Se giró rápidamente hacia Lauren.

—¿Caimanes?

—No —dijo Walter Chambers acercándose a él—. *Melanosuchus niger.* Caimanes negros. El más grande de la familia de los *crocodylidae* de este continente. Hay quien dice que el más grande del mundo. Su tamaño es mayor que el de cualquier caimán, si bien en lo que respecta a su biología se parece más a un cocodrilo. De hecho, el caimán negro es pariente cercano del *Crocodylus porosus,* el enorme cocodrilo australiano de agua salada.

—¿Cómo de grandes son? —preguntó Race. Solo podía ver la extraña e inquietante constelación de sus ojos. No era capaz de decir con exactitud cuánto podrían medir.

—Más de seis metros y medio —dijo Chambers sin inmutarse.

—Más de seis metros y medio. ¿Y cuánto pesan?

—Más de mil kilogramos.

Mil kilos, pensó Race. *Una tonelada métrica.*

Fantástico.

Los caimanes empezaron a sobresalir de entre las oscuras aguas y Race pudo ver sus lomos acorazados y las láminas afiladas de sus colas.

Parecían túmulos oscuros que se cernían sobre el agua. Túmulos oscuros y enormes.

—No irán a salir del agua, ¿verdad?

—Podrían —dijo Chambers—, pero probablemente no lo hagan. La mayoría de estos animales prefiere coger a sus víctimas por sorpresa en el borde del agua y así seguir amparados en ella, pues, a pesar de que los caimanes negros son cazadores de noche, raramente salen del agua por la noche por la sencilla razón de que hace demasiado frío. Al igual que todos los reptiles, tienen que controlar su temperatura corporal.

Race se apartó del río.

—Caimanes negros —dijo—. Genial.

Frank Nash estaba en el otro extremo de la calle principal de Vilcafor, solo y con los brazos cruzados, observando atentamente el destartalado pueblo que se alzaba ante él.

Troy Copeland fue a su encuentro.

—Acaba de llamar Sebastian desde Cuzco. Romano ya ha llegado al aeropuerto de la ciudad. Llegó en un Globemaster acompañado por dos cazas Tomcat. En el aeropuerto les esperaban unos helicópteros. Cargaron el material, se montaron en ellos y pusieron rumbo a esta dirección.

—¿Qué tipo de helicópteros?

—Super Stallions. Tres.

—¡Dios santo! —exclamó Nash. Un CH-53E Super Stallion a plena carga podía transportar hasta cincuenta y cinco soldados totalmente equipados. Y ellos tenían nada menos que tres. Así que Romano también había portado consigo su arsenal.

—¿Cuánto tiempo tardamos en llegar desde Cuzco hasta aquí? —preguntó rápidamente Nash.

—Cerca de dos horas y cuarenta minutos —dijo Copeland.

Nash miró su reloj.

Eran las 19.45.

—Tardarán menos en los Stallions —dijo—, si siguen los tótems correctamente. Tenemos que actuar con rapidez. Diría que nos quedan cerca de dos horas hasta que lleguen aquí.

Los seis boinas verdes comenzaron a descargar las maletas Samsonite de los helicópteros y las colocaron en la calle principal de Vilcafor.

Nash, Lauren y Copeland las abrieron al unísono, revelando un equipo de alta tecnología en su interior: portátiles Hexium, lentes telescópicas de infrarrojos y unos botes de acero inoxidable con un aspecto muy futurista.

Los dos profesores, Chambers y López, se encontraban fuera del pueblo propiamente dicho. Estaban examinando la ciudadela y las estructuras circundantes.

Race, al que le habían dado una *parka* verde del Ejército para protegerse de la lluvia, se acercó a donde se encontraban los boinas verdes para ayudarles a descargar los helicópteros.

Cuando llegó a la ribera del río se encontró con *Buzz* Cochrane, que estaba hablando con el miembro más joven de su equipo, un cabo de aspecto lozano llamado Douglas Kennedy. El sargento Van Lewen y el capitán Scott, el militar al mando de los boinas verdes en esta misión, no se encontraban allí.

—En serio, Doogie, ¿podría ser más inalcanzable para ti? —estaba diciendo Cochrane.

—No sé, Buzz —dijo otro de los soldados—. Yo creo que debería invitarla a salir.

—Qué buena idea —dijo Cochrane volviéndose hacia Kennedy.

—Callaos ya —dijo Doug Kennedy con un marcado acento sureño.

—No, en serio, *Doogs*. ¿Por qué no vas y la invitas a salir?

—He dicho que os calléis —dijo Kennedy mientras sacaba una Samsonite de uno de los Hueys.

Douglas Kennedy tenía veintitrés años, era delgado y guapo, con cara de niño. Tenía los ojos de un vivo color verde y llevaba la cabeza afeitada. Sin embargo, el chaval estaba casi tan verde como sus ojos. Su apodo, Doogie, hacía referencia al carácter bueno y honesto del protagonista de una antigua serie de televisión, *Un médico precoz,* con el que decían que Doogie tenía muchas cosas en común. También era un apodo que sugería cierta torpeza e inocencia, dos características muy apropiadas para Doogie. En lo que a mujeres se refería, Doogie era especialmente tímido y torpe.

—¿Qué tal todo por aquí? —preguntó Race cuando se acercó a ellos.

Cochrane se giró, miró a Race de arriba abajo y le dio la espalda mientras decía:

—Oh, nada. Acabamos de pillar a Doogie mirando a la joven y guapa arqueóloga y le estábamos tomando un poco el pelo.

Race se giró y vio a Gaby López, la arqueóloga del equipo, que estaba con Walter Chambers en la ciudadela de Vilcafor.

Era realmente guapa. Tenía el pelo oscuro, una piel latina preciosa y un cuerpo firme y lleno de curvas. Con veintisiete años, o eso le había parecido oír a Race, era la adjunta más joven del Departamento de Arqueología de Princeton. Gaby López era una joven muy inteligente.

Race se encogió de hombros para sus adentros. Doogie haría más que bien en intentarlo.

Cochrane le dio a Doogie una palmada «efusivamente» fuerte en la espalda y escupió el tabaco que estaba mascando.

—No te preocupes, hijo. Haremos de ti un hombre. Mira al joven Chucky —dijo Cochrane señalando al siguiente miembro más joven de la unidad, un cabo de veintitrés años fornido y de cara redonda llamado Charles *Chuky* Wilson—. La semana pasada se convirtió por pleno derecho en un miembro del Club de los 80.

—¿Qué es el Club de los 80? —preguntó Doogie perplejo.

—Es algo muy sabroso, ciertamente —dijo Cochrane relamiéndose los labios—. ¿No es cierto, Chucky?

—Sí, Buzz.

—Peras, tío —sonrió burlonamente Cochrane.

—Peras —respondió Chucky con una sonrisa de oreja a oreja.

Mientras los dos soldados se reían, Race miró con cautela a Cochrane, consciente de lo que el boina verde había dicho en el avión cuando pensaba que Race no los escuchaba.

El cabo *Buzz* Cochrane debía de rondar los cuarenta. Era pelirrojo, tenía la cara completamente surcada de arrugas y una barbilla áspera y sin afeitar. Era un hombre fornido, de pecho abultado y brazos gruesos y poderosos.

Su solo aspecto era suficiente para que a Race no le gustara.

Parecía haber algo malo y miserable en él; el típico matón del colegio que gracias a su tamaño, y no a su inteligencia, tenía acogotados al resto de los compañeros. La típica bestia que se había alistado en el Ejército porque era un lugar donde la gente como él podía llegar a ser algo. No era de extrañar que, a punto de cumplir los cuarenta, todavía fuera cabo.

—Escucha, Doogie —dijo de repente Cochrane—. ¿Qué te parecería si yo fuera y le dijera a esa guapa arqueóloga que tenemos un joven soldado un poco tontaina que querría invitarla a una hamburguesa y al cine...?

—¡No! —exclamó Doogie, realmente alarmado.

Los otros boinas verdes se echaron a reír.

Doogie se puso rojo de la vergüenza.

—Y no me llaméis tonto —murmuró—. No soy ningún tonto.

Justo entonces, Van Lewen y Scott regresaron del otro helicóptero. La risa de los soldados cesó inmediatamente.

Race vio cómo Van Lewen posaba su mirada con recelo en Doogie y luego en los demás, de la forma en que un hermano mayor miraría a los torturadores de su hermano pequeño. A Race le dio la impresión de que había sido por la presencia de Van Lewen más que por la del capitán Scott que los soldados habían dejado de reír.

—¿Qué tal van las cosas por aquí? —dijo Scott a Cochrane.

—Sin problemas, señor —dijo Cochrane.

—Entonces coja su equipo y diríjase al pueblo —dijo Scott—. Están a punto de realizar la prueba.

Race y los soldados entraron en el pueblo. Seguía lloviendo a mares.

Mientras bajaban por la calle embarrada, Race vio a Lauren, que estaba con Troy Copeland al lado de la maleta Samsonite más grande de todas.

Era una maleta negra enorme, de al menos metro y medio de alto. Copeland estaba desplegando los paneles laterales, convirtiendo la maleta en una especie de mesa de trabajo portátil.

El enjuto científico abrió la parte superior de la maleta, desvelando el contenido de la misma: en su interior había una consola que le llegaba por la cintura y que constaba de varios cuadrantes, un teclado y una pantalla de ordenador. Lauren, junto a él, estaba añadiendo un objeto similar a una barra de plata, una especie de micrófono jirafa, en la parte superior de la consola.

—¿Listo? —preguntó Lauren.

—Listo —dijo Copeland.

Lauren apretó un interruptor que estaba en uno de los laterales de la maleta Samsonite y la consola se llenó de repente de luces verdes y rojas. Copeland se puso manos a la obra de inmediato y comenzó a teclear algo en el teclado de la unidad.

—Es un detector de resonancias de nucleótidos, o DRN —le dijo Lauren a Race antes de que este pudiera preguntarle—. Nos dice el emplazamiento de cualquier sustancia nuclear en el área circundante midiendo la resonancia en el aire que rodea a esa sustancia.

—¿Perdón? —inquirió Race.

Lauren suspiró y explicó:

—Cualquier sustancia radioactiva (ya sea uranio, plutonio o tirio), reacciona con el oxígeno, molecularmente hablando. En esencia, la sustancia radioactiva hace que el aire a su alrededor vibre, o resuene. Este dispositivo detecta esa resonancia en el aire y, por tanto, nos da la ubicación de la sustancia radioactiva.

Unos segundos después, Copeland terminó de teclear. Se giró a Nash y le dijo:

—El DRN está listo.

—Comiencen —ordenó Nash.

Copeland pulsó una tecla del teclado y la barra plateada situada en la parte superior de la consola comenzó a girar. Se movía lentamente en círculos constantes y precisos.

Mientras esto ocurría, Race miró a su alrededor y se percató de que López y Chambers habían regresado de su exploración. Ahora estaban mirando atentamente a la máquina. Race miró al resto del equipo. Todos estaban mirando el detector de resonancias de nucleótidos.

Y de repente lo entendió todo.

Todo dependía de ese dispositivo.

Si el detector no localizaba el ídolo en algún punto de las inmediaciones donde se encontraban, todo aquello habría sido una pérdida de tiempo.

La barra plateada dejó de girar.

—Tenemos una lectura —dijo Lauren de repente con los ojos fijos en la pantalla de la consola.

Race vio cómo Nash expulsaba el aire que había estado conteniendo todo ese tiempo.

—¿Dónde?

—Un segundo... —Lauren escribió algo en el teclado.

La barra estaba señalando río arriba, hacia las montañas, al área donde los árboles de la selva se juntaban con la pared escarpada de la meseta rocosa más cercana.

Lauren dijo:

—La señal es débil porque el ángulo no es el correcto. Pero estoy captando algo. Veré si puedo ajustar el vector...

Pulsó más teclas y la barra comenzó lentamente a inclinarse hacia arriba. Había alcanzado un ángulo de cerca de 30 grados cuando de repente los ojos de Lauren se iluminaron.

—Bien —dijo—. Tenemos una señal fuerte. Una resonancia de frecuencia muy elevada. Torciendo 270 grados hacia el oeste. El ángulo vertical es de 29 grados, 58 minutos. Alcance... 793 metros.

Lauren alzó la vista hasta la oscura pared rocosa que se alzaba al oeste por encima de los árboles. Parecía una especie de meseta. Capas inclinadas de agua resbalaban por sus paredes.

—Está en algún punto de esa zona —dijo—. Arriba en las montañas.

Nash se giró hacia Scott.

—Conecte con Panamá por radio. Dígales que el equipo preliminar ha verificado la existencia de la sustancia. Pero dígales también que, mientras hablamos, Inteligencia ha detectado fuerzas hostiles de camino a nuestro emplazamiento. Dígales que nos envíen fuerzas de protección para la evacuación tan pronto como puedan.

Nash se dio la vuelta para mirar al resto del grupo.

—Muy bien, en marcha. Cojamos ese ídolo.

Todo el mundo comenzó a prepararse.

Los boinas verdes prepararon sus M-16 y los científicos de la DARPA cogieron brújulas y diversos equipos informáticos para llevarlos con ellos.

Race vio que Lauren y Troy Copeland se dirigían al interior de uno de los Hueys, presumiblemente para coger parte de su equipo. Se apresuró tras ellos para ver si podía ayudarlos con algo y, quizá también, para preguntarle a Lauren qué había querido decir Nash con eso de que fuerzas hostiles se dirigían a Vilcafor.

—Oye... —dijo Race al llegar a la puerta del helicóptero—. Oh...

Los había pillado dándose un abrazo apasionado, besándose como dos adolescentes, mesándose los cabellos, entrelazando sus lenguas. En definitiva, a puntito de caramelo.

Los dos científicos se separaron inmediatamente al ver a Race. Lauren se sonrojó. Copeland lo miró con cara de pocos amigos.

—Lo siento, lo siento mucho —se excusó Race—. No pretendía...

—No pasa nada —dijo Lauren mientras se colocaba el pelo—. Es un momento muy emocionante para los dos.

Race asintió con la cabeza, se dio la vuelta y volvió al pueblo.

Qué otra cosa podía hacer.

En lo que no podía dejar de pensar, no obstante, mientras caminaba para unirse al resto en el pueblo, era en la imagen de Lauren acariciando con sus dedos el cabello de Copeland mientras lo besaba. Había visto su alianza.

Copeland, sin embargo, no llevaba ninguna.

El grupo caminó por lo que quedaba de un sendero embarrado que recorría la ribera del río. Mientras se dirigían a la base de la meseta rocosa, los ruidos nocturnos de la selva resonaban en sus oídos y el mar de hojas a su alrededor se combaba por el peso de la lluvia incesante.

Ya se había hecho de noche y las luces de sus linternas jugueteaban por la selva. Mientras caminaban, Race vio algunos claros entre los oscuros nubarrones que se cernían sobre ellos; claros que dejaban que la brillante luz de la luna entrara e iluminara el río. De vez en cuando veía a lo lejos algún relámpago. Se avecinaba una tormenta.

Lauren y Copeland encabezaban la marcha. Lauren llevaba en su mano una brújula digital. A su lado, y con un M-16 cruzado en el pecho, estaba *Buzz* Cochrane, el guardaespaldas de Lauren.

Nash, Chambers, López y Race les seguían muy de cerca. Scott, Van Lewen y un cuarto soldado, el fornido cabo que respondía al nombre de Chucky Wilson, cerraban la marcha.

Los dos últimos boinas verdes, *Doogie* Kennedy y el último soldado de la unidad, otro cabo llamado George *Tex* Reichart, se habían quedado en el pueblo cubriendo la retaguardia.

Race se percató de que estaba caminando al lado de Nash.

—¿Cómo es que el Ejército no envió primero a las fuerzas de protección? —preguntó—. Si este ídolo es tan importante, ¿por qué solo ha enviado a un equipo preliminar a por él?

Nash se encogió de hombros sin detener la marcha.

—Había gente en las altas esferas que pensaba que esto se trataba de una misión bastante especulativa: seguir las instrucciones de un manuscrito de cuatrocientos años de antigüedad para encontrar un ídolo de tirio. Así que nos proporcionaron una unidad ofensiva completa y la convirtieron en una fuerza de reconocimiento. Pero ahora que sabemos que está aquí, mandarán a la caballería. Ahora, si me disculpa.

Nash se adelantó y se unió a Lauren y Copeland en la delantera.

Race se quedó en la retaguardia, solo, sintiéndose de más, como un extraño que no tenía motivo alguno para estar allí.

Mientras caminaba por el sendero de la ribera del río no perdió de vista ni un instante la superficie del río, pues algunos de los caimanes estaban siguiendo a la comitiva.

Trascurrido cierto tiempo, Lauren y Copeland llegaron a la base de la meseta rocosa, una inmensa pared rocosa vertical y húmeda que iba de norte a sur. Race calculó que se habrían alejado unos cinco kilómetros y medio del pueblo.

A la izquierda, al otro lado del río, Race vio una catarata en la pared rocosa, catarata que abastecía de agua al río.

En el lado del río donde se encontraba, vio una fisura estrecha y vertical en la pared de un gigantesco muro rocoso.

La fisura apenas tendría dos metros y medio de ancho pero era muy alta, increíblemente alta, más de noventa y un metros, y sus paredes eran totalmente verticales. La fisura desaparecía en la ladera de la montaña. Un hilo de agua fluía de ella, hilo que se desparramaba por las rocas formando una charca que probablemente les llegaría a la altura del tobillo y que, a su vez, se desbordaba en el río.

Era un pasadizo, un pasillo natural de la roca. El resultado, supuso Race, de un terremoto menor en el pasado que había desplazado ligeramente la roca, que se extendía de norte a sur, de este a oeste.

Lauren, Copeland y Nash se metieron en la charca rocosa situada en la entrada del pasillo.

Mientras todos se iban metiendo, Race se dio la vuelta y vio que los caimanes habían dejado de seguirlos. Se habían quedado rezagados a unos cuarenta y cinco metros de distancia, rondando de forma amenazadora sobre las profundas aguas del río.

Mejor para mí, pensó Race.

Y entonces, de repente, se detuvo y se giró, mirando a un lado y a otro.

Algo no iba bien.

Y no solo por el comportamiento de los caimanes. Había algo en toda aquella zona que no le gustaba...

Y entonces Race se dio cuenta de lo que era.

Los ruidos de la selva habían desaparecido.

Salvo por el sonido de la lluvia golpeando las hojas, todo estaba en silencio. Ni el zumbido de las cigarras, ni el gorjeo de los pájaros, ni el susurro de las hojas.

Nada.

Era como si se hubiesen adentrado en una zona donde los ruidos y sonidos de la selva cesaran. Una zona donde los animales de la selva temieran entrar.

Lauren, Copeland y Nash no parecieron percatarse del silencio. Iluminaron con sus linternas el pasillo y echaron un vistazo al interior.

—Parece que llega hasta el lugar en cuestión —dijo Copeland.

Lauren se volvió a Nash.

—Va en la dirección correcta.

—Vayamos pues —dijo Nash.

Los diez aventureros entraron en el estrecho pasillo rocoso. Sus pies chapotearon por el agua, que efectivamente les llegaba hasta el tobillo. Iban en fila de uno, con *Buzz* Cochrane a la cabeza. La linterna que este llevaba en el cañón de su M-16 iluminaba el camino.

El pasillo era básicamente recto, con un ligero zigzag en el medio, y parecía atravesar la meseta durante al menos sesenta metros.

Race, que iba el último, alzó la vista. Las paredes rocosas a ambos lados de la fisura se alzaban sobre ellos. Para ser tan estrecha, la fisura era increíblemente alta. Mientras la observaba, una ligera lluvia le cayó en la cara.

Fue entonces cuando salió del pasillo y se encontró en un espacio abierto.

Lo que vio le dejó sin respiración.

Se encontraba en la base de una especie de cañón rocoso de grandes dimensiones. Un cráter cilíndrico que tenía al menos noventa metros de diámetro.

Una extensión de agua se prolongaba ante él; estaba delimitada en ambos lados por la pared circular del enorme cráter y el reflejo de la luz de la luna formaba en ella ondas plateadas. La fisura que acababan de atravesar parecía ser la única entrada a esta enorme sima cilíndrica. Una pequeña catarata caía del lado más alejado del cráter y sus aguas iban a parar al fondo del lago que había en el enorme cañón circular, de escasa profundidad.

Pero era lo que se encontraba en el centro de aquel cañón lo que llamó la atención de todos los allí presentes.

De aquellas aguas situadas en el centro exacto del cráter cilíndrico se elevaba una enorme formación rocosa.

Medía cerca de dos metros y medio de ancho y más de noventa metros de alto, una gigantesca torre de piedra natural que tenía casi el tamaño de un rascacielos medio y que se alzaba sobre el lago iluminado por la luz de la luna. La visión de aquel monolito negro bajo la lluvia nocturna era increíble.

Los diez se quedaron mirando la pétrea torre sobrecogidos.

—Santo Dios… —dijo Cochrane.

Lauren le enseñó a Nash la lectura de su brújula digital—. Nos encontramos a seiscientos metros del pueblo. Si tenemos en cuenta la altitud, yo diría que es muy posible que nuestro ídolo se encuentre en la parte superior de esa torre.

—¡Eh! —dijo Copeland.

Todos se giraron. Copeland estaba delante de una especie de sendero que había sido trazado en la pared curva exterior del cañón.

El sendero parecía ascender de forma escalonada, giraba en una espiral ascendente por la pared circular exterior del cañón, abrazando la circunferencia del cilindro, rodeando la torre situada en el centro del cráter, pero separado a su vez de la misma por un foso enorme y vacío de, al menos, treinta metros de ancho.

Lauren y Nash encabezaron de nuevo la marcha. Salieron del agua y se dirigieron al sendero.

El grupo recorrió el sendero.

La lluvia era más ligera allí y las nubes que se cernían sobre el gran cañón eran también menores, por lo que la luz de la luna se abría paso entre ellas con más facilidad.

Subieron y subieron, siguiendo el curvo y estrecho sendero mientras contemplaban estupefactos la espléndida torre de piedra que se alzaba en medio del cráter.

El tamaño de la torre era increíble. Era enorme. Pero tenía una forma un tanto curiosa: era más ancha en la parte superior que en la inferior. La formación se iba estrechando gradualmente hacia dentro, hacia el lugar donde tocaba con el lago, en el fondo del cráter.

Mientras subían por el sendero en forma de espiral, Race comenzó a distinguir la cima de la torre de piedra. Era redonda, como una cúpula, y estaba totalmente cubierta de un denso follaje. Ramas torcidas y anegadas se asomaban por los bordes de la torre, impertérritas ante la vertiginosa caída de noventa metros que había desde donde se encontraban.

El grupo estaba ya cerca de la parte superior del cráter cuando llegaron a un puente, o más bien lo que quedaba de él, que conectaba el sendero exterior en espiral con la torre.

Estaba situado justo debajo del borde del cañón, no muy lejos de la catarata que caía por la pared occidental del cañón.

A ambos lados de la sima había dos cornisas de piedra planas, a unos treinta metros de distancia entre sí. En cada cornisa había un par de contrafuertes de piedra, supuestamente los pilares de los que tiempo atrás pendiera un puente de cuerda.

Los dos contrafuertes situados en el lado de la sima donde se encontraba Race estaban desgastados, pero parecían fuertes y resistentes. Y antiguos. Muy, muy antiguos. Race no tenía ninguna duda de que databan de la época de los incas.

Fue entonces cuando vio el puente de cuerda.

Pendía de la cornisa al otro lado de la sima, el lado de la torre. Colgaba verticalmente de los dos contrafuertes de aquel lado, apoyado así contra la pared rocosa de la torre. Al final del puente, sin embargo, habían atado una cuerda amarilla larga y deshilachada que formaba un arco hasta la cornisa donde se encontraba Race, atada a uno de los contrafuertes.

Walter Chambers examinó la deshilachada cuerda amarilla.

—Cuerdas de hierba seca entrelazadas. Se trata de la clásica fabricación de cuerdas de los incas. Se decía que un pueblo inca, si sus gentes trabajaban juntas, podía construir un puente de cuerda en tres días. Las mujeres cogían la hierba y la trenzaban hasta formar cuerdas de gran longitud. Después, los hombres trenzaban esas cuerdas entre sí hasta formar segmentos de cuerda más gruesos y resistentes como este.

—Pero un puente de cuerda probablemente no podría sobrevivir a los elementos durante cuatrocientos años —dijo Race.

—No, no podría —dijo Chambers.

—Lo que significa que otros construyeron ese puente —dijo Lauren—. Y no hace mucho.

—Pero, ¿por qué todo este montaje? —dijo Race señalando el largo de la cuerda que se extendía a través del barranco hasta el punto más bajo del puente—. ¿Por qué iban a atar una cuerda al final del puente y hacer que todo el puente se cayera al otro lado?

—No lo sé —dijo Chambers—. Solo se hace algo así si quieres que algo o alguien quede atrapado en la parte superior de la torre…

Nash se giró hacia Lauren.

—¿Qué opina?

Lauren observó la torre, parcialmente oscurecida por el velo de la lluvia torrencial.

—Está lo suficientemente alta como para que concuerde con el ángulo del DRN. —Miró su brújula digital—. Y nos encontramos exactamente a 632 metros, horizontalmente hablando, del pueblo. Si tenemos en cuenta la altitud, cabe la posibilidad de que el ídolo se encuentre allí.

Van Lewen y Cochrane tiraron de la cuerda para elevar el puente de cuerda y lo aseguraron alrededor de los contrafuertes de piedra. Ahora el puente colgante cruzaba la sima, comunicando la torre con el sendero en espiral que la rodeaba.

La lluvia caía sin cesar y brillantes relámpagos comenzaron a iluminar el cielo.

—Sargento —dijo el capitán Scott—. La cuerda de seguridad.

Van Lewen sacó inmediatamente un objeto de su mochila. Era una especie de garfio plateado al que iba unido un rollo de cuerda negra de nailon.

El sargento metió rápidamente el astil del garfio en el lanzagranadas M-203 que llevaba incorporado en el cañón de su M-16. Después apuntó con el fusil al otro lado de la sima y disparó. El garfio salió disparado del lanzagranadas de Van Lewen, emitiendo un *ssshhh* gaseoso y formando un grácil arco sobre la sima. El garfio se abrió mientras volaban en dirección a la torre. La cuerda negra, mientras, serpenteaba tras él.

Aterrizó en la parte superior de la torre, al otro lado de la sima, y se clavó en la base de un árbol macizo allí situado. A continuación, Van Lewen aseguró el final de la cuerda a uno de los contrafuertes, de forma que la cuerda de nailon atravesaba el cañón justo por encima del corvado puente colgante.

—Muy bien. Atención todo el mundo —dijo Scott—. Tenemos que sostenernos fuertemente con una mano a la cuerda de seguridad mientras cruzamos el puente. Si el puente se cae bajo nosotros, la cuerda evitará que nos caigamos.

Van Lewen debió de ver que Race se ponía pálido.

—No se preocupe, todo irá bien. Agarre bien la cuerda y lo logrará.

Los boinas verdes cruzaron primero, uno por uno.

El estrecho puente de cuerda se meció y balanceó bajo su peso, pero aguantó. El resto del grupo les siguió, aferrándose a la cuerda de seguridad de nailon mientras cruzaban el puente colgante bajo la lluvia subtropical.

Race fue el último en cruzar el puente de cuerda. Se aferró tan fuertemente a la cuerda de seguridad que sus nudillos se tornaron lívidos, lo que hizo que cruzara el puente más despacio que los demás. Cuando llegó al saliente del otro lado, el resto del equipo había proseguido con la marcha y lo único que vio fue una escalera de piedra húmeda que se adentraba en el follaje. Se apresuró tras ellos.

Verdes hojas empapadas por la lluvia oprimían su paso y frondas húmedas de helechos lo abofeteaban mientras subía por las encharcadas losas de piedra tras los demás. Después de subir las escaleras durante cerca de treinta segundos, se abrió paso a través de un montón de ramas hasta encontrarse en medio de un claro.

Todos los demás estaban allí. Pero no se movían. Al principio no supo qué era lo que les había hecho pararse, pero entonces observó que todos ellos tenían sus linternas apuntando hacia arriba, a la izquierda.

Sus ojos siguieron las luces de las linternas y lo vio.

—¡Santo Dios! —musitó.

Allí, en lo más alto de la torre de piedra, cubierta por el moho y el fango, oculta entre la maleza y refulgente a causa de la perenne lluvia, se alzaba una inquietante estructura de piedra.

Estaba envuelta en sombras y lluvia, pero resultaba obvio que aquella estructura había sido diseñada para emanar una sensación de poder y amenaza. Una estructura sin otro propósito que el de inspirar miedo, idolatría y veneración.

Era un templo.

Race miró al oscuro templo de piedra y tragó saliva.

Había algo diabólico en él.

Diabólico, frío y cruel.

No era una estructura muy grande; apenas una planta de altura. Pero Race sabía que aquello no era lo que parecía.

Supuso que lo que estaban viendo era solo la parte superior del templo, la punta del iceberg, porque la parte en ruinas que tenían ante sí acababa de una forma demasiado abrupta. Desaparecía en el barro que tenían bajo sus pies.

Race se imaginó que el resto de la enorme estructura se encontraba sepultada en el barro, consumida por cuatrocientos años de acumulación de tierra húmeda.

Lo que se veía, sin embargo, era ya de por sí lo suficientemente aterrador.

El templo tenía una tosca forma piramidal. Dos anchos escalones de piedra conducían hasta una estructura en forma de cubo que no era mayor que un garaje medio. Tenía cierta idea de qué podía ser aquella estructura: era una especie de tabernáculo, una cámara sagrada no muy diferente de aquellas encontradas en las partes superiores de las pirámides aztecas o mayas.

En los muros del tabernáculo habían tallado una serie de pictogramas: monstruos de aspecto felino que gruñían y blandían sus garras, similares a guadañas; hombres que agonizaban y gritaban de dolor. Los muros de piedra del templo estaban plagados de grietas causadas por el paso del tiempo. La incesante lluvia subtropical caía formando arroyos sobre los muros tallados, dando vida a los personajes de las aterradoras escenas cinceladas y creando el mismo efecto que el fluir del agua había producido poco antes en el tótem de piedra.

En el centro del tabernáculo, sin embargo, se encontraba el detalle más intrigante de toda la estructura: algo similar a una entrada. Un portal cuadrangular.

Pero este portal había sido tapado. En algún momento de un pasado lejano alguien había colocado una roca enorme para bloquear su acceso. La roca era de proporciones descomunales. Para colocarla allí habrían hecho falta al menos diez hombres, pensó Race.

—Definitivamente preincaico —dijo Chambers mientras examinaba las tallas.

—Sí, sin duda —convino López.

—¿Cómo lo saben? —preguntó Nash.

—Los pictogramas están muy juntos —contestó Chambers.

—Y son muy preciosistas en los detalles —añadió López.

Nash se volvió hacia el capitán Scott.

—Contacte con Reichart en el pueblo.

—Sí, señor. —Scott se alejó del círculo y sacó una radio portátil de su mochila.

López y Chambers seguían debatiendo sobre el tema.

—¿Qué piensa? —preguntó López—. ¿Chachapoya?

—Posiblemente —respondió Chambers—. Podría ser mochica. Fíjese en los felinos.

Gaby López ladeó la cabeza dubitativa.

—Podría ser, pero entonces datarían de hace casi mil años.

—Entonces, ¿qué pasa con el sendero en espiral alrededor del cráter y las escaleras que hay aquí en la torre? —dijo Chambers.

—Sí..., sí, lo sé. Es muy extraño.

Nash los cortó.

—Me alegra que lo encuentren tan fascinante, pero ¿de qué demonios están hablando?

—Bueno —dijo Chambers—, parece que nos encontramos ante una pequeña anomalía, coronel.

—¿A qué se refiere?

—Verá, el sendero en espiral que rodea este cráter y las escaleras de esta torre fueron sin duda alguna construidas por ingenieros incas. Los incas construyeron todo tipo de caminos y senderos a través de los Andes y sus métodos de construcción están muy bien documentados. Estos dos ejemplos llevan el sello distintivo de las construcciones de senderos de los incas.

—¿Qué me quiere decir con eso?

—Lo que quiero decir es que el sendero y las escaleras fueron construidos hace unos cuatrocientos años. Este templo, por otro lado, fue construido mucho antes.

—¿Y? —preguntó Nash un tanto irritado.

—Pues que ahí está la anomalía —dijo Chambers—. ¿Por qué iban a construir los incas un sendero hasta un templo que ni siquiera construyeron?

—Y no nos olvidemos del puente de cuerda —señaló López.

—Cierto —dijo Chambers—. Muy cierto.

El científico ratón de biblioteca miró con temor al borde del cráter.

—Yo les sugeriría que nos diéramos prisa.

—¿Por qué? —preguntó Nash.

—Porque es muy probable que haya en esta zona tribus de indígenas que no creo que vayan a tomarse muy bien que hayamos accedido a lugar sagrado.

—¿Cómo lo sabe? —preguntó rápidamente Nash—. ¿Cómo sabe que hay indígenas por aquí?

—Porque —dijo Chambers— son los que construyeron el puente de cuerda.

—Como señaló anteriormente el profesor Race —explicó Chambers—, los puentes colgantes hechos con cuerda se deterioran muy rápidamente. Un puente de cuerda hecha con hierbas se deshace, digamos, a los pocos años de ser construido. El puente que hemos cruzado para llegar a este templo no pudo existir hace cuatrocientos años. Ha sido construido hace poco y por alguien que conoce los métodos incas para construir puentes, con toda probabilidad alguna tribu primitiva cuyas gentes hayan transmitido de generación en generación estos conocimientos.

Nash rezongó de forma audible.

—Una tribu primitiva —dijo Race con rotundidad—. ¿Aquí? ¿Ahora?

—No es tan improbable —dijo Gaby López—. Constantemente se descubren en la cuenca del Amazonas tribus perdidas. En 1987, los hermanos Villas Boas establecieron contacto con los kreen akrore, una tribu que se creía perdida, en la selva brasileña. Por Dios santo, si hasta el gobierno brasileño ha enviado exploradores a la selva para que contacten con tribus de la Edad de Piedra.

»Como podrá imaginarse, sin embargo, muchas de esas tribus primitivas son extremadamente hostiles con los europeos. Se sabe de exploradores subvencionados por el Estado que han vuelto a casa en trocitos. Otros, como el famoso antropólogo peruano Miguel Moros Márquez, ni siquiera regresaron...

—¡Eh! —gritó Lauren de repente.

Todos se giraron. Lauren estaba delante de la roca colocada dentro de la puerta cuadrangular.

—Hay algo escrito aquí.

Race y los otros se acercaron al lugar donde Lauren se encontraba. Esta frotó la superficie para quitar el barro que se había aferrado a la roca y Race vio lo que Lauren estaba mirando.

Había algo grabado en la superficie de la piedra.

Lauren siguió frotando para quitar más barro, hasta que apareció algo que parecía una letra del alfabeto.

Era una «N».

—¿Qué demonios...! —dijo Nash.

Las palabras comenzaron a cobrar sentido.

«No entrare...»

Race lo reconoció. Era español.

Lauren quitó más barro y una frase apareció en mitad de la roca, grabada de una forma un tanto rudimentaria. Rezaba así:

No entrare absoluto.
Muerte asomarse dentro.

AS

Race tradujo las palabras en su cabeza. Después tragó saliva.

—¿Qué dice? —preguntó Nash.

Race se giró para mirarlo. Al principio no dijo nada. Al cabo de un rato dijo finalmente:

—Dice: «No entrar bajo ningún concepto. La muerte asoma dentro».

—¿Qué significa «AS»? —preguntó Lauren.

—Yo diría —dijo Race—, que «AS» se refiere a Alberto Santiago.

En el pueblo, *Doogie* Kennedy le dio una patada a una piedra. Estaba nervioso. Ya había oscurecido, la lluvia no cesaba y estaba enfadado por el hecho de que le hubieran dejado en el pueblo cuando lo que él realmente quería era estar en las montañas con los demás.

—¿Qué ocurre, Doogs? —le preguntó el cabo George *Tex* Reichart desde el foso situado en el lado oriental del pueblo. Reichart era un hombre larguirucho y desgarbado. Era de Austin; un auténtico vaquero, de ahí su apodo—. ¿Echas en falta un poco de acción?

—Estoy bien —dijo Doogie—. Es solo que preferiría estar con ellos en las montañas, buscando lo que quiera que debamos encontrar, en vez de aquí abajo cuidando de este maldito pueblo.

Reichart se rió para sus adentros. Doogie era un buen soldado. Un poco corto de luces, pero lleno de entusiasmo.

Lo que *Tex* Reichart no sabía, sin embargo, era que tras ese acento sureño se encontraba un hombre extraordinariamente inteligente.

Las pruebas y exámenes preliminares realizados en Fort Benning habían revelado que Doogie tenía un coeficiente intelectual de 161, lo que resultaba muy extraño teniendo en cuenta que solo había acabado el instituto.

Pronto se descubrió que, durante sus años de colegio en Little Rock (Arkansas), el padre del joven Douglas Kennedy, un contable temeroso de Dios, le había pegado sin cesar cada noche con un cinturón de cuero.

Kennedy padre se había negado también a comprarle los libros del colegio a su hijo y la mayoría de las noches le obligaba a permanecer en un armario oscuro de uno veinte por noventa como castigo por perpetrar faltas graves, tales como cerrar la puerta demasiado fuerte o pasar demasiado el filete de su padre. Jamás pudo hacer los deberes. El joven Doogie logró terminar el instituto gracias a su extraordinaria capacidad para retener mentalmente lo que se decía en clase.

Se alistó en el Ejército el día que terminó el instituto y nunca regresó a su casa. Mientras que el personal del colegio solo había visto en él a otro chaval tímido que había aprobado por los pelos el instituto, un sargento de reclutamiento veterano y astuto había visto una mente resuelta y brillante.

Doogie seguía siendo tímido, pero, gracias a su inteligencia, su fuerza de voluntad y la red de apoyo del Ejército, pronto se había convertido en un gran soldado. Había logrado con rapidez convertirse en soldado de las tropas de asalto y en un tirador de elite. Los boinas verdes y Fort Bragg habían sido lo siguiente.

—Supongo que me muero por un poco de acción —comentó Doogie mientras se acercaba a Reichart. Este estaba colocando en el lado oriental del foso un sensor AC-7V.

—No quiero que te hagas ilusiones —añadió Reichart mientras accionaba el sistema de imagen térmica activado por movimiento del sensor—. No creo que vaya a haber mucha agitación en este viaje...

El sensor de movimiento emitió un *bip*.

Doogie y Reichart se miraron.

Inmediatamente después se volvieron para escudriñar la zona que señalaba el sensor de movimiento.

Allí no había nada.

Tan solo una maraña de frondas de helechos y la selva, desierta. Escucharon en las proximidades el silbido de un pájaro.

Doogie agarró su M-16 y cruzó cauteloso por el puente de madera de la sección este del foso. Fue avanzando lentamente hacia la zona sospechosa.

Cuando llegó a las inmediaciones de la selva, encendió la linterna situada encima del cañón de su M-16.

Y entonces lo vio.

¡Vio el cuerpo brillante y moteado de la serpiente más grande que había visto en su vida! Era una anaconda de nueve metros, una serpiente monstruosa que se movía perezosa y sigilosamente por las ramas retorcidas de un árbol amazónico.

Era tan grande, pensó Doogie, que su movimiento debía de haber accionado el sensor de movimiento.

—¿Qué ocurre? —preguntó Reichart, que acababa de llegar a su lado.

—Nada —dijo Doogie—. Solo era una serp...

Y entonces Doogie se giró de nuevo hacia la serpiente.

La serpiente no podía haber accionado el sensor de movimiento. Tenía la sangre fría y el sensor de movimiento funcionaba con un sistema de imágenes térmico. Recogía señales de calor.

Doogie alzó de nuevo su arma y apuntó la linterna al suelo de la selva.

Y esta vez se quedó helado.

Había un hombre delante de él, tumbado sobre la maleza empapada.

Estaba tumbado boca abajo y miraba a Doogie a través de una máscara de hockey negra, a menos de nueve metros de distancia. Su camuflaje era tan bueno que apenas si se le podía distinguir entre la maleza.

Pero Doogie ni siquiera se había percatado del camuflaje del hombre.

Sus ojos estaban fijos en el subfusil MP-5 con silenciador que sostenía y apuntaba directamente al puente de la nariz de Doogie.

El hombre levantó lentamente su dedo índice hasta los labios de la máscara, indicándole que no gritara y, mientras lo hacía, Doogie vio a otro hombre idéntico tumbado a su lado; y después a un tercero, a un cuarto y a un quinto.

Tenía a todo un grupo de oscuros espectros a su alrededor.

—¿Qué coño...! —exclamó Reichart al ver a aquellos soldados tumbados ante ellos. Fue a coger su arma, pero, cuando escuchó cómo los veinte quitaban el seguro de las suyas, se lo pensó mejor.

Doogie cerró los ojos indignado.

Debía de haber al menos veinte hombres escondidos en la maleza, ante sus propios ojos.

Negó con la cabeza lamentándose.

Reichart y él acababan de perder el pueblo.

—«La muerte asoma dentro» —Nash frunció el ceño mientras miraba la roca colocada delante del portal del templo.

Race estaba a su lado, observando las imágenes talladas en los muros de piedra del templo, aquellas terribles escenas de felinos monstruosos y de gente agonizando.

—Lo cierto es que es más literal si cabe —dijo girándose hacia él—. Sería más bien «la muerte acecha dentro».

—¿Y lo escribió Santiago? —preguntó Nash.

—Eso parece.

El capitán Scott apareció en ese preciso momento.

—Señor, tenemos un problema. No puedo contactar con Reichart.

Nash no se volvió cuando Scott se dirigió a él; siguió con la mirada fija en el portal.

—¿Interferencias por las montañas?

—No hay problemas con la señal, señor. Reichart no responde. Algo no va bien.

Nash frunció el ceño.

—Están aquí... —murmuró.

—¿Romano? —preguntó Scott.

—Maldita sea —dijo Nash—. ¿Cómo han podido llegar tan rápido?

—¿Qué hacemos?

—Si están en el pueblo, saben que estamos aquí.

Nash se giró y miró a Scott.

—Llame a la base en Panamá —ordenó—. Dígales que pasamos al plan B y que tenemos que dirigirnos a las montañas. Dígales que establezcan comunicación por radio con el equipo de apoyo aéreo y que dé instrucciones a los pilotos para que se dirijan aquí con nuestras balizas portátiles. Vamos. Tenemos que darnos prisa.

Lauren, Copeland y un par de boinas verdes se apresuraron a colocar unos explosivos plásticos de composición C2 en la roca que bloqueaba la entrada al portal.

El C2 es un tipo de explosivo plástico suave y fácilmente detonable que emplean los arqueólogos de todo el mundo para hacer explosionar las obstrucciones y obstáculos en estructuras antiguas sin que los edificios se vean afectados.

Todos se pusieron inmediatamente manos a la obra menos Nash, que decidió investigar la zona situada tras el templo, por si hubiera alguna otra forma de entrar. Como Race no tenía nada que hacer, fue con él.

Los dos rodearon el templo, siguiendo un sendero de piedra que bordeaba el tabernáculo como si de un balcón sin barandilla se tratara, hasta llegar a la parte trasera de la estructura cuadrangular.

Llegaron a la parte trasera de la construcción y vieron un terraplén embarrado que descendía de forma abrupta hasta el mismo borde de la cima de la torre en que se encontraban.

Ya en la cima de aquella colina embarrada, Race observó la disposición de los bloques rectangulares que componían el sendero que se encontraba bajo ellos.

Entre los bloques vio una piedra muy extraña.

Era redonda.

Nash también la vio, así que los dos se inclinaron para verla mejor.

Debía de tener unos setenta y cinco centímetros de diámetro, la anchura de un hombre con unas buenas espaldas, y yacía pegada a la superficie del sendero. A Race le dio la sensación como si la hubieran encajado perfectamente en el agujero cilíndrico del centro del sendero, un agujero que había sido tallado en los bloques de piedra cuadrangulares dispuestos alrededor.

—Me pregunto para qué lo usarían —dijo Nash.

—¿Quién es Romano? —preguntó Race, pillándolo totalmente desprevenido.

Race recordaba que Nash le había dicho antes que un equipo de asesinos alemanes había matado a aquellos monjes en el monasterio de los Pirineos; recordaba la foto que Nash le había enseñado con el jefe de ese grupo de asesinos, un hombre llamado Heinrich Anistaze.

Pero Nash no había mencionado en ningún momento a nadie que se llamara Romano. ¿Quién era y qué hacía en el pueblo? Y, lo que era más importante, ¿por qué huía Nash de él?

Nash lo miró con dureza. Su expresión se ensombrecía por momentos.

—Profesor, por favor...

—¿Quién es Romano?

—Discúlpeme —dijo Nash. Pasó a su lado rozándolo y se dirigió de nuevo a la parte delantera del templo.

Race negó con la cabeza y lo siguió a una distancia prudente. Cuando llegó a la fachada del templo se sentó en uno de sus escalones de piedra.

Estaba tan cansado. Tenía la mente embotada. Ya eran más de las nueve y, después de viajar durante casi doce horas, estaba exhausto.

Se recostó contra los peldaños del templo y se tapó con su *parka* del ejército. Una fatiga repentina e irrefrenable se apoderó de él. Recostó la cabeza contra los fríos peldaños de piedra y cerró los ojos.

Cuando los cerró, sin embargo, escuchó un ruido.

Era un ruido extraño. Un chirrido muy fuerte.

Era rápido, insistente, casi irritante, pero a su vez extrañamente amortiguado. Parecía provenir del interior de las piedras sobre las que había recostado la cabeza.

Race frunció el ceño.

Parecía el sonido de las garras al rozar la piedra.

Se incorporó de inmediato y miró al lugar donde se encontraban Nash y los demás.

Se le pasó por la cabeza comentárselo, pero no tuvo oportunidad porque, en ese momento, en ese preciso momento, dos helicópteros de ataque aparecieron por entre el velo de lluvia que se cernía sobre la torre de piedra; las palas del rotor del helicóptero bramaron y los haces de luz de su foco iluminaron la parte superior de la torre.

En ese mismo instante, una serie de disparos ensordecedores resonaron a su alrededor; algunos de ellos impactaron en los muros de piedra, a escasos centímetros de la cabeza de Race.

Race corrió a protegerse tras la esquina del templo. Se dio la vuelta justo a tiempo para ver a un pequeño ejército de siluetas vagas e imprecisas surgir de la línea del arbolado, justo al final del claro. Sus armas escupían lenguas de fuego cual espectros en la oscuridad.

Tercera maquinación

Lunes, 4 de enero, 21.10 horas

VILCAFOR Y ALREDEDORES

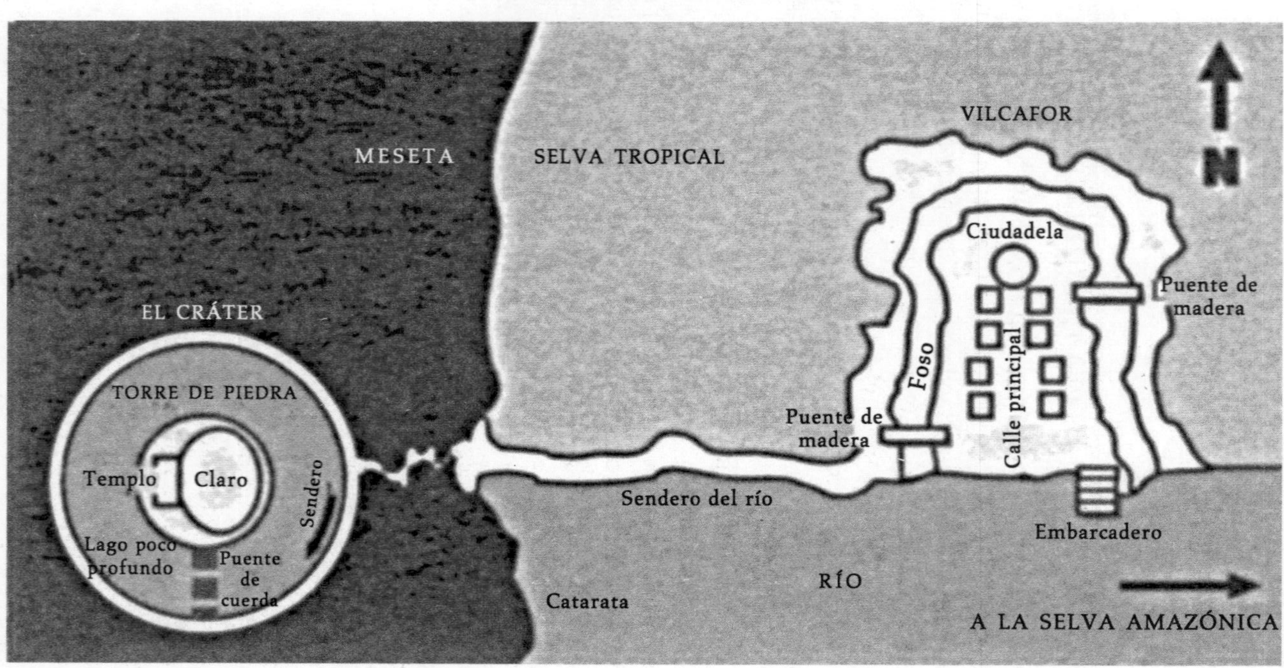

Race se cubrió la cabeza cuando otra ráfaga de disparos golpeó fuertemente en el muro de piedra contiguo.

Y, de repente, vio cómo por encima de su cabeza comenzaron a estallar más y más disparos. La persona que los efectuaba tenía que estar muy cerca de él.

Race abrió los ojos, alzó la vista y se encontró con el foco de uno de los helicópteros. Entrecerró los ojos, pero aun así la luz cegadora le impedía ver nada.

Se protegió los ojos con el antebrazo y poco a poco fue recuperando la vista. Fue entonces cuando se dio cuenta de que los disparos provenían de alguien que estaba encima de su propio cuerpo inmóvil en el suelo.

Era Van Lewen, su guardaespaldas.

Estaba defendiéndolo con su M-16.

Justo entonces, uno de los helicópteros de ataque rugió. Las palas del rotor golpearon el aire con fuerza mientras el foco seguía fijo en la cima de la torre. El helicóptero levantó la tierra embarrada alrededor de Van Lewen con los disparos de sus cañones laterales. El tremendo ruido de estos ahogó el estrépito de los disparos que se estaban produciendo en la cima de la torre.

Por el auricular de Race podían escucharse los gritos frenéticos de su equipo:

—No puedo ver de dónde...

—¡Son demasiados!

De repente se escuchó la voz de Nash:

—¡Van Lewen, alto el fuego! ¡Alto el fuego!

Un segundo después, Van Lewen dejó de disparar y con ello cesó la batalla. En la extraña quietud que le siguió, bañado por la luz blanca de los dos helicópteros de ataque que rodeaban la cima de la torre, Race vio que él y sus compañeros estaban completamente rodeados por al menos veinte hombres, todos ellos vestidos de negro y provistos de metralletas.

Los dos helicópteros de ataque comenzaron a planear sobre el claro situado delante del templo, iluminándolo con sus poderosos focos. Eran helicópteros de asalto AH-64 Apache.

Las siluetas comenzaron a salir lentamente del follaje.

Todos ellos iban fuertemente armados. Algunos de ellos llevaban subfusiles MP-5 fabricados en Alemania; otros llevaban fusiles de asalto Steyr-AUG de última generación.

Race se sorprendió al darse cuenta de que era capaz de identificar todas las armas que tenía ante él.

La culpa la tenía Marty.

Además de ser ingeniero de diseño de la DARPA y el fan más pesado habido y por haber de Elvis Presley (todos sus números PIN y las contraseñas de sus ordenadores tenían el mismo número: 53310761, su número de soldado en el ejército estadounidense), el hermano de Race era también una enciclopedia andante en lo que a armas se refería.

Ya desde pequeñitos (y hasta la última vez que había visto a su hermano hacía nueve años), cada vez que iban a una tienda de deportes, Marty era capaz de identificar para su hermano pequeño cada modelo, marca y fabricante de las armas que se exponían en la sección de armas de fuego. Lo extraño era que, gracias a los incesantes comentarios de Marty, Race ahora también podía identificarlas.

Parpadeó para volver al presente y volvió a posar su vista sobre la falange de soldados que tenía a su alrededor.

Todos ellos iban vestidos de negro: ropa de combate color negro azabache, cinchas color negro azabache, botas y guantes negro azabache…

Pero lo más chocante de sus uniformes eran sus rostros. Todos y cada uno de los soldados llevaban una máscara de hockey de porcelana sobre su rostro, una máscara negra carente de expresión que les tapaba toda la cara, a excepción de los ojos. Con ellas los soldados parecían fríos e inexpresivos, inhumanos, casi robóticos.

Justo entonces, uno de los soldados enmascarados se acercó a donde se encontraba Van Lewen y le arrebató su M-16 y el resto de sus armas a toda prisa.

A continuación, aquel hombre vestido de negro se agachó hacia Race y le sonrió a través de su máscara amenazadora.

—*Guten Abend*—dijo irónicamente antes de tirar bruscamente de Race para que se incorporara.

La lluvia caía sin cesar.

Nash, Copeland y Lauren estaban delante del portal con las manos en la nuca. Los boinas verdes, a su lado, estaban desarmados.

Walter Chambers observaba asombrado, con los ojos como platos, al pelotón de soldados que los rodeaban. Gaby López los miraba con calma y frialdad.

Van Lewen y Race estaban separados del grupo.

Race miró atemorizado a los soldados de negro, observando con detenimiento sus máscaras negras de hockey. Había visto máscaras como aquellas antes. La policía antidisturbios sudamericana las llevaba en las manifestaciones violentas para protegerse el rostro de las piedras y demás objetos arrojadizos.

Amparados por la oscuridad, tras el círculo de soldados, había otro grupo de gente, hombres y mujeres. No iban vestidos de uniforme ni llevaban máscaras. Vestían ropa de civil, no muy distinta a la que llevaba Lauren.

Científicos, pensó Race. *Científicos alemanes que habían venido por el ídolo.*

Miró al portal, a la roca que bloqueaba la entrada. De ella salían numerosos cables, los de los explosivos C2.

Justo entonces, uno de los soldados dio un paso adelante y fue a quitarse la máscara.

Race se puso tenso, esperando ver tras ella las marcadas facciones de Heinrich Anistaze, el otrora agente de la *Stasi* al mando del pelotón de asesinos alemanes responsables de la matanza en el monasterio.

El soldado se quitó la máscara.

Race frunció el ceño. No lo reconocía.

No era Anistaze.

Aquel era un hombre corpulento y mayor, con el rostro redondo y surcado de arrugas y un tupido bigote gris.

Race no sabía si sentirse aliviado o aterrorizado.

El hombre no dijo una palabra. Pasó rozando a Race y se agachó delante del portal.

Escudriñó los cables que salían de la roca y resopló. Después soltó los cables y se dirigió hacia Frank Nash.

Miró fijamente al coronel retirado, evaluándolo, valorándolo.

De repente se dio la vuelta y comenzó a gritar órdenes a sus tropas:

—*Feldwebel Dietrich, bringen Sie sie ins Dorf und sperren Sie sie ein! Hauptmann von Dirksen, bereiten Sie alles vor um den Tempel zu öffnen.*

Race tradujo mentalmente lo que había dicho: «Sargento Dietrich, llévelos al pueblo y enciérrelos. Capitán Von Dirksen, prepárense para abrir el templo».

Los diez estadounidenses, guiados por Dietrich y rodeados por seis de los soldados enmascarados, recorrieron bruscamente el camino de vuelta. Cruzaron el puente de cuerda y descendieron por el sendero en espiral.

Cuando llegaron a la superficie del cráter, les indicaron que se dirigieran a la fisura de la meseta que conducía al sendero del río. Tras veinte minutos de caminata, regresaron de nuevo al pueblo.

Pero el pueblo estaba distinto.

Dos enormes focos halógenos iluminaban la calle principal, bañándola en luz artificial. Los dos helicópteros Apache que Race había visto en la cima de la torre estaban ahora en mitad de la calle. Cerca de doce soldados alemanes se encontraban a la orilla del río con la mirada fija en este.

Race siguió su mirada y vio los maltrechos Hueys de su equipo. Al lado de los dos Apaches, los Hueys de Frank Nash parecían viejos y destartalados.

Fue entonces cuando Race vio lo que los soldados alemanes estaban mirando realmente.

Estaba detrás de los dos Hueys, sobre la superficie del río y empapado por la incesante lluvia nocturna.

Un hidroavión.

Pero no era un hidroavión corriente. Su envergadura debía de medir al menos sesenta metros. Y su vientre, la parte majestuosamente posada sobre el agua, era enorme, mucho más grande que el fuselaje principal del Hércules que los había transportado a Race y a los demás a Perú.

Cuatro motores turborreactores pendían en la parte inferior de sus enormes alas, mientras que dos pontones bulbosos salían de cada ala, tocando la superficie del río y estabilizando el aparato.

Era un Antonov An-111 Albatros, el mayor hidroplano del mundo.

El avión estaba girando lentamente sobre la superficie del río cuando Race y los demás surgieron del sendero de la ribera guiados por Dietrich, el sargento alemán. Estaba dando marcha atrás, en dirección a la ribera del río.

Tan pronto como encalló en el terreno embarrado, una rampa de carga comenzó a descender de sus cuartos traseros.

Una vez la rampa hubo tocado terreno seco, dos vehículos salieron del avión: un todoterreno de ocho ruedas (que más bien parecía un tanque sobre ruedas), y un Humvee con el techo rígido.

Los dos vehículos acorazados derraparon hasta detenerse en mitad de la calle principal. Race y los demás fueron conducidos hasta ellos. Cuando llegaron a los vehículos, Race vio a dos soldados alemanes más que estaban llevando a *Tex* Reichart y a *Doogie* Kennedy en su dirección.

—Caballeros —dijo Dietrich en alemán a los otros soldados—. Pongan a los soldados y a la gente del Gobierno en el todoterreno y a los demás en el Humvee. Enciérrenlos dentro y después inutilicen los vehículos.

Nash, Copeland y los seis boinas verdes fueron conducidos al tanque todoterreno. A Race, Lauren, López y Chambers los metieron a empellones dentro del Humvee.

El Humvee era como un *jeep* descomunal, solo que mucho más amplio y con un techo de metal reforzado. También tenía ventanillas Lexan que, por el momento, estaban bajadas.

Después de meterlos en el Humvee, uno de los soldados alemanes levantó el capó y se inclinó sobre el motor del vehículo. Apretó un interruptor que estaba debajo del radiador e inmediatamente todas las puertas del Humvee quedaron cerradas. Las ventanillas se subieron automáticamente.

Una prisión portátil, pensó Race.

Fantástico.

Mientras tanto, la cima de la torre era un hervidero de actividad.

Todos los soldados alemanes allí presentes pertenecían a los *Fallschirmtruppen,* las tropas paracaidistas de respuesta rápida del ejército alemán, y se movían como tales, con rapidez y eficiencia.

El militar al mando de su pelotón, el general Gunther C. Kolb, el hombre de bigote gris que había evaluado con frialdad a Frank Nash, estaba gritándoles órdenes en alemán.

—¡Muévanse, muévanse! ¡Vamos! ¡No tenemos mucho tiempo!

Mientras sus hombres corrían en todas direcciones, Kolb contemplaba la escena a su alrededor.

Los explosivos C2 colocados en la roca que bloqueaba el templo habían sido quitados y sustituidos por cuerdas. El equipo de entrada estaba listo y habían colocado una videocámara digital delante del portal para grabar la apertura del templo.

Kolb asintió para sí, satisfecho.

Estaban listos.

Era el momento de entrar.

La lluvia golpeaba con fuerza en el techo del Humvee.

Race estaba sentado, más bien, desplomado, en el asiento del conductor. Walter Chambers estaba a su lado en el asiento del copiloto. Lauren y Gaby López estaban sentadas en la parte trasera.

Race vio a través del parabrisas salpicado de gotas de lluvia que los soldados alemanes que se encontraban en el pueblo estaban mirando atentamente a un monitor.

Race frunció el ceño.

Vio una pequeña pantalla de televisión en la consola central del salpicadero del Humvee, en el lugar donde en un coche normal estaría la radio. Se preguntó si el cierre del motor del Humvee afectaría a los sistemas eléctricos. Apretó el botón de encendido de la televisión para averiguarlo.

Poco a poco, una imagen comenzó a tomar vida en la pantalla.

Race vio cómo los alemanes que se encontraban en el templo se colocaban alrededor del portal. A través de los altavoces del televisor pudo escuchar sus voces:

—*Ich kann nicht glauben, dass sie Sprengstoff verwenden wollten. Es hätte das gesamte Gebäude zum Einsturz bringen kömen. Mach die Seile fest...*

—¿Qué están diciendo? —preguntó Lauren.

—Están quitando los explosivos que colocasteis alrededor de la roca —dijo Race—. Creen que el C2 va a derribar toda la estructura. Van a utilizar cuerdas.

A continuación, se escuchó la voz de una mujer a través de los altavoces que hablaba a en alemán a toda velocidad.

Race se lo tradujo a los demás:

—Intenten contactar con el cuartel general. Dígales que hemos llegado al templo y que hemos encontrado y reducido a miembros del ejército de los Estados Unidos. Permanecemos a la espera de instrucciones...

Después dijo algo más.

—*... Was ist mit dem anderen amerikanischen Team? Wo sind die jetz?*

¿Qué demonios!, pensó Race.

«Das andere amerikanische Team?»

Al principio pensó que no lo había oído bien.

Pero sí que lo había oído. Estaba seguro.

Pero no tenía ningún...

Race frunció el ceño y omitió la traducción de esa frase al resto de los allí presentes.

En la pantalla, los soldados alemanes estaban colocando cuerdas alrededor de la roca.

—*Alles klar, macht eug fertig...*

—De acuerdo. Todos en posición.

Los soldados levantaron las cuerdas.

—*Zieht an!*

—Y... ¡Tiren!

En la cima de la torre, las cuerdas se tensaron y la roca que bloqueaba la entrada al portal comenzó a moverse, chirriando contra el suelo de piedra de la entrada.

Ocho soldados alemanes tiraban de la cuerda para mover la gigantesca roca del lugar donde había permanecido los últimos cuatrocientos años.

La roca comenzó a desplazarse muy, muy lentamente del portal, desvelando un interior sombrío y oscuro.

Una vez la hubieron quitado, Gunther Kolb dio un paso adelante y escudriñó el oscuro interior del templo.

Vio unas escaleras de piedra que descendían hacia la oscuridad situada bajo sus pies, hacia el mismísimo corazón de la increíble estructura subterránea.

—De acuerdo —dijo en alemán—. Equipo de entrada. Es su turno.

En el Humvee, Race se giró hacia Lauren.

—Van a entrar.

De nuevo en la cima de la torre, cinco soldados alemanes perfectamente equipados dieron un paso al frente. El equipo de entrada.

Encabezado por un joven y enjuto capitán llamado Kurt von Dirksen, el equipo se dirigió hacia Kolb y la entrada del templo con sus armas en ristre.

—Sin complicaciones —le dijo Kolb al joven capitán—. Encuentren el ídolo y salgan de...

En ese preciso instante y sin previo aviso, una serie de agudos silbidos cortó el aire a su alrededor.

Y, de repente, algo alargado y afilado se clavó en el musgo del muro del templo, justo al lado de la cabeza de Kolb.

Este observó el objeto asombrado.

Era una flecha.

Por la pantalla de la pequeña televisión del Humvee comenzaron a escucharse gritos mientras una lluvia de flechas caía sobre los soldados alemanes reunidos en el templo.

—*Was zum Teufel!*

—*Duckt euch! Duckt euch!*

—¿Qué está pasando? —le preguntó Lauren, inclinándose sobre el asiento del conductor.

Race se giró hacia ella, atónito.

—Creo que están siendo atacados.

El ensordecedor estruendo de las ametralladoras volvió a apoderarse de la cima de la torre cuando los soldados alemanes alzaron sus MP-5 y Steyr-AUG y comenzaron a disparar contra sus oponentes.

Los soldados estaban desplegados alrededor del portal del templo, mirando al exterior y apuntando al lugar de donde provenían las flechas: el borde del cráter.

Guarecido en las paredes del portal, Gunther Kolb escudriñó la oscuridad en busca de sus enemigos.

Y los vio.

Vio un grupo de figuras vagas e imprecisas congregadas en el borde del cañón.

Debían de ser unos cincuenta en total: cincuenta enjutas formas humanas que disparaban primitivas flechas de madera a los soldados que se encontraban en la cima de la torre.

¿Pero qué demonios!, pensó Kolb.

Race seguía escuchando atónito las voces alemanas que reproducían los altavoces de la televisión.

—¡Equipo del templo! ¿Qué está ocurriendo ahí arriba?

—Estamos siendo atacados. Repito, ¡estamos siendo atacados!

—¿Quiénes les están atacando?

—Parecen indígenas. Repito. Indígenas. Nativos. Nos están disparando desde el borde superior del cráter. Pero parece que estamos logrando que se replieguen. Espere. No, espere un segundo. Se retiran. Se retiran.

Un segundo después, el estruendo de las ametralladoras cesó y se produjo un largo silencio.

Nada.

Más silencio.

Por la pantalla se veía cómo los alemanes miraban con cautela a su alrededor con sus armas aún humeantes.

En el Humvee, Race intercambió miradas con Chambers.

—Una tribu de indígenas en la zona —dijo Race.

Gunther Kolb estaba bramando órdenes.

—¡Horgen! ¡Vell! ¡Cojan un pelotón y formen un perímetro alrededor del borde del cráter! —Se giró hacia Von Dirksen y el resto del equipo de entrada—. De acuerdo, capitán. Pueden entrar en el templo.

Los cinco miembros del equipo de entrada se reunieron ante el portal, que se abría ante ellos oscuro, amenazador.

El capitán Von Dirksen dio con cuidado un paso adelante, arma en ristre, y permaneció un instante en el umbral del portal, en la primera de las escaleras de piedra que conducían hasta las entrañas del templo.

—De acuerdo —dijo de manera ceremoniosa por su micrófono de garganta—. Veo unas escaleras de piedra delante de mí.

—Bajando las escaleras —dijo la voz de Von Dirksen a través de los altavoces del Humvee.

Race observó atentamente la imagen de los cinco soldados entrando lentamente por el portal, hasta que la cabeza del último soldado desapareció por debajo de la línea del suelo y ya no se pudo ver más que la entrada de piedra vacía.

—Capitán. Informe de la situación —dijo la voz de Kolb a través de los auriculares de Kurt von Dirksen el momento en que el joven capitán alcanzó el último de los peldaños de piedra. La luz de su linterna se abría paso a través de la oscuridad que le rodeaba.

Ahora se encontraba en un túnel de estrechos muros de piedra que se extendía en línea recta ante él hasta llegar a una curva que obligaba a torcer a la derecha. Allí el túnel descendía abruptamente en espiral hasta la penumbra del corazón del templo. Unos nichos irregulares y de pequeño tamaño se alineaban en sus muros.

—Hemos llegado al final de las escaleras —dijo—. Delante de mí veo un túnel curvo. Nos dirigimos hacia él.

El equipo de entrada se separó y entró cautelosamente por el túnel inclinado. Las luces de sus linternas se posaban sobre las paredes húmedas. Un sonido, similar al gotear de la lluvia, retumbaba desde algún lugar de las entrañas del templo.

Von Dirksen dijo:

—Equipo, aquí Uno. Llamando.

El resto del equipo de entrada respondió rápidamente.

—Aquí Dos.

—Tres.

—Cuatro.

—Cinco.

Se aventuraron por el túnel.

Race y los demás observaron la pantalla de televisión del Humvee en tenso silencio, para poder escuchar las murmullos del equipo de entrada alemán. Race les fue traduciendo.

—... Está todo mojado. Hay agua por todas partes.

—Estén atentos. Tengan cuidado por donde pisan.

Justo entonces se escuchó una interferencia por los altavoces de la televisión.

—¿Qué ha sido eso? —dijo von Dirksen al instante—. Aquí Uno llamando al equipo.

—Aquí Dos.
—Tres.
—Cuatro.
Y después nada.
Race esperó expectante a que el último soldado respondiera. Pero no lo hizo. No llegó a escucharse ningún «Cinco».

En el interior del templo, Von Dirksen se giró.

—Friedrich —susurró mientras seguía avanzando por el túnel con el resto del equipo a la zaga.

Habían descendido una parte del túnel en espiral y ahora se encontraban rodeados, a excepción de las linternas, por la más absoluta oscuridad.

Tras ellos, más arriba del gradiente, se podía ver la luz de la luna sobre la curva del túnel, indicando el camino de vuelta a la superficie.

Von Dirksen miró hacia atrás.

—¡Friedrich! —susurró en la oscuridad—. ¡Friedrich! ¿Dónde está?

En ese preciso instante, Von Dirksen escuchó un fuerte golpe a sus espaldas.

Se dio la vuelta.

Solo vio a dos de sus hombres. El tercero ya no se encontraba allí.

Von Dirksen se giró de nuevo hacia la entrada. Estaba a punto de decir algo por su micrófono cuando de repente vio a una silueta inusitadamente alargada torciendo sigilosamente la curva del túnel situada encima de ellos y, en ese instante, el capitán perdió por completo la capacidad del habla.

La luz de la luna recortaba su silueta.

Era absolutamente aterradora.

La tenue luz de la luna iluminó su negra y musculosa ijada. La luz de la linterna de Von Dirksen iluminó sus dientes, afilados como cuchillas.

El capitán alemán, anonadado, se quedó mirando a la criatura que tenía ante él en silencio.

Era enorme.

De repente, vio que otra criatura idéntica surgía por detrás y se unía a la primera.

Deben de haberse escondido en los nichos de los muros, pensó Von Dirksen.

Habían estado esperando. Esperando a que él y sus hombres les pasaran para así cortarles la retirada.

Entonces, la primera criatura se abalanzó sobre él. Von Dirksen jamás tuvo la más mínima posibilidad. Aquella bestia se movía con una rapidez increíble para un animal de su tamaño. En segundos, las garras del animal llenaron el campo de visión del capitán y lo único que Von Dirksen pudo hacer fue gritar.

A través de los altavoces se escucharon unos gritos terribles.

Race y los demás contemplaron la escena horrorizados.

Los gritos de los últimos tres miembros del equipo de entrada resonaron a través de la pequeña pantalla. Race escuchó disparos, pero solo duraron unos segundos hasta que tanto el fuego como los gritos cesaron de repente y solo quedó el silencio.

Un silencio eterno.

Race miró la pantalla de la televisión, que emitía la imagen del portal abierto del templo.

—Von Dirksen, Friedrich, Nielson. Situación.

No se produjo ninguna respuesta de los hombres que estaban dentro del templo.

Race miró a Lauren.

Y, de repente, se escuchó una nueva voz por los altavoces.

Era una voz sin aliento, jadeante y atemorizada.

—¡Señor, aquí Nielson! Repito. ¡Aquí Nielson! Oh, Dios mío... Dios, ayúdanos. ¡Salgan de aquí, señor! ¡Salgan de aquí mientras...!

Se escuchó un golpe seco, como si algo golpeara fuertemente a aquel hombre llamado Nielson.

Los ruidos y sonidos propios una refriega se apoderaron del silencio y, de repente, Race escuchó un grito que le heló la sangre y luego, por encima del grito, escuchó otro sonido infinitamente aterrador.

Era un rugido, un rugido terrible, estruendoso y fiero como el de un león.

Solo que más fiero, fuerte y estruendoso que el de este.

Los ojos de Race volvieron a posarse en la pantalla del televisor. Se quedó helado.

Lo vio.

Lo vio surgir de la oscuridad del portal.

Y, mientras observaba a aquella criatura gigante salir de la entrada del templo, Race sintió un nudo en la boca del estómago.

Porque en ese preciso instante supo que, a pesar de toda su tecnología, de todas sus armas y de sus ansias egoístas por encontrar una fuente de energía nueva y fantástica, los hombres que se encontraban en la torre de piedra habían infringido una ley de la evolución humana muchísimo más sencilla.

Algunas puertas deben permanecer cerradas.

Gunther Kolb y los cerca de doce alemanes que se encontraban en la parte superior de la torre se quedaron mirando atónitos al animal que acababa de asomar por el portal.

Era increíble.

Medía un metro y medio de alto, incluso a cuatro patas, y era completamente negro, negro azabache de los pies a la cabeza.

Un inmenso jaguar negro.

Los enormes ojos del felino relucieron con la luz de la luna. Con aquellas cejas surcadas por la ira, aquel musculoso lomo encorvado y aquellos dientes como puñales, parecía la encarnación del mismísimo demonio.

De repente, la tenue luz de la luna que iluminaba el portal del templo fue reemplazada por un relámpago y, tras el ensordecedor trueno que le sucedió, el animal rugió.

Aquello bien podría haber sido una señal.

Porque en ese instante, en ese preciso instante, alrededor de doce negros felinos gigantes surgieron de la oscuridad del templo y atacaron a los alemanes que se encontraban en la cima de la torre.

A pesar de ir armados con fusiles de asalto y ametralladoras, los miembros de la expedición alemana no pudieron hacer nada.

Los felinos eran demasiado rápidos. Demasiado ágiles. Demasiado poderosos. Atacaron al atónito grupo de soldados y científicos con una ferocidad sin igual, lanzándose y saltando sobre ellos, atacándolos, arrebatándoles la vida.

Algunos soldados consiguieron disparar a los felinos. Uno de ellos cayó al suelo con violentos espasmos.

Pero no importaba, el resto apenas parecía percatarse de las balas que pasaban zumbando a su alrededor. En segundos, los felinos estaban encima de todos los soldados, desgarrándoles la carne, mordiéndoles las gargantas, asfixiándolos con sus poderosas fauces

El aire de la noche se llenó de gritos atroces.

El general Gunther Kolb echó a correr.

Húmedas frondas de helechos golpeaban con dureza su cara mientras corría escaleras abajo en dirección al puente colgante.

Si pudiera llegar al puente, pensó, *y desatarlo de los contrafuertes del otro lado, entonces los felinos quedarían atrapados en la torre de piedra.*

Kolb bajó a toda velocidad por las losas de piedra. El sonido de su aliento resonaba fuertemente en sus oídos, pero el sonido de algo mucho más grande abriéndose paso entre el follaje era todavía mayor. Las frondas de los helechos seguían golpeándole el rostro, pero le daba igual. Ya estaba casi...

¡Allí!

Lo vio.

El puente de cuerda.

Algunos de sus hombres estaban cruzándolo, intentando desesperadamente escapar de la matanza.

Kolb bajó los últimos escalones y echó a correr por la cornisa.

Iba a lograrlo.

De repente, el general alemán escuchó el golpe sordo de un peso tremendo a sus espaldas y cayó al suelo.

Se golpeó con la cara en la superficie fría y húmeda de la cornisa. Buscó desesperadamente algo a lo que aferrarse para poder ponerse en pie, cuando de repente una zarpa negra gigante le golpeó la muñeca y lo inmovilizó en el suelo.

Kolb alzó la vista horrorizado.

Era uno de los felinos.

Estaba encima de él.

El demoníaco felino negro lo escudriñó atentamente, examinando con curiosidad a la extraña criatura que tan tontamente había intentado escapar de él.

Kolb miró temeroso sus malvados ojos amarillentos. Entonces, con un gruñido estremecedor que le heló la sangre, la cabeza del animal se precipitó hacia él. Kolb cerró los ojos y esperó su final.

Un silencio sepulcral se apoderó del pueblo.

Los doce soldados alemanes arremolinados alrededor del monitor se miraron los unos a los otros, atónitos.

Por la pantalla vieron a sus compañeros correr por la cima de la torre en todas direcciones. De vez en cuando, alguno de los soldados atravesaba la pantalla y abría fuego con un MP-5, pero instantes después una forma felina los sacaba con violencia del encuadre.

—Hasseldorf, Krieger—dijo el sargento llamado Dietrich—. Desmantelen la estructura del puente occidental.

Dos de los soldados alemanes rompieron el círculo de inmediato.

Dietrich se giró para mirar a su radiotelegrafista.

—¿Ha podido contactar con alguien de la cima de la torre?

—Lo estoy intentando, señor, pero nadie responde —dijo.

—Siga intentándolo.

Race observaba a través de las ventanillas salpicadas de lluvia del Humvee a Dietrich y a los soldados alemanes congregados en el monitor cuando de repente escuchó un grito.

Se dio la vuelta al instante.

Vio a uno de los soldados de la cima de la torre corriendo por el sendero de la ribera del río.

El soldado agitaba los brazos frenéticamente mientras gritaba:

—*Schnell, zum Flugzeug! Schnell, zum Flugzeug! Sie kommen!*

—¡Al avión, rápido! ¡Al avión! ¡Vienen tras de mí!

Justo entonces un relámpago iluminó el sendero y Race vio que algo corría tras él.

—Oh, Dios mío...

Era una de las gigantescas criaturas felinas, idéntica a la que había salido hacía algunos minutos del templo.

Pero la imagen que había visto en la diminuta pantalla del Humvee no le hacía ninguna justicia.

Era aterradora.

Corría con la cabeza gacha y sus puntiagudas orejas aplastadas. Sus poderosas espaldas lo impulsaban hacia delante, tras la presa humana que huía de él.

Sus movimientos eran de una gran belleza, de una gracilidad felina; esa llamativa combinación de equilibrio, potencia y velocidad común en todos ellos.

El soldado alemán corría con toda su alma, pero no tenía ninguna posibilidad de lograr escapar del enorme animal que iba tras él. Intentó virar bruscamente para ocultarse tras los árboles que había al lado del sendero, pero el felino era demasiado ágil. Parecía un guepardo en pleno vuelo. Sus poderosas patas se ajustaban a los movimientos de su presa, girando a la izquierda, virando a la derecha, manteniendo su centro de gravedad bajo, sin perder el paso.

Fue acercándose cada vez más hacia el desventurado alemán y, cuando estaba lo suficientemente cerca, el felino se abalanzó sobre él y...

De repente, el relámpago desapareció y el sendero se sumió en la oscuridad más absoluta.

Oscuridad.

Silencio.

Race escuchó un gritó.

Entonces otro relámpago iluminó la ribera del río. Cuando fue capaz de registrar la escena que tenía ante sí, Race sintió cómo se le helaba la sangre.

El enorme felino negro estaba a horcajadas sobre el cuerpo del soldado con la cabeza inclinada a la altura del cuello de este. De repente, el felino abrió sus fauces y, con un sonido desgarrador, arrancó la garganta del soldado de su cuerpo.

Otro relámpago refulgió en el cielo e iluminó al felino, que rugía triunfante.

Durante un minuto interminable, ninguno de los que se encontraban encerrados en el Humvee articuló palabra alguna.

Walter Chambers rompió el silencio.

—Estamos metidos en un buen lío.

Y tenía razón, pues en aquel momento, en aquel terrible momento, los demás felinos surgieron del follaje y atacaron a todo ser viviente con el que se toparon.

Los felinos irrumpieron por todos los flancos del pueblo, cogiendo totalmente desprevenidos a Dietrich y a sus hombres, que seguían alrededor del monitor en el centro del pueblo.

Saltaron a la calle principal como murciélagos salidos del mismísimo Infierno, chocando y golpeando a los soldados alemanes, tirándolos al suelo antes de que pudieran siquiera coger sus armas y arrancándoles las gargantas a dentelladas.

Race no estaba muy seguro de cuántos felinos había allí. Al principio contó diez; luego doce, después quince.

Dios santo.

De repente, escuchó un tiroteo y se giró. Vio a los dos soldados que Dietrich había enviado para levantar el puente de madera occidental, Hasseldorf y Krieger, que disparaban en un intento desesperado por contener la avalancha de felinos.

Los dos soldados lograron alcanzar a dos de los pavorosos animales, que cayeron violentamente al fango, antes de que el resto de los felinos se abalanzara sobre ellos.

Uno de ellos se lanzó sobre la espalda de Hasseldorf y le sacó la columna vertebral de cuajo. Otro clavó sus fauces en la garganta de Krieger, partiéndole el cuello con un crujido nauseabundo.

El resto del pueblo parecía una zona catastrófica. Los soldados alemanes corrían en todas las direcciones: hacia los dos helicópteros Apache, hacia las cabañas del pueblo, hacia el río... intentando escapar de los felinos.

—¡A los helicópteros! —gritó alguien—. ¡A los...!

Justo en ese momento, Race escuchó el ruido de un motor. Se volvió y vio cómo las palas del rotor de los dos helicópteros de ataque Apache comenzaron a girar lentamente.

Los soldados alemanes corrieron desesperadamente hacia los dos helicópteros, pero eran demasiado pequeños: solo había sitio para un piloto y un artillero.

El primer Apache comenzó a despegar justo cuando un soldado aterrorizado saltó sobre el puntal de aterrizaje y tiró de la puerta de la cabina del piloto. Pero antes siquiera de que intentara entrar, uno de los felinos saltó al puntal tras él, deshaciéndose del soldado y deslizándose por entre la puerta de la cabina.

Un segundo después, el interior de las ventanillas de la cabina del piloto se salpicó de sangre y el helicóptero, que sobrevolaba a apenas tres metros del suelo, se volvió loco.

Viró bruscamente a la derecha. Las palas del rotor, desdibujadas, se movían a toda velocidad hacia el otro Apache, justo cuando el cañón rotatorio que estaba bajo su morro cobró vida y comenzó a disparar a todo el pueblo con su ametralladora.

Las balas trazadoras salieron en todas direcciones.

El parabrisas del Humvee de Race se resquebrajó en forma de telaraña cuando las balas impactaron en él.

Race se agachó por acto reflejo. Al hacerlo, vio que de la parte de la cola de uno de los Hueys amarrados en la ribera comenzaron a salir chispas naranjas.

De repente, como si de los fuegos artificiales del cuatro de julio se tratara, dos misiles Hellfire salieron de los lanzamisiles del Apache que se sacudía en el aire.

Uno de los misiles impactó en una cabaña de piedra cercana, reduciéndola a escombros, mientras que el otro recorrió la calle principal de Vilcafor, rumbo al enorme hidroavión Antonov estacionado en la ribera del río. Entró, con un sonoro zumbido, por la rampa de carga del avión y desapareció en la zona de carga.

Pasó un segundo.

Y entonces el hidroavión estalló. Fue una explosión monstruosa. Las paredes del Antonov volaron por los aires en un instante y todo el avión se escoró a la izquierda y comenzó a hundirse y a ir a la deriva río abajo.

Mientras tanto, el Apache causante de todo aquello seguía dando bandazos hacia su gemelo. El segundo helicóptero intentó quitarse de su camino, pero era demasiado tarde. Las palas del rotor del primer Apache golpearon las palas del segundo helicóptero y el ruido estridente del metal contra el metal se apoderó de la escena.

Entonces, de repente, las palas del primer helicóptero reventaron los tanques de combustible del segundo y los dos Apaches explotaron, formando una bola de fuego enorme que se extendió por toda la calle principal de Vilcafor.

Race apartó la vista de la cegadora escena y miró a Walter Chambers, que estaba en el asiento del copiloto.

—Por Dios santo, Walter —dijo—. ¿Ha visto eso?

Chambers no le respondió.

Race frunció el ceño.

—¿Walter? ¿Qué...?

Purrrrrr.

Race se quedó helado al oírlo.

Se acercó a Chambers para mirarlo más de cerca. El antropólogo tenía los ojos abiertos como platos y parecía estar conteniendo la respiración.

Estaba mirando fijamente por encima del hombro de Race.

William Race se dio la vuelta muy, muy, muy despacio.

Uno de los felinos estaba tras la ventanilla.

Justo en la ventanilla.

Su cabeza era enorme. Ocupaba toda la ventanilla del Humvee. La gigantesca criatura observaba a Race con sus estrechos ojos amarillentos.

Volvió a ronronear. Un gruñido resonante y profundo.

Purrrrrr.

Race vio cómo su pecho subía y bajaba y que sus blancos colmillos sobresalían de su labio inferior. Entonces, el animal bufó y Race dio un bote. De repente, todo el Humvee se sacudió bajo él.

Se volvió y miró por el parabrisas.

Otro felino había saltado al capó del Humvee.

Sus musculosas patas delanteras se erguían sobre el capó y sus rabiosos ojos amarillentos permanecían fijos en Race y Chambers, taladrándolos con ellos hasta lo más profundo de su ser.

Race tocó su micrófono de garganta.

—Eh, Van Lewen. ¿Está ahí?

No respondió.

El felino negro dio un paso adelante, clavando sus garras en el capó de acero. Al mismo tiempo, el felino que estaba a la izquierda de Race golpeó bruscamente la puerta, poniendo a prueba su resistencia.

Race dio unos golpecitos en su micrófono.

—¡Van Lewen!

La voz de Van Lewen resonó por su auricular.

—Le veo, profesor. Le veo.

Race miró por el parabrisas y vio el todoterreno, inmóvil en la calle embarrada, no muy lejos del Humvee.

—No sería mal momento para poner en práctica sus habilidades como guardaespaldas —dijo Race.

—Tranquilícese, profesor. Estará a salvo mientras esté dentro del Humvee.

Fue en ese preciso momento cuando el felino que estaba sobre el capó del Humvee golpeó con su pata delantera izquierda el parabrisas resquebrajado del vehículo.

El cristal saltó en mil pedazos cuando la garra del felino, del tamaño de un puño, impactó en el parabrisas. La garra se detuvo a menos de cinco centímetros de la visera de la gorra de los Yankees de Race.

—¡Van Lewen!

—¡De acuerdo! ¡De acuerdo! ¡Rápido! Mire debajo del salpicadero —dijo Van Lewen—. Debajo, cerca del acelerador. Busque un botón de goma negro en la parte inferior de la columna de dirección.

Race lo buscó.

Dio con él.

—¿Qué hago?

—¡Púlselo!

Race apretó el botón de goma y el motor del Humvee volvió a la vida.

Ya no estaba inutilizado. Race no sabía por qué, pero tampoco importaba. Siempre y cuando funcionara.

Volvió al volante y se encontró de frente con las fauces abiertas del felino que estaba sobre el capó.

Le gruñó, un siseo salvaje y cargado de ira. Estaba tan cerca que Race podía sentir el aliento rancio del animal en su cara. El felino negro se retorció y contorsionó mientras intentaba entrar a la fuerza en el agujero del parabrisas para llegar a la carne humana que le esperaba allí dentro.

Race se recostó sobre su asiento, lejos de los dientes del frenético animal, pegándose contra la ventana del conductor, cuando se giró y vio las enormes mandíbulas del otro felino acercándose hacia él a una velocidad alarmante.

El segundo felino golpeó la ventanilla. El Humvee se balanceó sobre su suspensión, rebotando bajo el peso del contundente impacto del felino. La ventanilla del conductor se llenó de grietas.

Pero el motor del vehículo seguía funcionando, y eso era lo que importaba. El golpe hizo que Race reaccionara y se pusiera manos a la obra, así que agarró la palanca de cambios, palpó las marchas, encontró una, qué más daba cuál, y estampó el acelerador contra el suelo.

El Humvee salió disparado marcha atrás por la embarrada calle principal de Vilcafor.

Dios santo, ¡había encontrado la marcha atrás!

El felino del capó no pareció inmutarse ante la velocidad del Humvee; mientras, este botaba sin control sobre el terreno plagado de baches del pueblo. El demoníaco animal sacó la cabeza del agujero del parabrisas e introdujo la pata delantera, intentando alcanzar a Race.

Por su parte, Race se reclinó todo lo que pudo para mantener su cuerpo alejado de las garras y apretó todavía más el acelerador.

El Humvee pilló un bache y abandonó el suelo unos instantes para luego volver a aterrizar sobre el terreno. El felino seguía en el capó fuera de sí, tratando de agarrar a Race mientras el vehículo blindado, totalmente fuera de control, recorría marcha atrás y a toda velocidad la calle empapada.

—¡Will, cuidado! —gritó Lauren.

—¿Qué? —dijo Race.

—¡Detrás de nosotros!

Pero Race no estaba mirando hacia atrás.

Estaba mirando la visión infernal que tenía ante sí y que intentaba entrar por el parabrisas del vehículo para abrirle el pecho.

—¡Will, para! ¡Vamos directos al río!

Race giró la cabeza.

¿Había dicho río?

Echó un vistazo por el espejo retrovisor y atisbó el oscuro río, cada vez más cerca de ellos, y un Huey justo delante, en su trayectoria.

Race forcejeó con el volante, pero fue inútil. Aterrado por librarse del felino del capó, hacía tiempo que había perdido el control del Humvee.

Tiró fuertemente del volante, pisó el freno todo lo que pudo, pero las ruedas se bloquearon y en cuestión de segundos el Humvee perdió toda su tracción. Derrapó por el barro, completamente fuera de control. Y entonces, de repente, antes de que Race supiera incluso qué estaba ocurriendo, el enorme vehículo salió disparado por los aires. Hacia el río.

El Humvee salió volando por los aires, planeando sobre la ribera del río y formando un grácil arco hasta golpear fuertemente con la parte trasera en la burbuja de cristal del Huey situado a orillas del río.

La inercia del golpe fue tal que lanzó al vehículo y al helicóptero al río. También hizo que el felino aferrado al capó del Humvee saliera disparado y cayera encima del Huey. El enorme felino aterrizó con medio cuerpo en el agua, golpeándola al caer con un torpe *¡plaf!*

En cuestión de segundos, los caimanes se abalanzaron sobre él.

Chillando salvajemente, el felino libró una lucha encarnizada con ellos, pero terminó sucumbiendo ante los caimanes y se hundió.

En las inmediaciones de la orilla, a unos sesenta metros de la ribera del río, quedó un extraño híbrido Humvee-Huey medio hundido en el agua.

Toda la estructura delantera se había hundido hacia dentro por el impacto del Humvee y ahora el vehículo sobresalía torpemente de la parte delantera del helicóptero. La caja del rotor y la sección de cola del Huey, sin embargo, no habían sido dañadas por el impacto. Sus dos palas del rotor de cola se alzaban por encima del horrendo aparato, inmóviles pero intactas.

En el interior del Humvee, Race intentaba desesperadamente mantener la calma.

El agua viscosa y verde chapaleaba contra la ventanilla de su izquierda mientras que pequeños chorros de agua entraban por el cristal resquebrajado de la misma. Mirar por la ventanilla era como estar en uno de esos acuarios en los que se puede ver tanto la parte superior como la inferior de la línea del agua.

Solo que este era el acuario del infierno.

Por la ventanilla, Race vio los vientres de no menos de cinco caimanes gigantescos, todos ellos yendo derechos hacia ellos, moviendo sus colas de un lado a otro, rumbo al Humvee.

Para empeorar todavía más las cosas, por el agujero del parabrisas estaba entrando el agua a borbotones, salpicando sus vaqueros y formando un charco a sus pies.

Walter Chambers comenzó a hiperventilar.

—¡Oh, Dios mío! ¡Oh, Dios mío! ¡Oh, Dios mío!

Tras Chambers, Race vio que Gaby López tenía un corte profundo bajo su ojo izquierdo que no dejaba de sangrar. Debía de haberse golpeado la cabeza cuando el Humvee había chocado contra el helicóptero.

—¡Tenemos que salir de aquí! —gritó Lauren.

—¡Buena idea! —gritó Race cuando un pez plateado de grandes dientes entró por el agujero del parabrisas y aterrizó en su regazo.

Justo entonces se escuchó un ruido sordo proveniente de algún lugar a su izquierda. Race casi salió disparado de su asiento cuando el Humvee se ladeó hacia el lado izquierdo.

Se giró y vio la gigantesca forma de un caimán negro inmóvil ante la ventanilla de su lado. Estaba mirando a través del cristal resquebrajado, observándolo ávidamente.

—¡Oh, Dios mío! —dijo.

Entonces el reptil retrocedió.

—¡Oh, Dios mío!

—¿Qué? ¿Qué? ¿Qué? —dijo Walter Chambers.

—¡Va a embestir contra nosotros! —gritó Race y comenzó a trepar por su asiento para llegar a la parte trasera—. ¡Salga de ahí, Walter! ¡Salga de ahí ahora!

Chambers trepó por su asiento justo cuando el caimán comenzó a acercarse el Humvee. Medio segundo después, la ventanilla del conductor estalló hacia dentro, formando una lluvia de cristales espectacular.

A la repentina lluvia de cristales le siguió el escamoso cuerpo del caimán, que se deslizó por entre la ventanilla hasta la parte delantera del Humvee, propulsado por una ola de agua que cayó en cascada al interior de este.

El caimán cayó a la parte delantera del Humvee. Su cuerpo ocupaba todo el espacio. Race quitó los pies un nanosegundo antes de que sus fauces los atraparan.

Walter Chambers no tuvo tanta suerte. No sacó a tiempo las piernas de la parte delantera y el caimán las golpeó fuertemente, inmovilizándolas contra la puerta del pasajero.

Chambers gritó. El caimán se sacudió y bufó mientras intentaba agarrarlo mejor.

Desde los asientos traseros, lo único que Race podía ver era el lomo acorazado de la criatura y su larga cola, que se agitaba ferozmente de un lado a otro.

De repente, y de una forma tan violenta, abrupta y rápida que hizo que Race diera un grito ahogado de horror, el caimán gigante tiró de Chambers y lo sacó por la ventanilla por la que había entrado.

—*¡Nooooo!*—gritó Chambers mientras desaparecía por la ventanilla y era llevado al exterior.

Race y Lauren se miraron horrorizados.

—¿Qué vamos a hacer ahora? —gritó.

¿Cómo demonios quieres que lo sepa?, pensó mientras miraba a su alrededor.

La parte delantera del vehículo se estaba llenando rápidamente de agua, provocando que el Humvee se ladeara bruscamente hacia la izquierda y se hundiera más en el río.

—Tenemos que salir de aquí antes de que el vehículo se hunda —gritó—. ¡Rápido! ¡Baja tu ventanilla! Debería poder abrirse.

El agua comenzó a caer también a los asientos traseros. Lauren bajó entonces su ventanilla. El vehículo estaba más elevado en ese lado y cuando la logró bajar del todo el frío aire de la noche entró en su interior.

De repente, otro caimán apareció por la ventanilla del conductor del Humvee y amerizó sobre el charco de agua que se había formado en la mitad delantera del vehículo.

—¡Vamos! —gritó Race—. ¡Subid al techo!

Lauren se movió con rapidez. En un segundo ya estaba fuera del Humvee. Trepó hasta su techo. La aturdida Gaby fue la siguiente. Arrastró los pies rápidamente por los asientos traseros y alcanzó la ventanilla. Inmediatamente Lauren comenzó a tirar de ella hacia el techo mientras Race la empujaba desde abajo.

El caimán del asiento del conductor resoplaba y se sacudía en busca de su presa.

El agua caía ahora a chorros desde la parte delantera. A Race le llegaba casi por la cintura.

Justo en ese momento otro caimán embistió contra la ventanilla trasera izquierda del Humvee, haciendo que el vehículo se sacudiera. Race se giró y vio que toda la parte izquierda del Humvee estaba ahora completamente anegada bajo el agua.

Gaby López estaba casi fuera. Race era el último.

Fue entonces, sin embargo, mientras empujaba los pies de Gaby, cuando escuchó un gruñido metálico proveniente de algún punto del Humvee.

Todo el vehículo comenzó a tambalearse bruscamente hacia la derecha.

Al principio pensó que se trataba de otra embestida de algún caimán. Pero no. Esta vez el vehículo se había movido lateralmente. Se estaba moviendo. Desplazándose...

Río abajo.

Oh, Dios mío, pensó Race.

Estaban siendo arrastrados río abajo por la corriente del río.

—Esto no puede estar pasando —dijo.

En ese momento se produjo otra sacudida, esta más familiar, cuando uno de los caimanes embistió de nuevo contra la ventanilla izquierda.

—¡Vamos, Gaby! —gritó a los pies de López mientras estos pendían de la ventanilla derecha que tenía ante sí.

Por aquel entonces, el caimán de la parte delantera ya parecía haberse percatado de dónde se encontraban Race y los demás, y comenzó a arrastrarse torpemente hacia atrás para coger velocidad y saltar a los asientos traseros.

—¡Gaby!

—¡Ya casi estoy...! —respondió López.

—¡Deprisa!

Los pies de Gaby desaparecieron por la ventanilla y Lauren gritó:

—¡Ya está, Will!

Race saltó por la ventanilla, golpeándose la cabeza. Vio a Lauren y a Gaby en el techo del Humvee.

Las dos mujeres se agacharon rápidamente, le cogieron las manos y lo sacaron del vehículo un instante antes de que el caimán se encaramara sobre los asientos y saltara a la parte trasera, cerrando sus fauces a escasos milímetros de sus pies, ya sanos y salvos fuera del vehículo.

En el pueblo, Nash, Copeland y los seis soldados estadounidenses permanecían sentados y esposados, pero a salvo, en el todoterreno, testigos de la pesadilla que estaba aconteciendo fuera, cuando de repente la puerta lateral se abrió desde fuera y una ráfaga de viento y lluvia se coló en su interior.

Dos alemanes empapados se apresuraron a entrar. Sus pies encharcados y embarrados resonaron en el suelo del vehículo. Cerraron la puerta de acero tras de ellos y el silencio volvió a apoderarse del vehículo.

Nash y los demás miraron a sus nuevos acompañantes.

Un hombre y una mujer.

Ambos estaban empapados y cubiertos de barro. Llevaban ropas de civil: vaqueros y camisetas blancas, pero también fundas de pistola de Gore-Tex y Glocks compactas del calibre 18 en sus caderas. También llevaban chalecos antibalas de color azul marino. Su aspecto decía «agentes secretos» a gritos.

El hombre era corpulento, musculoso y fornido. Ella era baja, pero de complexión atlética, y llevaba el pelo corto teñido de rubio.

El hombre no perdió un instante. Se dirigió a los estadounidenses y comenzó a quitarles las esposas.

—Ya no son prisioneros —dijo en inglés—. Ahora estamos todos juntos en esto. Vamos, tenemos que salvar a todos los que podamos.

Race, Lauren y López estaban viviendo momentos difíciles en el techo del Humvee, pues la combinación Humvee-Huey se movía río abajo empujada por la corriente.

En ese momento, Race vio el destartalado embarcadero de madera a unos nueve metros de ellos, corriente abajo. Todo apuntaba a que la corriente los arrastraría en esa dirección.

Era su oportunidad.

El Humvee-Huey dio otro bandazo y se hundió más profundamente en el agua. En aquellos instantes, el techo estaba unos treinta centímetros por encima de la superficie del río, mientras que el Huey estaba un poco más arriba. Pero cada metro que los dos vehículos recorrían río abajo parecían hundirse seis centímetros.

Iban a llegar muy justos.
Muy, pero que muy justos.
Avanzaron otro metro más.
Los caimanes comenzaron a rodearlos.
Quedaban ocho metros para el embarcadero. El agua comenzó a calar el techo del Humvee, bajo sus pies. Los tres subieron a la caja del rotor del Huey.
Cinco metros.
Y hundiéndose cada vez más rápido.
Desde la parte superior de la caja del rotor del Huey, Race miró al pueblo, iluminado con la luz artificial de los focos halógenos.
Estaba desierto, salvo por los movimientos ocasionales de sombras felinas que cruzaban la calle principal. No había señal de que alguien siguiera con vida. No había señal alguna.
Fue entonces cuando Race cayó en la cuenta.
El todoterreno había desaparecido.
El todoterreno de ocho ruedas que se asemejaba a un tanque y en el que se encontraban Nash, Copeland y los boinas verdes no se veía por ningún lado.
Race habló por el micrófono de garganta.
—Van Lewen, ¿dónde está?
—Estoy aquí, profesor.
—¿Dónde?
—Dos alemanes abrieron el todoterreno y nos liberaron de nuestras esposas. Estamos recorriendo el pueblo para recoger a todo aquel que encontremos con vida.
—Mientras lo hacen, ¿por qué no viran hacia el embarcadero en unos treinta segundos?
—De acuerdo, profesor. Allí estaremos.
Tres metros. El techo del Humvee estaba totalmente cubierto de agua.
Race se mordió el labio.
A pesar de que estaban en la caja del rotor del Huey, iban a tener que pasar por el techo sumergido del Humvee para llegar al embarcadero.
—Vamos, nena, mantente a flote —dijo.
Dos metros.
El techo del Humvee se hundió quince centímetros más.
Un metro.
Treinta centímetros más bajo el agua.
Lauren pasó un brazo por debajo de los hombros de Gaby.
—Muy bien, chicos —dijo—. Escuchadme. Cogeré a Gaby primero. Will, te mantienes en la retaguardia. ¿De acuerdo?
—De acuerdo.
El Humvee-Huey se colocó al lado del embarcadero.

Cuando esto ocurrió, Lauren y Gaby saltaron de la caja del rotor y aterrizaron en el techo sumergido del Humvee con el agua por las rodillas.

Dieron dos zancadas y Lauren lanzó a Gaby al embarcadero. Después saltó ella. Levantó los pies justo cuando dos enormes caimanes emergieron del agua tras ella, cerrando sus fauces con gran ferocidad.

—¡Will, vamos! —gritó desde el embarcadero.

Race se preparó para saltar al techo sumergido del Humvee. No era capaz de imaginarse el aspecto que tendría: con sus vaqueros, camiseta y gorra de béisbol encima de un helicóptero del Ejército casi sumergido y en medio de un río amazónico infestado de caimanes.

¿Cómo demonios me he metido en este embolado?, pensó.

Entonces, sin previo aviso, el Humvee-Huey dio un bandazo y se hundió treinta centímetros más en el agua.

Race perdió el equilibro y estuvo a punto de caerse, pero lo recuperó rápidamente. Después alzó la vista y vio que las cosas se habían puesto mucho más feas.

El techo del Humvee estaba ahora hundido en el agua a una profundidad de al menos noventa centímetros.

Incluso aunque pudiera saltar hacia él, su capacidad de movimiento sería muy reducida. Los caimanes lo atraparían seguro.

La situación del Huey no era mucho mejor.

A pesar de que se encontraba en la caja del rotor del helicóptero, esta también estaba sumergida, aproximadamente un centímetro.

Race miró desesperadamente a su alrededor y vio que la única parte del Huey que todavía estaba por encima de la superficie del agua eran las dos palas del rotor de cola.

Miró rápidamente al embarcadero y vio que el todoterreno se había detenido a los pies de este; vio la puerta lateral abierta y a Van Lewen y a Scott dentro; vio a Lauren, que tiraba de Gaby en dirección al vehículo.

Lauren le gritó por encima de su hombro.

—¡Will, vamos! ¡Salta!

El Huey dio otro bandazo y las zapatillas de Race se cubrieron de agua.

Miró a su alrededor, al helicóptero que estaba a punto de hundirse, a las palas del rotor que todavía estaban por encima de la superficie del agua.

Las palas del rotor..., pensó.

Quizá si pudiera...

No.

No soportarían su peso. Se combarían.

Se giró de nuevo hacia el embarcadero. Entre él y el viejo embarcadero de madera se cernían, amenazantes y con medio cuerpo fuera, tres enormes caimanes.

Quizá...

Race agarró con fuerza una de las palas del rotor. Después tiró de ella tan fuerte como pudo, girando la pala algo más de noventa centímetros sobre su eje.

El Huey sumergido seguía desplazándose río abajo, empujado por la corriente.

La pala del rotor se giró. El borde exterior casi tocaba el embarcadero, haciendo las veces de un estrecho puente pegado al río que conectaba el Huey con el embarcadero.

El Huey se estremeció de nuevo y se sumergió dos centímetros más justo en el momento en que una enorme forma negra salió del agua. Race, por acto reflejo, separó las piernas tanto como pudo y el caimán le pasó por entre las pantorrillas.

Ha estado demasiado cerca, le gritó su cerebro. *¡Muévete!*

Miró por última vez su pasaje a la libertad: la pala del rotor, una tabla de acero de diez centímetros de ancho que se extendía treinta centímetros sobre la superficie del río.

¡Hazlo!

Y eso hizo.

Tres pasos hacia delante y el embarcadero, a unos sesenta centímetros delante de él. El embarcadero, su salvación...

A medio camino sintió cómo la pala del rotor se combaba bajo su peso y se sumergía por debajo de la línea del agua hasta apoyarse en los lomos de tres caimanes que se encontraban en el río y que copaban la distancia comprendida entre el helicóptero y el embarcadero.

Race atravesó a saltos tan estrecho puente, ahora sujeto por los cuerpos de los tres caimanes.

En un par de zancadas llegó al final de la pala del rotor y se lanzó por los aires, golpeándose el pecho contra el borde del embarcadero.

Saca los pies del agua, le ordenó su cerebro mientras los notaba chapotear en el líquido oscuro que tenía debajo.

Sacó los pies del agua y rodó por el embarcadero.

Tragó saliva, jadeante. No podía creerlo.

Estaba...

—¡Profesor, vamos! —le gritó la voz metálica de Van Lewen por el auricular.

Race alzó la vista y vio al todoterreno aparcado al final del embarcadero. Su puerta lateral estaba abierta.

Entonces, sin embargo, algo se movió por encima del todoterreno. Race alzó la vista y vio a uno de los enormes felinos saltar del todoterreno con las garras extendidas y las fauces abiertas de par en par.

El animal aterrizó en el embarcadero apenas a metro y medio de él. Se quedó inmóvil ante Race, agachado, observándolo con desprecio, con las orejas replegadas y los músculos tensos a la espera del golpe final...

Y, de repente, el embarcadero destartalado cedió bajo su peso.

La madera no crujió. No hubo ningún sonido de advertencia.

El viejo embarcadero de madera cedió bajo el felino y con un alarido de desconcierto la enorme criatura negra cayó al agua.

—Ya era hora. Un poco de suerte —dijo Race.

Los caimanes se movieron con rapidez.

Dos de ellos cargaron contra el felino y pronto el agua a su alrededor se convirtió en un hervidero de espuma y caos.

Race aprovechó la oportunidad. Saltó por encima del agujero y corrió hacia el todoterreno.

Cuando hubo entrado, Van Lewen tiró de la puerta lateral y la cerró tras él. Race miró por una pequeña hendidura de la puerta al río.

Lo que vio fue algo totalmente inesperado.

Vio al felino, al mismo felino negro que lo había abordado momentos antes, trepando para intentar subir al embarcadero. La sangre goteaba de sus garras, trozos de carne pendían de sus fauces y el agua le caía por los costados.

El animal respiraba agitado. Parecía que la batalla que acababa de librar le había dejado exhausto.

Pero estaba vivo.

Había vencido.

Acababa de sobrevivir a un encuentro con dos caimanes.

Race se desplomó en el suelo del todoterreno, totalmente agotado. Dejó que su cabeza se recostara contra la fría puerta de acero y que sus ojos se cerraran.

Mientras lo hacía, sin embargo, escuchó ruidos.

Escuchó los gruñidos y bufidos de los felinos en el exterior. Gruñidos muy cercanos, fuertes, largos.

Escuchó el chapoteo de patas en los charcos. Escuchó el crujir de huesos rotos mientras se daban un festín con los cuerpos de los soldados alemanes caídos. Incluso escuchó gritos agónicos a no mucha distancia.

Race sabía que era cuestión de segundos que cayera rendido por el cansancio, pero antes de hacerlo tuvo un último pensamiento aterrador.

¿Cómo demonios voy a salir de aquí con vida?

Cuarta maquinación

Martes, 5 de enero, 9.30 horas

El agente especial John-Paul Demonaco recorrió lentamente el pasillo iluminado con cuidado de no tropezar con ningún cuerpo.

Eran las 9.30 de la mañana del 5 de enero y Demonaco acababa de llegar al 3701 de North Fairfax Drive por orden del mismísimo director del FBI.

Al igual que el resto del mundo, Demonaco no sabía nada del robo que había tenido lugar en las dependencias centrales de la DARPA el día anterior. Lo único que sabía es que el director había recibido una llamada a las 3.30 de la mañana desde el Despacho Oval en la que un almirante de cuatro estrellas le pedía que enviara a su mejor experto en grupos terroristas nacionales a Fairfax Drive tan pronto como le fuera posible.

Ese hombre era John-Paul Demonaco.

J. P. Demonaco tenía cincuenta y dos años, estaba divorciado y la temida curva de la felicidad comenzaba a hacer acto de presencia en su cintura. Tenía el pelo muy fino y de color castaño y llevaba gafas con montura de carey. El arrugado traje de poliéster gris que vestía lo había comprado en J. C. Penney por cien dólares en 1994, mientras que la corbata de Versace había sido comprada el año pasado y había costado trescientos dólares. Había sido un regalo de cumpleaños de su hija menor; al parecer era la última moda.

A pesar de su gusto para el vestir, Demonaco era el agente especial al frente de la Unidad Antiterrorista del FBI (sección nacional), un cargo que había ocupado los últimos cuatro años, fundamentalmente porque nadie sabía más acerca del terrorismo estadounidense que él.

Mientras recorría el pasillo, Demonaco vio otra bolsa con un cadáver. Había una mancha de sangre en la pared. Añadió la bolsa a su cuenta. Con este hacían diez.

¿Qué demonios había ocurrido en ese lugar?

Giró la esquina y vio al final del pasillo un pequeño grupo de gente en la puerta que daba a un laboratorio.

La mayoría de esas personas, observó, llevaban los almidonados uniformes azul marino de la Armada.

Un teniente de veintitantos años fue a su encuentro.

—¿Agente especial Demonaco?

Demonaco sacó su identificación como respuesta.

—Por aquí, por favor. El comandante Mitchell le está esperando.

El joven teniente lo condujo hasta el laboratorio. Cuando entró, Demonaco observó en silencio las cámaras de seguridad de las paredes, las puertas hidráulicas de increíble grosor y los cierres alfanuméricos.

Dios santo, eso era como una maldita cámara acorazada.

—¿Agente especial Demonaco? —dijo una voz a sus espaldas. Demonaco se giró y vio a un joven oficial. Tendría unos treinta y seis años y era alto, atractivo, con ojos azules y el pelo castaño rojizo corto. El típico oficial que adornaría los carteles de la Armada. Y, por algún motivo que no podría explicar, a Demonaco le resultaba extrañamente familiar.

—Sí, soy Demonaco.

—Comandante Tom Mitchell. Servicio de Investigación Criminal Naval.

El NCIS, pensó Demonaco. *Interesante.*

Cuando había llegado a Fairfax Drive, Demonaco no se había percatado de que oficiales de la Armada vigilaban la entrada al edificio. En esa zona no era infrecuente que ciertos edificios federales estuvieran vigilados por ramas específicas de las fuerzas armadas. Por ejemplo, Fort Meade, cuartel general de la Agencia de Seguridad Nacional, era un complejo del Ejército. La Casa Blanca, por otra parte, estaba vigilada por los miembros del cuerpo de Marines de los Estados Unidos. Así que a Demonaco no le habría sorprendido demasiado enterarse de que la DARPA estaba protegida por la Armada estadounidense. Lo que habría explicado el elevado número de uniformes de la Armada congregados en el edificio.

Pero no era así. Si el NCIS estaba allí, eso significaba una cosa totalmente distinta. Algo que iba mucho más allá de un fallo en la seguridad de un edificio federal. Algo interno...

—No sé si me recuerda —dijo Mitchell—, pero participé en su seminario en Quantico hará unos seis meses. «La segunda enmienda y el auge de las milicias.»

Así que de eso le sonaba Mitchell.

Cada tres meses, Demonaco impartía un seminario en Quantico sobre organizaciones terroristas nacionales en Estados Unidos. En sus ponencias básicamente esbozaba las estructuras, métodos y filosofías de las milicias más organizadas del país, grupos como los Patriotas, la Resistencia Aria Blanca o el Ejército Republicano de Texas.

Tras el atentado de Oklahoma City y el sangriento asedio de las instalaciones de armas nucleares de Coltex en Amarillo (Texas), los seminarios de Demonaco eran muy demandados. Sobre todo entre las fuerzas armadas, dado que los edificios y sedes que protegían eran a menudo objetivo de ataques terroristas.

—¿Qué puedo hacer por usted, comandante Mitchell? —dijo Demonaco.

—Bueno, antes que nada, debo recordarle que todo lo que vea o escuche en esta habitación es información clasi...

—¿Qué es lo que quiere que haga? —Demonaco era conocido por su incapacidad para soportar tonterías.

Mitchell tomó aire.

—Como puede ver, ayer por la mañana tuvo lugar un... incidente. Diecisiete miembros de la seguridad de este edificio fueron asesinados y se sustrajo un arma de una gran importancia. Tenemos razones para creer que se trata de una organización terrorista, razón por la que le hemos llamado...

—¿Es él? ¿Es él? —dijo una voz tosca desde algún punto cercano a ellos.

Demonaco se dio la vuelta y vio a un capitán de gesto grave, bigote gris y pelo al rape de idéntico color que se acercaba hacia el comandante Mitchell y él.

El capitán miró a Mitchell.

—Le dije que era un error, Tom. Se trata de un asunto interno. No necesitamos involucrar al FBI en esto.

—Agente especial Demonaco —dijo Mitchell—, este es el capitán Vernon Aaronson. El capitán Aaronson es la persona al frente de la investigación...

—Pero aquí el comandante Mitchell parece gozar de la confianza de aquellos a los que les gustaría que este rompecabezas se resolviera más lentamente de lo que debiera —bromeó Aaronson.

Demonaco calculó que Vernon Aaronson era dos años mayor y al menos diez años más resentido que su subordinado, el comandante Mitchell.

—No tenía elección, señor —dijo Mitchell—. El presidente insistió...

—El presidente insistió... —resopló Aaronson.

—No quería que se repitiera el incidente de la autopista de Baltimore.

Ah, pensó Demonaco. *Así que se trataba de eso.*

El día de Navidad de 1997, un camión camuflado de la DARPA que viajaba desde Nueva York a Virginia fue secuestrado en la carretera de Baltimore. Se sustrajeron dieciséis cinturones cohetes J-7 y cuarenta y ocho prototipos de cargas explosivas, pequeños tubos de cromo y plástico que parecían viales de laboratorio.

Pero no eran unas cargas explosivas cualquiera. Oficialmente se las conocía como cargas isotópicas M-22, pero en la DARPA se las conocía como dinamos de bolsillo.

La dinamo de bolsillo, dicho de manera sencilla, era un paso adelante en la tecnología química de líquidos de elevada temperatura. El resultado de trece años de trabajo coordinado con el ejército de los Estados Unidos y la División de Armamento Avanzado de la DARPA. La carga M-22 empleaba isótopos de cloro creados en laboratorios para liberar una onda expansiva concentrada de tal intensidad que podía vaporizar cualquier cosa que estuviera en un radio de doscientos metros del lugar de detonación. Había sido diseñada para ser utilizada por unidades de incursión pequeñas en sabotajes o misiones de búsqueda y destrucción cuyo objetivo era no dejar nada tras de sí. La intensidad de una explosión isotópica de una carga M-22 solo podía ser superada por una explosión termonuclear, solo que sin los efectos radiactivos posteriores derivados de esta última.

Lo que Demonaco también sabía del incidente de la autopista de Baltimore, no obstante, era que los del Ejército se habían empeñado en llevar la investigación ellos solos.

Dos días después del audaz robo, los investigadores del Ejército recibieron un chivatazo del emplazamiento de las armas robadas y, sin consultárselo al FBI o la CIA, se ordenó que un destacamento de boinas verdes irrumpiera en el cuartel general de una milicia clandestina al norte de Idaho. Diez personas murieron y doce resultaron heridas. No era el grupo que buscaban. Resultó ser uno de los muchos grupos paramilitares benignos que andaban pululando por ahí, un grupo que más bien parecía un club de amigos de las armas que una célula terrorista. No se encontró ningún explosivo isotópico en aquel lugar. La Unión Americana por las Libertades Civiles y la Asociación Nacional del Rifle hicieron su agosto aquel día.

Los cinturones cohete y los M-22 jamás fueron recuperados.

Resultaba obvio pues, pensó Demonaco, que el presidente no quisiera pasar otra vez por una situación tan bochornosa. Razón por la que lo habían llamado.

—Entonces, ¿qué es lo que quieren que vea?

—Esto —dijo Mitchell, sacando algo de su bolsillo y pasándoselo a Demonaco.

Era una bolsa de plástico de las que se utilizaban para guardar pruebas.

Dentro había una bala manchada de sangre.

Demonaco se sentó en una mesa cercana para examinar la bala.

—¿De dónde la han sacado, de alguno de los miembros de seguridad?

—No —respondió Mitchell—. Del conductor de la furgoneta de reparto que utilizaron para entrar. Fue el único al que mataron con una pistola.

El capitán Aaronson añadió:

—Después de usarlo para pasar el control de los guardias del garaje, le dispararon a bocajarro en la cabeza.

—Su particular tarjeta de visita —señaló Demonaco.

—En efecto.

—Parece que tiene el núcleo de tungsteno —indicó Demonaco mientras examinaba el proyectil.

—Eso es lo que pensamos también —dijo Aaronson—. Y, en la medida de nuestra información y conocimientos, solo una organización terrorista en los

Estados Unidos usa munición de tungsteno. Los *Freedom Fighters* de Oklahoma.

Demonaco no levantó la vista de la bala que tenía en la mano.

—Cierto, pero los *Freedom Fighters*...

—... Son conocidos por actuar de esa manera —le cortó Aaronson—. Entradas similares a las de las fuerzas especiales, disparos en la cabeza a sus víctimas, sustracciones de la última tecnología militar.

—Veo que también ha acudido a uno de mis seminarios, capitán Aaronson —dijo Demonaco.

—Sí, así es —dijo Aaronson—, pero también me considero un especialista en el campo. He estudiado en profundidad a esos grupos como parte de las actualizaciones de seguridad navales. No podemos perder a esos grupos de vista, ya sabe.

—Entonces sabrá que los *Freedom Fighters* se encuentran inmersos en una guerra territorial con el Ejército Republicano de Texas —dijo Demonaco.

Aaronson se mordió el labio y frunció el ceño. Era obvio que no lo sabía. Miró a Demonaco, molesto por la velada réplica de este.

Demonaco alzó la vista y miró a los dos soldados de la Armada a través de sus gafas con montura de carey. Le estaban ocultando algo.

—Caballeros, ¿qué ha ocurrido aquí?

Aaronson y Mitchell se miraron.

—¿A qué se refiere? —preguntó Mitchell.

—No podré ayudarles si no conozco toda la historia de lo que ha ocurrido aquí. Como, para empezar, qué es lo que han robado.

Aaronson hizo una mueca. Después dijo:

—Buscaban un arma llamada Supernova. Sabían dónde se encontraba y cómo cogerla. Conocían todos los códigos y tenían todas las tarjetas magnéticas. Lo hicieron con precisión y rapidez, como una unidad de comando bien entrenada.

Demonaco dijo:

—El equipo de ataque de los *Freedom Fighters* es bueno, pero no lo suficientemente grande como para atacar un lugar así. Es demasiado pequeño. Lo componen dos o tres personas como mucho. Es por ello que solo atacan objetos fáciles: laboratorios informáticos, oficinas gubernamentales de niveles inferiores...; lugares en los que pueden robar datos técnicos como esquemas eléctricos o los periodos de los satélites. Pero, lo que es más importante, solo atacan lugares con poca vigilancia, no fortalezas como esta. Son unos fanáticos de la tecnología, no un pelotón de asalto integral.

—Pero es el único grupo, que se conozca, que emplea munición con tungsteno —dijo Aaronson.

—Eso es cierto.

—Puede que hayan intensificado sus operaciones —dijo Aaronson con aire de suficiencia—. Quizá estén intentando dar el salto a primera división.

—Es posible.

—Es posible —resopló Aaronson—. Agente especial Demonaco, quizá no me he explicado con claridad. El arma que han robado de este lugar es de vital importancia para la seguridad futura de los Estados Unidos. En las manos equivocadas, su uso podría tener consecuencias catastróficas. Tengo a un grupo de operaciones especiales de la Armada listos para actuar en tres posibles emplazamientos de los *Freedom Fighters.* Pero mis jefes necesitan saber que no hay dudas al respecto. No quieren otro Baltimore. Todo lo que necesitamos de usted es la confirmación de que este robo solo ha podido ser cometido por ellos.

—Bueno... —comenzó Demonaco.

Todo dependía de las balas de tungsteno, pero, por un motivo que Demonaco no sabría decir, su utilización en este robo le inquietaba...

—Agente Demonaco —dijo Aaronson—, deje que lo haga más sencillo. De acuerdo con sus conocimientos, ¿hay algún otro grupo paramilitar en los Estados Unidos, aparte de los *Freedom Fighters* de Oklahoma, que empleen munición con núcleo de tungsteno?

—No —dijo Demonaco.

—Bien. Gracias.

Y con eso, Aaronson le lanzó a Demonaco una mirada fulminante y se dirigió a un teléfono, donde marcó un número de teléfono corto y dijo:

—Aquí Aaronson. Operación de asalto en marcha. Repito. Operación de asalto en marcha. Atrapen a esos bastardos.

La luz del día llegó a la selva.

Race se despertó. Estaba apoyado contra una de las paredes del todoterreno. Le dolía la cabeza y sus ropas seguían húmedas.

La puerta lateral del todoterreno estaba corrida. Escuchó voces provenientes del exterior.

—¿Qué están haciendo aquí?

—Me llamo Marc Graf y soy teniente de los *Fallschirmtruppen*...

Race se puso de pie y salió del vehículo.

Ya era de día y la niebla había descendido al pueblo. El todoterreno estaba ahora aparcado en el centro de la calle principal. Cuando Race salió del vehículo blindado, tardó unos instantes en ajustar sus ojos al muro gris que lo rodeaba. Lentamente, sin embargo, la calle principal de Vilcafor comenzó a tomar forma.

Race se quedó inmóvil.

La calle estaba completamente desierta.

Todos los cuerpos de la matanza de la noche anterior habían desaparecido y lo único que quedaba en su lugar eran enormes charcos de barro y agua, salpicados por la lluvia que caía en esos momentos.

Los felinos, observó, también se habían ido.

Vio a Nash, Lauren y Copeland, que se encontraban a bastante distancia, cerca de la ciudadela. Con ellos estaban los seis boinas verdes y Gaby López.

Ante ellos, sin embargo, estaban otras cinco personas.

Cuatro hombres y una mujer.

Los alemanes que habían sobrevivido, supuso Race.

Race también se percató de que solo dos de los alemanes llevaban ropas militares; soldados. Los demás llevaban ropa de civil, incluidos dos, un hombre y una mujer, que parecían agentes secretos. Todos ellos habían sido despojados de sus armas.

El sargento Van Lewen vio a Race.

—¿Qué tal la cabeza? —le dijo.

—Horrible —le respondió Race—. ¿Qué está ocurriendo aquí?

Van Lewen señaló a los cinco alemanes.

—Son los únicos que sobrevivieron anoche. Dos de ellos entraron en el todoterreno durante la batalla campal y nos quitaron las esposas. Logramos recoger a los otros tres antes de ir al embarcadero por usted.

Race asintió.

De repente, se giró para mirar a su guardaespaldas.

—Verá, tengo una pregunta para usted.

—¿Sí?

—¿Cómo sabía lo del botón de goma del interior del Humvee, el que lo puso en marcha después de que los alemanes lo inutilizaran?

Van Lewen sonrió.

—Si se lo digo tendré que matarle.

—Está bien. Dispare.

Van Lewen sonrió burlonamente.

—En las fuerzas armadas de todo el mundo es una práctica habitual utilizar vehículos de campo como los Humvees o los todoterrenos como prisiones portátiles. Encierras a los prisioneros en el coche y después lo inutilizas.

»Los Estados Unidos, sin embargo, son los principales proveedores mundiales de vehículos de campo. Los Humvees, por ejemplo, los fabrica AM General, en South Bend, Indiana.

»La cuestión es que, y esto es algo que no todo el mundo sabe, todos los vehículos de campo fabricados en Estados Unidos llevan incorporado un botón de seguridad que permite reiniciar el vehículo en caso de que lo hayan inutilizado. La teoría es que ningún vehículo estadounidense será empleado como prisión para transportar personal estadounidense, por lo que solo los militares estadounidenses son informados de la existencia y ubicación de ese botón de seguridad. Es una especie de trampilla conocida únicamente por nuestros soldados.

Van Lewen volvió a sonreír y se encaminó a las inmediaciones de la ciudadela, donde se encontraban los demás. Race se apresuró tras él.

Race y Van Lewen se unieron a los demás en la ciudadela.

Al llegar se encontraron con que Frank Nash estaba interrogando a uno de los soldados alemanes desarmados, el hombre al que Race había oído identificarse como Marc Graf, teniente de los *Fallschirmtruppen*.

—¿Así que están aquí por el ídolo? —le preguntó Nash.

Graf negó con la cabeza.

—No conozco los detalles —dijo en inglés—. Solo soy un teniente, no estoy autorizado a conocer el alcance de la misión.

Señaló con la barbilla a otro de los alemanes, un hombre fornido que llevaba vaqueros y la funda de una pistola.

—Creo que sería mejor que le preguntara a mi colega, el señor Karl Schroeder. El señor Schroeder es un agente especial de la *Bundeskriminalamt*. La *Bundeswehr* está trabajando de forma conjunta con la BKA en esta misión.

—¿La BKA? —preguntó Nash, perplejo.

Race sabía lo que Nash estaba pensando.

La *Bundeskriminalamt* era el equivalente alemán del FBI. Su reputación era legendaria; para muchos, la mejor oficina de investigación federal del mundo. Sin embargo, se trataba fundamentalmente de una fuerza policial, razón por la que Nash estaba confundido. No había motivos para que se encontrasen aquí, en busca de un ídolo.

—¿Qué quiere la BKA de un ídolo inca perdido? —le preguntó a Schroeder.

Schroeder esperó unos instantes, como si estuviera sopesando cuánto debería desvelarle a Nash. Después suspiró. ¡Como si aquello fuera a importar después de la matanza de la noche anterior!

—No es lo que piensa —dijo.

—¿A qué se refiere?

—No queremos el ídolo para fabricar un arma —dijo de forma concisa Schroeder—. Es más, contrariamente a lo que piensa, mi país ni siquiera tiene una Supernova.

—Entonces, ¿para qué quieren el ídolo?

—Lo queremos por una sencilla razón —dijo Schroeder—. Queremos cogerlo antes de que otros lo hagan.

—¿Quiénes? —preguntó Nash.

—Los mismos responsables de la masacre de aquellos monjes en los Pirineos —dijo Schroeder—. La misma gente responsable del secuestro y asesinato del profesor universitario Albert Mueller tras la publicación del artículo sobre el cráter del meteoro en Perú a finales del año pasado.

—¿Quiénes son?

—Una organización terrorista que se hace llamar *Schutzstaffel Totenkopfverbände;* el principal Destacamento de la Muerte de las SS. Su nombre se debe a la unidad más cruel de las SS de Hitler, los soldados al mando de los campos de concentración nazis en la Segunda Guerra Mundial. Se hacen llamar los Soldados de Asalto.

—¿Los Soldados de Asalto? —preguntó Lauren.

—Son una fuerza paramilitar de elite de alemanes expatriados que residen en un refugio-fortaleza nazi en Chile llamado «Colonia Alemania». Se constituyeron al final de la Segunda Guerra Mundial por un antiguo teniente de Auschwitz llamado Odilo Ehrhardt.

»De acuerdo con los testimonios de supervivientes de Auschwitz, Ehrhardt era un psicópata, un hombre fuerte como un roble al que le encantaba asesinar. Según parece, Rudolph Höss, el comandante de Auschwitz, le cogió simpatía y durante los últimos años de la guerra lo tomó como su protegido. Con veintidós años, Ehrhardt fue ascendido a *Obersturmführer,* teniente, de las SS. Tras eso, si Höss te señalaba, un segundo después tenías el cañón de la P-38 de Ehrhardt apuntándote.

Race tragó saliva.

Schroeder prosiguió:

—Según la información de que disponemos, Ehrhardt tendría ahora setenta y nueve años de edad. Pero dentro de la organización, su palabra es ley. Ostenta el rango más alto de las SS. *Oberstgruppenführer,* general.

—Se trata de una organización especialmente repulsiva —dijo Schroeder—. Abogan por la encarcelación y ejecución de negros y judíos, la destrucción de las gobiernos democráticos mundiales, la restauración del gobierno nazi en la Alemania unificada y el establecimiento de la *Herrenvolk,* la raza suprema aria, como la clase dirigente en el mundo.

—¿La restauración de un gobierno nazi en Alemania? ¿El establecimiento de una raza suprema aria como la clase dirigente en el mundo? —dijo Copeland incrédulo.

—Un momento —dijo Race—. Está hablando de nazis. En la década de los noventa.

—Sí —dijo Schroeder—. Nazis. Nazis de nuestro tiempo.

Frank Nash dijo:

—Siempre se ha creído que Colonia Alemania era un refugio seguro para antiguos oficiales nazis. Eisler estuvo allí un breve periodo de tiempo en la década de los sesenta. Eichmann también.

Schroeder asintió.

—Colonia Alemania es un lugar lleno de pastos, lagos y casas de estilo bávaro rodeado de alambrado de espino y torres de vigilancia patrulladas por guardias armados y doberman pinschers las veinticuatro horas del día.

»Se rumorea que durante el régimen de Pinochet, y a cambio de la protección del Gobierno, Ehrhardt permitió que el dictador utilizara Colonia Alemania como un centro de torturas extraoficial. Era un lugar donde se enviaba a la gente para que «desapareciera». Y, con la protección del régimen militar, Ehrhardt y su colonia nazi han gozado de inmunidad para librarse de las investigaciones de agencias como la BKA.

—De acuerdo, entonces —dijo Nash—. ¿Dónde encajan en esta ecuación?

—Verá, *Herr* Nash, ahí está el problema —dijo Schroeder—. Es esta organización la que posee una Supernova.

—¿Que tienen una Supernova? —dijo Nash sin emoción.

—Sí.

—Dios santo...

—*Herr* Nash, por favor. Debe entenderlo. En veinte años de trabajo antiterrorista jamás nos habíamos encontrado con un grupo como este. Está bien financiado, bien organizado y fuertemente jerarquizado. Además, es una organización completamente despiadada.

»Está compuesta por dos tipos de personas: soldados y científicos. Los Soldados de Asalto reclutan fundamentalmente a soldados experimentados, a menudo hombres que fueron expulsados con deshonor del ejército de la Alemania Oriental o de la *Bundeswehr* por su uso excesivo de la fuerza. Hombres como Heinrich Anistaze, entrenados en las artes del terror, la tortura y el asesinato.

—¿Anistaze es uno de ellos? —dijo Nash—. Creía que trabajaba para la Inteligencia alem...

—Ya no —dijo Schroeder con amargura—. Después de que el bloque oriental se colapsara, Anistaze fue contratado por el gobierno alemán para que se ocupara de ciertos «problemas». Pero parece que no logramos mantenerlo a raya.

»Anistaze es un mercenario, un asesino a sueldo. Tan pronto como le ofrecieron más de lo que le estábamos pagando, traicionó a dos de sus agentes secretos y se los entregó al enemigo.

»No nos sorprendió que, no mucho después de que tuviera lugar este incidente, sus característicos métodos de persuasión comenzaran a hacerse latentes en los incidentes relacionados con los Soldados de Asalto. Según parece, su ascenso en la organización ha sido increíble. Creemos que, en su sistema jerárquico, él es ahora *Obergruppenführer*. Teniente general. Solo superado por el propio Ehrhardt.

—Hijo de puta...

—En cuanto a los científicos —Schroeder se encogió de hombros—, se aplican los mismos criterios. Los Soldados de Asalto atraen a hombres y mujeres con una gran formación que trabajan en proyectos que no sintonizan con el sentimiento de culpabilidad colectiva de la Alemania actual.

»Por ejemplo, tras la caída del Muro, algunos científicos alemanes que estaban desarrollando unas granadas de ácido nítrico, diseñadas para causar heridas terribles, pero no matar a sus víctimas, se vieron de repente sin trabajo. Los Soldados de Asalto siempre están a la caza de ese tipo de gente y, además, están dispuestos a pagarles generosamente por sus servicios.

—¿Cómo? —preguntó Copeland—. ¿Cómo pueden permitirse todo eso?

—Doctor Copeland, el movimiento nazi actual nunca ha estado falto de efectivo. En 1994, la BKA dio con la pista de una posible cuenta nazi en un banco suizo según la cual el dinero del que disponían los Soldados de Asalto ascendía a más de quinientos millones de dólares, lo recaudado con la venta de artefactos de un valor incalculable durante la Segunda Guerra Mundial.

—Quinientos millones de dólares —murmuró Race.

—Caballeros —dijo Schroeder—. Los Soldados de Asalto no secuestran aviones. No asesinan a agentes ni hacen volar por los aires edificios federales. Buscan victorias mayores, victorias que derroquen el actual orden mundial.

—¿Y creen que disponen de una Supernova? —dijo Nash.

—Hasta hace tres días, todo eran suposiciones difíciles de probar —dijo Schroeder—, pero ahora estamos seguros de ello. Hace seis meses, los agentes de reconocimiento de la BKA desplazados en Chile fotografiaron a un hombre paseando en Colonia Alemania con Odilo Ehrhardt. Ese hombre fue identificado como el doctor Fritz Weber. *Herr* Nash, me imagino que usted sabe quién es el doctor Weber.

—Sí, pero... —Nash paró de hablar y frunció el ceño—. Fritz Weber fue un científico alemán durante la Segunda Guerra Mundial, un físico nuclear; rayaba la genialidad, pero también la psicopatía. Fue uno de los primeros en afirmar que la creación de un dispositivo para destruir el planeta era posible. En 1944, cuando solo tenía treinta años, trabajó en el proyecto de la bomba atómica de los nazis. Pero, antes de eso, se decía que Weber había participado en los infames experimentos de tortura nazis: ponían a un hombre en agua helada y controlaban cuánto tiempo tardaba en morir. Pero yo pensaba que Weber había sido ejecutado tras la guerra...

Schroeder asintió.

—Así es. El doctor Fritz Weber fue juzgado en los juicios de Nuremberg por crímenes contra la humanidad, en octubre de 1945. Fue declarado culpable y condenado a muerte. Fue oficialmente ejecutado el veintidós de noviembre de 1945 en la prisión de Karlsburg. Si la persona a la que habían ejecutado se trataba realmente de Weber o no ha sido durante años objeto de controversia. En las últimas décadas han llegado testimonios de gente que afirma haber sido torturada por él en Irlanda, Brasil, en Rusia...

Schroeder dijo muy serio:

—Creemos que los soviéticos sacaron a Weber de Karlsburg la noche antes de su ejecución y lo sustituyeron por un impostor. A cambio de haber salvado su vida, los soviéticos se valieron de los conocimientos de Weber para avanzar en su programa de armamento nuclear. Pero cuando la Unión Soviética se vino abajo en 1991 y la BKA intentó buscar a Weber, ya no había ni rastro de él. Había desaparecido de la faz de la tierra.

—Para aparecer ocho años después en el cuartel general de una organización terrorista nazi —añadió Nash.

—Correcto. En ese momento, pensábamos que los nazis estaban construyendo un arma nuclear convencional. Pero los Soldados de Asalto atacaron el monasterio en Francia cuando descubrieron que poseían el legendario manuscrito de Santiago —dijo Schroeder—. Cuando reconstruimos el asesinato de Albert Mueller y su descubrimiento del cráter de un meteorito en Perú y la supuesta historia que contaba el manuscrito de Santiago de un ídolo de extrañas propiedades, nuestras sospechas adquirieron una nueva dimensión. Quizá, bajo la tutela de Weber, la organización estaba haciendo algo más que construir una bomba nuclear convencional, quizá habían logrado crear una Supernova e iban ahora en busca del tirio.

—Y entonces, hace tres días, el mismo día que leímos la noticia de la masacre en el monasterio francés, nuestro equipo de reconocimiento en Chile captó esto.

Schroeder sacó una hoja de papel doblada del bolsillo de su camisa y se la pasó a Nash.

—Es una transcripción de una conversación telefónica realizada desde un teléfono móvil en Perú al principal laboratorio de Colonia Alemania hace tres días —dijo Schroeder.

Nash le enseñó la transcripción alemana a Race, que la tradujo en voz alta.

Voz 1: —ase de operaciones ha sido establecida—el resto del—será—mina—

Voz 2: —del arma?—¿lista?

Voz 1: —hemos adoptado la formación en reloj de arena de acuerdo con el modelo estadounidense—dos detonadores termonucleares encima y debajo de una cámara interior de aleación de titanio. Las pruebas indican que—el dispositivo—operativo. Todo lo que necesitamos ahora—tirio.

Voz 2: —no se preocupe. Anistaze se está ocupando de eso—

Voz 1: ¿Qué hay del mensaje?

Voz 2: —saldrá tan pronto como tengamos el ídolo—a cada primer ministro y presidente de la UE—además del presidente de los EE. UU. por—de emergencias interno—el rescate será de cien mil millones de dólares—o de lo contrario detonaremos el dispositivo...

Nash miró la transcripción horrorizado.

El resto de los allí presentes permaneció en silencio.

Race miró las palabras de nuevo: cien mil millones de dólares o de lo contrario detonaremos el dispositivo.

¡Por todos los santos!

Nash se giró hacia Schroeder:

—¿Qué es lo que han hecho al respecto?

—Hemos ejecutado un ataque por dos flancos —dijo el alemán—. Dos misiones distintas y separadas, diseñadas para reforzarse entre sí en caso de que una de esas misiones fallase.

»La misión Uno era obtener el ídolo de tirio antes que los nazis. Para hacerlo, obtuvimos una copia del manuscrito de Santiago y la utilizamos para llegar hasta aquí. Logramos batir en esto a la organización, pero jamás esperamos encontrar esos felinos dentro del templo.

Mientras escuchaba a Schroeder hablar, algo hizo *clic* en el cerebro de Race, algo acerca de lo que el agente alemán acababa de decir. Algo que no encajaba bien.

Sin embargo, apartó ese pensamiento de su mente.

—¿Y la segunda parte de la misión? —dijo Nash.

—Eliminar Colonia Alemania —dijo Schroeder—. Después de que interceptáramos esa conversación hace tres días, entablamos conversaciones con el nuevo gobierno chileno para lograr una orden judicial que permitiera a los agentes de la BKA, en coordinación con las autoridades chilenas, registrar Colonia Alemania.

—¿Y?

—La tenemos. Si todo sale según lo previsto, los agentes de la BKA y la Guardia Nacional Chilena están en este preciso momento irrumpiendo en Colonia Alemania y haciéndose con la Supernova. Espero recibir noticias suyas por radio de un momento a otro.

En ese mismo instante, a casi mil kilómetros de distancia, un camión de diez toneladas propiedad de la Guardia Nacional Chilena reventaba las puertas de entrada a Colonia Alemania.

Un grupo de soldados chilenos con la piel aceitunada se apresuraron a entrar tras el camión. Una docena de agentes alemanes vestidos con cascos de asalto azules y uniformes de las fuerzas especiales se adentraron en el complejo tras ellos.

Colonia Alemania era una finca enorme que fácilmente alcanzaba las veinte hectáreas. Sus verdes pastos contrastaban con las colinas pardas y yermas de Chile. Sus casas de estilo bávaro e idílicos lagos azules componían un paisaje extrañamente pacífico y tranquilo en medio de una tierra cruda y árida.

Se oyeron ruidos de puertas al abrirse y de ventanas hechas añicos cuando la Guardia Nacional fue entrando en todos y cada uno de los edificios de la propiedad. Su objetivo principal era la Sala Cuartel, un edificio enorme que se asemejaba a un hangar y que estaba situado en medio del complejo.

Minutos después, se explosionaron las puertas de la Sala Cuartel y, ya abiertas, una horda de Guardias Nacionales y de agentes de la BKA entraron en el edificio.

Y entonces se detuvieron en seco.

Ante ellos se extendían filas y filas de literas a lo largo de un enorme pasillo. Las camas estaban hechas con esmero y cada una de ellas se encontraba perfectamente alineada con la litera de al lado. Parecían los barracones de un ejército.

El único problema era que estaban vacíos.

Los informes de situación fueron llegando con rapidez desde las distintas zonas del complejo.

Todo el complejo estaba vacío.

Colonia Alemania estaba completamente desierta.

En uno de los edificios contiguos a la Sala Cuartel se encontraba un laboratorio. Dos agentes alemanes entraron al edificio con un contador de

Géiger en sus manos para medir la radioactividad en el aire. Esas pequeñas unidades de detección repiquetearon fuertemente al entrar.

Los dos agentes entraron en el laboratorio principal del complejo y, nada más entrar, los contadores de Géiger se pusieron en el rojo.

—A todas las unidades, aquí el equipo del laboratorio. Estamos detectando cantidades elevadas de uranio y plutonio en el laboratorio principal...

El primer agente se acercó a una puerta que daba a una especie de despacho con las paredes de cristal.

Apuntó con el contador a la puerta cerrada y el indicador del contador se salió de la tabla.

Miró a su compañero. Y entonces abrió la puerta , tropezando con el cable.

La explosión fue devastadora.

Todo el lugar se estremeció.

Haces de una cegadora luz blanca salieron disparados en todas direcciones, destruyendo todo lo que se encontraban en su camino. Establos enteros en mil pedazos, silos de cemento hechos añicos en milésimas de segundo... todo lo que se encontraba en un radio de quinientos kilómetros de la Sala Cuartel se evaporó, incluidos los ciento cincuenta Guardias Nacionales Chilenos y los doce agentes de la BKA.

Cuando en los días sucesivos se preguntó a los habitantes de los pueblos cercanos, estos dijeron que había sido como si los destellos de un rayo aparecieran de repente en el horizonte, seguidos de una enorme columna de humo negro que subió a los cielos en forma de hongo gigante.

Pero ellos eran gente normal y corriente, campesinos.

No sabían que lo que estaban describiendo era una explosión termonuclear.

De nuevo en Vilcafor, Nash ordenó a los boinas verdes que trasladaran el equipo alemán de radio por satélite a la calle principal.

—Veamos qué tiene que decir su gente en Chile —le dijo a Schroeder.

Schroeder levantó la tapa de la consola de la radio portátil y comenzó a teclear a gran velocidad en el teclado. Nash, Scott y los boinas verdes se congregaron a su alrededor, observando atentamente la pantalla de la consola.

Race se quedó fuera del círculo, excluido de nuevo.

—¿Cómo va eso? —le dijo de repente una voz femenina.

Se giró, esperando encontrarse a Lauren, pero en vez de eso vio los deslumbrante ojos azules de la mujer alemana.

Era pequeña, menuda y muy guapa. Estaba allí de pie con las manos apoyadas en las caderas y una sonrisa que dejó a Race totalmente desarmado.

Tenía la nariz chata y pequeña, el pelo corto y rubio, así como pegotes de barro por toda la cara, camiseta y vaqueros. Llevaba un chaleco antibalas encima de su camiseta blanca y una funda de pistola de Gore-Tex en la cadera, idéntica a la que llevaba Schroeder. Al igual que la de este, la funda de la mujer alemana también estaba vacía.

—¿Qué tal la cabeza? —le preguntó. Tenía un ligero acento alemán. A Race le gustó cómo sonaba.

—Me duele —dijo.

—Debería —dijo acercándose a él y tocándole la frente—. Creo que sufriste una concusión menor cuando el Humvee se golpeó contra el helicóptero. Todo lo que hiciste después, tus hazañas encima del helicóptero, deben de haber sido consecuencia de la subida de adrenalina.

—¿Quieres decir que no soy un héroe? —dijo Race—. ¿Estás diciendo que solo fue un subidón de adrenalina?

Ella le sonrió. Tenía una sonrisa preciosa.

—Espera un segundo —le dijo—. Tengo codeína en mi botiquín. Te vendrá bien para el dolor de cabeza.

Se dirigió hacia el todoterreno.

—Eh... —dijo Race—. ¿Cuál es tu nombre?

Ella volvió a regalarle otra preciosa sonrisa, como la de una ninfa.

—Mi nombre es Renée Becker. Soy agente especial de la BKA.

—Lo tengo —dijo Schroeder de repente.

Race se acercó al pequeño grupo reunido alrededor de la consola de la radio.

Miró por encima del hombro de Nash y vio una lista en alemán en la pantalla. La tradujo:

TRANSMISIÓN DE COMUNICACIONES POR SATÉLITE REGISTRO 44-76/BKA32

N.º	FECHA	HORA	FUENTE	RESUMEN
1	1.4.99	1930	OC BKA	INF. SITUAC. EQUIPO PERÚ
2	1.4.99	1950	FUENTE EXT	FIRMA SEÑAL UHF
3	1.4.99	2230	OC BKA	INF. SITUAC. EQUIPO PERÚ
4	1.5.99	0130	OC BKA	INF. SITUAC. EQUIPO PERÚ
5	1.5.99	0430	OC BKA	INF. SITUAC. EQUIPO PERÚ
6	1.5.99	0716	CAMPO (CHILE)	LLEGADA A SANTIAGO
				DIRECCIÓN A COLONIA
			ALEMANIA	
7	1.5.99	0730	OC BKA	INF. SITUAC. EQUIPO PERÚ
8	1.5.99	0958	CAMPO (CHILE)	LLEGADA A COLONIA ALEMANIA; COMIENZO VIGILANCIA
9	1.5.99	1030	OC BKA	INF. SITUAC. EQUIPO PERÚ
10	1.5.99	1037	CAMPO (CHILE)	SEÑ. URGENTE EQUIPO CHILE
				SEÑ. URGENTE EQUIPO CHILE
11	1.5.99	1051	OC BKA	INFORME INMEDIATAMENTE EQUIPO PERÚ

Race frunció el ceño.

Era una lista de las señales de comunicación captadas por el equipo de campo peruano de la BKA.

Parecían haber recibido solicitudes de actualizaciones de su situación desde la oficina central de la BKA cada tres horas desde las 7.30 de la noche anterior, junto con algunos mensajes intermitentes del otro equipo de la BKA en Chile.

El décimo mensaje (uno de los mensajes del equipo desplazado a Chile), sin embargo, atrajo la atención de Race. En él destacaba la palabra alemana *dringend.* «Urgente».

Schroeder también la vio.

Bajó el tabulador hasta el décimo mensaje y pulsó la tecla «intro».

Apareció un mensaje que ocupaba toda la pantalla. Race vio las palabras en alemán y las tradujo:

Mensaje n.º 050199-010
Fecha: 5 enero 1999
Recibido a: 1037 (hora local – Perú)
De: Equipo de campo (Chile)
Asunto: Señal urgente equipo Chile;
señal urgente equipo Chile

El mensaje dice:
Atención equipo de Perú, atención equipo de Perú
Aquí la segunda unidad de Chile, repito, aquí la segunda unidad de Chile. La primera unidad ha caído. Repito, la primera unidad ha caído.

Hace 15 minutos la primera unidad entró en Colonia Alemania junto con la Guardia Nacional Chilena. Informaron de que el complejo estaba desierto. Repito, la primera unidad informó de que todo el complejo estaba desierto.

Test preliminares indicaron la presencia de uranio y plutonio, pero antes de poder obtener más datos tuvo lugar una explosión dentro del complejo.

Todo apunta a que la explosión ha sido nuclear, repito.
Todo apunta a que la explosión ha sido nuclear.

Toda la primera unidad ha caído, repito. Toda la primera unidad ha caído.

Debemos asumir que los soldados de asalto ya están de camino a Perú.

Race apartó la vista del mensaje horrorizado.

Colonia Alemania estaba vacía cuando el equipo de la BKA había llegado. Habían colocado una bomba trampa, lista para explotar en cuanto alguien pusiera un pie en el laboratorio.

Un escalofrío le recorrió la espalda cuando volvió a mirar la línea final:

Debemos asumir que los soldados de asalto ya están de camino a Perú.

Race miró su reloj.

Eran las 11.05 a. m.

—¿En cuánto tiempo estarán aquí? —le preguntó Nash a Schroeder.

—Eso es imposible saberlo —respondió Schroeder—. No hay forma de saber cuándo dejaron el complejo. Pueden haberse marchado hace dos horas o hace dos días. De cualquier forma, el viaje de Chile hasta aquí no es largo. Debemos dar por sentado que se encuentran muy cerca.

Nash se giró hacia Scott.

—Capitán, quiero que contacte por radio con Panamá y averigüe cuándo demonios va a llegar el equipo de evacuación. Necesitamos armas y las necesitamos ahora.

—Entendido. —Scott asintió con la cabeza a Doogie y este fue corriendo al lugar donde se encontraba la radio.

—Cochrane —dijo Nash—. ¿Qué hay del Huey que nos queda?

Buzz Cochrane negó con la cabeza.

—Está tocado. Resultó golpeado cuando el Apache se volvió loco durante el ataque de los felinos. Fue alcanzado por disparos perdidos que dañaron el rotor de cola y el sistema de encendido.

—¿Cuánto tiempo llevará arreglarlo?

—Con las herramientas que tenemos aquí, podemos fijar los puertos, pero llevará su tiempo. Respecto al rotor de cola, bueno, no podemos volar sin él, y es muy jodido de reparar. Supongo que podremos desmontar y quitar algunos de los sistemas secundarios y utilizarlos, pero lo que realmente necesitamos son ejes e interruptores rotatorios nuevos, y no los vamos a encontrar aquí.

—Sargento. Haga que ese Huey vuelva a volar. Cueste lo que cueste —dijo Nash.

—Sí, señor.

Cochrane abandonó el círculo llevándose a Reichart consigo.

Se produjo un largo silencio.

—Así que estamos atrapados aquí... —dijo Lauren.

—Con un grupo de terroristas de camino... —añadió Gaby López.

—A menos que decidamos marcharnos de aquí a pie —sugirió Race.
El capitán Scott se giró hacia Nash.
—Si nos quedamos aquí, moriremos.
—Y, si nos marchamos, los nazis conseguirán el ídolo —dijo Copeland.
—Y una Supernova lista para ser activada —dijo Lauren.
—No es una opción —dijo con firmeza Nash—. No, solo hay una cosa que podamos hacer.
—¿Cuál?
—Coger el ídolo antes de que los nazis lleguen aquí.

Los tres soldados recorrieron cautelosamente el sendero de la ribera del río bajo el martilleo de la lluvia subtropical.

El capitán Scott y el cabo Chucky Wilson encabezaban la marcha, apuntando recelosos con sus M-16 al denso follaje de su derecha. Uno de los paracaidistas alemanes, Graf, ahora armado con un M-16 estadounidense, recorría el sendero tras ellos, cerrando la marcha.

Cada uno de ellos llevaba una diminuta cámara de fibra óptica en un lateral del casco que enviaba las imágenes a los que estaban en el pueblo.

Tras caminar durante un rato, los tres soldados llegaron a la fisura de la ladera de la montaña, la fisura que conducía a la torre de piedra y al templo.

Scott asintió con la cabeza a Wilson y el cabo entró por el estrecho pasillo de piedra con su arma en ristre.

En el pueblo, Race y los demás observaban por un monitor cómo Scott, Wilson y Graf se adentraban por la fisura. Las imágenes de las cámaras de los tres soldados eran en blanco y negro, lo que les profería un aire un tanto espectral, y se reproducían en tres rectángulos separados en la pantalla.

El plan era sencillo.

Mientras Scott, Wilson y Graf entraban en el templo y cogían el ídolo, los restantes boinas verdes y el otro paracaidista alemán, un soldado llamado Molke, se pondrían a reparar el Huey. Una vez hubiesen obtenido el ídolo, se marcharían en el helicóptero de Vilcafor antes de que los terroristas nazis llegaran.

—Esto..., ¿no estamos olvidando algo? —dijo Race.

—¿Como qué?

—Los felinos. ¿No son ellos la causa principal de que nos encontremos en este lío? ¿Dónde están?

—Los felinos se retiraron del pueblo con la llegada de la luz del día —dijo una voz detrás de Race en un perfecto inglés.

Race se giró y vio al cuarto y último hombre alemán. Estaba detrás de Race, sonriéndolo.

No podía haber sido más diferente de los otros tres alemanes, Schroeder, Graf y Molke. Mientras que aquellos eran fuertes y estaban en forma, este hombre era mayor, mucho mayor (tendría al menos cincuenta años), y estaba en muy baja forma. Su rasgo más característico era una barba larga y gris. A Race no le gustó nada más verlo. Su actitud y postura apestaban a pomposidad y arrogancia.

—Al amanecer, los felinos se marcharon en la dirección de la meseta —dijo el hombre con aires de superioridad—. Supongo que volvieron a su guarida, dentro del templo. —Sonrió irónico—. Me imagino que, dado que las últimas generaciones de este animal se han pasado casi cuatrocientos años totalmente a oscuras, su especie no se siente muy cómoda a la luz del día.

El hombre le extendió la mano a Race de un modo un tanto brusco, muy alemán.

—Soy el doctor Johann Krauss, zoólogo y criptozoólogo de la Universidad de Hamburgo. Mi cometido en esta misión es dar asesoramiento sobre ciertos aspectos de los animales que aparecen en el manuscrito.

—¿Qué es un criptozoólogo? —preguntó Race.

—El que estudia animales míticos, criaturas legendarias—dijo Krauss.

—Animales míticos...

—Sí. Bigfoot, el monstruo del lago Ness, el *yeti,* los grandes felinos de los páramos ingleses y, por supuesto —añadió—, el *rapa* sudamericano.

—¿Qué sabe de esos felinos? —le preguntó Race.

—Solo lo que he aprendido de testimonios y pruebas sin verificar, leyendas locales y jeroglíficos ambiguos. Pero ahí reside la belleza de la criptozoología. Es el estudio de los animales que no pueden ser estudiados porque nadie puede demostrar su existencia.

—Así que piensa que fuimos atacados por unos animales míticos o «supuestos» —dijo Race—. A mí no me parecieron muy míticos que digamos.

Krauss dijo:

—Cada cincuenta años aproximadamente, en esta parte de la selva amazónica se producen una serie de muertes inusuales. Gentes de la zona que se embarcan por la noche en viajes de un pueblo a otro y que, bueno, desaparecen. En algunas ocasiones, si bien no es muy habitual, sus restos son encontrados por la mañana con las gargantas y las columnas arrancadas de sus cuerpos.

»La gente de la zona tiene un nombre para la bestia que aparece por la noche y asesina sin piedad; un nombre que se ha transmitido de generación en generación. Lo llaman «el *rapa*».

Krauss miró detenidamente a Race.

—Deberíamos hacer caso del folklore local, pues puede sernos de gran ayuda para evaluar a nuestro enemigo.

—¿Cómo?

—Bueno, podemos usarlo para discernir algunos aspectos de nuestros antagonistas felinos.

—¿Como por ejemplo?

—Bueno, lo primero de todo es que podemos asumir sin temor a equivocarnos que los *rapas* son nocturnos. Los restos de la gente de la zona solo se encuentran por la mañana. Y, por nuestra propia experiencia, sabemos que esos felinos huyen de la luz del día. Ergo, son nocturnos. Solo cazan por la noche y se retiran durante la mayor parte del día.

—Si han estado encerrados dentro de ese templo durante generaciones —dijo Race—, ¿cómo han podido sobrevivir? ¿Qué han estado comiendo todo este tiempo?

—Eso no lo sé —dijo Krauss con el ceño fruncido, como si estuviera reflexionando acerca de una compleja ecuación matemática.

Race levantó la vista y miró a la meseta que albergaba el misterioso templo. Un velo de lluvia cubría la pared rocosa que miraba al este.

—Entonces, ¿qué están haciendo ahora? —dijo.

—Dormir, supongo —dijo Krauss—, en la seguridad de su templo. Razón por la que es el mejor momento para enviar a nuestros hombres a coger el ídolo.

Scott, Wilson y Graf salieron del estrecho pasillo y metieron los pies en la charca de agua situada a los pies del espléndido cráter.

El cañón estaba excepcionalmente oscuro. Cualquier posible rayo de luz había quedado bloqueado por los nubarrones y los árboles que se cernían sobre el borde del cráter. Las grietas y fisuras de las paredes del cañón estaban ahora envueltas en sombras.

Scott y Wilson encabezaron de nuevo la marcha. Finos hilos de luz salían de las linternas colocadas en los cañones de sus M-16.

—De acuerdo... —dijo Scott a su micrófono de garganta.

—Nos dirigimos al sendero —dijo su voz a través de los altavoces del monitor.

Race observó tenso la pantalla mientras Scott, Wilson y Graf salían del agua y se dirigían al estrecho camino trazado en la pared exterior del cráter.

Johann Krauss dijo:

—Algo que tampoco debemos olvidar de nuestro enemigo es que, ante todo, son felinos. No pueden cambiar lo que son. Piensan como felinos y actúan como tales.

—¿Eso quiere decir?

—Eso quiere decir que solo una de las especies de grandes felinos, los guepardos, van a la caza de sus presas.

—¿Cómo cogen a sus presas los otros grandes felinos?

—Hay varias estrategias. Los tigres de la India esperan tumbados, guarecidos tras hojas, a veces durante horas, a que su presa aparezca. Una vez esta se ha acercado lo suficiente, se abalanzan sobre ella.

»Por otro lado, los leones africanos emplean métodos de caza bastante sofisticados. Una de esas técnicas consiste en que una leona se pavonee delante de una manada de gacelas mientras las demás leonas se acercan sigilosamente a la manada por detrás. Lo cierto es que es algo bastante ingenioso, y muy efectivo. Pero también es muy inusual.

—¿Por qué? —preguntó Race.

—Porque implica la existencia de algún tipo de comunicación entre los leones.

Race le dio la espalda para observar de nuevo el monitor.

Los tres soldados habían subido un pequeño trecho del sendero en espiral y ahora se encontraban a unos trescientos metros por encima del agua que cubría la base del cráter.

Race estaba observando las imágenes captadas por la cámara del cabo Wilson, que enfocaba en ese momento a la extensión plana de agua, cuando de repente vio un leve movimiento en la superficie del agua.

Había sido una especie de onda provocada por algo que estaba bajo la superficie del agua.

—¿Qué ha sido eso? —dijo.

—¿Que ha sido qué?

—Wilson —dijo Race inclinándose sobre su micrófono—. Mire a su derecha un segundo, al agua.

Graf y Scott debieron de haber oído también a Race porque, en ese momento, las tres cámaras se movieron a la derecha y enfocaron la refulgente extensión de agua que rodeaba la base de la torre de piedra.

—No veo nada —dijo Scott.

—¡Allí! —gritó Race señalando a otra onda que se había formado en el agua. Era como si esa onda hubiera sido provocada por la cola de un animal; un animal que parecía estar moviéndose en dirección a los tres soldados.

—¿Qué demonios...? —dijo Scott mientras escudriñaba el agua que tenía ante sí.

Era como si una pequeña ola estuviera atravesando el lago a una velocidad inusitada en dirección a él y a sus hombres.

Scott frunció el ceño. Después dio con mucho cuidado un paso adelante, hacia el borde del sendero y la caída de trescientos metros que había hasta la superficie del agua.

Se asomó por el borde del sendero.

Y vio a tres felinos negros que trepaban por la empinada pared rocosa situada bajo ellos.

Scott levantó rápidamente su M-16 pero, en ese momento, una enorme forma negra salió de una fisura de la pared rocosa y lo golpeó por la espalda, tirándolo al agua, donde un grupo de otras formas negras se arremolinaron en torno a él en un instante.

Race, sobrecogido, contemplaba la espantosa escena en el monitor desde el punto de vista de Scott. Lo único que podía ver era la imagen borrosa de unos dientes afilados como cuchillas y unos brazos agitándose, traslapados por el sonido de los gritos ahogados y los alaridos de Scott.

Entonces, no mucho después, la cámara cayó al suelo y la pantalla perdió la imagen y lo único que quedó fue un silencio sepulcral.

El sonido de los disparos quebró la antinatural quietud que reinaba en el cráter cuando el soldado alemán Graf apretó el gatillo de su M-16.

Pero, tan pronto como la boca de su arma escupió una lengua de fuego, Graf fue golpeado desde arriba por un felino que lo esperaba al acecho desde una fisura de la pared rocosa.

Chucky Wilson, situado un poco más abajo del trecho del sendero donde se encontraba Graf, se giró rápidamente para ver la lucha entre Graf y el felino, y vio que el paracaidista alemán estaba luchando con todas sus fuerzas.

Y, de repente, el felino le arrancó a Graf la garganta de cuajo y su cuerpo cayó al suelo, sin vida.

Wilson palideció.

—Joder.

En ese momento el felino, que permanecía sobre el cuerpo sin vida de Graf, alzó la vista y lo miró fijamente a los ojos.

Wilson se quedó paralizado. El felino dio un inquietante paso adelante, pasando por encima del cuerpo inmóvil de Graf, en dirección hacia él.

Wilson se giró.

Y vio a otro felino negro, a sus espaldas, cortándole la retirada.

Ningún lugar adonde ir.

Ningún sitio donde esconderse.

Wilson se giró de nuevo y vio las fisuras y grietas de la pared rocosa y pensó por un instante que quizá pudiera escapar por allí. Miró por entre una de las fisuras y se topó con el rostro sonriente de uno de los felinos.

Entonces, con una inmediatez terrible y horripilante, las fauces del felino se abalanzaron sobre él a toda velocidad y en segundos ya no quedó nada.

Todos se quedaron mirando el monitor en silencio.

—Dios santo —murmuró Gaby López.

—¡Mierda! —dijo Lauren.

Los cuatro boinas verdes restantes siguieron mirando el monitor, estupefactos.

Race se giró hacia el zoólogo alemán, Krauss.

—Solo salían por la noche, ¿no?

—Bueno —dijo Krauss irritado—. Obviamente, la oscuridad en la base del cráter les permite pasar la mayor parte del día allí...

—Kennedy —dijo bruscamente Nash—, ¿cuál es la situación del equipo de evacuación?

—Todavía estoy intentando contactar con Panamá, señor —dijo Doogie desde el aparato de radio—. La señal va y viene.

—Siga intentándolo. —Nash miró su reloj.

Eran las 11.30.

—¡Mierda! —dijo.

Se preguntó qué les habría ocurrido a Romano y a su equipo. La última noticia que había tenido de ellos era que habían despegado de Cuzco a las 19.45 del día de ayer. Ya deberían haber llegado. ¿Qué les había ocurrido? ¿Podían haberlos abatido los nazis? ¿O no habían sabido leer las indicaciones de los tótems y estaban completamente perdidos?

Fuere como fuere, si todavía seguían con vida, una cosa era segura: tarde o temprano encontrarían el pueblo.

Lo que significaba que ahora tenía dos grupos hostiles de camino a Vilcafor.

—¡Mierda! —dijo de nuevo.

Doogie se acercó.

—El equipo de evacuación despegó de Panamá hace una hora. Tres helicópteros: dos Comanches y un Black Hawk. Calculan que estarán aquí ya entrada la tarde, a las diecisiete horas aproximadamente. He puesto una señal UHF para que puedan localizarnos y sacarnos de aquí.

Mientras Doogie informaba a Nash de las últimas noticias, a Race se le pasó por la mente un extraño pensamiento: ¿Por qué no salía el equipo de evacuación de Cuzco? ¿Por qué estaban enviando helicópteros desde Panamá?

Sin duda la forma más sencilla de salir de allí sería regresar al lugar de donde habían venido.

Fue en ese momento cuando una frase del manuscrito de Santiago le vino a la memoria.

«Un ladrón jamás usa dos veces la misma entrada»

Nash se giró hacia Van Lewen.

—¿Tenemos acceso a la red SAT-SN?

—Sí, señor, así es.

—Conéctenos a ella. Establezca un patrón de rastreo por el centro-este de Perú. Quiero saber dónde se encuentran exactamente esos nazis hijos de puta. Cochrane.

—Sí, señor.

—Consígame una imagen por satélite de Vilcafor. Tenemos que planear una posición defensiva.

—¿Qué es eso del SAT-SN? —preguntó Gaby López.

Troy Copeland la respondió.

—Es el acrónimo de la Red de Vigilancia y Rastreo Aeroespacial por Satélite. Es el equivalente aéreo del SOSUS, la red de hidrófonos que el ejército de los EE. UU. tiene desplegados al norte del Atlántico para detectar submarinos enemigos.

»Dicho de una forma sencilla, el SAT-SN es un despliegue de cincuenta y seis satélites geosincrónicos emplazados en una órbita cercana a la Tierra que monitorizan el espacio aéreo del mundo, avión por avión.

—Si esa es la explicación sencilla —dijo Race con sequedad—, no quiero imaginarme cómo será la compleja.

Copeland ignoró su comentario.

—Todo avión dispone de siete tipos distintos de características perceptibles: emisiones electromagnéticas, acústicas, visuales, emisiones del radar y del infrarrojos, el humo del motor y la estela que deja tras de sí. Los satélites de la red SAT-SN se valen de estas siete características para grabar la localización y demás datos de todos y cada uno de los aviones de todo el mundo, tanto militares como civiles.

»Lo que el coronel Nash quiere ahora es una instantánea de la zona centro-este de Perú para poder ver todos los aviones que estén sobrevolando la zona, concretamente aquellos que estén fuera de las rutas comerciales aéreas. A partir de esas imágenes podremos ver dónde se encuentran nuestros amigos nazis y calcular de cuánto tiempo disponemos hasta que lleguen aquí.

Race miró a Nash.

Parecía estar inmerso en sus pensamientos, como era de esperar tratándose del jefe de un grupo que acaba de perder a tres de sus mejores soldados.

—¿En qué está pensando? —le preguntó Race.

—Tenemos que conseguir el ídolo —dijo Nash—, y pronto. Esos nazis llegarán en cualquier momento. Pero no hay forma de entrar con esos felinos. No sabemos cómo lograrlo.

Race ladeó la cabeza.
Después dijo:
—Había alguien que lo sabía.
—¿Quién?
—Alberto Santiago.
—¿Qué?
—¿Recuerda la roca que bloqueaba la entrada al templo?
—Sí...
—En ella había una advertencia: «No entrar bajo ningún concepto. La muerte acecha dentro». La advertencia tenía las iniciales «A. S.» escritas debajo. Todavía no he leído lo suficiente del manuscrito, así que solo puedo suponer que Santiago y Renco se encontraron con el mismo problema que se nos presenta a nosotros ahora. Antes de que llegaran a Vilcafor, alguien abrió la puerta de ese templo, dejando que los *rapas* salieran.

»Pero, de algún modo —prosiguió Race—, Santiago encontró el modo de mantener a esos felinos dentro del templo. Después grabó la advertencia en esa roca para que quien quisiera volverlo a abrir se lo pensara dos veces.

»Bien, hemos utilizado el manuscrito para encontrar este pueblo y hemos dado por sentado que solo nos serviría para eso, pero la copia que yo leí no estaba completa. Me apuesto el cuello a que la clave para lograr que los felinos no nos ataquen se encuentra en la parte que falta del manuscrito de Santiago.

—Pero no tenemos esa parte —dijo Nash.
—Seguro que ellos sí —Race señaló con la cabeza a los cuatro alemanes que quedaban con vida.
Schroeder asintió con la mirada.
—Y me apuesto a que solo tradujeron hasta la parte que desvelaba el emplazamiento de Vilcafor. ¿Estoy en lo cierto? —dijo Race.
—Así es —dijo Schroeder—. Solo tradujimos hasta ahí.
Una renovada determinación se reflejó en el rostro de Nash. Se volvió a Schroeder.
—Traiga su copia del manuscrito —dijo—. Tráigala ahora.

Algunos minutos después, Schroeder le extendió a Race una pila de papeles, metidos dentro de una carpeta de cartulina desgastada. El montón era mucho más grueso que el que le habían dado a traducir anteriormente a Race.
Era el manuscrito entero.
—Me imagino que ninguno de ustedes cuatro es el traductor de su equipo, ¿verdad? —le preguntó Nash al hombre de la BKA.
Schroeder negó con la cabeza.

—No. Nuestro experto murió durante el ataque de los felinos en la torre de piedra.

Nash se giró hacia Race.

—Entonces parece que le va a tocar a usted traducirlo, profesor. Suerte que insistí en que viniera con nosotros.

Race se retiró al todoterreno para leer la nueva copia del manuscrito.

Una vez se hubo acomodado en la seguridad del vehículo blindado, abrió la carpeta en la que se encontraba el manuscrito. Lo primero que encontró fue la fotocopia de una portada.

Era una portada extraña, muy distinta a la portada profusamente decorada de la otra copia. La principal diferencia era que esta portada era sorprendentemente, casi deliberadamente, sencilla.

El título, *La verdadera relación de un monje en la tierra de los incas,* estaba escrito a mano. Una cosa era segura: la elegancia y la majestuosidad era lo último que tenía en mente quienquiera que hubiese escrito esto.

Y entonces Race cayó en la cuenta.

Se trataba de una fotocopia del manuscrito original de Santiago.

Una fotocopia del documento que había sido escrito por el propio Santiago.

Race hojeó por encima el texto. Página tras página la letra garabateada de Santiago se fue revelando ante él.

Le echó un vistazo a las palabras del texto y pronto encontró la parte donde su lectura se había visto bruscamente interrumpida, la parte en la que Renco, Santiago y el delincuente Bassario habían llegado a Vilcafor y habían encontrado el pueblo en ruinas y a sus habitantes en el suelo de la calle principal, bañados en sangre...

Tercera lectura

Renco, Bassario y yo recorrimos la calle principal de Vilcafor. Estaba desierta.

El silencio que nos rodeaba llenó mi corazón de temor. Jamás había escuchado un silencio así en la selva.

Pasé por encima de un cuerpo cubierto de sangre. La cabeza había sido arrancada de cuajo del resto del tronco.

Vi otros cuerpos; vi sus rostros horrorizados y sus ojos abiertos en un terror abyecto. A algunos cuerpos les habían arrancado los brazos y las piernas y a muchos otros una fuerza violenta externa les había descuajado la garganta.

—¿Hernando? —le susurré a Renco.

—Imposible —dijo mi valiente compañero—. No hay forma de que haya llegado aquí antes que nosotros.

Conforme avanzábamos por la calle principal, vi el gigante foso sin agua que rodeaba el pueblo. Dos puentes de madera, hechos con troncos de árboles, se extendían de un lado a otro del pueblo. Parecían puentes que se podían retirar fácilmente cuando se diera la orden, los puentes de un pueblo-ciudadela. Resultaba obvio, pues, que quienquiera que hubiese atacado Vilcafor había cogido a sus habitantes desprevenidos.

Llegamos a la ciudadela. Era una enorme construcción de piedra que constaba de dos niveles. Tenía una forma piramidal, pero era redonda, no cuadrada.

Renco golpeó la puerta de piedra que se hallaba en la base. Pronunció el nombre de Vilcafor y proclamó que él, Renco, había llegado con el ídolo.

Tras unos instantes, la losa de piedra fue echada a un lado desde el interior y aparecieron unos guerreros, seguidos por el mismísimo Vilcafor, un anciano con el pelo cano y los ojos hundidos. Llevaba una capa roja, pero parecía tan regio como los mendigos que poblaban las calles de Madrid.

—¡Renco! —exclamó cuando vio a mi compañero.

—Tío —dijo Renco.

Fue en ese momento cuando Vilcafor me vio.

Supongo que me esperaba que su rostro mostrara algún tipo de sorpresa al ver que un español acompañaba a su sobrino en su heroica misión, pero no fue así. Vilcafor se giró hacia Renco y le dijo:

—¿Es este el comedor de oro del que mis mensajeros tanto me han hablado? ¿El que te ayudó a escapar de tu confinamiento, el que salió contigo de Cuzco a lomos de un caballo?

—Es él —respondió Renco.

Estaban hablando en quechua, pero para entonces Renco había mejorado mi escaso conocimiento de su tan peculiar lengua y era capaz de entender la mayor parte de lo que decían.

Vilcafor lanzó un gruñido.

—Un comedor de oro noble... *mmm*... No sabía que tal animal existiera. Pero si es amigo tuyo, sobrino mío, aquí será bienvenido.

El jefe del pueblo se giró de nuevo y esta vez vio a Bassario, que estaba detrás de Renco, y al que una sonrisa pícara le cruzaba el rostro. Vilcafor lo reconoció al instante.

Le lanzó una mirada furiosa a Renco.

—¿Qué está haciendo él aquí...?

—Viene conmigo, tío. Por un motivo —dijo Renco. Esperó unos instantes antes de volver a hablar de nuevo—. Tío. ¿Qué ha ocurrido? ¿Han sido los esp...?

—No, sobrino. No han sido los comedores de oro. No, fue un mal mil veces peor que ellos.

—¿Qué ha ocurrido?

Vilcafor agachó la cabeza.

—Sobrino, este no es un lugar seguro para buscar refugio.

—¿Por qué?

—No, no... no es seguro.

—Tío —le dijo Renco con brusquedad—, ¿qué es lo que ocurre?

Vilcafor alzó la vista, miró a Renco y entonces sus ojos señalaron a la meseta rocosa que se alzaba por encima del pequeño pueblo.

—Rápido, sobrino. Entra en la ciudadela. Pronto será de noche y salen al anochecer o cuando hay oscuridad. Vamos, dentro de la fortaleza estarás a salvo.

—Tío, ¿qué está pasando aquí?

—Es culpa mía, sobrino. Todo es culpa mía.

Volvieron a correr la pesada puerta de piedra y esta se cerró tras nosotros con un retumbante ruido sordo.

El interior de la pirámide de dos pisos estaba oscuro, iluminado tan solo por la luz de las antorchas que sostenían algunos de los allí presentes. Vi una docena de aterrorizados rostros agolpados en la oscuridad: mujeres con niños en brazos, hombres con heridas. Me imaginé que eran los parientes de Vilcafor, aquellos afortunados que se encontraban dentro de la ciudadela cuando había tenido lugar la matanza.

También me percaté de un agujero cuadrangular que había en el suelo de piedra del que cada poco tiempo salían y entraban algunos de los hombres. Debía de haber una especie de túnel allí abajo.

—Es un *quenko* —me susurró Bassario al oído.

—¿Qué es eso? —le pregunté.

—Un laberinto. Una red de túneles excavados en la roca bajo un pueblo. Hay uno muy famoso no lejos de las afueras de la ciudad de Cuzco. Los *quenkos* fueron originariamente creados como túneles de escape para la clase dirigente. Solo la familia real del pueblo conocía el código para recorrer los confusos túneles del laberinto sin perderse en ellos.

»En la actualidad, sin embargo, los *quenkos* se emplean principalmente como deporte y para apuestas en periodos festivos. Dos guerreros se adentran por el laberinto junto con cinco jaguares adultos. El guerrero que logra atravesar el laberinto, evita a los jaguares y encuentra primero la salida gana. Es muy habitual que se hagan apuestas sobre quién ganará. No obstante, me imagino que el *quenko* de este pueblo se empleará más para su propósito original, como túnel por el que la realeza pueda escapar apresuradamente.

A continuación Vilcafor nos condujo a un rincón de la ciudadela donde había un fuego encendido. Nos pidió que nos sentáramos en el heno, momento en el que llegaron algunos sirvientes y nos trajeron agua.

—Renco. ¿Tienes el ídolo entonces? —dijo Vilcafor.

—Sí. —Renco sacó el ídolo, que todavía seguía cubierto por la tela de seda, de su cartera de cuero. Desenvolvió la reluciente talla negra y púrpura y el pequeño grupo congregado en ese rincón de la ciudadela dio un grito ahogado al unísono.

Si eso fuera posible, diría que con la luz naranja del fuego de la ciudadela los rasgos felinos del ídolo adquirían un nuevo grado de malevolencia.

—Eres realmente el Elegido, sobrino —dijo Vilcafor—. El hombre que está destinado a salvar nuestro ídolo de aquellos que quieren arrebatárnoslo. Estoy orgulloso de ti.

—Y yo de usted, tío —dijo Renco, aunque por la entonación de su voz deduje que no era ni muchísimo menos lo que sentía en ese momento—. Cuénteme qué ha pasado aquí.

Vilcafor asintió con la cabeza.

Comenzó a hablar:

—A mis oídos ha llegado que los comedores de oro están avanzando por nuestro país. Se han adentrado en pueblos situados tanto en las montañas como en las selvas pantanosas. Siempre he creído que era cuestión de tiempo antes de que encontraran este lugar secreto.

»Con esa idea en mente, hace dos lunas ordené que se construyera un nuevo sendero, un sendero que se adentrara por las montañas, lejos de esos bárbaros ávidos de oro. Pero este sendero sería uno muy especial. Uno que, una vez que hubiese sido usado, pudiera destruirse. Así, debido a las características del terreno que nos rodea, no habría otra entrada en las montañas en veinte días de viaje desde aquí. Cualquiera que nos persiguiera perdería semanas intentando seguirnos por lo que, cuando lograran encontrar el modo de entrar, ya estaríamos muy lejos.

—Prosiga —dijo Renco.

—Mis ingenieros encontraron el lugar perfecto para este sendero, un cañón extraordinario que no se encuentra muy lejos de aquí. Se trata de un enorme cañón circular con una torre de piedra que se alza en medio del mismo.

»Las paredes de este cañón resultaron perfectas para nuestro nuevo sendero, por lo que ordené que las obras comenzaran inmediatamente. Todo marchó bien hasta el día que mis ingenieros llegaron a la cumbre pues, ese día, al dirigir su mirada al cañón que se encontraba bajo ellos, lo vieron.

—¿Qué es lo que vieron, tío?

—Vieron una construcción, una construcción hecha por hombres, situada en la parte superior de la torre de piedra.

Renco lanzó una mirada de preocupación en mi dirección.

—Ordené inmediatamente la construcción de un puente de cuerda y entonces, acompañado por mis ingenieros, crucé ese puente y examiné la estructura que se encontraba en la cima de la torre.

Renco siguió escuchándolo en silencio.

—Fuere lo que fuere aquello, no había sido construido por manos incas. Parecía una estructura religiosa, un templo o santuario no muy distinto a otros que se han encontrado en la selva. Templos construidos por el misterioso imperio que habitó estas tierras mucho antes que el nuestro.

»Pero había algo muy extraño en ese templo. Estaba sellado con una roca enorme. Y, en esta roca, había dibujos y marcas que ni siquiera nuestros hombres sagrados podían descifrar.

—¿Qué ocurrió después, tío? —dijo Renco.

Vilcafor bajó los ojos.

—Alguien sugirió que quizá era el legendario Templo de Solon y, si estaba en lo cierto, entonces en su interior se hallaría un fabuloso tesoro de esmeraldas y jades.

—¿Qué hizo, tío? —dijo Renco serio.

—Ordené que abrieran el templo —dijo Vilcafor, agachando la cabeza—. Y, al hacerlo, liberé un mal que jamás antes había visto. Liberé a los *rapas*.

La noche cayó, y Renco y yo nos retiramos al techo de la ciudadela a vigilar el pueblo y a estar pendientes de la posible llegada del animal al que llamaban *rapa*.

Como ya era habitual, Bassario se fue a un rincón oscuro de la fortaleza de piedra y, sentado de espaldas a la sala, se puso a hacer lo que quiera que hubiese estado haciendo durante todo el viaje.

Desde el techo de la ciudadela, observé el pueblo.

Debo decir que, tras nuestro viaje por la selva, me había acostumbrado a los sonidos nocturnos de esta. Al croar de las ranas, al zumbido de los insectos, al crujido de las hojas cuando los monos correteaban entre ellas.

Pero no había ningún sonido.

La selva que rodeaba el pueblo de Vilcafor estaba totalmente en silencio.

Ningún animal hacía ni un solo ruido. Ningún ser viviente se movía en ella.

Bajé la vista a los cuerpos que yacían desparramados por la calle principal.

—¿Qué ha ocurrido aquí? —le pregunté en voz baja a Renco.

Al principio no me respondió. Finalmente me dijo:

—Un gran mal ha sido liberado, amigo. Un gran mal.

—¿A qué se refería su tío cuando dijo que el templo que encontraron podía haber sido el Templo de Solon? ¿Quién o qué era Solon?

Renco le dijo:

—Durante miles de años, muchos imperios han habitado estas tierras. No sabemos mucho de ellos, exceptuando lo que hemos aprendido de las construcciones que dejaron y de las historias que se han transmitido entre las tribus locales.

»Una muy popular entre las tribus de esta región habla de un extraño imperio de hombres que se hacían llamar moches. Los moches eran unos constructores prolíficos y, según los indígenas locales, adoraban a los *rapas*. Hay quien dice que hasta los domaban, pero eso es discutido.

»De todas formas, la fábula de los moches que más gusta contar a las tribus locales trata sobre un hombre llamado Solon. Cuenta la leyenda que Solon era un hombre con un gran intelecto, un gran pensador y, como tal, pronto se convirtió en el principal consejero del emperador supremo de los moches.

»Cuando Solon llegó a la vejez, y como recompensa por sus años de leal servicio, el emperador le obsequió con montañas de increíbles riquezas y le legó un templo que sería construido en su honor. El emperador dijo que Solon podía pedir que se construyera el templo en cualquier lugar que él deseara, y que este tuviera la forma y dimensiones que él quisiera. Todo lo que él quisiera y deseara sería construido por los mejores ingenieros del emperador.

Renco miró fijamente a la oscuridad.

—Se dice que Solon pidió que el templo fuera construido en un emplazamiento secreto y que todas sus riquezas se guardaran dentro. Después dio órdenes al cazador más hábil del emperador para que capturara a una manada de *rapas* y los metiera en el templo junto con sus riquezas.

—¿Metió una manada de *rapas* dentro del templo? —le pregunté incrédulo.

—Así es —dijo Renco—. Pero para entender por qué hizo eso, primero debe entender qué quería lograr Solon. Quería que su templo fuera la última prueba para la conducta humana.

—¿Qué quiere decir?

—Solon sabía que la existencia del templo y de sus riquezas correría de tribu en tribu. Sabía que la avaricia y la codicia impulsaría a los aventureros a salir en su búsqueda para saquear sus riquezas.

»Así que convirtió su templo en una prueba. Una prueba en la que se tendría que elegir entre una riqueza fabulosa y una muerte segura. Una prueba creada para ver si el hombre podía controlar su codicia desmedida.

Renco me miró.

—El hombre que vence su codicia y decide no abrir el templo vive. El hombre que sucumbe a la tentación y abre el templo en busca de sus increíbles riquezas morirá a manos de los *rapas*.

Asimilé lo que me acababa de decir en silencio.

—Este templo del que ha hablado Vilcafor —dije—, el que está situado en la parte superior de la torre gigante de piedra. ¿Cree que es el templo de Solon?

Renco suspiró.

—Me entristecería si lo fuera.

—¿Por qué?

—Porque eso significaría que hemos recorrido un largo camino para morir.

Permanecí con Renco un rato en el techo de la ciudadela, mirando fijamente la lluvia.

Transcurrió una hora.

Nada surgía de la selva.

Otra hora. Nada.

En ese momento, Renco me ordenó que me retirara a la ciudadela y durmiera. Yo obedecí gustoso sus órdenes, pues estaba fatigado tras nuestro largo viaje.

Así pues, me retiré a la estructura principal de la ciudadela, donde me tumbé sobre un montón de hierba. En las esquinas de la sala refulgían dos pequeños fuegos.

Apoyé mi cabeza en el heno, pero, tan pronto como hube cerrado los párpados, sentí unos insistentes golpecitos en mi hombro. Abrí los ojos y vi el rostro más horrible que había visto en toda mi vida.

Delante de mi persona estaba un anciano en cuclillas que me sonreía con una mueca desdentada. Unos horribles mechones de pelos canos le sobresalían de las cejas, oídos y orejas.

—Saludos, comedor de oro —dijo el anciano—. He oído lo que hizo por el joven príncipe Renco, ayudándole a escapar de su prisión, y quería expresarle mi más profundo agradecimiento.

Miré a mi alrededor. Los fuegos se habían apagado y la gente que había estado apiñada en la sala estaba ahora en silencio, durmiendo. Supongo que debí de haberme dormido, al menos durante un breve espacio de tiempo.

—Oh —dije yo—. Bueno..., muchas gracias.

El anciano señaló con un dedo a mi pecho y asintió de manera cómplice.

—Présteme atención, comedor de oro. Renco no es el único cuyo destino está vinculado a ese ídolo, ¿sabe?

—No le comprendo.

—Lo que quiero decir es que el papel de Renco como guardián del Espíritu del Pueblo proviene directamente de la boca del oráculo de Pachacámac. —El anciano me regaló otra sonrisa desdentada—. Y el suyo también.

Había oído hablar del oráculo de Pachacámac. Era la venerable anciana que guardaba el templo-santuario y custodiaba el Espíritu del Pueblo.

—¿Por qué? —dije—. ¿Qué ha dicho el oráculo de mí?

—Poco después de que los comedores de oro llegaran a nuestras costas, el oráculo anunció que nuestro imperio sería aplastado. Pero también predijo que siempre y cuando el Espíritu del Pueblo estuviera lejos de las manos de nuestros conquistadores, nuestra alma perduraría. Pero dejó muy claro que un hombre, solo un hombre, podría poner a salvo el ídolo.

—Renco.

—Correcto. Pero esto fue lo que dijo:

«Habrá un tiempo en el que él vendrá,
Un hombre, un héroe, con la Marca del Sol.
Poseerá el coraje para luchar con grandes lagartos,
Tendrá el *jinga,*
Contará con la ayuda de hombres valerosos,
Hombres que darán sus vidas por tan noble causa,
Y él caerá del cielo para salvar a nuestro Espíritu.
Él es el Elegido.»

—¿El Elegido? —dije.

—Exacto.

Comencé a preguntarme si yo entraría en la categoría de los «hombres valerosos» que darían su vida para ayudar a Renco. Concluí que no era así.

Después reflexioné sobre el uso de la palabra *jinga* por el oráculo. Recordé que se trataba de una cualidad muy apreciada en la cultura inca. Era una extraña combinación de desenvoltura, equilibrio y velocidad, la habilidad de un hombre para moverse como un felino.

Rememoré la arriesgada huida de Cuzco y cómo Renco había saltado de techo en techo y se había deslizado por la cuerda hasta mi caballo. ¿Que si se movía con la seguridad y la gracia de un felino? Sin lugar a dudas.

—¿A que se refiere cuando dice que tendrá el coraje para luchar con grandes lagartos? —le pregunté.

El anciano dijo:

—Cuando Renco tenía trece años, su madre fue alcanzada por un caimán mientras cogía agua en la orilla de un riachuelo. El joven Renco estaba con ella y, cuando vio cómo el monstruo arrastraba a su madre río adentro, se zambulló en el agua y forcejeó con la bestia hasta liberar a su madre de sus fauces. No muchos hombres habrían saltado al agua para pelear con tan temible criatura. Mucho menos un crío de trece años.

Tragué saliva.

Desconocía los increíbles actos de valentía que Renco había realizado de niño. Sabía que era un hombre valeroso, ¿pero eso? Bueno. Yo jamás podría hacer algo semejante.

El anciano debió de haber leído mis pensamientos. Volvió a darme un golpecito en el pecho con su huesudo dedo índice.

—No menosprecie su valeroso corazón, joven comedor de oro —dijo—. Mostró una enorme valentía cuando ayudó a nuestro joven príncipe a escapar de su celda. Es más, hay quien diría que mostró el mayor valor de todos, el valor de hacer lo correcto.

Agaché la cabeza, modesto.

El anciano se acercó a mí.

—No creo que tales actos de valentía deban quedar sin recompensa. No. Para premiar su valentía, me gustaría obsequiarle con esto.

Me acercó una vejiga que, evidentemente, había sido extraída del cuerpo de un animal pequeño. Parecía estar llena de algún líquido.

Cogí la vejiga. Tenía una abertura en un extremo, a través de la cual supuse que se podría verter su contenido.

—¿Qué es? —pregunté.

—Es orina de mono —dijo el anciano con mucho entusiasmo.

—Orina de mono —le contesté algo sorprendido.

—Le protegerá contra los *rapas*—dijo el anciano—. Recuerde, el *rapa* es un felino y, como todos los felinos, es una criatura muy vanidosa. De acuerdo con las tribus de esta región, hay algunos líquidos que los *rapas* desprecian con todo su ser. Líquidos que, si uno se embadurna de ellos, ahuyentarán a los *rapas*.

Sonreí débilmente al anciano. Después de todo, era la primera vez que me daban el excremento de un animal como muestra de agradecimiento.

—Gracias —le dije—. Es... un regalo... maravilloso.

El anciano pareció tremendamente agradado por mi respuesta y me dijo:

—Entonces debería obsequiarle con otro.

Intenté buscar una excusa para que no me obsequiara con nada más, no fuera a ser que me diera otra variedad de secreción animal. Pero su segundo obsequio no fue material.

—Me gustaría compartir con usted un secreto —dijo.

—¿Y qué secreto es ese?

—Si alguna vez necesita escapar de este pueblo, entre en el *quenko* y tome el tercer túnel a la derecha. De ahí en adelante, alterne izquierda y derecha, adentrándose por el primer túnel que vea cada vez, pero asegúrese de ir a la izquierda primero. El *quenko* le llevará a la catarata que domina la vasta selva pantanosa. El secreto del laberinto es sencillo, solo hay que saber desde dónde empezar. Confíe en mí, comedor de oro, y recuerde estos regalos. Pueden salvarle la vida.

Como nuevo después de un sueño reparador, volví a subir al techo de la ciudadela.

Allí encontré a Renco, que seguía noblemente con su guardia. Tenía que estar terriblemente cansado, pero no dejaba que el agotamiento hiciera mella en él. Seguía vigilando la calle principal del pueblo, totalmente ajeno a la lluvia que aterrizaba en su coronilla. Me puse a su lado sin articular palabra y seguí su mirada en dirección al pueblo.

Aparte de la lluvia, nada se movía.

No. Nada hacía ruido.

La extraña quietud del pueblo seguía rondándonos.

Cuando Renco me habló, no se giró para mirarme.

—Vilcafor dice que abrieron el templo de día. Entonces mandó a cinco de sus mejores guerreros para que entraran y dieran con las riquezas de Solon allí guardadas. Nunca regresaron. Al caer la noche los *rapas* salieron del templo.

—¿Están ahí fuera ahora? —pregunté con miedo.

—Si están, yo no he sido capaz de verlos.

Miré a Renco. Sus ojos estaban enrojecidos y tenía unas enormes bolsas bajo ellos.

—Amigo —le dije con dulzura—, debe dormir. Debe guardar fuerzas, sobre todo si mis compatriotas encuentran el pueblo. Duerma ahora y yo seguiré con la guardia. Le despertaré si veo algo.

Renco asintió lentamente.

—Como siempre, tiene razón, Alberto. Gracias.

Se dirigió al interior de la ciudadela y yo me quedé solo en la noche.

Bajo el techo de la ciudadela, la quietud seguía reinando.

En mi reloj había transcurrido una hora.

Durante ese tiempo había estado observando las pequeñas ondas del río, que brillaba con la luz de la luna, cuando de repente vi una pequeña balsa acercándose. Observé a tres figuras en la cubierta, como sombras oscuras en la noche.

Se me heló la sangre.

Los hombres de Hernando...

Estaba a punto de echar a correr para buscar a Renco, cuando la balsa llegó al desgastado embarcadero de madera y sus pasajeros saltaron a este y pude verlos mejor.

Mis hombros se distendieron aliviados.

No eran conquistadores.

Eran incas.

Un hombre, vestido con el atuendo tradicional de los guerreros incas, y una mujer con un niño pequeño, todos ellos con capas y capuchas para protegerse de la lluvia.

Las tres figuras recorrieron lentamente la calle principal, observando sobrecogidos los cuerpos que yacían a su alrededor.

Y entonces lo vi.

Al principio pensé que tan solo era la sombra de una rama ondeando en una de las cabañas que flanqueaban la calle. Pero entonces la sombra de la rama desapareció de la pared de la cabaña y otra sombra siguió en su sitio.

Vi el contorno de un enorme felino; vi su cabeza, su nariz, sus orejas puntiagudas. Vi sus fauces abiertas de par en par, como si se estuvieran anticipando a la masacre que iba a acontecer.

En un principio no podía creerme que tuvieran ese tamaño. Independientemente del animal que se tratara, era enorme.

Y entonces el animal desapareció y lo único que pude ver fue la pared de la cabaña, vacía y desnuda, iluminada por los rayos de la luna.

Los tres incas estaban ahora a unos veinte pasos de la ciudadela.

Les susurré todo lo fuerte que pude en su idioma.

—¡Aquí! ¡Vengan, rápido! ¡Rápido!

Al principio no parecieron entender lo que estaba ocurriendo.

Entonces, el primer animal salió de la oscuridad y se situó en la calle principal, tras ellos.

—¡Corran! —les grité—. ¡Están detrás de ustedes!

El hombre del grupo se giró y vio al gigantesco felino a sus espaldas.

El animal se movía con lentitud, de una forma precisa y calculada. Parecía una pantera. Una pantera enorme. Unos gélidos ojos amarillentos se cernían sobre su afilado hocico negro; unos ojos que miraban con la frialdad imperturbable de los felinos.

En ese momento, un segundo animal se unió al primero y los dos *rapas* miraron atentamente al pequeño grupo que tenían ante sí.

A continuación ambos agacharon la cabeza y tensaron sus cuerpos como dos flechas tensadas, expectantes por pasar a la acción.

—¡Corran! —grité—. ¡Corran!

El hombre y la mujer echaron a correr y se apresuraron hacia la ciudadela. Los dos felinos fueron tras ellos.

Corrí a abrir la puerta que conducía desde el techo de la ciudadela a la sala principal de la estructura.

—¡Renco! ¡Quien pueda oírme! ¡Abran la puerta principal! ¡Hay gente fuera!

Me acerqué al borde del techo justo cuando la mujer había llegado a los pies de la ciudadela con el niño en sus brazos. El hombre llegó justo después que ellos.

Los felinos se iban acercando lentamente hacia ellos.

Pero nadie en el nivel inferior había abierto las puertas.

La mujer alzó la vista y me miró con ojos aterrados. Durante un breve instante me quedé embelesado por su belleza. Era la mujer más deslumbrante que había visto jamás.

Tomé una decisión.

Me quité la capa y, sosteniéndola de un extremo, tiré el otro por el borde del techo.

—¡Agarren mi capa! —le grité—. ¡Tiraré de ustedes!

El hombre cogió el extremo de la capa y se lo pasó a la mujer.

—¡Vamos! —gritó—. ¡Vamos!

La mujer agarró mi capa y se aferró al extremo con toda su fuerza mientras sostenía al niño contra sí.

Tan pronto como dejó de tocar el suelo vi cómo el guerrero que seguía a los pies de la ciudadela era atacado por uno de los *rapas*. El cuerpo del hombre emitió un sonido horrible cuando se golpeó contra el muro exterior de la ciudadela. Gritó agónico cuando el *rapa* comenzó a comérselo vivo.

Tiré con todas mis fuerzas de la capa para lograr poner a salvo a la mujer y al niño.

Llegaron al borde del techo y, bajo la ligera lluvia que caía en esos momentos, la mujer se agarró a las almenas de piedra mientras intentaba al mismo tiempo pasarme al crío. Era poco más que un bebé, y me miraba con sus enormes y aterrorizados ojos marrones.

Intenté hacer las tres cosas a la vez, sostener a la mujer, al niño y a la capa, cuando bajé la vista y vi horrorizado que otros *rapas* se habían dirigido sigilosamente a la calle principal de Vilcafor para ser testigos de lo que allí estaba aconteciendo.

Justo entonces, uno de los felinos que estaban bajo nosotros saltó e intentó atrapar con sus fauces los pies de la mujer. Pero ella estaba alerta. Levantó los pies en el último instante y las fauces se cerraron sin atrapar nada, salvo aire.

—¡Ayúdeme! —me rogó con una mirada desesperada.

—Lo haré —dije mientras la lluvia me golpeaba la cara.

Entonces el felino que estaba en el barro volvió a saltar de nuevo, y esta vez alcanzó con sus fauces un extremo de la capa de la mujer. Contemplé horrorizado cómo la capa se estiraba bajo su peso.

—¡No! —gritó la mujer mientras sentía cómo el peso del felino comenzaba a tirar de ella.

—Dios mío —susurré.

En ese momento el felino tiró con fiereza de la capa de la mujer. Ella se aferró a mi mano húmeda, pero fue inútil. El felino era demasiado pesado, demasiado fuerte.

Con un grito final, su mano se resbaló de la mía y, con el niño en sus brazos, cayó y desapareció de mi vista.

Fue entonces cuando hice lo impensable.

Salté tras ella.

Incluso ahora, todavía no sé por qué lo hice.

Quizá fue la forma en que agarraba a su hijo lo que me empujó a hacerlo. O quizá fue el horror que recorría su bello rostro.

O quizá fue solo su bello rostro.

No lo sé.

Aterricé de una forma más bien poco heroica en un charco embarrado que había delante de la ciudadela. Al hacerlo, todo mi rostro se llenó de barro, impidiéndome ver.

Me quité el barro de los ojos.

E inmediatamente vi a no menos de siete *rapas* formando un semicírculo a mi alrededor, mirándome con sus gélidos ojos amarillentos.

Mi corazón latía con fuerza y retumbaba en mi cabeza. No tenía ni idea de lo que podía hacer.

La mujer y el niño estaban a mi lado. Me puse delante de ellos y grité con ferocidad a la falange de monstruos que teníamos ante nosotros.

—¡Fuera! —grité—. ¡Marchaos!

Saqué una flecha de la aljaba que llevaba a la espalda y la agité delante de ellos.

Los *rapas* no parecieron inmutarse ante mi patético acto de bravuconería.

Poco a poco fueron estrechando el cerco a nuestro alrededor.

Para ser sincero, debo decir que desde el techo de la ciudadela esas criaturas diabólicas parecían enormes, pero, de cerca, eran gigantescas. Sombrías, oscuras y poderosas.

Entonces, de repente, el *rapa* que estaba más cerca de mí levantó una de sus patas delanteras y arrancó la punta afilada de mi flecha. A continuación, la enorme criatura agachó la cabeza y lanzó un gruñido, lista para abalanzarse sobre mí cuando...

Algo cayó en un charco de barro que había a mi derecha.

Me giré para ver lo que era y fruncí el ceño.

Era el ídolo.

El ídolo de Renco.

Mi cabeza no dejaba de dar vueltas. ¿Qué hacía el ídolo de Renco ahí? ¿Por qué alguien iba a tirar al barro el ídolo en un momento como este?

Entonces alcé la vista y vi al propio Renco asomado en el techo de la ciudadela. Había sido él quien había tirado el ídolo.

Y entonces ocurrió.

Me quedé helado.

Aquel sonido no se parecía a nada que hubiese oído antes.

Era un sonido bajo, pero era totalmente persuasivo. Cortó el aire como si de un cuchillo se tratara, atravesando incluso el sonido de la lluvia.

Era parecido al sonido de un repique de campanas. Un zumbido extremo.

Mmmmmmm.

Los *rapas* también lo oyeron. Es más, el felino que hacía unos instantes había estado a punto de abalanzarse sobre mí se quedó inmóvil, observando estupefacto al ídolo que ahora permanecía medio hundido en el charco marrón que tenía a mi lado.

Fue entonces cuando lo más extraño de todo ocurrió.

Los *rapas* comenzaron a retroceder lentamente. Estaban huyendo del ídolo.

—Alberto —susurró Renco—, avance muy despacio, ¿me oye? Muy despacio. Coja el ídolo y vaya a la puerta. Avisaré a alguien para que la abra.

Seguí su orden al pie de la letra.

Con la mujer y el niño a mi lado, cogí al ídolo con mis manos y, de espaldas al muro de la ciudadela, fuimos rodeando lentamente el muro exterior hasta llegar a la puerta.

Por lo que a los *rapas* respecta, se limitaron a seguirnos a una distancia prudente, extasiados por la melodía del ídolo empapado.

Pero no nos atacaron.

Entonces, la losa de piedra que hacía las veces de puerta de la ciudadela se corrió a un lado y nos deslizamos por entre ella. Cuando yo hube entrado y la puerta se hubo cerrado tras de mí, caí al suelo, sin aliento, empapado y temblando, sorprendido de seguir con vida.

Renco bajó corriendo del techo para salir a nuestro encuentro.

—¡Lena! —dijo reconociendo a la mujer—. ¡Y Mani! —gritó cogiendo al niño en sus brazos.

Yo permanecí exhausto en el suelo, ajeno a toda aquella felicidad.

Me avergüenza decirlo, pero, en ese momento, sentí celos de mi amigo Renco. No cabía duda de que esa asombrosa mujer era su esposa, como era de esperar de alguien tan gallardo y apuesto como Renco.

—¡Tío Renco! —gritó el niño cuando Renco lo levantó.

¿Tío?

Mis ojos se abrieron como platos.

—Hermano Alberto —dijo Renco acercándose hacia mí—. No sé qué es lo que tenía pensado hacer ahí, pero mi gente tiene un dicho: «No importa tanto el regalo como la intención que hay detrás». Gracias. Gracias por rescatar a mi hermana y a su hijo.

—¿Su hermana? —dije mientras contemplaba a la mujer. Se estaba quitando su capa empapada, revelando una prenda interior similar a una túnica que, empapada como estaba, se pegaba a su cuerpo.

Lo que vi me hizo contener la respiración.

Era mucho más bella de lo que había percibido en un primer momento, si es que tamaña cosa fuera posible. Debía de tener unos veinte años, y tenía unos dulces ojos marrones, piel aceitunada y cabellos oscuros. Tenía unas piernas largas y esbeltas y unos hombros ligeramente musculosos y, a través de su túnica empapada, pude ver su generoso pecho y, debo reconocer avergonzado, sus pezones.

Estaba radiante.

Renco la tapó con una manta seca. Ella me sonrió y sentí mis piernas flaquear.

—Hermano Alberto Santiago —dijo Renco oficioso—. Le presento a mi hermana Lena, primera princesa del Imperio inca.

Lena dio un paso adelante y tomó mi mano entre las suyas.

—Es un placer conocerle —dijo ella con una sonrisa–. Y gracias por tan valeroso acto.

—Oh, no fue... nada —dije sonrojándome.

—Y gracias por rescatar a mi errante hermano de su prisión —dijo.

Viendo mi cara de sorpresa, añadió:

—Oh, estese tranquilo, mi héroe, su noble hazaña es conocida por todo el imperio.

Incliné la cabeza modestamente. Me gustó la forma en que me dijo «mi héroe».

Justo entonces algo se me vino a la cabeza y me giré a Renco.

—¿Cómo sabía que el ídolo tendría ese efecto sobre los *rapas*?

Renco le sonrió haciendo una mueca.

—Bueno, lo cierto es que no sabía que eso ocurriría.

—¡Qué! —grité.

Renco se echó a reír.

—¡Alberto, yo no soy el que ha saltado de un techo en el que estaba a salvo para rescatar a una mujer y a un niño a los que ni siquiera conocía!

Me pasó el brazo por encima de los hombros.

—Siempre se ha dicho que el Espíritu del Pueblo tiene la capacidad de apaciguar a las bestias salvajes. Nunca lo había visto, pero había oído que cuando se sumerge en el agua, el ídolo puede calmar al más furioso de los animales. Cuando me despertaron sus gritos y vi a los tres rodeados por los *rapas*, pensé que era un buen momento para poner en práctica la teoría.

Negué con la cabeza asombrado.

—Renco —dijo Lena dando un paso adelante—. Odio tener que interrumpir este momento, pero tengo un mensaje para ti.

—¿Cuál es?

—Los españoles han tomado Roya. Pero no saben descifrar los tótems. Así que cada vez que llegan a uno, hacen que rastreadores chancas hagan una batida por los alrededores hasta dar con vuestro rastro. Después de que los comedores de oro saquearan Paxu y Tupra, me enviaron aquí para ponerte al tanto de sus progresos puesto que soy de las pocas personas que conoce el código de los tótems. Fue entonces cuando me enteré de que han reducido a cenizas Roya. Han encontrado vuestro rastro, Renco. Y vienen hacia aquí.

—¿Cuánto tardarán en llegar? —dijo Renco.

El rostro de Lena se ensombreció.

—Avanzan con rapidez, hermano. Muy rápido. Al ritmo que llevan, calculo que estarán aquí al amanecer.

—¿Ha descubierto algo? —dijo Frank Nash de repente.

Race alzó la vista del manuscrito y vio a Nash, Lauren, Gaby y Krauss apostados en la puerta del todoterreno, mirándolo expectante. Era tarde y, debido a los nubarrones que se cernían sobre el pueblo, el cielo ya se había oscurecido considerablemente.

Race miró su reloj.

Eran las 16.55.

Maldición.

No se había dado cuenta de que llevaba tanto tiempo leyendo.

Pronto se haría de noche. Y, con ella, llegarían los *rapas*.

—¿Y bien? ¿Ha descubierto algo? —le preguntó Nash.

—Eh... —comenzó Race. Había estado tan absorto en el manuscrito que casi se había olvidado de por qué lo estaba leyendo: para dar con algo con lo que se pudiera derrotar a los *rapas* y meterlos de nuevo en el templo.

—¿Y bien? —dijo Nash.

—Dice que solo salen por la noche, o en momentos de oscuridad inusual.

Krauss dijo:

—Lo que explica por qué se mostraron tan activos en el cráter. Estaba tan oscuro, incluso a pesar de ser de día, que...

—También da la sensación de que los *rapas* saben que este pueblo es una buena fuente de alimento —dijo Race cortando a Krauss antes de que este pudiera justificar su anterior error, un error que había costado la muerte de tres buenos soldados—. En el manuscrito lo atacan dos veces.

—¿Dice algo de cómo acabaron en el templo?

—Sí. Dice que los metieron por orden de un gran pensador que quería que el templo se convirtiera en una prueba para la codicia humana. —Race alzó la vista a Nash de forma harto significativa—. Supongo que hemos fracasado en eso.

—El templo de Solon —murmuró Gaby López.

—¿Dice algo sobre cómo podemos combatirlos? —preguntó Nash.

—Sí dice algo sobre eso, dos cosas para ser más exactos. Uno, la orina de mono. Al parecer todos los felinos la odian. Rocíate con orina de mono y los *rapas* te rehuirán.

—¿Y lo segundo? —dijo Lauren.

—Bueno, es muy extraño —dijo Race—. En un punto de la historia, justo cuando los felinos estaban a punto de atacar a Santiago, el príncipe inca tiró el ídolo a un charco de agua. Cuando el ídolo entró en contacto con el agua, comenzó a emitir una especie de zumbido extraño que, al parecer, evitó que los felinos los atacaran.

Nash frunció el ceño.

—Era algo muy raro —dijo Race—. Santiago lo describe como el repique de una campana, y parece funcionar como funciona un silbato para perros, como una especie de vibración de alta frecuencia que, según parece, afecta a los felinos, pero no a los humanos.

»Lo más raro de todo —añadió Race—, es que los incas parecían saberlo. En un par de ocasiones el manuscrito dice que los incas creían que el ídolo, cuando era sumergido en agua, podía apaciguar a la bestia más salvaje.

Nash miró a Lauren.

—Podría ser la resonancia —dijo ella—. El contacto con las moléculas de oxígeno concentradas en el agua podría hacer que el tirio resonara, de la misma forma que otras sustancias nucleares reaccionan con el oxígeno en el aire.

—Pero esto tendría que ocurrir a una escala mucho mayor... —dijo Nash.

—Lo que probablemente sea la razón de que el monje también lo escuchara —dijo Lauren—. Los humanos no pueden escuchar el zumbido causado por el contacto de, pongamos, el plutonio con el oxígeno. La frecuencia es demasiado baja. Pero como el tirio es muchísimo más denso que el plutonio, es posible que al entrar en contacto con el agua la resonancia sea tan grande que pueda ser escuchada por los humanos.

—Y si el monje lo escuchó, entonces ese sonido tuvo que ser el doble de terrible para los felinos —añadió Krauss.

Todos se giraron para mirarlo.

—No olviden que los felinos tienen una capacidad auditiva aproximadamente diez veces superior a la de los seres humanos. Escuchan cosas que nosotros no, y se comunican con una frecuencia que va más allá de nuestra capacidad auditiva.

—¿Se comunican? —preguntó Lauren de forma rotunda.

—Sí —dijo Krauss—. Es una teoría establecida que los grandes felinos se comunican mediante gruñidos y vibraciones guturales que no pueden ser percibidos por los humanos. La cuestión, no obstante, es la siguiente: lo que quiera que escuchara el monje fue probablemente una décima parte de lo que escucharon los felinos. Ese zumbido debió de volverlos locos, de ahí que se quedaran inmóviles.

—El manuscrito va más allá —dijo Race—. No solo se quedaron inmóviles. Los felinos parecían seguir al ídolo una vez que este hubo caído al agua. Como si los atrajera, como si los hipnotizara incluso.

Nash dijo:

—¿Decía algo el manuscrito acerca de cómo fue a parar el ídolo al interior del templo?

—No —dijo Race—. Al menos no todavía. Quién sabe. Quizá Renco y Santiago mojaron el ídolo y lo usaron para conducir de nuevo a los felinos al interior del templo. Fuere como fuere, de algún modo lograron engatusar a los felinos para que regresaran al templo al mismo tiempo que colocaron el ídolo allí. —Race paró de hablar—. No es para nada descabellado. Al colocar el ídolo dentro del templo, este se convirtió en parte del plan de Solon. Otra forma más de poner a prueba la codicia humana.

—Esos felinos —dijo Nash—. El manuscrito dice que son nocturnos, ¿no?

—Dice que les gusta estar en cualquier tipo de oscuridad, sea la oscuridad de la noche o del tipo que sea. Supongo que eso los convierte en animales nocturnos.

—Pero dice que cada noche bajaban al pueblo a por alimento, ¿no?

—Así es.

Nash entrecerró los ojos.

—¿Podemos dar por sentado, pues, que abandonan el cráter por las noches en busca de alimento?

—A juzgar por lo que dice el manuscrito, creo que podemos suponerlo.

—Bien —dijo Nash dándose la vuelta.

—¿Por qué?

—Porque —dijo—, cuando esos felinos salgan esta noche, entraremos en el templo y cogeremos el ídolo.

El día se oscurecía por momentos.

Negros nubarrones comenzaron a cernirse sobre nuestras cabezas y, con el gélido aire de la tarde, una espesa niebla se apoderó del pueblo. Seguía sin dejar de lloviznar.

Race se sentó al lado de Lauren mientras esta guardaba parte de su equipo que iba a llevar a la ciudadela en previsión de las actividades que iba a tener que realizar a la noche.

—¿Y qué tal es la vida de casada? —le preguntó de la forma más casual de que fue capaz.

Lauren sonrió para sí de forma burlona.

—Depende de a cuál te refieras.

—¿Ha habido más de un matrimonio?

—Mi primer matrimonio no salió bien. Resultó que él no compartía mis ambiciones profesionales. Nos divorciamos hace cinco años.

—Oh.

—Pero he vuelto a casarme recientemente —dijo Lauren—. Y todo va muy bien. Él es un tipo genial. Como tú, a decir verdad. También tiene mucho potencial.

—¿Cuánto tiempo lleváis casados?

—Cerca de dieciocho meses.

—Eso es genial —dijo Race cortésmente. Lo cierto es que estaba pensando en el incidente que había presenciado, cuando había visto a Lauren y a Troy Copeland besándose apasionadamente en la parte trasera del Huey. Recordó que Copeland no llevaba alianza. ¿Estaba teniendo Lauren una aventura con él? O quizá era que Copeland no llevaba su alianza, sin más...

—¿Te has llegado a casar, Will? —preguntó Lauren arrancándolo de su ensimismamiento.

—No —dijo Race en voz baja—. No me he casado.

—Estoy recibiendo el informe del SAT-SN —dijo Van Lewen desde el terminal de un ordenador situado en un panel del todoterreno.

Van Lewen, Cochrane, Reichart, Nash y Race estaban ahora con los dos agentes alemanes de la BKA, Schroeder y la mujer rubia, Renée Becker, dentro del todoterreno de ocho ruedas. Estaba aparcado cerca del río, no muy lejos del puente occidental y el sendero embarrado que conducía a la fisura; listo para el asalto nocturno al templo.

Lauren ya se había bajado del todoterreno para dirigirse a la ciudadela. Johann Krauss la seguía a la zaga.

Justo entonces, *Buzz* Cochrane volvió al todoterreno con un puñado de una masa blanda, casi líquida, de color marrón. El olor de esa masa en el reducido espacio del todoterreno era putrefacto.

—No había un solo mono allí fuera al que pudiera sacarle su orina —dijo Cochrane—. Supongo que se alejan de la zona antes de que caiga la noche. —dijo mientras sostenía aquella masa en su mano—. Sin embargo, he encontrado esto. Heces de mono. Supongo que valdrá igual.

Race hizo una mueca de asco.

Cochrane lo vio.

—¿Qué ocurre, profesor? ¿No quiere embadurnarse de mierda? —Miró a Renée Becker y sonrió—. Suerte que no sea el profesor el que va a ir allí, ¿verdad?

Cochrane comenzó a extenderse el excremento del mono por su ropa. Reichart y Van Lewen hicieron lo mismo. También lo aplicaron a las ventanillas, diminutas como rendijas, del todoterreno.

Mientras Race había estado leyendo el manuscrito, Nash había reunido a los otros civiles para establecer una base de operaciones en el interior de la ciudadela. A su vez, los cuatro boinas verdes restantes habían trabajado muy duro para intentar arreglar el Huey que les quedaba. Por desgracia, solo lograron reparar el sistema de encendido del helicóptero. La reparación del rotor de cola había resultado más difícil de lo que Cochrane había previsto en un primer momento. Habían surgido muchas complicaciones y el rotor seguía sin funcionar. El Huey no podía volar sin él.

Entonces, al atardecer, Nash decidió que recuperar el ídolo tenía prioridad sobre todo lo demás. Llamó a los boinas verdes y estos dejaron de arreglar el Huey y se dirigieron al todoterreno, donde Race les refirió brevemente lo que había ocurrido al mojar el ídolo.

Mientras Race les refería todo lo acontecido en el manuscrito, Nash ordenó a Gaby, Copeland, Doogie y al joven soldado alemán, Molke, que permanecieran en la ciudadela.

Nash sostenía que para su plan era necesario que la mayoría del equipo permaneciera en la ciudadela cuando los felinos llegaran al pueblo. Mientras, él y algunos de los boinas verdes permanecerían en el todoterreno, cerca del sendero de la ribera del río que conducía al templo.

Race, que acababa de resumir a los boinas verdes el incidente del ídolo, se uniría inmediatamente a los miembros del equipo que se encontraban en la ciudadela.

—El SAT-SN está en funcionamiento —dijo Van Lewen desde el terminal—. De un momento a otro deberíamos recibir la imagen por satélite.

—¿Qué es lo que dice? —dijo Nash.

—Eche un vistazo —contestó Van Lewen echándose a un lado.

Nash miró la pantalla que tenía delante. Esta mostraba la imagen de la mitad norte de Sudamérica:

OFICINA NACIONAL DE RECONOCIMIENTO - FUERZAS DE EXPEDICIÓN N.° 040199-6754

INFORME DE SEGUIMIENTO PRELIMINAR DEL SAT-SN

PARÁMETROS: 82° O-30° O; 15° N- 37° S - FECHA: 5 ENERO 1999 16.59.56 PM (LOCAL – PERÚ)

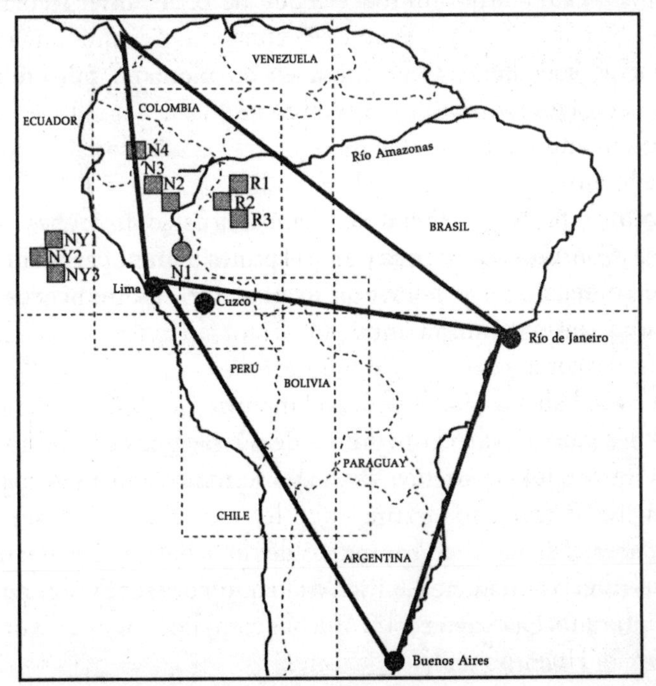

—¿Qué demonios...! —Nash frunció el ceño.

—Al menos el área más cercana está despejada... —dijo Van Lewen.

—¿Qué significa todo esto? —preguntó Race.

Van Lewen dijo:

—Las líneas rectas representan las cinco rutas comerciales principales de Sudamérica. Básicamente, Panamá hace las veces de entrada al continente. Los vuelos comerciales van desde allí a Lima y Río de Janeiro, y, después, desde esas dos ciudades a Buenos Aires. Los cuadrados grises representan los aviones de nuestro cuarto que están fuera de las rutas comerciales aéreas regulares.

Race miró la pantalla y vio los tres grupos de cuadrados grises sobre el cuarto noroeste del continente.

—¿Qué significan esos números y letras?

Van Lewen dijo:

—El círculo gris justo encima de Cuzco, el que tiene el «N1» debajo, somos nosotros. N1 quiere decir «Nash-Uno», nuestro equipo en el pueblo. N2, N3 y N4 son nuestros helicópteros de apoyo, que están de camino a Vilcafor desde Panamá. Pero parece que aún les queda un largo camino.

—¿Y los otros cuadrados grises?

—R1, R2 y R3 son los helicópteros de Romano —dijo Nash.

—Pero están muy al norte —dijo Van Lewen, volviéndose hacia Nash—. ¿Cómo han podido desviarse tanto?

—Se han perdido —dijo Nash—. Deben de haber interpretado mal los tótems.

Una vez más, Race quiso saber quién era ese Romano, pero se mordió la lengua y permaneció callado.

—¿Y estos? —dijo Renée, señalando los tres cuadrados situados sobre el océano, en el extremo izquierdo de la pantalla.

—NY1, NY2 y NY3 son marcas de la Armada estadounidense —dijo Van Lewen—. La Armada debe de tener en ese punto algún portaaviones.

—¿Alguna señal de los Soldados de Asalto? —preguntó Schroeder.

—No —dijo Nash sombríamente.

El reloj de Race marcó las cinco en punto. Con la llegada de los nubarrones, el cielo estaba inusualmente oscuro. Bien podría haber sido de noche.

Nash se volvió hacia Van Lewen.

—¿Disponemos de un buen campo visual?

—Recibiremos las imágenes del satélite en unos sesenta segundos.

—¿Con retardo o a tiempo real?

—Infrarrojos a tiempo real.

—Bien —dijo Nash—. Deberíamos poder obtener unas imágenes claras de esos felinos cuando salgan del cráter y se dirijan al pueblo. ¿Todos listos en sus puestos?

Van Lewen se puso en pie. A su lado, *Buzz* Cochrane y *Tex* Reichart alzaron sus M-16.

—Sí, señor —dijo Cochrane mientras le guiñaba de reojo a Renée—. Listos para el ataque.

Race sintió vergüenza ajena.

Cochrane miraba lascivamente a la mujer alemana con una confianza bravucona. Era como si su arma, dotada con su mira láser, su lanzagranadas M-203, su linterna en el cañón del fusil y su uniforme de combate lo convirtieran en Míster Irresistible.

Race le odió por eso.

—Estamos recibiendo la imagen por satélite —dijo Van Lewen.

En ese momento, la pantalla de otro de los ordenadores del panel del todoterreno volvió a la vida.

La imagen era granulosa, y en blanco y negro. Al principio, Race no fue capaz de discernir lo que era.

El extremo de la parte izquierda de la pantalla estaba totalmente oscuro. A su derecha había una parte borrosa de color gris y lo siguiente era algo que parecía como una herradura invertida, en cuyo centro había una serie de pequeños puntos cuadrados y uno circular de mayor tamaño cerca del ápice de la herradura.

En la parte inferior de la pantalla había una banda de un gris más oscuro. A su lado, un objeto que parecía una caja oscura y pequeña. Dos pequeñas manchas blancas se alejaban de la caja hacia el punto circular situado en el ápice de la herradura.

Y entonces cayó en la cuenta.

Era el pueblo de Vilcafor.

La forma de herradura era el foso gigantesco que rodeaba el pueblo, los puntos que había en su interior eran las cabañas y la ciudadela. La sección izquierda que estaba completamente oscura era la meseta rocosa que albergaba el templo. La masa gris borrosa era la selva situada entre la meseta y el pueblo. Y la banda gris oscura que había en la parte inferior de la pantalla era el río.

Race se percató asimismo de que el pequeño cuadrado similar a una caja que había al lado del río era el todoterreno en el que se encontraba y que estaba aparcado al lado del puente occidental.

Miró las dos manchas que corrían desde el todoterreno hasta la ciudadela. Después se giró para mirar por la puerta del todoterreno y vio a Lauren y a Krauss que trotaban a toda prisa por entre la niebla en dirección a la ciudadela.

Oh, Dios mío, pensó.

Era una imagen de Vilcafor tomada por un satélite que se encontraba a cientos de kilómetros por encima de la tierra en tiempo real.

Eso era lo que estaba ocurriendo ahora.

Nash habló por su micrófono de garganta.

—Lauren, aquí estamos todos en posición. ¿Ustedes?

—Solo un segundo —respondió la voz de Lauren por el interfono.

En la pantalla, Race vio que las dos manchas blancas que eran Lauren y Krauss desaparecían dentro del punto circular que era la ciudadela.

—Bien. Estamos dentro —dijo Lauren—. ¿Va a mandar a Will aquí?

—Ahora mismo —dijo Nash—. Profesor Race, será mejor que vaya a la ciudadela antes de que anochezca por completo.

—De acuerdo —dijo Race dirigiéndose a la puerta.

—Espere un segundo... —dijo Van Lewen de repente.

Todo el mundo se quedó helado.

—¿Qué ocurre? —dijo Nash.

—Tenemos compañía.

Van Lewen señaló con la cabeza a la pantalla.

Race se giró y vio en la pantalla en blanco y negro la mancha oscura que era la meseta rocosa y el pueblo en forma de herradura.

Y entonces los vio.

Se encontraban en la parte gris borrosa de la pantalla, justo a la izquierda de la herradura: la selva que se alzaba entre el pueblo y la meseta.

Serían unos dieciséis.

Todos provenientes de la meseta.

Dieciséis siniestras manchas blancas, cada una de ellas con una cola ondeante, que se acercaban sigilosamente hacia el pueblo.

Los *rapas.*

La gruesa puerta de acero del todoterreno se deslizó por el riel hasta cerrarse con un golpe sordo.

—Llegan pronto —dijo Nash.

—Son los nubarrones —dijo la voz de Krauss por los altavoces—. Los animales nocturnos no utilizan relojes, doctor Nash, solo se valen de la luz ambiental que los rodea. Si está lo suficientemente oscuro, salen de sus escondites...

—Da igual —dijo Nash—. Están fuera y eso es lo que importa. —Se giró para mirar a Race—. Lo siento, profesor. Me temo que va a tener que quedarse con nosotros. Lauren, cierre la ciudadela.

En la ciudadela, Lauren y Copeland agarraron la puerta de piedra de más de metro ochenta de alto de la fortaleza y la empujaron por una especie de guía que los incas habían hecho en el suelo de la entrada a la estructura.

La piedra que hacía las veces de puerta tenía una forma rectangular algo tosca, pero su base era redondeada y curva, lo que permitía meterla y sacarla de la guía con facilidad. El hecho de que la guía se encontrara dentro de los muros de la fortaleza significaba que ningún enemigo externo podría esperar poder moverla desde fuera.

La piedra se deslizó hasta su lugar, si bien Lauren y Copeland dejaron deliberadamente una pequeña hendidura entre esta y el marco de la puerta. Para que el plan llegara a buen término era necesario que los felinos pudieran detectarlos dentro de la ciudadela.

Después de todo, ellos eran el cebo.

Dentro del todoterreno, todos miraban atentamente a las imágenes en tiempo real que enviaba el satélite y que quedaban plasmadas en la pantalla del terminal.

Los felinos se acercaron en dos «equipos» distintos. Uno provenía de la meseta, al este, y el otro del norte.

Race sintió un escalofrío cuando vio la blancura refulgente de aquellos cuerpos en los infrarrojos. Tras ellos, sus colas se enroscaban y desenroscaban con parsimonia.

Inquietante, pensó. *Un comportamiento inquietantemente coordinado para una manada de animales.*

Los felinos cruzaron el foso por varios puntos. Algunos atravesaron el puente de madera occidental, mientras que otros saltaron suavemente sobre los troncos de los árboles que habían caído al fondo del foso para a continuación saltar sin esfuerzo alguno hasta el otro lado.

Entraron en el pueblo.

Race vio que la mayoría de los *rapas* iban directos a la ciudadela y al olor de la gente que se hallaba en su interior.

Justo entonces, sin embargo, vio una mancha blanca en la pantalla que estaba al lado del todoterreno.

Race se giró inmediatamente a la derecha y vio tras la estrecha ventanilla que tenía a su lado los enormes bigotes negros de uno de los felinos.

El *rapa* bufó y olfateó el nauseabundo excremento de mono que habían extendido en la ventanilla. A continuación se alejó del vehículo y se unió a los demás en la ciudadela.

—Muy bien —dijo Nash—. Parece que todos los felinos se están reuniendo en la ciudadela. Lauren, ¿qué está ocurriendo allí?

—Están todos aquí. Quieren entrar, pero la ciudadela está bien cerrada. Por el momento estamos a salvo aquí dentro. Puede enviar a sus hombres al templo.

Nash se giró a los tres boinas verdes que tenía a su lado.

—¿Están listos?

Los tres soldados asintieron.

—Entonces pónganse en marcha.

Nash empujó una especie de ventanilla-escotilla automática situada en la parte trasera del todoterreno y Cochrane, Van Lewen y Reichart se embadurnaron los uniformes y los cascos con el hediondo excremento de mono y salieron por ella. Tan pronto como estuvieron fuera del vehículo, Nash la cerró.

—Kennedy —dijo por su micrófono—. ¿Hay algo en el SAT-SN?

—No hay nada en un radio de ciento setenta kilómetros, señor —le respondió la voz de Doogie desde la ciudadela.

Mientras Nash hablaba, Race observaba con detenimiento la imagen por satélite del pueblo.

Vio a la manada de felinos congregada alrededor de la ciudadela. Vio sus colas deslizándose y sus cautos movimientos. Al mismo tiempo, sin embargo, en la parte inferior de la pantalla, vio tres nuevas manchas que salían del todoterreno y corrían hacia el oeste, en dirección al puente occidental, alejándose del pueblo hacia la oscura meseta.

Cochrane, Van Lewen y Reichart.

Iban tras el ídolo.

Los tres boinas verdes atravesaron el velo de niebla que cubría el sendero de la ribera del río y se apresuraron hacia la fisura. Corrían a gran velocidad y respiraban fuertemente. Todos ellos iban provistos de cascos con cámaras incorporadas.

Llegaron a la fisura.

Esta también estaba envuelta en una espesa niebla gris. Los tres soldados no perdieron un instante y se adentraron por la fisura a toda velocidad.

En el todoterreno, Nash, Schroeder y Renée miraban los monitores atentamente, observando las imágenes enviadas por las cámaras de los tres soldados.

En los monitores vieron cómo las paredes de la fisura se sucedían a una velocidad increíble mientras por los altavoces interiores del todoterreno se escuchaba la respiración jadeante de los soldados.

Race se alejó un poco de los monitores. No quería estar en medio.

Fue entonces, sin embargo, cuando se dio cuenta de que Nash y los otros dos alemanes solo estaban mirando las imágenes de las cámaras de los soldados. Su interés en la misión de estos era primordial y, por ello, no estaban prestando ninguna atención a la pantalla que mostraba la imagen por satélite del pueblo.

Race se giró para mirar la imagen.

Y entonces se quedó helado.

—Eh —dijo—. ¿Qué demonios es eso?

Nash miró despreocupado a Race y al monitor. Pero cuando se fijo en la imagen enviada por el satélite se puso en pie de un bote.

—¡Qué coño...!

En el extremo derecho de la imagen, al este del pueblo, había otra zona borrosa gris que representaba más selva, la selva que conducía al final de la meseta y a la cuenca del Amazonas.

Nadie le había prestado demasiada atención porque no había nada ahí.

Pero ahora sí había algo.

Esa sección gris y borrosa de la parte derecha del pueblo estaba ahora llena de diminutas manchas blancas, por lo menos treinta en total, y todas ellas se dirigían rápidamente hacia el pueblo.

Race sintió cómo se le helaba la sangre.

Cada mancha tenía una forma inequívocamente humana, y todas y cada una de ellas llevaban lo que a todas luces parecía ser un arma.

Salieron silenciosamente de la selva, con sus ametralladoras firmemente sujetas contra sus hombros, listos para disparar, pero sin haber comenzado aún a hacerlo.

Race y los otros los observaban atentamente por las ventanillas del todoterreno.

Los intrusos iban todos vestidos con uniformes antibalas negros y se movían con gran precisión y velocidad, cubriéndose los unos a otros mientras avanzaban al unísono.

Los *rapas* que rodeaban la ciudadela se giraron cuando uno de ellos vio a su nuevo enemigo. Se pusieron en posición de ataque y...

No se movieron.

Por alguna razón, los *rapas* no atacaron a esos nuevos intrusos. Es más, se quedaron donde estaban y se limitaron a seguir observándolos.

Y entonces, justo entonces, uno de los intrusos abrió fuego sobre los *rapas* con un fusil de asalto que a Race le pareció sacado de algún episodio de *La guerra de las galaxias.*

Una asombrosa ráfaga de balas salió de la boca rectangular del arma, ráfaga que hizo volar en mil pedazos la cabeza de uno de los felinos. Un instante antes la cabeza del felino estaba allí; un segundo después la cabeza había estallado dejando tras de sí un reguero de sangre y carne.

Los felinos se dispersaron justo después de que la salvaje lluvia de disparos dejara hecho trizas a otro de los suyos.

Race miró a través de su ventanilla para intentar obtener una mejor perspectiva del arma que llevaban los intrusos.

Era extraordinaria, parecía sacada de la era espacial.

El arma era totalmente rectangular y aparentemente no tenía cañón. Debía de estar oculto en algún lugar del cuerpo rectangular de la misma.

Race había visto antes esa arma, pero solo en fotos, nunca directamente.

Era una Heckler & Koch G-11.

Según Marty, el hermano de Race, el fusil Heckler & Koch G-11 era el fusil de asalto más avanzado jamás construido.

Diseñado y fabricado en 1989, incluso ahora, diez años después, seguía estando veinte años por delante de su tiempo. Era el Santo Grial de las armas de fuego, al menos para Marty.

Era la única arma de la historia que disparaba munición sin casquillo. Es más, era la única arma de fuego de mano conocida que contuviera un microprocesador, principalmente porque se trataba de la única arma del mundo lo suficientemente compleja como para necesitar uno.

Debido a que disparaba balas sin casquillo, el fusil G-11 no solo era capaz de disparar la inconcebible cifra de 2300 balas por minuto, sino que también podía almacenar 150 balas, cinco veces el número de balas que podía almacenar el cargador de un fusil de asalto como el M-16. Y, por si esto fuera poco, su tamaño era la mitad del de un M-16.

A decir verdad, lo único que había frenado la fabricación del G-11 había sido el dinero. A finales de 1989, ciertas cuestiones políticas habían obligado al Gobierno alemán a rescindir su contrato con Heckler & Koch para utilizar los G-11 en el *Bundeswehr.*

Por consiguiente, solo llegaron a fabricarse cuatrocientos G-11. Sin embargo, durante una auditoría de la empresa tras su absorción por parte de la británica Royal Ordnance, solo se pudo dar cuenta de diez de ese lote original.

Los otros trescientos noventa fusiles restantes habían desaparecido.

Creo que hemos dado con ellos, pensó Race mientras observaba a los *rapas* saltar para guarecerse de semejante bombardeo.

—Son los Soldados de Asalto —dijo Schroeder, sentado a su lado.

La lluvia de disparos proseguía en el exterior.

Dos felinos más cayeron, agonizantes, mientras dos de los Soldados de Asalto disparaban sin cesar sus ametralladoras en dirección al pueblo.

El resto de los felinos buscó refugio en la selva que rodeaba el pueblo, y pronto en la calle principal solo hubo Soldados de Asalto fuertemente armados.

—¿Cómo demonios han llegado aquí sin que los viéramos en el SAT-SN? —preguntó Nash.

—¿Y por qué no les atacan los felinos? —dijo Race.

Hasta ese momento, los felinos habían sido tremendamente despiadados en sus ataques pero, por algún motivo, no habían ni percibido ni atacado a esos nuevos soldados.

Fue entonces cuando el inconfundible olor del amoniaco penetró por entre las ventanillas del todoterreno. El olor de la orina. Orina de mono. Los nazis también habían leído el manuscrito.

De repente, se escuchó la voz de Van Lewen a través de los altavoces:

—Estamos llegando al puente de cuerda.

Race y Nash se volvieron a la vez hacia los monitores que mostraban las imágenes de los tres soldados que se encontraban en el cráter.

En los monitores vieron las imágenes de la cámara de Van Lewen mientras este atravesaba el puente de cuerda que conducía al templo.

—¡Cochrane, Van Lewen, aprisa! —dijo Nash por su radio—. Tenemos enemi...

De repente, un chirrido estridente gorjeó de los altavoces del todoterreno y la radio de Nash se cortó.

—Tienen contramedidas electrónicas para inutilizar nuestras radios —dijo Schroeder.

—¿Cómo? —dijo Race.

—Están interfiriendo nuestras comunicaciones —dijo Nash.

—¿Qué hacemos? —preguntó Renée.

Nash dijo:

—Tenemos que decirles a Van Lewen, Reichart y Cochrane que no pueden volver. Tienen que coger el ídolo y alejarse de aquí todo lo que les sea posible. Luego tendrán que lograr contactar de algún modo con nuestro equipo de apoyo aéreo para que los helicópteros los recojan en algún punto de las montañas.

—¿Pero cómo va a hacerlo si están interfiriendo la señal de nuestras radios? —dijo Race.

—Uno de nosotros va a tener que subir hasta el templo y decírselo —dijo Nash.

Un breve silencio siguió a la frase de Nash.

Entonces Schroeder dijo:

—Yo iré.

Buena idea, pensó Race. Después de los boinas verdes, Schroeder era sin duda el más «marcial» del grupo.

—No —dijo Nash con contundencia—. Sabe usar un arma. Le necesitamos aquí. También conoce a esos nazis mejor que ninguno de nosotros.

Lo que dejaba a Nash, Renée... o a Race.

Joder..., pensó Race.

Y entonces dijo:

—Yo lo haré.

—Pero... —comenzó a decir Schroeder.

—Era el más rápido del equipo de fútbol americano de la universidad —dijo Race—. Puedo hacerlo.

—¿Y qué hay de los *rapas*? —dijo Renée.

—Puedo hacerlo.

—Bien, pues. Race es el elegido —dijo Nash dirigiéndose a la ventanilla trasera del todoterreno.

—Tome esto —dijo dándole un M-16 con todos sus accesorios—. Puede que le ayude a no acabar convirtiéndose en comida para felinos. ¡Vamos!

Race dio un paso adelante hacia la ventanilla y tomó aire profundamente. Miró por última vez a Nash, Schroeder y Renée.

Después soltó el aire y salió por la ventanilla.

Y entró en otro mundo.

Los disparos de las ametralladoras resonaron a su alrededor, golpeando las hojas de los árboles cercanos y astillando sus troncos.

El estruendo parecía mucho más fuerte ahí fuera, mucho más real.

Mucho más mortífero.

Los fuertes latidos del corazón de Race retumbaban estruendosamente en su cabeza.

¿Qué demonios estoy haciendo aquí con un arma en la mano?

Estás intentando ser un héroe, eso es lo que estás haciendo. ¡Pedazo de gilipollas!

Volvió a respirar profundamente.

De acuerdo...

Race se bajó de un salto del todoterreno y cayó en el puente de madera de la parte occidental del pueblo. Echó a correr por el sendero de la ribera del río. Una impenetrable y envolvente niebla gris flanqueaba el camino que debía seguir. Las retorcidas ramas de los árboles sobresalían como puñales. El M-16 le pesaba. Lo sostenía torpemente contra su pecho mientras corría, levantando el agua a su paso.

Entonces, sin previo aviso, un *rapa* se deslizó por entre la niebla a su derecha y se irguió delante de él....

¡Pam!

La cabeza del *rapa* estalló en mil pedazos y el felino cayó como una piedra al terreno embarrado.

Race no perdió un instante. Saltó por encima del cuerpo del felino y, una vez se hubo alejado de allí lo suficiente, se giró y vio a Schroeder, con el M-16 apoyado contra el hombro y medio cuerpo fuera por la ventanilla trasera del todoterreno.

Race corrió.

Un minuto después, la fisura de la ladera de la montaña emergió de entre la niebla. Fue entonces cuando escuchó voces a sus espaldas, voces que gritaban en alemán.

—*Achtung!*

—*Schnell! Schnell!*

Inmediatamente después escuchó la voz de Nash gritándolo desde algún punto de la niebla que tenía tras de sí:

—¡Race, aprisa! ¡Están detrás de usted! ¡Se dirigen al templo!

Race echó a correr y se adentró por la fisura.

Las húmedas paredes de piedra se sucedían ante él mientras recorría a toda velocidad el pasillo.

Entonces, se encontró de repente en el enorme cañón que albergaba la torre de piedra. La niebla en ese lugar también era muy espesa. La base de la torre estaba rodeada de una niebla gris espeluznante.

Pero Race no se lo pensó dos veces. Vio el sendero en espiral a su izquierda y se apresuró a subir por él.

En el pueblo, Renée Becker observaba atemorizada lo que estaba ocurriendo en el exterior a través de las estrechas ventanillas del todoterreno.

Cerca de treinta soldados nazis estaban destrozando el pueblo. Llevaban sofisticados trajes de combate: uniformes antibalas, cascos tácticos de kevlar y, por supuesto, pasamontañas negros. Y se movían con determinación, como un equipo de asalto bien entrenado y preparado.

Renée vio que uno de los nazis se dirigía hacia el centro de la calle principal y se quitaba el casco. A continuación, el hombre se quitó el pasamontañas y observó la zona circundante.

Los ojos de Renée se abrieron como platos.

Aunque había visto su foto mil veces en los carteles de «Los más buscados», el hecho de verlo allí, en ese lugar, en persona, le hizo estremecerse de terror.

Estaba contemplando a Heinrich Anistaze.

Sin articular palabra, Anistaze hizo una «V» con sus dedos y señaló en dirección al todoterreno.

Ya antes una docena de hombres armados con sus G-11 habían pasado al lado del vehículo para dirigirse al sendero que conducía a la fisura y al templo.

Ahora seis más se dirigieron hacia él, mientras los doce restantes ocupaban posiciones defensivas alrededor del perímetro del pueblo.

Dos hombres, sin embargo, permanecieron en un rincón del pueblo custodiando el dispositivo que interfería las comunicaciones por radio.

Era una unidad del tamaño de una mochila que se conocía por el nombre de generador de pulsos. Un generador de pulsos que interfería las señales por radio de los enemigos emitiendo un pulso electromagnético, o PEM, controlado.

Se trataba de un dispositivo bastante excepcional. Por lo general, un pulso electromagnético afecta a cualquier cosa que tenga una CPU, es decir, ordenadores, televisiones, sistemas de comunicación... Ese pulso es un PEM «incontrolado». Al controlar la frecuencia de su pulso, sin embargo, y asegurarse de que sus radios estaban sintonizadas en frecuencias por encima del mismo, los nazis eran capaces de interferir en los sistemas de radio de sus enemigos manteniendo intactas sus propias comunicaciones.

Tal como estaban haciendo ahora.

Los seis nazis llegaron al todoterreno y vieron que todas las ventanillas y las puertas estaban cerradas.

Dentro del vehículo, Nash, Schroeder y Renée estaban cada uno en un rincón, acurrucados, conteniendo la respiración.

Los Soldados de Asalto no perdieron un instante.

Se agacharon y comenzaron a colocar explosivos debajo del vehículo blindado.

Race corrió.

Corrió y corrió, subiendo el largo y curvo sendero que conducía hasta el templo.

Las piernas le palpitaban del esfuerzo. Su corazón latía agitadamente.

Llegó al puente de cuerda. Lo cruzó y se apresuró a subir los peldaños de piedra que conducían al templo.

Race se abrió paso por entre las hojas de los helechos hasta llegar al claro que se encontraba ante el portal del templo.

El claro estaba completamente desierto.

No había ningún animal, ni hombre ni felino, a la vista.

El portal del templo, abierto, se alzaba entre la niebla ante Race. Las escaleras que conducían al interior del templo estaban envueltas en sombras.

«No entrar bajo ningún concepto.

La muerte acecha dentro.»

Race colocó su M-16 en posición de disparo, encendió la linterna del cañón y se acercó con cuidado al portal. Se quedó en la puerta de piedra, rodeado por las terroríficas tallas de los *rapas* y los humanos agonizantes, y después miró a la oscura escalera descendente.

—¡Van Lewen! —dijo entre dientes—. ¡Van Lewen! ¿Está ahí dentro?

No obtuvo ninguna respuesta.

Bajó un peldaño de la escalera mientras sostenía con torpeza el arma.

Fue entonces cuando oyó la contestación.

Un lento y largo gruñido, proveniente de algún lugar del interior del templo.

Oh, Dios mío.

Race sostuvo el arma más fuertemente, contuvo la respiración y bajó otro peldaño.

Diez peldaños más y se encontró en un oscuro pasillo de piedra que descendía a su derecha en espiral, formando una amplia curva.

Vio un pequeño nicho en la pared y dirigió la luz de su linterna para ver de qué se trataba.

Su mirada se tropezó con la imagen de un esqueleto destrozado.

La parte trasera de su cráneo había sido aplastada hacia el interior y le faltaba un brazo. Su boca estaba abierta, como en un horripilante grito que había quedado congelado en el tiempo. Llevaba un chaleco de cuero antiguo.

Race, horrorizado, dio un paso atrás.

Entonces vio que algo colgaba de su cuello. Tan solo lo percibió, pues estaba escondido entre las vértebras llenas de mugre y polvo del esqueleto. Se acercó para ver de qué se trataba.

Era una especie de collar de cuero.

Race tocó la fina tira de cuero y la giró con cuidado para ver qué objeto pendía de la misma. Unos segundos después, una deslumbrante esmeralda verde, atada a la tira de cuero, apareció tras el cuello del esqueleto.

A Race le dio un vuelco el corazón. Conocía ese colgante de esmeralda. Acababa de leer hacía poco sobre él.

Era el collar de Renco.

El collar que la alta sacerdotisa del Coricancha le había dado la noche en que había sacado el ídolo de Cuzco.

Race miró de nuevo el esqueleto horrorizado.

Renco.

Race le sacó el collar por la cabeza y lo sostuvo entre sus manos.

Se quedó unos instantes pensando en Renco y entonces recordó algo que él mismo le había dicho a Frank Nash no hacía tanto tiempo.

«De algún modo, Renco y Santiago lograron engatusar a los felinos para que regresaran al templo al mismo tiempo que colocaron el ídolo allí.»

Race tragó saliva. ¿Había conducido Renco a los felinos de nuevo al interior del templo mojando el ídolo y portándolo consigo?

Miró con horror lo que quedaba del esqueleto.

Así era entonces como había acabado Renco.

Así era como acababan los héroes.

Se colocó con solemnidad el collar alrededor de su cuello.

—Cuídate, Renco —dijo en voz alta.

Justo en ese momento una luz blanca iluminó el rostro de Race. Se giró con los ojos abiertos de par en par, como un animal cegado por los faros de un coche, y se encontró con las caras de Cochrane, Van Lewen y Reichart, que salían de la oscuridad de las entrañas del templo.

Reichart llevaba algo envuelto en una tela de color púrpura hecha jirones.

Cochrane rozó a Race al pasar y le bajó el M-16.

—¿Por qué no bajas esa puta arma antes de que mates a alguien?

Reichart se detuvo delante de Race y le sonrió mientras sostenía en sus manos un objeto, el objeto envuelto en la tela color púrpura.

—Lo tenemos —dijo.

Reichart desenvolvió rápidamente el objeto de la tela y Race, por vez primera, lo vio.

El ídolo inca.

El Espíritu del Pueblo.

Al igual que el tótem de piedra que había visto en la selva, el Espíritu del Pueblo parecía infinitamente más siniestro al natural que como se lo había imaginado.

Medía cerca de treinta centímetros y tenía la forma (un tanto rudimentaria) de una caja de zapatos. En la parte delantera de la piedra, sin embargo, habían tallado la cabeza de un *rapa;* el *rapa* más feroz y furioso que había visto jamás.

Gruñía con fiereza, con sus fauces abiertas de par en par y sus dientes afilados, listos para mutilar y matar.

Lo que más impactó a Race, sin embargo, fue lo real que parecía. La combinación de la destreza de la talla y la inusual naturaleza de la piedra hacían que pareciera como si el *rapa* hubiera quedado aprisionado dentro de la brillante piedra negra y púrpura y estuviera intentando con todas sus fuerzas salir de allí.

La piedra, pensó Race mientras observaba las finas vetas púrpura que atravesaban el rostro del *rapa,* le daba una nueva dimensión de ira y malevolencia.

El tirio.

Si los incas hubiesen sabido lo que estaban comenzando cuando tallaron el ídolo, pensó.

Reichart volvió a cubrir rápidamente con la tela el ídolo y los cuatro se apresuraron hacia la entrada del templo.

—¿Qué coño estás haciendo aquí? —le espetó Cochrane cuando llegaron al portal.

—Nash me ha enviado para decirles que los nazis están en el pueblo. Han interferido nuestras comunicaciones por radio así que no podíamos establecer contacto. Están enviando a sus hombres a la torre. Nash me ha dicho que no bajemos al pueblo, sino que busquemos otra forma de salir de aquí y nos pongamos en contacto con el equipo de apoyo aéreo para que nos recojan en algún punto de las montañas...

En ese momento, una ráfaga de disparos estalló a su alrededor. Los cuatro se agacharon rápidamente cuando unos disparos devastadores hicieron trizas el marco del portal, destrozando los sólidos muros de piedra como si estuvieran hechos de yeso.

Race se giró y vio a doce soldados nazis que disparaban sus G-11 apostados tras los árboles que flanqueaban el claro.

Cochrane les devolvió el fuego guarecido tras el portal. Van Lewen hizo lo mismo. El estallido de los M-16 sonaba casi lastimoso comparado con el zumbido incesante de sus avanzados G-11.

Race también intentó devolver el fuego de los nazis, pero cuando apretó el gatillo de su M-16 no pasó nada.

Cochrane lo vio, se acercó y tiró de un resorte en forma de «T» que tenía el fusil de Race.

—Por Dios, eres más inútil que un sacerdote en una casa de putas —le gritó Cochrane.

Race apretó el gatillo de nuevo y, esta vez, su M-16 arrojó una ráfaga de disparos con un retroceso tal que casi le disloca el hombro.

—¿Qué demonios vamos a hacer? —gritó Reichart por encima del fuego cruzado.

—¡No podemos quedarnos aquí! —gritó Van Lewen—. Tenemos que volver al puente de cuerda...

En ese momento se oyó un estruendo por encima de sus cabezas.

Race alzó la vista justo en el preciso momento en que un Mosquito MD-500 negro surgió de la niebla que se alzaba ante ellos. Su rugido sobre la cima de la torre fue ensordecedor.

El Mosquito era un helicóptero de ataque mucho más pequeño que un Apache o un Comanche, pero lo que le faltaba de potencia de fuego lo suplía con su velocidad y su maniobrabilidad.

Su apodo se debía al parecido que guardaba con ciertos miembros del mundo de los insectos. Sus cristales delanteros se parecían a los ojos hemisféricos de una abeja y sus dos puntales de aterrizaje a las patas alargadas de un mosquito.

El Mosquito lanzó una ráfaga de disparos desde sus dos cañones laterales que impactaron en el terreno embarrado de delante de la entrada del templo.

—¡Esto cada vez se pone peor! —gritó Race.

En el pueblo, los explosivos que los nazis habían colocado debajo del todoterreno estallaron.

Una bola de fuego estalló bajo el vehículo de ocho ruedas, levantándolo tres metros por encima del terreno embarrado, hasta que el todoterreno cayó de lado al suelo.

En su interior se desató el caos.

Tan pronto como habían oído a los nazis colocar los explosivos, Nash, Renée y Schroeder se habían apiñado en los asientos, colocado los cinturones y sujetado los unos a los otros.

Ahora, todavía sujetos con los cinturones, pendían de los asientos.

Pero lo importante era que el todoterreno había resistido.

Por el momento.

Doogie Kennedy observaba temeroso la escena desde el techo de la ciudadela.

Había visto el pueblo, envuelto en niebla y tinieblas, y cómo una docena de soldados nazis habían aparecido en intervalos regulares de entre esta con sus G-11 en ristre.

Acababa de ver cómo habían hecho explosionar el todoterreno. Dio gracias a Dios por que los nazis no se hubieran dado cuenta de que había más miembros del equipo de Nash dentro de la ciudadela. Sus muros no habrían podido sobrevivir a semejante explosión.

De repente, escuchó un grito, a alguien que ordenaba algo en alemán.

Doogie no sabía demasiado alemán, así que desconocía el significado de casi todas esas palabras. Pero, entre todo el barullo, escuchó dos palabras que sí conocía: «*das Sprengkommando*».

Doogie se quedó helado al oírlas. Después se giró horrorizado cuando vio a cuatro soldados nazis dirigirse a toda prisa hacia el río.

No sabía demasiado alemán, pero una temporada en un complejo de misiles de la OTAN a las afueras de Hamburgo le había proporcionado un vocabulario básico de los términos militares alemanes más comunes.

Das Sprengkommando era uno de ellos.

Significaba «equipo de demolición».

Apostado tras el portal del templo, Van Lewen lanzó una granada con el lanzagranadas M-203 que su M-16 llevaba incorporado. Un segundo después, la granada explotó en los árboles cercanos a las posiciones nazis, convirtiendo la zona en un caos de barro y hojas.

—¡Sargento! —gritó Cochrane.

—¿Qué?

—Estamos jodidos. No podemos seguir así. Tienen demasiada artillería. Se quedarán fuera de nuestros objetivos hasta que nos quedemos sin munición y entonces estaremos atrapados en este puto templo. ¡Tenemos que salir de esta roca!

—¡Estoy abierto a todo tipo de sugerencias! —gritó Van Lewen.

—Usted es el sargento, sargento —le respondió Cochrane.

—Bien. De acuerdo. —Van Lewen frunció el ceño. Meditó la situación unos instantes y después dijo:

—La única forma de salir de esta torre es por el puente de cuerda, ¿no?

—Sí —respondió Reichart.

—Entonces, tenemos que llegar como sea al puente, ¿cierto?

—Cierto.

Van Lewen dijo:

—Propongo que nos dirijamos a la parte posterior del templo y bajemos hasta el borde de la cima de la torre. Entonces nos abrimos camino a machetazos por entre el follaje hasta el puente de cuerda. Cruzamos el puente y lo dejamos caer una vez lo hayamos atravesado, dejando a esos cabrones atrapados en la torre.

—Parece un buen plan —gritó Reichart.

—Entonces hagámoslo —dijo un decidido Van Lewen.

Los boinas verdes se prepararon para salir del templo. Race se limitó a permanecer cerca de ellos.

—De acuerdo... —dijo Van Lewen—. ¡Ahora!

Los cuatro salieron del templo con sus armas en ristre y echaron a correr bajo la lluvia.

Sus fusiles tronaron.

Los nazis que estaban en el arbolado se pusieron a cubierto.

Van Lewen y Reichart doblaron la construcción primero y se dirigieron a la parte posterior del templo.

Segundos después, llegaron a la esquina de la parte posterior, de forma que el templo les amparaba de los disparos de los nazis. Ahora se encontraban en el sendero de piedra en la cima de la ladera embarrada que Race había visto anteriormente; el sendero que tenía aquella piedra redonda tan extraña.

Aquella especie de ladera estaba totalmente cubierta de barro y descendía ante ellos durante unos quince metros hasta finalizar en un saliente que era el final de la torre de piedra, un saliente que tenía una caída de más de noventa metros. A la izquierda de ese saliente había una arboleda y el follaje que conducía al puente de cuerda.

Cochrane y Race salieron después que Van Lewen y Reichart. Nada más girar vieron la ladera, inclinada y embarrada.

—Me temo que esto va a ser más difícil de lo que pensábamos —le dijo Cochrane a Van Lewen.

Justo en ese momento, como un tiburón que emerge de las profundidades del océano, el helicóptero de ataque Mosquito surgió de entre la niebla por debajo del saliente y se mantuvo inmóvil delante de los cuatro estadounidenses. Entonces, los cañones montados en los laterales del mismo comenzaron a escupir una ráfaga de fuego devastadora.

Todos se tiraron al suelo.

Tex Reichart fue demasiado lento. La ráfaga de disparos perforó su cuerpo sin piedad, uno tras otro, manteniéndolo de pie incluso tiempo después de que estuviera muerto. Con cada disparo que recibía, su sangre rociaba el muro de piedra que se encontraba a su espalda.

Buzz Cochrane recibió dos disparos en la pierna y gritó de dolor. Race se golpeó fuertemente con el terreno embarrado, si bien sin consecuencias, y se tapó las oídos para amortiguar el estruendo del fuego del helicóptero. Van Lewen disparó sin temor al Mosquito con su M-16 hasta que, finalmente, el helicóptero se alejó y el cuerpo de Reichart cayó al terreno embarrado con un golpe sordo.

Por desgracia, Reichart era el que tenía el ídolo.

Cuando su cuerpo se golpeó contra el suelo, el ídolo se le cayó de las manos. El ídolo cayó y comenzó a resbalar por el terraplén embarrado... en dirección al borde de la cima.

Race lo vio primero.

—¡No! —gritó, lanzándose por él. Aterrizó sobre su estómago y comenzó a deslizarse por la pendiente tras él.

Van Lewen le gritó:

—Profesor, ¡espere! ¡No...!

Pero Race ya estaba deslizándose a toda velocidad por el barro, con el M-16 incluido, en dirección al ídolo.

Veinticinco metros.

Quince metros.

Nueve metros.

Entonces, de repente, el helicóptero Mosquito regresó y soltó otra ráfaga de disparos que impactaron en el terreno embarrado que separaba a Race del ídolo.

Race reaccionó con rapidez. Giró sobre sí mismo y se alejó de los disparos. Se protegió los ojos para que no se le llenaran de barro, abandonando momentáneamente la persecución del ídolo. Comenzó a deslizarse por la ladera, lejos de los impactos de las ametralladoras.

Vio cómo el saliente al final del terraplén se acercaba a toda velocidad, vio la caída que le esperaba y el Mosquito sobre él, pero estaba cayendo a demasiada velocidad. Entonces, de repente, antes de que siquiera supiera qué estaba sucediendo, salió disparado del borde de la torre al espacio abierto y a la caída de noventa metros que le esperaba debajo.

Mientras resbalaba por el terraplén, Race consiguió agarrarse con una mano al borde del saliente y quedó colgando de él.

El aire que levantaba el helicóptero retumbaba contra su gorra de los Yankees mientras luchaba por agarrarse con la otra mano, la que aún asía el M-16, al borde del saliente. Comenzó a auparse para subir.

Hagas lo que hagas, Will, no mires abajo.

Miró abajo.

El borde de la torre de piedra se estrechaba hasta no dejar más que oscuridad y tinieblas. La lluvia parecía precipitarse a esa oscuridad, desapareciendo entre la impenetrable niebla gris.

Con grandes esfuerzos, Race logró subir los codos al saliente y auparse. Alzó la vista y vio a Van Lewen, que había cargado a Cochrane en su hombro, apresurarse hacia los árboles que tenía a su derecha.

También vio a los nazis, doce en total, armados con sus G-11, arremolinarse en torno al templo desde todos los flancos, perfectamente compenetrados.

Vieron el ídolo, que se encontraba a medio camino de la inclinada ladera, al instante.

Se desplegaron a toda velocidad y tomaron posiciones mientras uno de ellos bajaba con cuidado por el terraplén para cogerlo.

El nazi llegó al lugar donde se encontraba el ídolo. Lo cogió.

Race ni siquiera pudo lanzar una maldición, porque en ese preciso momento uno de los nazis alzó la vista y lo vio, con medio cuerpo pendiendo del saliente, mirándolos con ojos atemorizados.

Los nazis alzaron sus G-11 al unísono, apuntando a la frente de Race y cuando colocaron los dedos en los gatillos, Race hizo la única cosa que podía hacer.

Dejarse caer.

Race cayó.

A toda velocidad.

Hacia el suelo.

Hacia la base de la torre de piedra.

Vio cómo la irregular superficie de la torre se sucedía a gran velocidad. Alzó la vista y vio cómo el saliente del que se había dejado caer se difuminaba vertiginosamente entre el cielo gris.

La cabeza le daba vueltas.

¡No puedo creer que haya hecho eso! Calma, calma, lo hiciste porque sabías que podrías salir de esta.

Vale.

Mientras caía, Race sujetó el M-16 con las manos.

No vas a morir.

No vas a morir.

Intentó recordar cómo había disparado antes Van Lewen el garfio. ¿Cómo lo había hecho? Había apretado un segundo gatillo del arma para disparar el garfio, un gatillo que estaba situado debajo del cañón del M-16.

Siguió cayendo.

Race buscó desesperadamente el segundo gatillo de su arma...

¡Aquí!

Levantó inmediatamente su M-16 y apuntó a la torre de piedra que desaparecía a toda velocidad de su vista. Después apretó el segundo gatillo.

Con un sonido similar al de las ruedas al pincharse, el garfio plateado salió disparado del lanzagranadas y se abrió en el aire con un ruido metálico.

Race siguió cayendo.

El garfio salió disparado hacia arriba. La cuerda de nailon serpenteó tras él.

Más abajo.

El garfio voló por encima de la cima de la torre.

Más abajo.

Race agarró fuertemente su M-16. Después cerró los ojos y esperó. Esperó por el tirón de la cuerda o por el impacto contra el lago, cualesquiera de las dos cosas que ocurriera antes.

El tirón fue primero.

En un segundo, la cuerda del garfio se tensó y el descenso de Race se detuvo bruscamente.

Race sintió como si le desencajaran los brazos, pero aun así logró sujetarse al M-16.

Abrió los ojos.

Estaba colgando de una cuerda treinta metros por debajo del saliente de la cima de la torre.

Siguió inmóvil y en silencio en la cuerda durante treinta segundos, respirando con dificultad, negando con la cabeza. Al saliente no se asomó ningún nazi. Debían de haber abandonado el terraplén tan pronto como lo vieron caer.

Race suspiró profundamente, aliviado. Después se puso manos a la obra y comenzó a trepar por la cuerda.

En la cima de la torre, Van Lewen se abría paso a través del follaje utilizando su cuchillo Bowie a modo de machete.

Él también había visto hacía unos instantes a los nazis coger el ídolo, y ahora estaba intentando desesperadamente volver al puente de cuerda antes de que ellos lo hicieran.

El puente se encontraba en el extremo sur de la cima de la torre. Cochrane, que estaba herido, y Van Lewen intentaban llegar hasta él por entre la maleza situada al sudoeste de la torre.

Los nazis estaban tomando la ruta más directa y se dirigían al puente por el claro y las escaleras de piedra.

Van Lewen cortó una última rama y de repente Cochrane y él se encontraron con la imagen del puente de cuerda que tan majestuosamente se extendía sobre el abismo, entre la cima de la torre y el sendero exterior.

El puente estaba a unos catorce metros de ellos y, en ese preciso momento, los cerca de doce soldados nazis que los habían atacado en el portal del templo estaban cruzándolo y llegando al sendero que había al otro lado.

Maldita sea, pensó Van Lewen. Lo habían derrotado en el puente.

Van Lewen se quedó mirando a uno de los nazis mientras este cruzaba el puente y llegaba a tierra firme. Llevaba algo en las manos, algo cubierto con una raída tela púrpura.

El ídolo.

Mierda.

Fue entonces cuando los nazis, que ya estaban todos al otro lado del barranco, hicieron lo que Van Lewen más temía que hicieran, lo que él pretendía haber hecho si hubiese llegado primero al puente de cuerda.

Soltaron los agarres del puente de los contrafuertes y lo dejaron caer.

El enorme puente cayó por el barranco. Seguía asido a los contrafuertes del lado de la torre por lo que no cayó al vacío, sino que quedó colgando contra la torre de piedra. El extremo de la cuerda se perdió entre la impenetrable niebla bajo ellos.

Van Lewen miró con frustración e impotencia cómo el grupo de nazis descendían por el sendero con el ídolo.

Tenían el ídolo.

Mientras que él estaba ahora atrapado en la torre de piedra.

Heinrich Anistaze permaneció en el centro de Vilcafor con las manos en las caderas. Estaba contento por cómo había transcurrido el asalto al pueblo.

El generador de pulsos había funcionado a la perfección, cortando toda comunicación por radio de los enemigos. Los estadounidenses que se encontraban en el todoterreno habían sido neutralizados con facilidad. Y ahora acaba de recibir la noticia de que sus tropas de asalto habían logrado arrebatar el ídolo a los estadounidenses en el templo.

Las cosas estaban saliendo muy bien.

Se escuchó un grito y Anistaze se giró. Los soldados de la torre se acercaban por el sendero de la ribera del río.

El soldado al mando se dirigió hacia él y le entregó un objeto envuelto en una tela.

—*Herr Obergruppenführer* —dijo oficiosamente el hombre—, el ídolo.

Anistaze sonrió.

Una vez hubo logrado trepar por la cuerda del garfio, Race recorrió el ahora desierto claro de delante del templo en busca de los boinas verdes, si es que quedaba alguno con vida.

Encontró a Van Lewen y a Cochrane en el saliente donde anteriormente había estado sujeto el puente de cuerda.

—Hijos de puta —dijo mientras observaba el abismo que se alzaba ante ellos—. Han cortado el puente.

—No hay forma de salir de aquí —dijo Van Lewen—. Estamos atrapados.

Justo entonces, el helicóptero Mosquito sobrevoló por encima de ellos. Sus cañones laterales comenzaron a disparar. Los nazis debían de haberlo dejado para que terminara el trabajo.

Race y los boinas verdes se pusieron a cubierto entre la maleza. Las hojas estallaron por encima de su cabeza; los troncos de los árboles quedaron reducidos a astillas.

—¡Joder! —gritó Cochrane por encima del estruendo de los disparos.

Race observó el helicóptero mientras este se sostenía en el aire sobre el abismo. Sus armas escupían lenguas de fuego y los patines de aterrizaje pendían bajo la estructura del helicóptero.

Los patines de aterrizaje..., pensó.

Y, en ese momento, algo ocurrió en su interior. Una férrea determinación, que desconocía poseer, se apoderó de él.

—¡Van Lewen! —gritó de repente.

—¿Qué?

—Necesito que me cubra.

—¿Para?

—Haga que el helicóptero suba un poco más, ¿de acuerdo? Pero no lo ahuyente.

—¿Qué va a hacer?

—¡Voy a sacarnos de esta roca!

Para Van Lewen esa respuesta era más que suficiente. Un segundo después, saltó del follaje y comenzó a disparar al helicóptero negro.

El Mosquito le respondió alzándose un poco más y disparándole.

Mientras tanto, Race intentaba febrilmente desenrollar la cuerda del garfio. Alzó la vista hacia el helicóptero.

—¡Más alto! —gritó—. ¡Más alto! ¡Está demasiado bajo!

Race calculó la distancia entre el helicóptero y él.

Estaba demasiado cerca para disparar el garfio con el lanzagranadas. Iba a tener que lanzarlo él mismo.

Desenrolló la cuerda un poco más. Así estaría lo suficientemente holgada para que no se enredase cuando la tirara.

—¡Cochrane! —gritó—. ¿Puedes balancearte con esa pierna?

—¿Tú qué crees, Einstein?

—¡Entonces no me vales! —le dijo Race implacable—. Te quedas aquí. Van Lewen, ¡cúbrame!

Entonces, mientras Van Lewen disparaba al helicóptero, Race saltó de entre el follaje con el garfio en su mano y, con un ágil movimiento, sin llegar a levantar el brazo del todo, lo lanzó al patín de aterrizaje izquierdo del Mosquito.

Tan pronto como lo hizo, supo que había hecho un tiro perfecto.

El garfio voló por el aire hacia el helicóptero, alcanzando el cenit de su arco justo al llegar al patín de aterrizaje izquierdo del Mosquito. A continuación, con un *clik* brusco, el garfio giró sobre el puntal y dio dos vueltas hasta quedar colgando de él.

—¡Muy bien! ¡Van Lewen, en marcha!

Van Lewen disparó por última vez al helicóptero y echó a correr al borde del saliente, donde se encontraba Race.

—¡Agárrese! —Race le ofreció a Van Lewen su M-16. El arma estaba unida al final de la cuerda del garfio.

Van Lewen la cogió y miró a Race.

—¿Sabe? Es más valiente de lo que mucha gente pensaría.

—Gracias.

A continuación, Race y Van Lewen se dejaron caer por el saliente y se balancearon por el abismo, pendiendo del patín de aterrizaje del helicóptero de ataque.

—Hijo de puta... —dijo *Buzz* Cochrane mientras veía cómo se alejaban por el barranco.

Race y Van Lewen se balancearon para tomar impulso y saltar al sendero al otro lado del abismo. Una vez estuvieron en tierra firme, Race soltó rápidamente la cuerda del M-16 y la dejó ir.

El helicóptero que sobrevolaba por encima de ellos no pareció haberse percatado de dónde habían ido, tan solo siguió girando frenéticamente sobre el cañón, disparando impotente a cualquier sitio. Mientras, Race y Van Lewen bajaron por el sendero en espiral, rumbo al pueblo.

Heinrich Anistaze sostuvo el objeto envuelto entre sus manos y contuvo la respiración mientras lo desenvolvía.

—Sí —dijo cuando vio el brillante ídolo negro bajo la tela—. Sí...

De repente, dio media vuelta y comenzó a caminar hacia el puente de la parte oriental del pueblo.

—Equipo de demolición —dijo en alemán mientras caminaba—. ¿Han colocado los explosivos de cloro?

—En tres minutos estarán listos, *Herr Obergruppenführer* —le dijo un hombre desde las inmediaciones del todoterreno.

—Entonces lleva tres minutos de retraso —le gritó Anistaze—. Termine de colocarlos y únase a nosotros en el río.

—Sí, *Obergruppenführer.*

Anistaze cogió su radio.

—¿*Herr Oberstgruppenführer?* ¿Puede oírme? —*Oberstgruppenführer* era el rango más alto de las SS, general.

—Sí —obtuvo como respuesta.

—Lo tenemos.

—Tráiganmelo.

—Sí, *Oberstgruppenführer.* De inmediato —dijo Anistaze mientras atravesaba el puente oriental y se adentraba en la selva.

Race y Van Lewen bajaron corriendo el sendero en espiral.

Llegaron a la base del cráter, vieron la fisura y recorrieron el pasillo que conducía hasta el pueblo. Después, corrieron por el sendero de la ribera del río con sus armas en ristre. La niebla lo tapaba todo.

Mientras Race recorría el sendero, su auricular volvió de repente a la vida:

—Van Lewen, informe. Repito. Cochrane, Reichart, Van Lewen, informe de situación...

Era Nash. Las radios volvían a funcionar. Los nazis debían de haber apagado su sistema de interferencias, o, al menos, las radios de nuestro equipo estaban ahora fuera de su radio de alcance.

Van Lewen habló mientras corría.

—Coronel, aquí Van Lewen. Hemos perdido a Reichart, y Cochrane está herido. Pero los nazis tienen el ídolo. Repito. Los nazis tienen el ídolo. El profesor Race está conmigo. Estamos regresando al pueblo.

—¿Han perdido el ídolo?
—Sí.
—Recupérenlo —fue todo lo que Nash dijo.

Race y Van Lewen llegaron el puente de madera de la parte occidental del pueblo. Lo cruzaron con la mayor de las cautelas, sin bajar las armas ni un instante.

El pueblo estaba desierto y envuelto en una densa niebla. No había nazis a la vista. Ni tampoco *rapas*.

Justo delante de ellos vieron la silueta oscura del todoterreno. Estaba volcado. A su izquierda vieron las sombras de las construcciones del pueblo de Vilcafor alzándose entre la niebla.

Van Lewen se acercó al todoterreno.

—¿Coronel...? —dijo.

Fue respondido por un disparo; un disparo del G-11 de uno los tres hombres que conformaban el equipo de demolición nazi y que se habían quedado en el pueblo para colocar los explosivos.

Race se tiró a la izquierda, Van Lewen a la derecha, ambos con los M-16 en ristre, pero poco podían hacer con ellos. No podían ver nada con la niebla.

Race se puso en pie justo cuando vio a un soldado nazi aparecer tras el todoterreno con su G-11, listo para disparar.

De repente, *¡pam!,* se escuchó el estruendo de un único disparo efectuado desde algún punto detrás de Race y la cabeza del nazi estalló dejando un reguero de sangre tras de sí. Lo único que Race pudo hacer fue quedarse mirando atónito cómo su atacante caía al suelo, muerto.

—Pero qué... —se giró hacia el lugar de donde había provenido el disparo.

De repente, un *rapa* salió de entre la niebla, justo delante de él, le enseñó sus fauces abiertas y saltó a su cuello...

¡Pam!

El ataque del *rapa* se vio interrumpido por el impacto de una bala en su cabeza. Murió al instante. El cuerpo del animal cayó a pocos centímetros de los pies de Race.

¿Qué demonios estaba ocurriendo?

—¡Profesor! —escuchó la voz de Doogie—. Aquí. ¡Venga! ¡Yo le cubro!

Race entrecerró los ojos y pudo divisar a través de la niebla el techo de la ciudadela y, allí, con un rifle de francotirador, vio la silueta de *Doogie* Kennedy.

Desde su posición, en el techo de la fortaleza de piedra, Doogie tenía una vista inmejorable del pueblo.

A través de la mira térmica de su poderoso rifle M-82A1A podía ver a todos los que se encontraban en el pueblo como si fuera de día. Cada figura aparecía en su objetivo como una mancha multicolor, tanto las imprecisas formas humanas de Race, Van Lewen y los dos miembros del equipo de demolición alemán como la forma trapezoidal del todoterreno y las formas terribles y con cuatro patas de los felinos.

Los felinos.

Con la desaparición de los soldados nazis y su arsenal de armas, los felinos volvían a ser libres para campar a sus anchas por el pueblo.

Estaban de vuelta. Y ávidos de sangre.

Race se giró y vio a Van Lewen, que se encontraba junto al todoterreno volcado.

—¡Profesor, salga de aquí! —le gritó el sargento de los boinas verdes—. Yo le cubriré. Tengo que poner esta cosa derecha.

No hubo que decírselo dos veces. Race echó a correr por el pueblo, rodeado de la espesa niebla. Cuando comenzó a correr, sin embargo, escuchó pisadas que chapoteaban por el terreno embarrado tras él.

Se estaban acercando. Le estaban pisando los talones.

Y de repente, *¡plam! ¡Zas! ¡Plaf!*

Era el sonido de otro de los disparos de Doogie, seguido del sonido de la bala al impactar en uno de los nazis, seguido del sonido del nazi al caer contra el suelo.

Otro *rapa* se deslizó delante de él, listo para atacarlo y *¡pam!,* su cabeza estalló en mil pedazos. Otro disparo de Doogie. El cuerpo del *rapa* comenzó a convulsionarse. *¡Pam! ¡Pam! ¡Pam! ¡Pam! ¡Pam!* El cuerpo dejó de moverse.

Race no podía creérselo.

Era como abrirse camino por entre un laberinto lleno de niebla mientras tu ángel de la guarda velaba por ti. Lo único que Race podía hacer era seguir corriendo, seguir avanzando, mientras Doogie se encargaba de los peligros que se cernían sobre él, peligros que ni él mismo podía ver.

Escuchó más pisadas en el barro, esta vez más pesadas, la variante de cuatro patas.

Pam.

Zas.

Plaf.

En el techo de la ciudadela, Doogie soltó una maldición.

El último disparo le había dejado seco. Se había quedado sin munición. Se agachó tras el parapeto y comenzó a cargar su arma de nuevo.

En el río, Van Lewen tiraba de la parte inferior del todoterreno volcado, empujándolo con todo su peso, consciente de que los *rapas* estaban ahí fuera, protegidos por la niebla.

—¡Cámbiense de lado! —le gritó a Nash y a los demás que estaban dentro del vehículo—. ¡Tenemos que volcarlo!

Los ocupantes del todoterreno se movieron al instante y el todoterreno comenzó a volcarse casi al mismo tiempo.

Van Lewen se apartó cuando el todoterreno de ocho ruedas aterrizó sobre sus neumáticos. Corrió hacia la puerta lateral del vehículo.

Race seguía corriendo por entre la niebla cuando, de repente, al igual que cuando en los teatros el telón se sube y revela el escenario, la niebla que tenía ante sí se separó y pudo contemplar la ciudadela.

Fue en ese mismo instante cuando escuchó el *clic* del seguro de un G-11 cercano. Se quedó helado. Giró lentamente y vio a un soldado nazi en la niebla detrás de él. El G-11 que portaba apuntaba directamente a su cabeza.

Race esperó por el ya familiar estallido del fusil de Doogie. Pero no se produjo.

¿Por qué no disparaba?

Y entonces, de repente, escuchó un poderoso rugido, un rugido que Race pensó que era de uno de los felinos.

Pero no era el rugido de un felino.

Era el rugido de un motor.

Un segundo después, el todoterreno apareció por entre de la niebla y golpeó al soldado por la espalda.

El nazi cayó y fue atropellado por el vehículo. Race tuvo que tirarse a un lado para que no le pasara lo mismo. El todoterreno pasó a su lado y se detuvo delante de la ciudadela, justo ante la entrada de la fortaleza, alineándose de forma que su puerta corrediza izquierda se abriera justo en la puerta de la misma.

Un segundo después, Race vio como la ventanilla trasera del todoterreno se abría y aparecía la cabeza de Van Lewen.

—Eh, profesor, ¿viene o qué?

Race saltó a la parte trasera del vehículo y se tiró de cabeza por la ventanilla. Tan pronto como estuvo dentro, Van Lewen la cerró con un golpe seco.

—Tienen el ídolo —dijo Van Lewen, sentado en el suelo de la ciudadela y rodeado por los demás, con la débil luz de sus linternas como única iluminación. La puerta abierta del todoterreno estaba tras él, cubriendo por completo la entrada a la ciudadela.

—Mierda —dijo Lauren—. Si meten ese tirio en una Supernova estamos jodidos...

—¿Qué vamos a hacer? —dijo Johann Krauss.

—Vamos a recuperarlo —respondió categórico Nash.

—Pero, ¿cómo? —dijo Troy Copeland.

—Tenemos que ir tras ellos ya —dijo Van Lewen—. Es ahora cuando están más vulnerables. Han venido hasta aquí para coger el ídolo y después supongo que lo llevarán a donde quiera que tengan su Supernova. Pero en una misión como la que acaban de realizar, el momento en el que se es más vulnerable es cuando se está de camino al objetivo.

—Entonces, ¿dónde está su base de operaciones?

—Tiene que estar cerca —dijo Race con firmeza, sorprendiendo a todos por su convicción, incluido a él mismo—. A juzgar por cómo llegaron hasta aquí.

—¿Y cómo llegaron exactamente hasta aquí, profesor? —preguntó Copeland incrédulo.

—No lo sé con certeza —dijo Race—, pero creo que puedo adivinarlo. Primero, vinieron aquí usando un método de transporte que su avanzada red SAT-SN no pudo detectar, por lo que no vinieron volando. Segundo, aparte de volando y a pie, ¿cuál es la forma más rápida y sencilla de trasladar a cerca de treinta hombres por la selva?

—Mierda, por qué no se me habría ocurrido... —dijo Lauren.

—¿El qué? —dijo Copeland irritado.

—Los ríos —dijo ella.

—Exacto —dijo Race—. Vinieron hasta aquí en barco. Lo que significa que su base de operaciones no puede estar muy lej... —Se detuvo.

—Entonces, ¿dónde está? —dijo Nash—. ¿Dónde está su base de operaciones?

Pero Race no estaba escuchando. Algo le había venido a la mente.

Base de operaciones...

¿Dónde había escuchado esas palabras antes?

—¿Profesor Race? —dijo Nash.

No, un momento. No las había escuchado.

Las había visto.

Y entonces cayó en la cuenta.

—Lauren, ¿seguimos teniendo esa transcripción telefónica? Aquella en la que los nazis exigían un rescate. La conversación telefónica que la BKA interceptó entre el móvil de alguien que se encontraba en Perú y Colonia Alemania.

Lauren se dio la vuelta y comenzó a buscar en su equipo.

—Aquí está. —Le pasó una hoja de papel.

Race le echó un vistazo a la transcripción que había visto anteriormente.

Voz 1: —ase de operaciones ha sido establecida—el resto del—será—mina—

Voz 2: —del arma?—¿lista?

Voz 1: —hemos adoptado la formación en reloj de arena de acuerdo con el modelo estadounidense—dos detonadores termonucleares encima y debajo de una cámara interior de aleación de titanio. Las pruebas indican que—el dispositivo—operativo. Todo lo que necesitamos ahora—tirio.

Voz 2: —no se preocupe. Anistaze se está ocupando de eso—

Voz 1: ¿Qué hay del mensaje?

Voz 2: —saldrá tan pronto como tengamos el ídolo—a cada primer ministro y presidente de la UE—además del presidente de los EE. UU. por el teléfono rojo de emergencias interno—el rescate será de cien mil millones de dólares—o de lo contrario detonaremos el dispositivo...

Los ojos de Race se centraron en la primera línea de la transcripción.

Voz 1: —ase de operaciones ha sido establecida—el resto del—será—mina—

—«El resto del... será.... mina» —dijo Race en voz alta—. Mina... La mina.

Se giró hacia Lauren.

—¿Cuál era el nombre de aquella mina de oro abandonada que vimos desde el Huey cuando veníamos hacia aquí? La que estaba iluminada. La que para nada parecía estar abandonada.

—Madre de Dios —dijo Lauren.

—¿Está situada en un río?

—Sí, en el río Alto Purús. Prácticamente todas las minas a cielo abierto en el Amazonas están situadas en los ríos, porque los hidroaviones y los barcos son la única forma de sacar el oro de allí.

—¿A cuánta distancia está de aquí?

—No lo sé. Entre unos noventa y cinco, y ciento quince kilómetros.

Race se giró hacia Nash.

—Ahí es adonde van, coronel. A la mina de oro Madre de Dios. En barco.

Heinrich Anistaze se dio de bruces con la maleza, viéndose obligado a avanzar hacia el este, hasta que al final logró apartar la última rama y se encontró con una vista espectacular.

La selva del Amazonas se extendía ante él como una exuberante alfombra verde que se prolongaba hasta el horizonte.

Anistaze se encontraba al final de la meseta, en la parte superior de un precipicio cubierto de follaje que se alzaba sobre la selva. A su derecha estaba una increíble catarata de más de sesenta metros que caía sobre la meseta. El producto final del río infestado de caimanes que recorría Vilcafor.

Anistaze hizo caso omiso de la catarata.

Lo que le importaba estaba en su base, en la sección más amplia del río, allí abajo.

Sonrió ante aquella visión.

Sí...

Entonces, con el ídolo bajo su brazo, comenzó a descender por las cuerdas que pendían de la pared del precipicio hasta el río.

—De acuerdo —dijo Copeland—. Entonces, ¿cómo vamos a coger a esos bastardos? Nos llevan quince minutos de ventaja y, por si a alguien se le había olvidado, los *rapas* siguen ahí fuera...

—Si los barcos están donde creo que están, entonces hay otra forma de cogerlos —dijo Race—. Una ruta que nos evita tener que pasar por donde se encuentran los *rapas*.

—¿Qué ruta? —preguntó Nash.

Race se puso inmediatamente de rodillas y comenzó a pasar las manos por el suelo de tierra de la ciudadela.

—¿Qué está haciendo?

—Estoy buscando una cosa.

—¿El qué?

Race buscó por el suelo. Según el manuscrito, tenía que estar ahí, en alguna parte. La única cuestión era si los incas habían usado o no el mismo símbolo para marcarlo.

—Esto —dijo de repente cuando quitó la tierra del suelo con la mano y tras una fina capa de barro y mugre apareció una losa de piedra.

En la esquina de la losa había grabado un símbolo, un círculo con una «W» dentro.

—Venga Aquí, necesito ayuda —dijo.

Van Lewen y Doogie se acercaron hasta él, cogieron la losa y tiraron de ella. La losa hizo un ruido sordo al deslizarse, desvelando un agujero negro debajo.

—Es el *quenko* —dijo Race.

—¿El qué? —dijo Nash.

—Lo leí en el manuscrito. Es un laberinto excavado en la roca bajo el pueblo, una ruta de escape, un sistema de túneles que lleva hasta la catarata que está en el borde de la meseta, siempre y cuando se sepa la clave.

—¿Y usted la sabe?

—Sí.

—¿Cómo? —le preguntó Troy Copeland con sorna.

—Porque he leído el manuscrito —dijo Race.

—Entonces, ¿quién va? —dijo Lauren.

—Van Lewen y Kennedy —dijo Nash—. Y cualquiera que sepa usar un arma —añadió mirando a los dos agentes de la BKA y al paracaidista alemán, Molke. Renée, Schroeder y Molke asintieron con la cabeza.

Nash se giró hacia Copeland.

—¿Qué hay de usted, Copeland?

—No he cogido un arma en mi vida —dijo.

—Muy bien, de acuerdo. Ustedes cinco...

—Yo puedo usar un arma —dijo Race.

—¿Qué? —dijo Lauren.

—¿Usted? —dijo Copeland.

—Bueno —Race se encogió de hombros—, algunas armas. Mi hermano las traía a casa todo el tiempo. No se me da muy bien, pero...

—El profesor Race puede acompañarme siempre que quiera —dijo Van Lewen dando un paso al frente. Intercambió una mirada con Race y le dio una pistola SIG-Sauer—. Después de lo que le he visto hacer en la torre de piedra.

Se volvió a Nash.

—¿Y bien, señor?

Nash asintió.

—Haga lo que tenga que hacer, tan solo recupere el ídolo. Nuestro apoyo aéreo debería de estar al llegar. Tan pronto como lleguen, les mandaré tras ustedes. Si logran de alguna manera poner las manos sobre ese ídolo y mantener a raya a esos cabrones nazis un tiempo, el equipo de apoyo aéreo debería poder sacarles de allí. ¿Entendido?

—Entendido —dijo Van Lewen cogiendo su M-16—. En marcha, entonces.

Con Van Lewen a la cabeza, se adentraron por los estrechos pasillos de piedra del *quenko* situado bajo Vilcafor.

La pequeña linterna del cañón de su fusil iluminaba el estrecho túnel que se extendía ante ellos.

Race, Doogie, Molke y los dos agentes de la BKA corrían por el oscuro pasillo tras él. Doogie y los tres alemanes llevaban sus M-16. Race solo llevaba la SIG-Sauer plateada.

Aunque no quería decirlo, Race estaba muerto de miedo. Pero estaba donde quería estar, con Van Lewen, Doogie y los alemanes, tras el ídolo, tras los nazis. Haciendo algo.

Pero el *quenko,* sin embargo, no le ayudaba demasiado a tranquilizarse.

Era como una mazmorra horrorosa, un laberinto subterráneo de pesadilla con estrechas paredes de piedra y resbaladizos suelos embarrados.

A su paso se escondían, entre oscuras grietas, unas arañas enormes y peludas, mientras que serpientes asquerosamente gordas se deslizaban por el barro estancado del suelo del túnel, casi tropezándose con ellos. Y era un lugar claustrofóbico, terriblemente claustrofóbico; los pegajosos pasillos que veía apenas medían noventa centímetros de ancho.

Van Lewen corría rápidamente, a la cabeza.

—Coja el tercer túnel a la derecha —le dijo Race—. Y después zigzaguee, empezando por el primer túnel a la izquierda.

Al mismo tiempo que Race y los demás atravesaban el laberinto subterráneo, Heinrich Anistaze llegaba a la base del acantilado.

Corrió hasta la ribera del río y se subió a una lancha motora Zodiac.

Pulsó el micrófono de radio para hablar:

—Equipo de demolición. Informe.

No recibió ninguna respuesta.

Corrieron por el *quenko.*

Corrieron con todas sus fuerzas, girando a la izquierda, cortando por la derecha, abriéndose paso entre arañas, saltando por encima de serpientes de más de un metro de longitud, resbalando y tropezando por los resbaladizos túneles cubiertos de musgo del espantoso laberinto subterráneo...

—Eh, Van Lewen —dijo Race con la respiración entrecortada mientras corría por un tramo largo del túnel.

—¿Sí? —respondió Van Lewen.

—¿Qué es el Club de los 80?

—¿El Club de los 80?

—Cochrane lo mencionó la noche anterior mientras estaban descargando los helicópteros, pero no dijo lo que era. Me gustaría saberlo antes de morir.

Van Lewen soltó una risotada.

—Puedo decírselo, pero es bastante, digamos, poco refinado.

—Póngame a prueba.

—De acuerdo... —dijo Van Lewen—. Para ser miembro del Club de los 80, uno tiene que haberse acostado con una chica que haya nacido en la década de 1980.

—¡Por favor! —dijo Race asqueado.

—Le dije que era poco refinado.

Siguieron corriendo.

Los seis llevaban corriendo cerca de siete minutos por el *quenko* cuando, de repente, Van Lewen dobló una esquina y se dio de bruces con un sólido muro de piedra.

Solo que no era un muro de piedra.

Era una puerta de piedra.

De hecho, era una puerta de piedra no muy distinta a la de la propia ciudadela: una roca cuadrangular con una base redondeada que se podía desplazar fácilmente desde dentro, pero que era inexpugnable desde fuera.

Race y Van Lewen corrieron la roca y, al instante, se toparon con el bramido de una imponente catarata.

La cortina de agua que caía a menos de trescientos metros de ellos mojó sus rostros cuando salieron al exterior.

Race observó la zona.

Estaban en un sendero, un sendero inca, cavado en la piedra tras la catarata.

Se encontraban en el borde de la meseta.

El rugido de la catarata que se alzaba ante ellos era increíble. Ahogaba cualquier otro sonido. Van Lewen tuvo que gritar para que se le escuchara.

—¡Por aquí! —gritó echando a correr por la izquierda.

El sendero rocoso estaba mojado y resbaladizo, pero Race y los demás lograron no perder el equilibrio mientras lo recorrían tras la cortina de agua.

A pesar de que se movían con rapidez, les llevó un minuto entero alcanzar el final de la cortina. La catarata que se alzaba sobre ellos era enorme y la salida del *quenko* estaba justo a la mitad de la misma.

Van Lewen salió el primero del sendero, pero se detuvo ante la ribera del río.

—Joder —dijo.

—¿Qué ocurre? —preguntó Race cuando salió del sendero y miró al río.

Lo primero que vio fue la pequeña lancha Zodiac de Heinrich Anistaze alejándose de ellos y adentrándose en las aguas del río.

—¿Qué es lo que ocurre? —preguntó de nuevo.

Y entonces vio los barcos.

—Joder.

Parecía una armada auténtica.

Debía de haber, al menos, veinte embarcaciones en aquel enorme río parduzco situado en la base de la catarata; embarcaciones de todas las formas y tamaños.

Cinco embarcaciones de asalto con cascos de una considerable eslora se deslizaban a gran velocidad por el agua alrededor del perímetro de la flota. Eran Rigid Raiders, embarcaciones de ataque con casco de aluminio abierto y líneas elegantes que el Servicio Aéreo Especial británico utilizaba para incursiones y ataques rápidos.

Cuatro lanchas patrulleras de la época de la guerra de Vietnam, conocidas como Pibbers, navegaban junto a algunas de las embarcaciones de mayor envergadura en el centro de la armada. Las Pibbers eran lanchas cañoneras muy rápidas, de más de un metro de ancho y blindadas, que iban equipadas con torretas de ametralladoras de 20 mm y lanzatorpedos laterales. Su nombre se debe a la abreviatura que hacían los soldados de su designación oficial: PBR (*Patrol Boat River).* Aunque la Pibber ya era muy conocida por haber sido utilizada en Vietnam, había sido además inmortalizada en la película *Apocalypse Now.*

Tres enormes barcazas habilitadas para el aterrizaje de helicópteros se alzaban sobre el río, dentro del círculo de las embarcaciones de ataque. En dos de esas pistas de aterrizaje había dos helicópteros de ataque Mosquito. El helicóptero que les había atacado en la cima de la torre estaba aterrizando en la pista de la tercera barcaza en ese preciso momento.

Detrás de la barcaza situada en el medio, sin embargo, había un hidroavión con un aspecto bastante destartalado. Al lado de los avanzados Mosquitos, el hidroavión parecía totalmente fuera de lugar.

Era un Grumman JRF-5 Goose, un hidroavión anfibio bimotor que databa de la Segunda Guerra Mundial.

El Grumman Goose era un avión pequeño de diseño clásico. Visto desde un lateral, su armazón tenía la misma forma que el hocico de un labrador, pequeño y con la parte superior chata, pero redondeado en la línea de flotación. La parte inferior del armazón descansaba en el agua con dos pontones estabilizadores que salían de sus alas extendidas. Se podía acceder al Goose por dos partes: por una puerta lateral y por una especie de escotilla en el morro.

Este Goose, sin embargo, iba también equipado con dos cañones Gatling de 20 mm en el costado izquierdo.

En medio de la flota nazi estaba el foco central de la armada y el lugar de destino de la Zodiac de Anistaze, un catamarán blanco enorme.

El barco de mando.

Era impresionante. Medía al menos cuarenta y cinco metros de eslora. Sus dos cascos estaban pintados de un blanco inmaculado, mientras que sus ventanillas inclinadas tenían los cristales tintados de negro. En la parte superior habían desplegado unos sonares. En la popa de la embarcación había una pista de aterrizaje en la que se encontraba un deslumbrante helicóptero Bell Jet Ranger.

Además del helicóptero y surcando las aguas unida al catamarán, estaba la motora más increíble que Race jamás había visto. También estaba pintada de blanco, el mismo color que el barco de mando y el helicóptero; todo a juego. Tenía un casco considerable y se estrechaba en la proa. Un alerón inclinado hacia atrás formaba un arco sobre el asiento del conductor, un diseño aerodinámico creado para evitar que la motora se elevara por encima del agua cuando fuera a gran velocidad. Race vio la palabra «Escarabajo» escrita en el lateral.

Alrededor de la variopinta flota había seis Jet Raiders: una especie de lancha de asalto; vehículos pequeños para un ocupante, no muy distintos de las motos acuáticas normales.

Pero estos vehículos eran más grandes que las motos acuáticas, puede que midieran dos metros ochenta de largo. Y eran más esbeltos, más modernos, más rápidos. Tenían asientos parecidos a sillas de montar y morros en forma de bala y, mientras surcaban las aguas alrededor de las embarcaciones de mayor tamaño, solo medio cuerpo tocaba la superficie del agua.

Race y los demás vieron cómo la Zodiac de Anistaze llegaba al barco de mando y el conocido comandante de campo subía a bordo. Inmediatamente después, el catamarán blanco arrancó. Cuando comenzó a navegar, el resto de la flota comenzó a moverse.

—¡Se están yendo! —gritó Doogie.

—¡Allí! —dijo Van Lewen, divisando tres Jet Raiders que habían dejado en la ribera del río, sin duda, para los miembros del equipo de demolición nazi.

—Vamos —dijo Van Lewen.

Los seis echaron a correr hacia las Jet Raiders.

La superficie del río se sucedía bajo ellos.

Las tres Jet Raiders robadas dejaban impresionantes estelas de espuma tras de sí mientras corrían paralelas por el río tras la armada nazi.

Race y Van Lewen iban en una. Él conducía mientras el boina verde iba sentado detrás, con una mano alrededor de la cintura de Race y la otra sosteniendo su M-16, listo para disparar.

Doogie Kennedy surcaba las aguas a su derecha, con el paracaidista alemán Molke como pasajero, mientras que Renée y Schroeder iban a la izquierda. Renée conducía y Schroeder llevaba el arma.

La armada nazi iba casi trescientos metros por delante, surcando las aguas turbias y marrones del río cual grupo de batalla: el barco de mando en el centro, rodeado por las Rigid Raiders y las Pibbers.

Las barcazas con las pistas de aterrizaje para helicópteros navegaban detrás de las otras embarcaciones, cerrando la comitiva, mientras que las Jet Raiders se movían de un lado a otro entre las embarcaciones mayores como moscas alrededor de un montón de basura.

Race conducía a toda velocidad. El agua y el viento le golpeaban el rostro. Por el rabillo del ojo veía los árboles que flanqueaban el río sucediéndose como una masa borrosa verde y los extraños troncos que flotaban en el agua a su alrededor.

No te des con los troncos, Will. No te des con los troncos...

Y entonces cayó en la cuenta.

No eran troncos.

Eran caimanes.

No te des con los caimanes, Will. No te des con los caimanes.

—¡Van Lewen! —gritó por encima del rugiente viento—. ¿Cuál es el plan?

—¡Fácil! Tomamos el barco de mando, cogemos el ídolo y después retenemos el barco hasta que llegue el apoyo aéreo.

—Tomamos el barco de mando...

—Una vez lo tomemos, podremos retenerlo.

—Como diga —gritó Race.

Delante de ellos, la armada nazi tomó una curva del río y desapareció de la vista de Race. Visto desde arriba, el río Alto Purús parecía el cuerpo ondulante de una serpiente, con todas aquellas curvas y giros.

—Muy bien, atención todos —dijo Van Lewen por su micrófono de garganta—. ¿Ven esos árboles ahí delante? Ahí es adonde nos dirigimos.

Race alzó la vista y vio que la curva del río que los nazis acababan de pasar estaba flanqueada por numerosos árboles. Al mirarlos más detenidamente, Race percibió algo extraño en ellos. No había tierra en la base. Era como si los árboles simplemente surgieran del agua.

Después entendió por qué. Era la estación de las lluvias y, con la llegada de las lluvias anuales, los niveles del agua de los ríos de la cuenca amazónica crecían de forma espectacular. La tierra de la que nacían los árboles estaba sumergida. Era una especie de bosque inundado.

Lo que significaba que alguien que fuera en una embarcación fluvial pequeña como una Jet Raider podría abrirse camino entre los árboles en vez de tener que tomar la curva natural del río.

La Jet Raider de Doogie puso rumbo a la zona arbolada, seguida de la de Race y la de Renée.

Los troncos de los árboles se sucedían a gran velocidad en ambos lados, difuminándose y tornándose borrosos a su paso.

Las tres Jet Raiders se abrieron camino por aquel laberinto de gruesos y oscuros árboles, ladeándose a la izquierda, girando a la derecha, pasando por encima de las olas, rozando apenas con sus cascos la superficie del río, mientras que a su izquierda, a través de la muralla que conformaban los troncos de los árboles, podían divisar a la armada nazi tomando la curva del río.

Race intentó concentrarse. La velocidad a la que se movían era aterradora. Iban muy rápido. Increíblemente rápido.

Los troncos de los árboles pasaban ante él a una velocidad vertiginosa, velocidad que hacía que bajo su proa se formaran pequeñas ondas. Iban tan rápido, apenas rozando la superficie del agua, que casi no tenía que tocar los manillares para girar a la izquierda o a la derecha.

Race conducía levantado del asiento de la Jet Raider tras Doogie, cuando vio que, de repente, Doogie y Molke se echaban a un lado sin razón aparente. Justo entonces vio por qué y gritó:

—¡Van Lewen, agáchese!

Y los dos se agacharon justo cuando una rama les pasó rozando la cabeza.

—¡Gracias! —gritó Van Lewen.

—¡No hay de qué!

Fue entonces cuando, a través del entramado de troncos que tenían ante sí, vio la luz del atardecer; la luz gris y plomiza del atardecer.

—Muy bien. Atención todos —dijo Van Lewen—. Formación en punta de flecha. Doogie y Molke a la cabeza. Agentes Schroeder y Becker, a la izquierda. El profesor Race y yo cubriremos la derecha. ¿Listos?

El boina verde levantó su M-16 con una mano mientras se aferraba con la otra a Race.

Doogie y Molke, que se encontraban más adelantados que los demás, levantaron sus M-16.

—Listo —le respondió la voz de Doogie.

Los tres alemanes respondieron.

—Listo.

—Lista.

—Listo.

—¿Profesor?

—Todo lo listo que pueda estar —respondió Race.

—Entonces, en marcha —dijo Van Lewen.

Las tres Jet Raiders germano-estadounidenses salieron de la zona arbolada en una perfecta formación en punta de flecha, al lado de la armada nazi. En un instante, Race se encontró surcando las aguas entre cuatro Jet Raiders nazis.

Los cuatro nazis se giraron al unísono para ver las tres Jet Raiders estadounidenses. En sus ojos se podía leer la sorpresa. Se apresuraron a sacar sus armas justo cuando Van Lewen gritó:

—Doogie, ¡por la izquierda!

Los dos boinas verdes dispararon en sendas direcciones con sus M-16. Los cuatro nazis fueron abatidos y las tres Jet Raiders robadas los dejaron atrás.

Cuando pasaron al lado de los nazis caídos, Race se giró en su asiento y vio cómo a su alrededor se formaban una serie de ondas.

Los caimanes...

De repente, una línea de balas de 20 mm golpeó el agua a ambos lados de la Jet Raider, sacando a Race de su ensimismamiento.

Se giró veloz y vio dos embarcaciones de ataque, una Rigid Raider y una lancha patrullera Pibber, navegando tras ellos. La Pibber disparaba desde su cañón de torreta de 20 mm a una velocidad frenética.

Race aceleró y la Jet Raider ganó velocidad. Tras él, Van Lewen se giró sobre su asiento, de espaldas a Race. Apuntó a sus perseguidores con el M-16 y comenzó a abrir fuego contra ellos.

Su lluvia de disparos destrozó ambas embarcaciones, resquebrajando el parabrisas del Pibber y abatiendo a tres de los cuatro hombres a bordo de la Rigid Raider.

Entonces, de repente, toda la flota viró a la izquierda para tomar otra curva del río.

—¡Todo el mundo, girad a la izquierda! —gritó Van Lewen.

—¿A la izquierda? —preguntó Race, confuso.

—A los árboles otra vez. ¡Tenemos que llegar al barco de mando!

En ese preciso instante, el estruendo de más disparos resonó a su alrededor. Dos Jet Raiders nazis iban tras ellos.

Las balas volaban en todas direcciones y pasaban zumbando por las cabezas de todos los allí presentes. De pronto, Race vio que un chorro de sangre salía del hombro izquierdo de Doogie. Había recibido el impacto de una bala.

—*¡Arrrggghhh!* —gritó la voz de Doogie por la radio, pero aun así logró mantener la velocidad.

Las tres Jet Raiders estadounidenses se adentraron en la zona arbolada. Renée y Schroeder primero, Doogie y Molke después, y Race y Van Lewen al final.

A medio segundo de distancia les seguían los nazis.

Las balas impactaron en los troncos de los árboles, justo por encima de la cabeza de Race, mientras intentaba abrirse camino entre ellos a gran velocidad. En su camino se interponían ramas muy bajas. Cada vez que veía una acercándose, le gritaba a Van Lewen, que seguía de espaldas, y le decía que se agachara.

Van Lewen seguía disparando con su M-16 a las dos Jet Raiders que les seguían muy de cerca, pero los nazis se salvaguardaron tras los árboles y, transcurrido un tiempo, Van Lewen se quedó sin munición.

Los nazis, viendo su oportunidad, se acercaron.

Uno de ellos aceleró y se colocó a la derecha de Race y Van Lewen. El pasajero sacó una Glock de una especie de alforja. Con nada más con lo que atacarlo, Van Lewen cogió su M-16 sin munición como si de un bate de béisbol se tratara y le quitó la pistola de la mano de un golpe justo en el momento en que los árboles circundantes se resquebrajaron por los impactos de los disparos de un G-11.

Van Lewen y Race se echaron a un lado cuando una segunda Jet Raider nazi salió de los árboles a su izquierda y se golpeó contra ellos.

Race estuvo a punto de salir disparado del impacto, pero logró sostenerse. Mantuvo la velocidad y giró a un lado para evitar un árbol. Después fue a mirar a la izquierda para tener una mejor perspectiva de su nuevo atacante, cuando se topó con el cañón de un fusil de asalto G-11.

Race apartó la vista del cañón y tras él vio el rostro de su portador, que sonreía malvadamente de placer.

Y, entonces, se escuchó un golpe y el nazi desapareció de su vista. Su Jet Raider se había golpeado a toda velocidad con el tronco de un árbol y había explotado, formándose una enorme bola de fuego.

Race giró la cabeza para verlo.

¡Había pasado tan rápido!

Era como si el árbol se hubiese inclinado tras pasar ellos y se hubiera llevado al nazi consigo.

El otro nazi, el que iba a su derecha, también se giró para ver la explosión. Van Lewen lo pilló mirando y con un movimiento rápido, y su M-16 en ristre, saltó a su Jet Raider y aterrizó en el asiento del pasajero.

El nazi se giró sorprendido. Cuando lo hizo, Van Lewen miró al río que se alzaba ante ellos y sus ojos se abrieron como platos. Entonces, con los reflejos de un felino, se agachó. El nazi se giró para mirar hacia delante y su cabeza recibió el impacto de una rama.

La rama le entró por el puente de la nariz, perforándole la cabeza y matándolo al instante. El nazi cayó hacia atrás, sobre el cuerpo agachado de Van Lewen primero y posteriormente al agua.

Unos segundos después, Van Lewen y Race, ahora en distintas Jet Raiders, aceleraron y se pusieron a la altura de la Jet Raider de Doogie y Molke. Renée y Schroeder iban delante, guarecidos por la protección de los árboles.

—Doogie, ¿está bien? —le dijo Van Lewen por su micrófono de garganta.

—Estaré bien. Es una herida limpia —le respondió la voz de Doogie.

Mientras Van Lewen le preguntaba a Doogie, Race seguía pendiente de si aparecían más nazis. No venía ninguno por entre los árboles que habían dejado atrás. Pero, a través de los troncos de los árboles situados a su derecha, vio que dos de las embarcaciones de ataque, las Rigid Raiders, surcaban las aguas del río en paralelo a ellos. En sus cubiertas se alineaban soldados nazis armados que escudriñaban el bosque inundado, buscándolos, esperando a que salieran de allí.

Van Lewen dijo:

—Bien. Escúchenme todos. Doogie ha recibido un impacto, pero puede continuar. Este es el plan. Queremos ese barco de mando, ¿de acuerdo? La forma en que nos vamos a hacer con él es la siguiente. Ustedes, los agentes de la BKA —señaló con la cabeza a Renée y Schroeder—. Quiero que se hagan con el mando una de esas Pibbers. Si vamos a abordar ese barco necesitaremos apoyo y eso implica que logremos poner nuestras manos en una de esas torretas de 20 mm. ¿Creen que podrán conseguirlo?

—Podemos intentarlo —dijo Schroeder.

—Bien. Doogie. Usted, Molke y yo vamos a ir a por el barco de mando. ¿Podrá hacerlo?

—Sí —dijo Doogie haciendo una mueca.

—¿Qué hay de mí? —preguntó Race.

—Tengo un trabajo especial para usted, profesor —dijo Van Lewen—. Dado que no ha recibido adiestramiento de las fuerzas especiales, me imagino que no querrá asaltar ninguna embarcación.

—Imagina bien.

—Así que he pensado que, en vez de eso, podría servirnos de señuelo.

—¿De señuelo?

—Quiero que se coloque a toda velocidad delante de esas lanchas cañoneras, tan rápido como pueda, y atraiga sus disparos mientras nosotros tomamos el barco de mando y la Pibber. Una vez nos hayamos hecho con esas dos embarcaciones, le traeremos a bordo del catamarán.

Race tragó saliva.

—De acuerdo...

Mientras lo decía, miró a la izquierda y vio que Renée lo estaba mirando. Ella debió de haber percibido el temor en su rostro porque le asintió para tranquilizarlo.

—Todo irá bien —le dijo con dulzura a través de su auricular.

—Gracias —dijo Race.

Después miró hacia delante y vio que el santuario de árboles terminaba unos cien metros por delante de donde se encontraban, justo en un grupo de árboles medio sumergidos.

Tras estos, Race pudo ver la luz gris de la tarde y el río.

En el río estarían los nazis.

—Muy bien —dijo Van Lewen—. No dejen de acelerar y estén atentos. Ya saben lo que tienen que hacer.

Race sintió cómo la sangre le latía en las venas. Un segundo después, los seis llegaron al grupo de árboles y salieron a la luz del día.

Los nazis estaban esperándolos.

Tan pronto como Race y los demás salieron de la zona arbolada, ráfagas de disparos de ametralladoras estallaron a su alrededor.

—¡Cuidado! —gritó Doogie agachándose, pero Molke fue demasiado lento. Un aluvión de balas pasaron zumbando por encima de la cabeza de Doogie e impactaron en el cuerpo del joven soldado alemán, destrozándole el pecho y haciendo que se convulsionara violentamente antes de caerse de la Jet Raider.

Los ojos de Race se abrieron como platos al ver cómo impactaban los disparos en Molke, justo a su lado, pero se abrieron mucho más cuando contempló la escena que tenía ante sí.

Dos de los tres helicópteros Mosquito que anteriormente estaban en las barcazas se cernían ahora sobre el agua, justo delante de él y su equipo, mientras que el resto de la flota nazi seguía avanzando por el río.

¡Maldita sea!

Los cañones laterales de los helicópteros comenzaron a escupir unas ráfagas de disparos letales, arrasando los árboles tras Race y levantando el agua a su alrededor.

—¡Dispérsense! ¡ Dispérsense! —gritó Van Lewen.

Las cuatro Jet Raiders germano-estadounidenses se separaron al instante, dos a la izquierda y dos a la derecha. De repente, Race se encontró deslizándose por el agua a toda velocidad al lado de *Doogie* Kennedy, que ahora iba solo en la Jet Raider. Su hombro izquierdo herido estaba cubierto de sangre.

Van Lewen y Renée y Schroeder se fueron en la otra dirección, desapareciendo de su vista tras la flotilla de embarcaciones fluviales.

Race y Doogie se colocaron entre las embarcaciones nazis y comenzaron a zigzaguear entre ellas. Uno de los Mosquito se dio la vuelta en el aire y se dirigió hacia ellos mientras sus cañones escupían balas en su dirección.

En medio del ataque, Race viró a la izquierda y aceleró para situarse entre dos de las barcazas con las pistas de aterrizaje para helicópteros. Los disparos efectuados a su espalda golpearon un lateral de la barcaza, lo que hizo que saltaran las chispas en el casco.

Race condujo a toda velocidad por el callejón de agua que flanqueaban las barcazas, cuando, de repente, salió al espacio abierto y giró a la derecha. Tomó aire cuando saltó por encima de las olas que levantaba la proa de la barcaza a su derecha.

Se encontró con la imagen de la Jet Raider de Doogie, que surcaba las aguas a la misma velocidad que la suya, pero bajo uno de los helicópteros Mosquito y al lado de una de las Pibbers de los nazis.

—¡Profesor, rápido! —gritó Doogie mientras desenfundaba la SIG-Sauer con su mano izquierda, manchada de sangre—. ¡Cúbrame! ¡Voy a abordar esa Pibber!

—¡Y qué hay del barco de mando? —gritó Race por su micrófono de garganta—. ¿Qué pasa con el plan?

—¡El plan se fue a la mierda tan pronto como salimos de entre los árboles! ¡Vamos!

—¡De acuerdo!

Race desenfundó inmediatamente la SIG y abrió fuego sobre los dos miembros de la tripulación nazi que se encontraban en la plataforma de la Pibber.

Los nazis se agacharon para ponerse a cubierto, momento que aprovechó Doogie para situarse junto a la *Pib* y saltar a su cubierta de proa elevada.

Race observó asombrado cómo Doogie lograba mantener el equilibrio tras caer en la parte delantera techada de la Pibber. Dio dos pasos hacia la popa, saltó por el techo de la timonera de la lancha cañonera y después a la plataforma descubierta y abatió a los dos miembros de la tripulación nazi con su M-16.

—¡Profesor, venga aquí! ¡Le necesito para que se encargue de esta arma! —le dijo, señalando con el dedo hacia el cañón de 20 mm de la torreta.

Race puso rumbo a la Pibber.

Doogie, ya a bordo de la Pibber, cogió un G-11 de uno de los nazis abatidos y tomó el timón, intentando mantener la velocidad vertiginosa de la lancha mientras disparaba al helicóptero que se abalanzaba sobre él.

Race se colocó junto a la Pibber.

Se acercó a la lancha patrullera, procurando por todos los medios no perder el control de la Jet Raider mientras esta se zarandeaba de un lado a otro, debido a la estela de olas que la *Pib* dejaba tras de sí.

Race siguió conduciendo a gran velocidad, tratando de no separarse de la Pibber, con los ojos fijos en la barandilla del costado de la lancha, a unos noventa centímetros de distancia de él.

Era todo lo que quería. Poder poner las manos en esa barandilla.

Justo entonces una ráfaga de disparos atravesó el lateral de la Pibber. Justo delante de él.

Se giró inmediatamente.

Y vio a otra Pibber surcando las aguas en su dirección, con cinco nazis más en la cubierta.

Iba directa hacia él.

Y no iba a reducir la velocidad.

¡Iba a estrellarse contra la Pibber de Doogie, estuviera Race en medio o no!

Race se giró para volver a mirar la embarcación de Doogie, con los ojos fijos de nuevo en la barandilla.

Hazlo, le gritó su mente.

Race saltó de la Jet Raider y se agarró a la barandilla. Los pies le arrastraban por el agua. Subió las piernas y se aupó a la barandilla justo cuando la segunda embarcación se golpeó contra la barandilla de babor de la Pibber de Doogie.

Race rodó por la cubierta. Toda la embarcación se estremeció por el impacto.

—¡Profesor! ¡Aquí! —le gritó Doogie.

Race todavía seguía tumbado boca abajo en la cubierta. Alzó la vista y vio que Doogie le hacía señas desde la timonera cuando, de repente, unas botas de combate se interpusieron en su campo de visión.

Justo cuando las botas tocaron la cubierta se escuchó el disparo de un arma y el propietario de las botas cayó al suelo al instante. Su cabeza, con los ojos fuera de las órbitas, aterrizó en la cubierta, delante de Race. El boquete de una bala le atravesaba la frente. Al fondo, tras la cabeza del nazi muerto, Race vio a Doogie, que sostenía un G-11 con su brazo bueno.

Dios santo, pensó Race cuando vio a la segunda Pibber, que iba disparada como un bólido hacia la barandilla de la embarcación, y a los cuatro nazis desplegados en la cubierta, listos para subir a bordo.

Se giró en la otra dirección y vio que una de las barcazas se estaba acercando desde ese lado, cerrándoles el paso, atrapándolos.

Esto no pinta nada bien, se dijo para sus adentros.

Doogie, obviamente, estaba pensando lo mismo.

Viró la lancha a la izquierda, haciendo que los soldados que estaban en la cubierta perdieran el equilibrio durante unos segundos preciosos, los segundos que necesitaba para levantar su G-11 y disparar.

Pero no disparó a la cubierta de la Pibber nazi, fundamentalmente porque no disponía del tiempo suficiente para hacer diana desde tan lejos. En vez de eso, apuntó a la proa de la embarcación nazi, en la que no había ningún soldado.

—¿Qué demonios está haciendo? —gritó Race.

El G-11 de Doogie rugió.

Una ráfaga prolongada, quizá dos docenas de disparos.

Las chispas comenzaron a saltar alrededor del ancla de acero situada en la proa. Entonces se escuchó un ruido metálico y el pasador de metal que sujetaba el ancla fue alcanzado por los disparos de Doogie. El ancla cayó por la cubierta de la proa hasta ir a parar al agua, mientras la cuerda de nailon caía tras ella.

Los cuatro nazis a bordo de la Pibber vieron caer el ancla y se giraron para mirar a Doogie y a Race, con sus G-11 en ristre.

Y entonces ocurrió.

Race nunca llegó a saber en qué se enganchó, si en unas raíces sumergidas, o, quizá, en un árbol que estuviera completamente sumergido bajo las aguas, pero, fuere como fuere, el ancla tuvo que engancharse en algo muy grande.

Fue como si un monstruo terriblemente poderoso hubiese tirado del ancla de la Pibber, porque en cuestión de segundos la embarcación pasó de sesenta y cinco millas por hora a cero y la popa se elevó por encima de su línea de flotación, mientras que la proa se hundía en el agua a toda velocidad.

La popa se alzó sobre las olas y toda la embarcación dio una voltereta lateral en el agua, elevándose en el aire para luego caer sobre el techo de la timonera, golpeándose ruidosamente con el agua.

Race se volvió para ver cómo la embarcación volteada iba mermando en la distancia, hundiéndose lentamente.

Leonardo Van Lewen zigzagueó con su Jet Raider por entre la armada nazi, tan rápido que apenas si rozaba la superficie del río. Aparecía y desaparecía por entre las barcazas habilitadas con las pistas de aterrizaje para helicópteros, las Pibbers y las Rigid Raiders.

A su alrededor resonaban los disparos de sus enemigos mientras intentaba con todas sus fuerzas dejar atrás la embarcación de asalto y el helicóptero Mosquito que iban tras él.

Resultaba extraño, pero solo había un nazi a bordo de la Rigid Raider que le iba pisando los talones. Era la embarcación que él había atacado hacía unos instantes, matando a todos sus ocupantes salvo a uno.

Lo cierto, sin embargo, era que a Van Lewen no le preocupaba demasiado ni la embarcación ni el helicóptero que tenía detrás. Solo tenía ojos para la embarcación que se alzaba ante él, a menos de cincuenta metros de distancia.

El enorme catamarán blanco.

El barco de mando nazi.

Dieciocho metros detrás de Van Lewen, el timonel y único ocupante de la Rigid Raider disparaba frenéticamente a la Jet Raider del soldado estadounidense. Sus balas acribillaban todo lo que pillaban a su paso, mientras la embarcación de asalto botaba contra las olas.

De repente, el timonel escuchó un golpe sordo proveniente de algún lugar a sus espaldas y se giró rápidamente justo para ver cómo el puño de Schroeder se acercaba a su rostro.

Renée Becker conducía su Jet Raider a toda velocidad. El agua que levantaba la moto golpeaba su rostro como si de aguijones se tratara.

A su izquierda, vio que Schroeder tomaba el timón de la Rigid Raider a la que acababa de saltar y le levantaba el pulgar.

Una vez se hubo cerciorado de que Schroeder tenía el control de la embarcación nazi, Renée aceleró y se colocó delante de la Rigid Raider para protegerse del helicóptero que tenían encima mientras salía tras Van Lewen. Segundos después se unió a él y fueron tras el barco de mando.

El enorme barco de mando nazi iba a la cabeza de la flota.

Cerca de media docena de nazis se apostaban en la barandilla de popa, bajo las palas del rotor del helicóptero blanco que descansaba en la pista de aterrizaje. Estaban disparando a Van Lewen.

Pero el boina verde giraba a la izquierda y a la derecha con destreza, agachándose para esquivar sus disparos, cuando de repente, sin previo aviso, se colocó tras una barcaza situada detrás del barco de mando.

Protegido tras la barcaza, Van Lewen aceleró la velocidad hasta adelantar a la embarcación con su ágil Jet Raider.

En pocos segundos llegó a la proa de la barcaza. Respiró profundamente.

A continuación, cuando estuvo listo, apretó el manillar y giró a la izquierda.

Cual avión de caza descendiendo en picado tras su presa, la Jet Raider se cruzó por delante de la proa de la barcaza y se colocó detrás del barco de mando.

Los nazis en la popa del catamarán abrieron fuego inmediatamente, pero, para sorpresa de Van Lewen, fueron ahogados por los disparos del M-16 de Renée que, desde su Jet Raider, se les acercaba por la izquierda.

Una vez hubieron abatido a los nazis, los dos se colocaron bajo el cuerpo del catamarán, guareciéndose en la oscuridad entre sus cascos de cuarenta y seis metros.

Las dos Jet Raiders continuaron avanzando amparadas en la oscuridad de debajo del catamarán hasta llegar a la proa del barco.

Van Lewen se acercó al lateral derecho. Renée al izquierdo. A continuación Renée observó cómo Van Lewen alcanzaba la barandilla de la proa y se aferraba a ella para subir por la proa del barco. Desapareció de su vista.

Instantes después, Renée respiró profundamente y alcanzó la barandilla izquierda. Comenzó a trepar para subir a bordo.

Ráfagas de viento golpearon su rostro cuando salió de la oscuridad de debajo del catamarán y subió por el lado izquierdo de la proa.

Vio a Van Lewen al otro lado, a unos quince metros de distancia, con su M-16 en ristre, listo para disparar.

Como el barco de mando encabezaba la comitiva de la flota, los nazis no se esperaban que nadie fuese a abordarlos desde delante, por lo que no había ningún soldado allí.

Al menos no todavía.

Renée miró a su alrededor. El catamarán era grande. Enorme. La superestructura en la parte superior de su casco era extremadamente esbelta y aerodinámica. Constaba de dos niveles, escondidos tras los cristales tintados de las ventanas. Largos pasillos recorrían los dos flancos del barco.

—¿Hacia dónde ahora? —le gritó.

—¡Tomamos el barco y lo retenemos hasta que los helicópteros lleguen! —le respondió Van Lewen.

—¿Y qué hay del ídolo? Si no podemos tomar el barco, al menos deberíamos intentar conseguir...

En ese preciso instante salieron dos soldados nazis del pasillo de babor y comenzaron a dispararles con sus G-11. Pero disparaban desde las caderas, apuntando hacia arriba. Van Lewen se giró con su M-16, les apuntó y abatió a dos de ellos con dos disparos de una precisión brutal.

—¿Qué me decía? —le gritó a Renée.

—Da igual —dijo—. ¡Vamos! Yo le cubriré.

Echaron a correr por el pasillo de estribor.

Race y Doogie, mientras tanto, surcaban las aguas del río con su patrullera Pibber.

Uno de los Mosquito volaba muy bajo, justo encima de ellos, amenazante, sobre la parte superior de su embarcación. A veces, pivotaba a media altura y volaba hacia atrás delante de ellos, disparándoles así de frente. Una de las puertas laterales estaba abierta; asomado a ella, un soldado nazi las disparaba con un G-11.

Desde su derecha les llegaba el estruendo de las barcazas que les cerraban el paso, cortando cualquier posible salida en esa dirección.

A la vez que manejaba el timón, Doogie disparaba al helicóptero con su G-11.

Estaba intentando, en vano, subir a la torreta de la Pibber, pero los rápidos disparos del helicóptero lo mantenían inmovilizado en la timonera.

—Maldita sea, no logro alcanzarlo —gritó cuando el Mosquito volvió a pasar por encima de ellos. Al estruendo de los rotores pronto les siguió el impacto de cerca de un millón de disparos que perforaron el techo de la timonera.

—¡Tenemos que hacer algo con ese helicóptero! —gritó Race.

—Lo sé, lo sé —gritó Doogie—. ¡Profesor, rápido! Baje y vea si puede encontrar granadas o algo similar.

Race obedeció al instante, abrió la escotilla que había en la parte delantera de la timonera y se adentró en las entrañas de la Pibber.

Se encontró entonces en una pequeña habitación con paredes metálicas de color gris.

En sus paredes inclinadas se alineaban cajones de madera y malla. En el centro de la habitación había un objeto de color gris similar a una caja. Medía cerca de noventa centímetros de alto por otros noventa centímetros de ancho, más o menos el tamaño de una mesa de juego y, a primera vista, Race pensó que se trataba de otro cajón, una especie de contenedor con munición o algo por el estilo.

Pero no era un contenedor. Cuando Race lo miró más de cerca, vio que estaba pegado al suelo.

Entonces cayó en la cuenta. Era una escotilla para los buzos. En Vietnam, las fuerzas especiales y los SEAL de la Armada de los Estados Unidos habían preferido utilizar las Pibbers en vez de otras embarcaciones fluviales porque solo estas tenían esas escotillas especiales en sus cascos. Así, los buzos podían sumergirse en el agua sin que los malos supieran de dónde habían salido.

Race comenzó a rebuscar por entre los estantes en busca de armas.

Lo primero que vio fue una caja pequeña de granadas de mano antipersonales L2A2. Lo segundo fue una caja de kevlar con unas palabras en inglés:

PROPIEDAD DEL EJÉRCITO DE LOS ESTADOS UNIDOS
EXPEDICIÓN DE ARMAMENTO K/56-005/C/DARPA
6 CARGAS M-22

Race abrió la caja y vio seis viales muy futuristas de cromo y plástico sujetos en compartimientos separados con espuma protectora. Los viales eran pequeños, del tamaño de un pintalabios, y estaban llenos de un extraño líquido brillante de color ámbar.

Race se encogió de hombros, cogió la caja de kevlar y la subió junto con la caja de granadas a la timonera.

—Esto, profesor... —le dijo Doogie cuando vio la caja de kevlar—. Eh... yo tendría cuidado con eso.

—¿Por qué?

—Porque podría matarnos.

—¿Cómo?

—Son M-22. Cargas explosivas de elevada temperatura. Una mierda muy potente. ¿Ve el líquido ámbar que tienen dentro? Es cloro isotópico líquido. Una pequeña cantidad de ese líquido vaporizaría todo lo que se encontrara en un radio de doscientos metros, incluidos nosotros. Esos nazis hijo putas deben de ser los que robaron el cargamento de M-22 de aquel camión en la carretera de Baltimore hace ya algunos años.

—¡Oh! —dijo Race.

—No lo necesitaremos. —Doogie sonrió y cogió una de las más convencionales granadas de mano L2A2—. Con esto debería bastarnos.

No había pasado un segundo cuando el helicóptero volvió a pasar sobre ellos, llenando de agujeros las paredes de la *Pib* con sus disparos.

Pero esta vez, mientras disparaban por encima de sus cabezas, Doogie le quitó la anilla a una granada y la tiró con su brazo bueno, con un estilo propio de un jugador de béisbol, a la puerta lateral abierta del helicóptero.

La granada voló por los aires como un misil y después desapareció en el interior del helicóptero.

Un instante después, la estructura del helicóptero explotó y el Mosquito comenzó a descender bruscamente. Estalló en llamas antes de que su morro se golpeara con las aguas del río.

—Buen tiro —dijo Race.

Van Lewen y Renée corrieron por el pasillo lateral de estribor del barco de mando con sus M-16 firmemente asidos.

Se movieron a gran velocidad, escrutando con sus armas cada rincón del pasillo, hasta que finalmente salieron a la cubierta de popa, donde se encontraba la pista de aterrizaje para helicópteros del catamarán.

Van Lewen vio inmediatamente el helicóptero blanco Bell Jet Ranger, así como al piloto que se encontraba en su interior.

El hombre también los vio. Cogió su arma. Van Lewen lo tumbó justo cuando seis soldados nazis salieron del interior del catamarán abriendo fuego con sus G-11.

El fuego de los fusiles de asalto golpeó la cubierta a su alrededor, y astilló la barandilla de madera que había tras ellos.

Van Lewen se agachó y vio que Renée se guarecía tras la esquina de la que habían salido.

Él, sin embargo, estaba demasiado lejos.

Miró a los nazis, que se acercaban a él. Estaban a menos de quince metros y sus ametralladoras futuristas no dejaban de escupir ráfagas y ráfagas de disparos. Ante esa situación, y sin nada con lo que poder hacerlos frente, Van Lewen hizo lo único que pensaba que podía hacer.

Saltó por la borda.

Desde el timón de su Rigid Raider, que avanzaba a toda velocidad tras el barco de mando, Karl Schroeder observó con horror que Van Lewen había saltado por la borda del catamarán.

Pero Schroeder no tenía tiempo para quedarse embobado.

En ese momento, su embarcación estaba recibiendo una lluvia de disparos terrible. Tenía a dos Rigid Raiders nazis a ambos lados, que lo atacaban y disparaban desde los dos flancos, lo que le obligó a tirarse al suelo para protegerse de los disparos.

Se golpeó contra la cubierta. Nada más caer escudriñó el suelo de la embarcación para ver si encontraba algo con lo que poder hacer frente a las dos Rigid Raiders.

Lo primero que vio fue un G-11, apoyado en el suelo junto a una especie de caja de kevlar. Buen comienzo.

Pero entonces, detrás del G-11, vio algo más.

Y miró preocupado.

Van Lewen se lanzó al vacío. Esperó el impacto contra las aguas del río. Pero no llegó a producirse.

Aterrizó en algo duro, algo sólido, algo que parecía plástico o fibra de vidrio.

Miró a su alrededor y entonces vio que había caído en la cubierta de la lancha motora Escarabajo que estaba sujeta a la barandilla trasera del barco de mano.

No había transcurrido ni un segundo cuando tres soldados nazis y sus respectivos G-11 hicieron acto de presencia por la barandilla del barco y le apuntaron con los fusiles al puente de la nariz. En ese momento, mientras les miraba a los ojos, Van Lewen supo que la batalla había terminado.

Los tres nazis apretaron los gatillos de sus armas.

Al principio, Schroeder no supo de qué se trataba.

Era un dispositivo extraño, del tamaño de una mochila, con una forma rectangular un tanto rudimentaria y que tenía una serie de indicadores digitales que medían en kilohercios, megahercios y gigahercios.

Mediciones de frecuencia...

Entonces cayó en la cuenta.

Era el dispositivo que habían usado los nazis para interferir los sistemas de comunicaciones de los estadounidenses cuando llegaron a Vilcafor.

En la parte de delante del dispositivo había un trozo de cinta aislante pegado en el que estaban escritas en alemán las palabras:

¡ATENCIÓN!

NO PONER EN NIVELES PEM SUPERIORES A 1,2 GHZ

Los ojos de Schroeder fueron directos a la palabra «PEM».

Dios santo.

Un generador de pulsos.

Los nazis tenían un generador de pulsos electromagnético.

Pero, ¿por qué querrían limitar el nivel del pulso a 1,2 gigahercios?

Y entonces cayó en la cuenta.

Schroeder cogió el G-11 que tenía al lado y miró las especificaciones del arma.

HECKLER & KOCH, ALEMANIA

- 50 V.3,5 MV: 920 CPU: 1,25 GHZ

En los nanosegundos en que funcionan nuestros cerebros, recordó la teoría de los pulsos electromagnéticos: el PEM anulaba cualquier cosa que tuviera un microprocesador: ordenadores, televisiones, sistemas de comunicación.

Y también, pensó Schroeder, los fusiles de asalto G-11, ya que era la única arma en el mundo que empleaba un microprocesador, la única lo suficientemente compleja como para necesitar uno.

Los nazis no querían que sus hombres situaran los niveles de su generador PEM muy altos porque, si lo hacían, el pulso electromagnético dejaría sus G-11 fuera de combate.

Schroeder sonrió.

Y entonces, justo en el preciso instante en que Van Lewen alzaba la vista a los cañones de los fusiles de asalto G-11 de los nazis desde la cubierta de la Escarabajo, Karl Schroeder tocó el generador de pulsos y giró el indicador de los gigahercios a 1,3.

Clic. Clic. Clic.

La resignación de Van Lewen se transmutó en completo asombro cuando los tres G-11 que le apuntaban no dispararon.

Los nazis parecían todavía más asombrados. No sabían qué demonios estaba ocurriendo.

Van Lewen no perdió un instante.

En un segundo tenía el M-16 en una mano y la SIG-Sauer en la otra. Apretó los dos gatillos a la vez.

Las dos armas cobraron vida.

Los disparos alcanzaron a los tres nazis, que cayeron hacia atrás, por detrás de la barandilla. Sus cabezas estallaron en fuentes de sangre idénticas.

Las balas impactaron también en la barandilla, rebotando en todas direcciones. Una de ellas cortó la cuerda que sujetaba la Escarabajo al barco de mando.

La lancha motora se desprendió del catamarán y lo único que pudieron hacer los nazis a bordo del barco fue sostener sus G-11 inutilizadas y observar cómo la Escarabajo se alejaba tras ellos.

Al otro lado del río, *Doogie* Kennedy se sentó en la silla giratoria de la torreta delantera del Pibber, desatando el caos con el doble cañón de 20 mm de la patrullera.

Giró la torreta y disparó una ráfaga que convirtió a las Rigid Raiders que tenía a su izquierda en un queso suizo.

Después giró las miras en dirección a una de las barcazas que tenía delante, la que todavía tenía un helicóptero Mosquito, y abrió fuego contra ella. Los tanques de combustible reventaron y tanto la barcaza como el helicóptero se convirtieron en una enorme bola de fuego.

—¡Sí señor! ¡Ahí va eso, nazis hijo putas!

A menos de tres metros detrás de él, en la timonera de la Pibber, Race conducía la lancha con un ojo puesto en el río.

Justo entonces el tercer y último Mosquito les pasó con sus cañones laterales disparando a toda velocidad. Race se agachó con rapidez. En la parte delantera de la cubierta, justo delante de él, Doogie giró la torreta y descargó una ráfaga ensordecedora de 20 mm al helicóptero, pero este se echó a un lado bruscamente y sus balas trazadoras candentes solo impactaron en el aire.

En ese momento, sin embargo, Race vio que otra Pibber se acercaba amenazante por detrás.

No había ningún nazi en las barandillas y su torreta tampoco escupía disparos de veinte milímetros.

Tan solo mantenía la distancia, navegando en silencio al menos a trescientos metros de ellos.

Y entonces Race vio una nube de humo salir de algo con forma rectangular que pendía de su lateral y, de repente, un objeto largo y blanco salió disparado de aquella cosa y cayó en el agua.

—¿Es eso lo que creo que es? —dijo mientras otra Rigid Raider nazi se colocaba detrás de ellos, entre su embarcación y la Pibber que acababa de lanzar aquel extraño objeto. En la cubierta abierta de la Rigid Raider se hallaban cuatro nazis, que disparaban a Race y a Doogie con pistolas Beretta.

Y de repente, tan de repente que hizo que Race metiera un brinco, la Rigid Raider situada entre las dos embarcaciones explotó.

Sin previo aviso.

Sin causa aparente.

La estructura de aluminio de la embarcación de asalto saltó por los aires como un géiser de humo, agua y amasijos de metales.

Sin causa aparente, pensó Race, *salvo por ese objeto que la otra Pibber acababa de lanzar por el agua.*

Race y Doogie cayeron en la cuenta a la vez.

—Torpedos... —dijeron al unísono. Se miraron.

Mientras lo decían, otra voluta de humo salió del compartimiento lateral de la Pibber nazi y un torpedo blanco y alargado salió de él, yendo a parar al agua, donde comenzó a alcanzar una velocidad increíble en dirección a su barco.

—Joder —musitó Doogie.

Race aceleró.

El torpedo surcaba las aguas a una velocidad frenética.

Race intentó alejar a la Pibber de su alcance girando a la izquierda, hacia el resto de la flota, con la esperanza de poder colocar otra embarcación entre ellos y el torpedo.

Pero era imposible.

Las embarcaciones más cercanas eran las dos barcazas con las pistas de aterrizaje: la que remolcaba el Grumman JRF-5 Goose situada a su derecha y la otra, que estaba un poco más adelantada, a la izquierda.

Las cubiertas de las barcazas estaban desiertas y sus pistas de aterrizaje, que no estaban rodeada de barandillas, vacías.

Race volvió a acelerar.

La Pibber comenzó a avanzar a mayor velocidad y se golpeó con una ola. Saltó por los aires y después volvió a caer, impactando fuertemente contra el agua.

El torpedo seguía persiguiéndolos.

—¡Profesor! —gritó Doogie—. ¡Tiene diez segundos para hacer algo!

Diez segundos, pensó Race.

¡Mierda!

Vio la pista de aterrizaje para helicópteros a su izquierda y se le ocurrió una idea. Giró hacia ella.

Ocho segundos.

La Pibber se desplazó treinta metros a la derecha de la barcaza.

Los ojos de Race estaban pegados a la barcaza. Era poco más que una pista de aterrizaje que flotaba como a un metro por encima de la línea de agua, con una pequeña timonera acristalada en la proa.

Seis segundos.

Race giró bruscamente su timón a babor —la Pibber giró a la izquierda por las aguas, saltando contra las olas—, tomando aire cada pocos metros mientras ponía rumbo a la barcaza como alma que lleva al diablo.

Cinco segundos.

El torpedo se estaba acercando.

Cuatro segundos.

—¿Qué está haciendo? —le gritó Doogie.

Tres.

Race aceleró a fondo.

Dos.

La Pibber apenas ya rozaba el agua. Iba directa contra el flanco de estribor de la barcaza.

De repente, la Pibber se golpeó contra una ola y, al igual que un coche que desciende por una rampa, salió volando por los aires.

La cañonera salió despedida mientras sus hélices giraban en el aire. Voló, literalmente, hasta que su casco aterrizó justo en la parte delantera de la pista de aterrizaje vacía con un golpe sordo.

Pero la Pibber siguió avanzando y, con un chirrido terrorífico, la embarcación fue derrapando por la pista hasta salir despedida por el lado izquierdo de la barcaza y caer al río. Cuando sus hélices volvieron a estar en contacto con el agua, la embarcación comenzó a alejarse de la barcaza, momento en el que el torpedo que les perseguía se golpeó con la desventurada barcaza y explotó.

La barcaza voló por los aires. Enormes fragmentos de acero, piezas del casco y miles de trozos de cristales estallaron por el impacto del torpedo.

—*¡Yuuuujjuuuuuuu!* —gritó Doogie desde la torreta—. ¡Menudo viaje!

Sin resuello, Race miró río atrás mientras los fragmentos de la barcaza caían al techo de su timonera.

—¡Madre mía! —dijo.

Renée Becker se deslizó por entre una puerta lateral del barco de mando y recorrió con mucho cuidado un pasillo estrecho e iluminado.

Una puerta se abrió de repente y Renée se puso a cubierto. Por ella salieron dos nazis armados con pistolas. Uno de ellos estaba diciendo:

—¡Están usando nuestro PEM contra nosotros!

Recorrieron el pasillo a paso ligero sin percatarse de su presencia.

Renée siguió avanzando. El interior del catamarán era lujosísimo. Las paredes estaban recubiertas de madera oscura y el suelo de una alfombra azul fastuosa.

Pero no tenía tiempo para fijarse en esas nimiedades.

Solo tenía un objetivo en mente.

El ídolo.

Después de saltar por encima del agua y esquiar en seco por la pista de aterrizaje de la barcaza, la Pibber de Race y Doogie volvió a surcar las aguas del río. Doogie seguía disparando desde su torreta al último Mosquito, que no cesaba de zumbar en el aire.

Pero el Mosquito era demasiado rápido, demasiado ágil. Esquivó sus disparos sin demasiada dificultad hasta que el cañón de 20 mm se quedó sin munición.

Doogie frunció el ceño.

—Mierda.

Se bajó de la torreta, cogió el G-11 y se dirigió a la timonera con Race.

—Tenemos que acabar con ese helicóptero —dijo—. Mientras siga ahí, no tendremos oportunidad de vencerlos.

—¿Qué sugiere?

Doogie le señaló con la cabeza la última barcaza que quedaba y que surcaba las aguas a cerca de cincuenta metros a su derecha, la que remolcaba el hidroavión Grumman Goose.

—Sugiero que subamos con eso —dijo.

Segundos después, la Pibber navegaba pegada a la barcaza.

Las dos embarcaciones se tocaron durante un instante y Doogie saltó a la cubierta.

—De acuerdo, profesor —gritó—. ¡Su turno!

Race asintió y giró el timón a la izquierda cuando, de repente, la patrullera se estremeció por un impacto brutal.

Race cayó a la cubierta. Cuando alzó la vista vio que una de las dos Pibbers nazis que quedaban había embestido contra su embarcación.

En la pista de aterrizaje, a la derecha de las dos Pibbers, Doogie apuntó con su G-11 y apretó el gatillo, pero, por algún motivo, el fusil no funcionó.

—¡Maldita sea! ¡Mierda! —gritó mientras observaba a Race y a la otra Pibber alejarse de la barcaza.

Race estaba metido en un buen lío.

Los disparos resonaban a su alrededor, pues los nazis de la otra Pibber le estaban disparando con sus pistolas a muy poca distancia. El parabrisas delantero de su embarcación se hizo añicos y una lluvia de cristales cayó sobre él.

De repente notó otro golpe. La segunda Pibber se estaba pegando a la barandilla de babor.

Se volvió y vio que la Pibber se estaba acercando peligrosamente. En la cubierta de popa vio a cuatro soldados armados con Berettas, listos para abordar la *Pib* y matarlo.

Miró al otro lado y vio el hueco que había entre su embarcación y la barcaza con la pista de helicóptero, de unos nueve metros. Estaba demasiado lejos.

Ahora estaba solo.

Sacó la SIG.

¿Cuáles son tus opciones, Will?

No veía demasiadas.

El primer nazi saltó a la Pibber.

Race volvió a girarse y saltó tras el parabrisas roto de la embarcación, hacia la cubierta de proa elevada, en el preciso momento en que el nazi abrió fuego contra él. Las balas pasaron rozando la cabeza de Race, ya a cubierto bajo el marco del parabrisas.

Race fue arrastrándose por la cubierta de proa, fuera del alcance de los disparos del soldado nazi, al menos por el momento.

Escuchó cómo los otros soldados nazis subían a la cubierta de popa del barco.

Mierda.

Miró en esa dirección y vio las cabezas de cuatro soldados nazis, acercándose. Por instinto reflejo, rodó en dirección contraria a ellos. Se golpeó en la cabeza con algo.

Race se giró.

Era el ancla de la Pibber.

Los nazis se estaban acercando.

¡Haz algo!

Vale...

Race apuntó con su SIG-Sauer a la cuerda del ancla y disparó.

La bala cortó la cuerda justo por encima del ancla y el peso del acero inoxidable, ya libre, se golpeó con la cubierta.

A continuación, Race se quitó la gorra y se la colocó entre los dientes.

El primer nazi apareció en la timonera, levantó su Beretta y disparó.

Race se echó al suelo para esquivar el disparo, agarró la cuerda del ancla y, entonces, sin disponer de un solo instante para pensárselo dos veces, rodó por la cubierta hacia la proa del barco.

En segundos, el acero de la cubierta de proa fue perforado por las balas de los nazis, pero ninguna de ellas alcanzó a Race.

Pues, en el preciso instante en que los cuatro nazis aparecieron en la timonera de la Pibber, William Race rodó por la proa de la patrullera y cayó al agua.

Race cayó de espaldas al agua, golpeándose fuertemente contra ella.

Comenzó a rebotar contra la superficie vertiginosa de las aguas, levantando chorros increíbles de espuma, saltando las olas a una velocidad frenética, intentando con todas sus fuerzas no soltarse de la cuerda del ancla. A veces su cuerpo saltaba por encima de una ola y se golpeaba contra la proa de la Pibber, que surcaba como un cuchillo las aguas ante él.

Mordió con fuerza la visera de su gorra y se aferró a la cuerda tan fuertemente como pudo.

Aquel era un viaje duro, doloroso, lacerante, pero sabía que si no hacía una cosa más, las cosas se pondrían mucho más feas.

Escuchó el ruido de botas nazis por la cubierta de proa, encima de él. Si lo veían colgando de la cuerda, era hombre muerto.

Le dispararían.

¡Hazlo, Will!

De acuerdo, pensó. *Hagámoslo.*

Race se armó de valor y cerró los ojos para que no le entrara el agua. A continuación, se aferró a la cuerda y tensó todos sus músculos al unísono.

Entonces se sumergió en el agua, ¡bajo la proa de una Pibber que surcaba las aguas a toda velocidad!

Metió las piernas primero.

Después la cintura, el estómago, el pecho.

Lentamente, sus hombros fueron sumergiéndose en el agua, seguidos de su cuello.

Entonces, tras respirar profundamente, Race sumergió la cabeza en el agua.

Bajo las aguas reinaba un extraño silencio.

No se escuchaba el rugido de los motores, ni los rotores de los helicópteros, ni el repiqueteo de las armas automáticas. Solo el constante y vibrante zumbido de los motores de la embarcación resonando a través del espectro submarino.

El casco gris y esbelto de la Pibber llenaba el campo de visión de Race. Pequeñas motas de Dios sabe qué pasaban por su rostro a un millón de kilómetros la hora, desapareciendo en la oscuridad turbia y verdosa que tenía a sus pies.

Poco a poco, Race fue bajando por la cuerda del ancla hacia la popa, conteniendo la respiración y aferrándose a la gorra con sus dientes.

Ya había recorrido una tercera parte de la longitud del casco cuando la primera forma reptil hizo su aparición desde la verdosa oscuridad que lo rodeaba.

Un caimán.

Estaba junto a la Pibber y descendía en picado con sus fauces abiertas en dirección a los pies de Race. Con un movimiento rápido, arremetió brutalmente contra sus zapatillas.

Race levantó los pies justo cuando las fauces del animal se cerraron. El reptil, incapaz de seguir el ritmo de la Pibber, retrocedió sin el botín a la oscuridad verdosa y borrosa que había dejado atrás.

Race necesitaba tomar aire. Los pulmones le ardían. Sentía cómo la bilis le subía por la garganta.

Apretó el ritmo y siguió bajando la cuerda hasta que, finalmente, encontró lo que estaba buscando.

La escotilla de los buzos.

¡Sí!

Llegó a la escotilla y la empujó hacia arriba con el puño. Después metió la cabeza por ella.

La cabina inferior de la Pibber.

Race se quitó rápidamente la gorra de los Yankees de la boca y cogió todo el aire que pudo.

Después, una vez se hubo recuperado, trepó por la escotilla y cayó con torpeza al suelo de la cabina destrozado, magullado y completamente exhausto, pero feliz de seguir con vida.

Doogie Kennedy corría por la cubierta de la última barcaza.

Tan pronto como había visto a Race sumergirse tras la proa de la Pibber, Doogie había comenzado a disparar a los cuatro nazis que estaban en la timonera. Ahora ellos le estaban devolviendo el fuego mientras Doogie intentaba llegar hasta el hidroavión amarrado tras la pista de aterrizaje de la barcaza.

Llegó a la popa de la barcaza y comenzó a desatar la cuerda que la mantenía unida al hidroavión.

Después saltó a la parte delantera del hidroavión y abrió la escotilla situada en la parte superior de su morro. Metió la cabeza primero y segundos después llegó a la cabina de mando del avión.

Doogie apretó el conmutador de encendido y las dos hélices cobraron vida. Comenzaron a girar lentamente hasta que ganaron velocidad y se convirtieron en círculos cada vez más y más borrosos.

El hidroavión se separó de la barcaza mientras las balas de los nazis rebotaban en su armazón.

Doogie, en respuesta, giró el Goose sobre la superficie del río de forma que apuntara a la cubierta de la Pibber que había abandonado hacía poco.

Apretó a continuación el disparador de su palanca de mando.

Al instante, una ensordecedora ráfaga de disparos salió del cañón de Gatling situado en el lateral del Goose.

Tres de los nazis de la Pibber cayeron fulminados por el fuego del avión.

El cuarto también cayó, pero se tiró el mismo, quitándose del alcance de la línea de fuego.

—Dios, cómo me gustan estas ametralladoras de 20 mm —dijo Doogie.

En la Pibber, Race se había guarecido tras la diminuta puerta de metal que conducía hasta la timonera cuando Doogie había comenzado a disparar al barco.

Una vez hubieron cesado los disparos, Race miró por entre la puerta y vio que solo uno de los cuatro nazis seguían con vida. Estaba tumbado en la cubierta, cargando su Beretta.

Era su oportunidad.

Race se tomó unos segundos para templar los nervios. Después abrió la puerta y apuntó al atónito nazi. Apretó el gatillo.

¡Clic!

Nada ocurrió.

¡No tenía balas!

Race tiró indignado el arma. Vio cómo el nazi metía un nuevo cargador en su pistola y entonces hizo lo único que en ese momento se le pasó por la cabeza.

Dio tres zancadas hacia delante y se abalanzó sobre el soldado.

Lo golpeó fuertemente y ambos cayeron a la cubierta de la Pibber y comenzaron a resbalar en dirección a la popa.

Se pusieron en pie y el nazi le lanzó un golpe con el revés, pero Race se agachó y el puño del nazi le pasó rozando la cabeza.

Después fue el turno de Race. Comenzó a golpear al soldado nazi en la cara, alcanzándolo de lleno con un derechazo. El nazi retrocedió por el impacto.

Race lo golpeó una y otra vez, gritando al soldado mientras este se tambaleaba.

—¡Fuera...

Golpe.

—...de...

Golpe.

—...mi...

Golpe

—...barco!

Tras el último golpe, el nazi chocó contra la barandilla de popa, perdió el equilibrio y cayó al agua.

Race, respirando agitadamente y con los nudillos sangrando, se acercó a la popa. Miró al nazi y tragó saliva. Instantes después, vio cómo un grupo de ondas familiares se congregaba en torno al soldado nazi y se dio la vuelta cuando este comenzó a gritar.

Renée bajaba sigilosa por un estrecho pasillo del barco de mando con su arma en posición, cuando de repente escuchó voces provenientes de la habitación que quedaba a su derecha.

Dio un paso adelante y se asomó por el marco de la puerta.

Y vio, en el centro de un laboratorio con tecnología punta, a un hombre que reconoció al instante. Era un hombre mayor, enorme, obeso, con el cuello corto y ancho, y de un diámetro enorme. Llevaba una camisa blanca, de esas que no necesitan planchado, que se ajustaba, muy ceñida, a la altura de su ingente estómago.

Renée contuvo la respiración mientras observaba a aquel hombre.

Era Odilo Ehrhardt.

El líder de los Soldados de Asalto.

Uno de los nazis más temidos de la Segunda Guerra Mundial.

Tendría unos setenta y cinco años, pero no parecía tener más de cincuenta. Sus rasgos arios seguían advirtiéndose en él, si bien la edad había hecho mella en ellos. Su pelo rubio-canoso empezaba a clareársele por la coronilla, desvelando una serie de lesiones de color parduzco bastante desagradables. Sus ojos azules brillaban, centelleaban de locura mientras gritaba las órdenes a sus hombres.

—... luego encontrad ese generador y apagadlo, imbéciles! —gritó por la radio. Señaló con su rechoncho dedo a uno de los soldados—. ¡Usted, *Hauptsturmführer*! ¡Traiga a Anistaze aquí inmediatamente!

El laboratorio en el que se encontraba el general nazi era una mezcla de cristal y cromo. Superordenadores Cray Y-MP en las paredes, cámaras selladas al vacío en las mesas de trabajo, técnicos de laboratorio que corrían con sus batas de un lado a otro de la habitación y soldados armados con pistolas que entraban y salían por las puertas de cristal principales que conducían a la cubierta trasera del barco, donde se encontraba la pista de aterrizaje para helicópteros.

Pero Renée solo tenía ojos para el objeto que Ehrhardt sostenía en su mano izquierda.

Un objeto envuelto en una vieja tela de color púrpura.

El ídolo.

En ese momento, Heinrich Anistaze entró en el laboratorio y se cuadró delante de Ehrhardt.

—Usted dirá, señor.

—¿Qué está ocurriendo? —dijo Ehrhardt.

—Están por todas partes, *Herr Oberstgruppenführer*. Deben de ser docenas, quizá más. Se han separado y están atacando distintas secciones de la flota, causando daños cuantitativos.

—Entonces nos vamos —dijo Ehrhardt, pasándole el ídolo a Anistaze y conduciéndolo hacia la pista de aterrizaje—. Nos vamos ya. Llevaremos el ídolo a la mina en helicóptero. Después, si los jefes de gobierno y los presidentes no han cumplido nuestras exigencias para cuando hayamos insertado el tirio en la Supernova, la detonaremos.

Desde la timonera de su recién recuperada Pibber, Race observó la batalla acuática que se alzaba ante sí.

Lo que quedaba de la flota seguía avanzando por el río, pero era una sombra de la armada original.

Todavía seguían a flote tres Pibbers, pero una de ellas era la que le pertenecía a Race. Solo quedaba una de las barcazas con las pistas de aterrizaje para helicópteros, junto con tres de las cinco Rigid Raiders iniciales, y una de ellas estaba en poder de Schroeder.

La Escarabajo de Van Lewen avanzaba a toda velocidad delante de la flota y, por supuesto, el helicóptero Mosquito seguía atacándolos desde el aire.

A unos cuarenta metros por detrás, Race vio el hidroavión de Doogie, que seguía a la zaga de la barcaza a la que había estado amarrado y que intentaba atravesar la flota para encontrar un tramo de agua libre de embarcaciones, desde el que poder despegar.

Race volvió a mirar hacia delante.

A casi treinta metros por delante y a la izquierda de la Pibber vio el enorme barco de mando nazi, que seguía avanzando por el río.

En ese momento, sin embargo, Race vio a dos hombres salir a la cubierta posterior hacia el helicóptero Bell Jet Ranger que descansaba en la popa.

Reconoció a uno de ellos al instante.

Anistaze.

El otro hombre era bastante mayor que Anistaze. Estaba gordo, medio calvo y tenía un cuello grueso y musculoso. Race no sabía quién era, pero supuso que se trataba del hombre del que Schroeder había hablado antes, el líder de los Soldados de Asalto, Otto Ehrhardt o algo así.

Anistaze y Ehrhardt subieron al compartimiento trasero del Bell Jet Ranger y las palas del rotor comenzaron a girar.

Entonces Race comprendió lo que estaba ocurriendo.
Se estaban llevando el ídolo...

Justo entonces, mientras observaba lo que estaba aconteciendo en el barco de mando, Race vio por el rabillo del ojo cómo algo se movía. Una sombra que corría por el pasillo de estribor del barco.

Casi se le salen los ojos de las órbitas.

Era Renée.

Estaba atravesando a la carrera el pasillo lateral en dirección a la popa con su M-16 en alto.

Iba a intentar recuperar el ídolo...

¡Ella sola!

Race observó estupefacto cómo Renée torcía por la esquina posterior del pasillo y abría fuego contra el helicóptero nazi.

Dos de los soldados nazis que estaban al lado del helicóptero fueron alcanzados y cayeron al suelo, pero los demás se giraron y dispararon a Renée con fusiles de asalto AK-47.

Esta se agachó para esquivar sus disparos y se cobijó en la esquina posterior del pasillo del que acababa de salir. Mientras, los nazis que estaban en esa parte de la cubierta, salieron tras ella.

Race solo podía contemplar horrorizado la escena mientras Renée recorría a trompicones y marcha atrás el pasillo de estribor en dirección a la proa.

Conforme avanzaba, Renée seguía disparando sin cesar con su M-16, impidiendo que los nazis se le acercaran, hasta que el final pudo llegar al final de este, manteniendo a sus atacantes a raya en el otro extremo.

Fue en ese momento cuando Race lo vio.

Un soldado nazi. Moviéndose lentamente por el techo del barco hacia la posición de Renée.

El hombre mantenía su arma levantada y se movía con pasos lentos y precisos, fuera del campo de visión de Renée, acercándose a ella a hurtadillas desde arriba.

Ella no podía verlo. No tenía forma de saber que él estaba allí.

—Mierda —dijo Race. Miró a su alrededor buscando alguna solución.

Sus ojos se posaron en el hidroavión de Doogie, que surcaba las olas tras el barco y que estaba a punto de colocarse entre la Pibber y el barco de mando, mientras intentaba atravesar la flota para encontrar un tramo desde donde despegar.

Race vio la oportunidad al instante y, sin siquiera pestañear, saltó por lo que quedaba del parabrisas delantero de la timonera y trepó al techo.

Entonces, cuando el avión de Doogie pasó al lado de la Pibber, Race saltó al ala del hidroavión y comenzó a recorrerla a trompicones.

Aquella era una escena increíble. El hidroavión Goose, avanzando a todo motor entre el barco de mando y la Pibber, y la diminuta figura de William Race con sus vaqueros, su camiseta y su gorra de los Yankees empapadas, corriendo por sus alas con el cuerpo inclinado para minimizar el impacto del viento.

Race corrió con todas sus fuerzas. Sus pies se movían con rapidez pero con seguridad por la envergadura de casi quince metros del Goose.

Vio el barco de mando avecinarse; vio a Renée en la proa conteniendo a los tres nazis que estaban en el otro extremo del pasillo; vio al soldado que estaba en el techo del catamarán, acercándose a su posición.

Y entonces, al igual que un coche de carreras cuando rebasa a su rival, el Goose alcanzó al barco de mando y Race dio un par de zancadas hasta el borde del ala, saltó, voló por el aire y cayó de pie, como un felino, en el techo del barco, justo al lado del nazi que se estaba acercando sigilosamente a Renée.

Race no perdió un instante. Como iba desarmado, se abalanzó sobre el hombre, y lo golpeó. Ambos salieron despedidos y cayeron desde el techo del barco de mando.

Cayeron a la cubierta de proa, no muy lejos del extremo delantero del pasillo donde Renée se hallaba agazapada.

Desorientado, Race rodó lejos de donde había caído. Cuando alzó la vista, contempló horrorizado que el nazi ya estaba de pie.

En un instante fugaz, Race vio el rostro del hombre. Era sin duda uno de los más desagradables que había visto en su vida: alargado y asimétrico y plagado de marcas de viruelas. También era el rostro de la ira, de la furia pura y dura.

Pero solo fue un momento fugaz porque, un segundo después, la visión del repugnante rostro nazi fue reemplazada por la de la culata de un fusil de asalto AK-47 que iba directo a su rostro. En un instante, la oscuridad se apoderó de Race.

Renée se giró justo cuando la cabeza de Race se contoneó violentamente del golpe. El cuerpo de este, inerte, se golpeó contra la cubierta.

Renée vio a ese repugnante nazi acercarse al cuerpo de Race. De repente, se giró para mirarla.

Entonces ella levantó su arma y sonrió.

El hidroavión adelantó al barco de mando y salió a río abierto, colocándose al frente de la flota.

Doogie estaba acelerando al máximo para lograr que el diminuto hidroavión cogiera velocidad para despegar cuando de repente, *¡bam!,* escuchó un fuerte ruido proveniente de la parte izquierda del avión. Entonces, todo este comenzó a tambalearse y Doogie se asomó. En el lugar donde debería haber estado el pontón estabilizador izquierdo ya no había nada.

En menos de un segundo, un par de Rigid Raiders nazis se cruzaron de lado a lado por la parte delantera del avión, mientras los soldados que estaban en ambas cubiertas disparaban sin piedad con sus ametralladoras, apuntando al parabrisas.

Doogie se agachó. El parabrisas se resquebrajó.

Después, alzó la vista y vio a uno de los nazis de la Rigid Raider de la derecha levantar un lanzamisiles M-72A2, colocarlo sobre su hombro y apuntar al Goose.

—Joder... —murmuró Doogie.

El nazi disparó.

Una bocanada de humo salió del cañón del lanzamisiles en el mismo instante en que Doogie giraba con todas sus fuerzas hacia la izquierda.

El Goose rebotó fuertemente, tan fuerte que su ala izquierda tocó el agua, formando una lluvia de agua espectacular.

Como resultado, el misil fue lanzado directamente al ala derecha elevada del avión, fallando por centímetros y estallando en la línea de árboles, concretamente en un tronco desafortunado.

El diminuto Goose de Doogie siguió escorando por la superficie del río, apoyándose en su parte inferior y en el pontón que le quedaba.

Justo entonces, el último helicóptero de ataque surgió de no se sabe dónde, lanzando una ráfaga devastadora que levantó las aguas a su alrededor.

—¡Maldita sea! —gritó Doogie mientras se volvía a agachar de nuevo bajo el tablero de mandos—. ¿Podrían ir las cosas a peor?

Fue entonces cuando escuchó un sonido que le era familiar y que no auguraba nada bueno.

¡Pof!

Se giró sobre su asiento.

Y vio que una de las dos Pibbers nazis que quedaban y que lo perseguían había lanzado un torpedo.

El torpedo cayó al agua y comenzó a avanzar bajo la superficie.

Doogie aceleró.

Las dos Rigid Raiders estaban ahora avanzando a la par que él, situadas a ambos lados de los extremos de las alas del avión, arrinconándolo.

—Mierda —dijo Doogie—. Mierda, mierda, mierda.

El torpedo iba acercándose.

Aceleró al máximo.

El hidroavión seguía surcando las aguas rodeado por embarcaciones enemigas por, al menos, cuatro de sus lados: las dos Rigid Raiders en los dos flancos laterales, la Pibber a menos de doscientos metros a su popa y el Mosquito negro que le disparaba desde el aire.

Doogie miró a su alrededor desesperado. Mientras el avión intentaba mantener la velocidad, las dos Rigid Raiders lo seguían con facilidad, con sus motores acelerados rugiendo a pleno rendimiento y su tripulación disfrutando perversamente de ver cómo Doogie luchaba por zafarse de ellos.

—No riáis tan pronto, fascistas hijos de puta —dijo Doogie en voz alta—. Esto aún no ha acabado

El torpedo estaba ahora a menos de veinte metros de su cola. Doogie volvió a acelerar todo lo que pudo.

Menos de quince metros. El avión alcanzó los ochenta nudos.

Diez metros. Noventa.

Cinco. Cien.

Doogie podía ver cómo los nazis de las Rigid Raiders se reían ante sus intentos por esquivar al torpedo en un Goose completamente desfasado.

Dos metros. Ciento diez. Velocidad máxima.

El torpedo se deslizó bajo el Goose.

—¡No! —gritó Doogie—. ¡Vamos, nena! ¡Hazlo por mí!

El avión siguió avanzando por el agua.

Los nazis se rieron.

Doogie soltó una maldición.

Y entonces, de repente, gloriosamente, el diminuto Goose hizo lo que nadie excepto Doogie pensaba que fuera capaz de hacer.

Se elevó de la superficie del agua.

Solo se elevó un poco, puede que treinta o sesenta centímetros como mucho, pero fue suficiente.

Con su objetivo inicial perdido, el torpedo comenzó a buscar otro.

Lo encontró en la Rigid Raider que estaba a la derecha de Doogie.

Tan pronto como el Goose se elevó, la Rigid Raider salió disparada del agua por la explosión del torpedo.

El Goose volvió a posarse en el agua.

El helicóptero que se encontraba sobre ellos vio lo que había ocurrido y aceleró para colocarse delante del Goose, girando lateralmente mientras avanzaba hacia él, de forma que ahora volaba hacia atrás y podía lanzarle una ráfaga de disparos letal.

Doogie se agachó bajo el panel de mandos.

—Malditos helicópteros —gritó—. ¡A ver qué te parece esto!

El avión giró bruscamente y el extremo de su ala izquierda tocó el agua mientras se colocaba delante de la Rigid Raider que quedaba.

El capitán de la Rigid Raider no reaccionó lo suficientemente rápido.

Como un misil disparado al cielo, la Rigid Raider se elevó completamente por encima del agua cuando las alas inclinadas del hidroavión se acercaron a ella.

La embarcación de asalto subió por el ala reforzada del Goose. Se escuchó un chirrido estruendoso cuando su casco se deslizó sobre las inclinadísimas alas, usándolas a modo de rampa y entonces, *¡shum!*, la Rigid Raider salió disparada del ala derecha y se golpeó en el aire con la cubierta del helicóptero situado delante del Goose.

El Mosquito se tambaleó hacia atrás, cual boxeador después de ser golpeado en la nariz, cuando la Rigid Raider se estrelló contra el cristal a gran velocidad. La cubierta transparente estalló en mil pedazos y, medio segundo después, todo el helicóptero se convirtió en una monstruosa bola de fuego.

Doogie miró hacia atrás, a la carnicería que había dejado tras de sí. Vio el armazón ennegrecido de la Rigid Raider que había recibido el impacto del torpedo hundirse lentamente en el agua; vio los restos carbonizados del Mosquito y de la otra Rigid Raider precipitarse al agua con un golpe sordo.

—Ahí queda eso, nazis cabrones —dijo para sí.

Confundido, aturdido y con un dolor de cabeza monumental, William Race fue conducido a punta de pistola hasta la cubierta trasera del barco de mando nazi.

Renée caminaba a su lado, empujada por el nazi con aquella cara tan repugnante y que Race había bautizado como «Cara Cráter».

Tan pronto como Renée y Race fueron reducidos por Cara Cráter en la proa, el soldado había gritado a sus compañeros que estaban en el otro extremo del pasillo que dejaran de disparar. Luego había llevado a sus dos prisioneros a la pista de aterrizaje, donde el helicóptero Bell Jet Ranger blanco inmaculado estaba a punto de despegar.

Anistaze los vio y abrió la puerta lateral del helicóptero.

—Tráiganmelos —gritó.

Van Lewen seguía avanzando por el río delante de la flota.

Se sentó en el timón de la Escarabajo, que surcaba las aguas con tan solo una tercera parte de la lancha en forma de bala tocando la superficie del agua mientras el sonido de sus motores gemelos de cuatrocientos cincuenta caballos retumbaba en sus oídos.

Se giró sobre su asiento y vio que el helicóptero Bell Jet Ranger estaba despegando de la cubierta de popa del barco de mando.

—Maldición —murmuró.

Karl Schroeder tenía problemas.

Su Rigid Raider estaba prácticamente al final de la flota, entre las dos últimas Pibbers nazis, y estaba siendo golpeada y atacada por los disparos incesantes de las mismas.

Intentó con todas sus fuerzas esquivar las balas, pero estaban demasiado cerca y eran demasiado rápidos.

Y entonces, una ráfaga de disparos perforaron la Rigid Raider y le atravesaron la pierna izquierda. Tres heridas irregulares y sangrantes se abrieron en su muslo.

Cayó al suelo, apretando las mandíbulas, ahogando un grito.

Consiguió apoyarse sobre una rodilla y continuar manejando la embarcación, pero era inútil. Las Pibbers nazis no dejarían de perseguirlo.

Miró hacia delante y vio lo que quedaba de la flota: el barco de mando, la Escarabajo, el hidroavión Goose y una de las barcazas, que seguían avanzando y que se encontraban a unos cien metros por delante de él.

También vio cómo el helicóptero Bell Jet Ranger despegaba del barco de mando. Unos minutos antes, había visto cómo metían en él a Race y a Renée.

En ese momento, otra lluvia de disparos atacó la embarcación de Schroeder, impactándole en la espalda y perforando su chaleco antibalas como si de un pañuelo de papel se tratara. Schroeder gritó de dolor y cayó a la cubierta.

Y, en ese preciso instante, supo que iba a morir.

Con las heridas abrasándole, las terminaciones nerviosas gritando de dolor y su cuerpo a punto de sufrir una conmoción, Karl Schroeder buscó desesperadamente a su alrededor algo que pudiera usar para abatir a cuantos nazis fuera posible.

Sus ojos se posaron en la caja de kevlar que había visto antes en el suelo de la Rigid Raider. Solo en ese momento, sin embargo, se percató de las palabras que tenía escritas en inglés.

Lentamente, Schroeder leyó lo que ponía en ese lado de la caja.

Cuando lo hubo leído, sus ojos se abrieron como platos.

La Rigid Raider de Schroeder se alejó cada vez más de lo que quedaba de la flota; mientras, las dos Pibbers nazis seguían arremolinándose en torno a ella.

Karl Schroeder estaba tumbado boca arriba sobre la cubierta de su embarcación de asalto, mirando los nubarrones que se alzaban sobre el río y que oscurecían el cielo, sintiendo cómo la vida se iba escapando de su cuerpo.

De repente, el rostro de un nazi con aspecto siniestro se interpuso entre el cielo y él y Schroeder supo que una de las Pibbers lo había alcanzado.

Pero le daba igual.

Es más, mientras el nazi levantaba con calma su AK-47, Schroeder miró el cañón de su fusil indiferente, resignado a lo que el destino le deparaba.

Y entonces, sonrió.

El nazi lo miró confundido.

Después miró a un lado, a la caja de kevlar situada a la izquierda de Schroeder.

La tapa de la caja estaba levantada.

En su interior vio cinco viales pequeños de cromo y plástico llenos de una pequeña cantidad de un líquido color ámbar.

Cada vial estaba en un compartimiento con espuma protectora.

El nazi supo enseguida lo que eran.

Eran cargas isotópicas M-22.

Pero había un sexto compartimiento en la caja.

Estaba vacío.

Los ojos del nazi se movieron hacia la izquierda y vieron el sexto vial en la mano manchada de sangre de Schroeder.

Schroeder ya había quitado el precinto de goma de la parte superior de la carga y el pasador rojo de seguridad que cubría su mecanismo de accionamiento. Tenía el pulgar apretando el botón disparador mientras miraba al cielo con tranquilidad.

Los ojos del nazi, horrorizado, se le salieron de las órbitas.

—Joder...

Schroeder cerró los ojos. Ahora todo estaba en manos de Renée y del profesor estadounidense. Deseó que lo lograran. Deseó que los dos soldados estadounidenses estuvieran lo suficientemente alejados del radio de explosión. Deseó...

Schroeder suspiró por última vez y, cuando lo hizo, soltó el botón y la carga isotópica M-22 explotó en todo su esplendor.

El mundo entero se estremeció.

Se produjo una enorme explosión en la Rigid Raider y su onda expansiva salió disparada en todas direcciones.

Se extendió hasta los árboles situados a ambos lados del río, incinerándolos en un instante, reduciéndolos a la nada.

Se propagó bajo la superficie del río como un muro de calor en ebullición que descendía a una velocidad inimaginable. La explosión hizo bullir las aguas y mató a todo lo que se topó en su camino mientras descendía en picado como un cometa.

La explosión también alcanzó el cielo, provocando un destello brillante como el flas de una cámara; un destello monumental y arrollador que tuvo que ser percibido desde el espacio.

Pero las cosas fueron todavía a peor, pues aquel muro expansivo de luz candente comenzó a recorrer la superficie del río tras lo que quedaba de la flota.

La Escarabajo de Van Lewen y el Goose de Doogie seguían surcando las aguas a la cabeza de la flota, delante de la descomunal ola cegadora que tenían pegada a los talones y que estaba devorando el río.

Hasta cierto punto, habían tenido suerte. Cuando la carga M-22 había explotado, ellos se encontraban unos trescientos metros por delante de la Rigid Raider de Schroeder.

Las otras embarcaciones (la última barcaza, las dos Pibbers restantes y el barco de mando) no.

Y ahora aquella onda expansiva de luz candente se cernía sobre ellos como un enorme monstruo mitológico, a punto de absorberlos. Y, de repente, en un segundo, la cegadora pared de luz consumió la barcaza y las Pibbers, haciéndolas explosionar al entrar en contacto con ellas para, a continuación, devorarlas y seguir con su carga voraz.

Su siguiente objetivo fue el barco de mando. Al igual que un rinoceronte que intenta dejar atrás a un camión MAC fuera de control, el catamarán aceleró, intentando alejarse del muro abrasador que se cernía sobre él.

Pero la explosión era demasiado rápida, demasiado poderosa.

Al igual que había hecho antes con la barcaza y las Pibbers, el muro expansivo de luz alcanzó con sus garras al barco de mando, borrándolo del mapa en un abrasador instante.

Y entonces, tan rápido como había surgido, el enorme muro de luz comenzó a apagarse y a desvanecerse. Pronto perdió su impulso y se hundió en la distancia.

Van Lewen miró una última vez al río y a la jungla humeante y chamuscada que tenía tras de sí. Vio cómo una nube de humo tenue y negra se alzaba hasta el cielo por encima de las copas de los árboles. Sin embargo, esta se vio interrumpida por la lluvia subtropical que acababa de empezar a caer.

Fue entonces cuando miró a su alrededor y supo que solo quedaban su Escarabajo y el Goose de Doogie en el río.

El único otro superviviente de la persecución que acababa de concluir era una pequeña mancha blanca que iba haciéndose cada vez más pequeña por encima de los árboles que se elevaban ante ellos.

El helicóptero Bell Jet Ranger.

Quinta maquinación

Martes, 5 de enero, 18.15 horas

Mina de oro Madre de Dios

A vista de pájaro

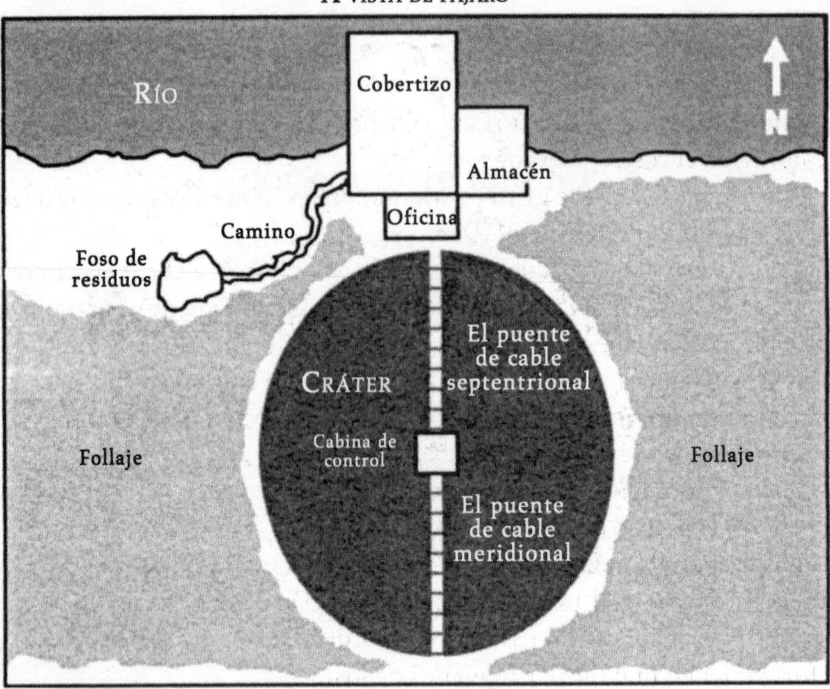

Corte transversal

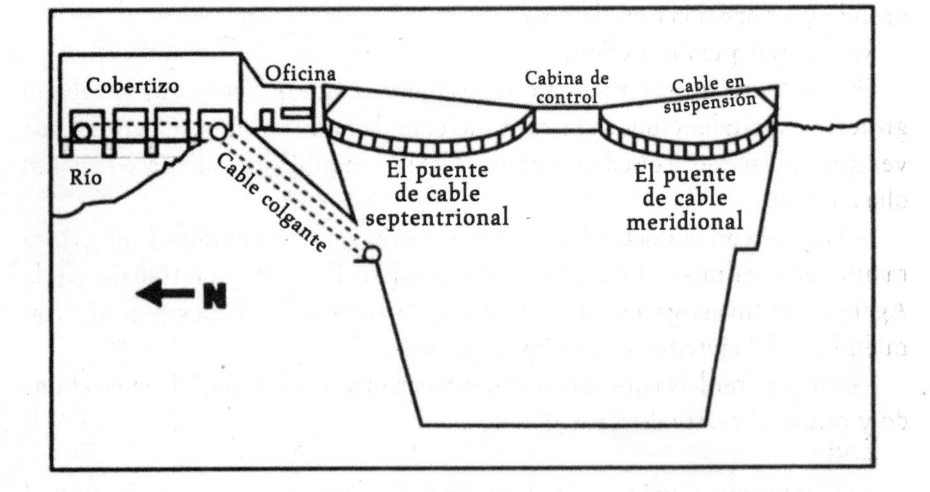

—¿Quién es usted?—preguntó Odilo Ehrhardt en alemán mientras abofeteaba con fuerza el rostro de Renée.

—Ya se lo he dicho —le gritó—. Mi nombre es Renée Becker y soy agente especial de la *Bundes Kriminal Amt.*

El helicóptero blanco estaba ahora volando bajo sobre el río en dirección este. Race y Renée estaban sentados en el compartimiento posterior del helicóptero, esposados. Enfrente estaban Ehrhardt, Anistaze y Cara Cráter. En la parte delantera, manejando el helicóptero, se encontraba un piloto.

Ehrhardt se giró para mirar a Race.

—Entonces, ¿quién es usted?

—Es estadounidense... —dijo Renée.

Ehrhardt la golpeó de nuevo. Con dureza.

—No estaba hablando con usted.—Se giró de nuevo hacia Race—. ¿Y bien? ¿Quién es usted? ¿Del FBI? ¿De la Armada? ¿De un equipo de las fuerzas especiales? Por Dios santo, para haber abordado nuestras embarcaciones de esa forma tienen que ser por lo menos de los SEAL.

—Somos de la DARPA —dijo Race.

Ehrhardt frunció el ceño. Después comenzó a reírse entre dientes.

—No, no lo son —dijo inclinándose hacia delante, pegando su rostro orondo y rollizo a la cara de Race.

Race creyó que iba a vomitar.

Ehrhardt era un ser repugnante, asqueroso, de un obeso que rozaba lo grotesco. Apestaba a sudor y su cara era redonda como una luna maléfica. Cada vez que hablaba se le quedaba entre los labios un hilillo de saliva y su aliento olía a rayos.

—Trabajo con el doctor Frank Nash —dijo Race intentando a toda costa mantener la calma—. Es un coronel retirado del ejército que trabaja con la Agencia de Investigación de Proyectos Avanzados de Defensa junto con miembros del ejército de los Estados Unidos.

—Así que Frank Nash —dijo Ehrhardt echándole aquel aliento nauseabundo y rancio al rostro de Race.

—Sí.

—Y, entonces, ¿quién es usted, pequeño hombrecito que intenta hacerse el valiente?—preguntó mientras le quitaba la gorra de los Yankees de la cabeza.

—Mi nombre es William Race —dijo agarrando la gorra con sus manos esposadas—. Soy profesor de lenguas antiguas de la Universidad de Nueva York.

—Ah —dijo Ehrhardt asintiendo con la cabeza—. Así que usted es la persona que han traído para que les tradujera el manuscrito. Muy bien. muy bien. Antes de que le matemos, William Race, profesor de lenguas antiguas de la Universidad de Nueva York, me gustaría corregir una impresión errónea que usted parece tener.

—¿Y bien?

—Frank Nash no trabaja con la DARPA.

—¿Qué? —dijo Race frunciendo el ceño.

—Es más, tampoco es un coronel retirado del Ejército. Al contrario, sigue en activo, muy en activo. Para su información, el coronel Francis K. Nash es la persona que está al frente de la División de Proyectos Especiales del ejército de los Estados Unidos.

—¿Cómo?

Race no lo comprendía. ¿Por qué iba a decir Nash que era de la DARPA cuando no era así?

—¡Ajá! —Ehrhardt se rió socarronamente y dio una palmada—. Me encanta ver el rostro de una persona traicionada cuando está a punto de morir.

Race estaba tremendamente confundido.

No sabía qué pensar.

Aun incluso si Nash no estuviera con la DARPA, ¿qué importaba? La Supernova era un proyecto del Ejército, y Nash estaba en la División de Proyectos Especiales del Ejército.

A menos que...

Ehrhardt se volvió hacia Anistaze.

—Así que el ejército estadounidense también está aquí. ¿Qué tiene que decir al respecto?

—Debe de haber otro topo —dijo Anistaze ignorando por completo a Race y a Renée.

—¿En la DARPA? —dijo Ehrhardt.

Anistaze asintió.

—Sabíamos del vínculo con el grupo terrorista estadounidense, pero no sabíamos esto...

—¡Bah! —Ehrhardt agitó la mano restándole importancia—. Eso no importa ahora, porque somos nosotros quienes tenemos el ídolo.

—¿Qué esperan conseguir con todo esto? —les preguntó desafiante Renée—. ¿Quieren destrozar el mundo?

Ehrhardt la sonrió con indulgencia.

—No quiero destrozar el mundo, *Fräulein* Becker. Nada más lejos de mi propósito. Quiero reconstruirlo. Reordenarlo de la forma en que debería estar.

—¿Con qué? ¿Con cien mil millones de dólares? ¿De eso se trata? ¿De dinero?

—Mi querida *Fräulein* Becker, ¿tan estrecha de miras es usted? No se trata de dinero. Se trata de lo que el dinero puede hacer. Cien mil millones de dólares, ¡bah! Eso no es nada. Solo el medio para lograr un fin.

—¿Y cuál es ese fin?

Ehrhardt entrecerró los ojos.

—Cien mil millones de dólares me servirán para comprar un nuevo mundo.

—¿Un nuevo mundo?

—Valerosa *Fräulein* Becker, ¿qué es lo que cree que quiero? ¿Un nuevo país, quizá? ¿Perseguir el antiguo objetivo nazi de establecer una nación aria con la *Herrenvolk* a la cabeza y los *Untermenschen* debajo? ¡Bah!

—¿Qué es lo que quiere, entonces? ¿Cómo va a comprarse un nuevo mundo?

—Vendiendo en los mercados financieros mundiales cien mil millones de dólares al precio de ganga de un centavo cada uno.

—¿Cómo? —dijo Renée.

—La economía estadounidense está atravesando una situación muy precaria, quizá la más precaria de los últimos cincuenta años. La deuda externa acumulada asciende a aproximadamente ochocientos treinta mil millones de dólares, con déficits presupuestarios brutos cada año. Pero de lo que depende Estados Unidos es de una moneda fuerte con la que reembolsar sus deudas en el futuro.

»Sin embargo, si el valor de la moneda cayera drásticamente, pongamos, hasta una cuarta parte de su valor actual, entonces Estados Unidos sería incapaz de reembolsar esas deudas.

»Estaría en bancarrota. Su moneda no tendría valor. Lo que pretendo hacer con mis cien mil millones de dólares es paralizar la economía estadounidense.

Los ojos de Ehrhardt refulgían mientras despotricaba contra Estados Unidos.

—Desde la Segunda Guerra Mundial este mundo ha sido un mundo estadounidense, se ha visto alimentado a la fuerza por su cultura, se le ha obligado a soportar el dominio comercial y la política implacable de esclavitud económica dirigida y aprobada por el gobierno estadounidense. He determinado que la medida que me propongo sería suficiente para paralizar el dólar estadounidense hasta términos irrecuperables. Las empresas estadounidenses no valdrán nada. Los estadounidenses no tendrán poder adquisitivo para comprar nada, porque su dinero no valdrá siquiera el papel en el que está impreso. Los Estados Unidos se convertirán en el mendigo del mundo y este volverá a comenzar de nuevo. Eso es lo que estoy haciendo, *Fräulein* Becker. Me estoy comprando un nuevo mundo.

Race no podía creer lo que estaba escuchando.

—No puede estar hablando en serio —dijo.

—¿No? —dijo Ehrhardt—. Mire a George Soros. En 1997, el Primer Ministro de Malasia acusó públicamente a Soros de ser el responsable de la crisis en la economía asiática por haber introducido en el mercado cantidades ingentes de divisas asiáticas a un valor inferior al real. Y eso lo hizo un hombre, un solo hombre, y no tenía ni una décima parte de la riqueza que yo estoy dispuesto a utilizar. Pero, claro, yo voy tras un pez mucho más gordo.

—¿Qué pasará si no le dan el dinero? —dijo Renée.

—Lo harán. Porque soy el único hombre del mundo que posee una Supernova operativa.

—Pero, ¿qué hará si no lo hacen?

—Entonces haré explotar la Supernova —contestó Ehrhardt sin más.

El general nazi se giró sobre su asiento y miró al exterior por el parabrisas delantero del helicóptero.

Race y Renée siguieron su mirada.

Se encontraron con una imagen espectacular.

Vieron la selva amazónica, que se extendía hasta el horizonte como un enorme manto infinito de un verde ilimitado.

Un poco más cerca, sin embargo, había una ruptura en ese manto verde: un enorme cráter marrón de forma cónica enterrado en la tierra.

Estaba situado justo sobre el río y era enorme. Tenía al menos ochocientos metros de diámetro. Senderos ligeramente empinados serpenteaban hacia la base del enorme cráter de tierra. En el borde, unos focos de grandes dimensiones iluminaban el cráter como si se tratara de un estadio de fútbol americano bajo la tenue luz del atardecer.

En el centro del cráter, colgando por encima de una red de cables, estaba una cabina blanca con forma de caja, una especie de cabina de control, con ventanas alargadas en los cuatro lados.

La única ruta de acceso a la cabina de control eran dos puentes de cable colgantes que atravesaban el cráter desde extremos opuestos: desde el norte y desde el sur. Cada puente tenía una longitud de algo menos de cuatrocientos metros y estaban hechos de unos cables de acero muy gruesos.

Era la mina de oro.

La mina de oro Madre de Dios.

El helicóptero Bell Jet Ranger tomó tierra en una pista de aterrizaje montada sobre pontones que flotaba en la superficie del río, no muy lejos del borde de la mina a cielo abierto.

La mina se encontraba en la parte meridional del río Alto Purús, río con el que estaba conectado mediante una serie de construcciones antiguas y destartaladas, tres estructuras similares a almacenes que habían acusado notablemente el paso del tiempo.

La mayor de estas estructuras sobresalía del río y estaba construida sobre pilotes. Unas puertas similares a las de los garajes, para el almacenaje de barcos e hidroaviones, se alineaban a lo largo de la misma. Race supuso que hace años ese habría sido el lugar donde los barcos y aviones de la compañía minera eran cargados con el oro.

Pero hoy, sin embargo, tenía otro uso.

Permitía a los nazis esconder sus barcos, helicópteros e hidroaviones de las miradas indiscretas de los satélites estadounidenses.

Tan pronto como el helicóptero aterrizó en la pista flotante el piloto pulsó un interruptor.

Inmediatamente, la oxidada puerta de garaje situada a la izquierda del helicóptero se abrió, y la plataforma cuadrada sobre la que descansaba el helicóptero comenzó a moverse por el agua, accionada por algún mecanismo oculto bajo las aguas.

Race alzó la vista mientras el helicóptero era lentamente conducido al interior del almacén.

Un segundo después, el cielo que se alzaba ante él desapareció y fue reemplazado por el techo interior del almacén, un complejo entramado de vigas de acero oxidadas y vigas transversales de madera oscura.

Race observó el almacén.

Era realmente grande. Un espacio cerrado y cavernoso del tamaño de un hangar iluminado por luces halógenas cónicas que habían sido colocadas en las vigas de acero.

El «suelo» del almacén, sin embargo, era bastante extraño. Era la superficie del río. A lo largo del almacén se extendía una cubierta sobre el agua, una cubierta que a su vez se ramificaba en cerca de doce cubiertas más pequeñas que formaban ángulos rectos con respecto a la principal: puestos de amarre para los barcos y aviones que llegaban a la mina para transportar el oro.

Una cinta transportadora recorría todo el largo de la cubierta central. Salía de un enorme hueco cuadrado de una de las paredes. Parecía salir del mismo cráter y su recorrido daba la vuelta en la parte más alejada de la cubierta.

Race supuso que aquella cinta transportadora comenzaba en las mismísimas entrañas de la mina, probablemente en un saliente de carga, o quizá en la misma base del cráter.

Tal como él se lo imaginaba, el oro de la mina se cargaba en la cinta transportadora, que recorría un largo túnel excavado en la tierra hasta aparecer allí, en el almacén, para que dicho oro fuera cargado en un avión o en un barco.

La plataforma, que avanzaba lentamente bajo el helicóptero, se detuvo en uno de los puestos de amarre mientras las palas del rotor se movían lentamente por encima de la cinta transportadora, brillando con el destello de las luces halógenas.

Desde su asiento en la parte trasera del helicóptero, Race vio a cuatro hombres salir de la oficina acristalada en la parte del almacén que daba a la mina.

Tres de ellos llevaban batas blancas. Científicos. El cuarto llevaba ropa de combate y un fusil de asalto G-11. Un soldado.

Race vio que uno de los tres científicos era mucho más bajo que los otros dos, e infinitamente mayor. Era un hombre menudo, encorvado por la edad, con cabellos largos y canosos, y unos enormes ojos, aumentados por los gruesos cristales de sus gafas. Race supuso que se trataba del doctor Fritz Weber, el brillante científico nazi del que Schroeder y Nash habían estado hablando antes.

Aparte de los cuatro hombres que se encontraban delante de la oficina acristalada, el resto del almacén estaba completamente desierto.

No hay nadie más aquí, pensó Race.

Los nazis debieron de llevar a todos sus hombres a Vilcafor para hacerse con el ídolo. Los cuatro hombres que estaban en el almacén, junto con Anistaze, Ehrhardt, Cara Cráter y el piloto, eran los únicos que quedaban.

—*Unterscharführer*—le dijo Ehrhardt a Cara Cráter cuando el helicóptero en el que se encontraban se detuvo—. Si es usted tan amable, lleve a la agente Becker y al profesor Race al foso de residuos. Después mátelos y oculte sus restos.

Race y Renée fueron conducidos a empellones por un camino mugriento que se extendía en dirección este, lejos de los almacenes situados en la orilla del río.

Tras ellos, Cara Cráter y otro soldado nazi, el único soldado de la mina, los llevaban hasta el foso de residuos con sus G-11 en ristre.

—¿Alguna idea de cómo vamos a salir de aquí? —le preguntó Race a Renée mientras caminaban.

—Ninguna —le respondió ella con frialdad.

—Pensé que quizá tuvieras algún plan. Ya sabes, que tuvieses guardado en as en la manga.

—No hay ningún plan.

—Entonces, ¿vamos a morir?

—Eso parece.

Doblaron una curva del camino y Race se estremeció cuando un olor nauseabundo y putrefacto asaltó sus sentidos. Un instante después, los cuatro llegaron al final del camino y Race vio entre algunos árboles una pila de basura amontonada. Aquella pila tendría una extensión de unos cuarenta y cinco metros. Neumáticos viejos, montañas de comida podrida y deshechos, amasijos de metales..., incluso animales muertos se amontonaban en aquel lugar.

El foso de residuos.

—De rodillas, los dos —gritó Cara Cráter.

Se pusieron de rodillas.

—Las manos a la cabeza.

Entrecruzaron los dedos por detrás de la cabeza.

Race escuchó al otro nazi quitar el seguro del G-11. La explosión de la carga M-22 había destrozado el PEM que había modificado Schroeder, por lo que los G-11 volvían a estar plenamente operativos. Después le escuchó dar un paso por el terreno embarrado, hacia él, y sintió cómo colocaba el cañón de su fusil de asalto en su nuca.

Esto no debería estar pasando, le gritó su mente. *Todo está yendo demasiado rápido. ¿No deberían tomárselo con más calma? Darnos una oportunidad... una oportunidad para...*

Race miró hacia delante, se mordió el labio y cerró los ojos y, dado lo desesperado de la situación, esperó a que llegara el final.

Llegó rápido.

¡Pam!

Nada ocurrió.

Los ojos de Race seguían cerrados.

El G-11 había disparado, pero, por algún motivo, por algún extraño motivo, su cabeza seguía estando en su sitio.

Y, de repente, escuchó el golpe seco de un cuerpo al caer en el barro, justo al lado suyo.

Race abrió los ojos y miró hacia atrás. Vio a Cara Cráter, que apuntaba con su G-11 al lugar donde hacia tan solo unos instantes se encontraba la cabeza del otro nazi.

El cuerpo sin vida del nazi yacía ahora boca abajo en el barro. Una repugnante amalgama de sangre y sesos supuraba por la parte posterior de su cabeza.

—Uli —dijo Renée incorporándose y echando a correr hacia Cara Cráter. Lo abrazó afectuosamente.

Race estaba totalmente desorientado.

¿Uli...?

Entonces, Renée abofeteó con dureza el pecho del nazi con el rostro picado de viruelas.

—Ya puestos, ¿por qué no has esperado más? Estaba a punto de darme algo ya.

—Lo siento, Renée —dijo Cara Cráter-Uli—. Tenía que esperar hasta que estuvierais lo suficientemente lejos del cobertizo. De lo contrario, los demás se habrían enterado.

Race se giró de repente para mirar a aquel hombre llamado Uli.

—Eres de la BKA —dijo.

—Sí —le respondió aquel hombre corpulento con una sonrisa—. Y sus buenas intenciones le salvaron la vida, profesor William Race de la Universidad de Nueva York. En su intento por salvar la vida de Renée en el catamarán, se enfrentó al hombre correcto. Si hubiera sido un nazi de verdad, le habría metido una bala entre ceja y ceja. Soy el agente especial Uli Pieck, pero aquí se me conoce como *Unterscharführer* Uli Kahr.

Y, entonces, en la mente de Race todo cobró sentido.

—El manuscrito —dijo Race—. Usted fue el que le pasó a la BKA la copia del manuscrito.

—Exacto —dijo Uli impresionado.

Race recordó que Karl Schroeder le había hablado a Frank Nash del plan de la BKA para derrotar a los nazis que iban tras el ídolo. Recordaba perfectamente las palabras de Schroeder: «Para hacerlo, obtuvimos una copia del manuscrito de Santiago y la utilizamos para llegar hasta aquí.».

Pero Race no se había dado cuenta hasta ese momento de que tenía que haber pensado desde el instante que escuchó esa frase que la BKA tenía un hombre dentro de la organización de los Soldados de Asalto.

La copia del manuscrito de la BKA era una fotocopia del manuscrito de Santiago. Pero este había sido robado unos días antes de la abadía de San Sebastián en los Pirineos por los Soldados de Asalto. Por tanto, el ejemplar fotocopiado que obraba en poder de la BKA tenía que haberles sido enviado por alguien de dentro de la organización nazi.

Un espía.

Uli.

—Vamos —dijo Uli acercándose al cuerpo del nazi muerto. Comenzó a quitarle las armas. Le pasó el fusil G-11 y un par de granadas de mano a Renée y el peto antibalas y la Glock-20 a Race—. ¡Vamos! ¡Aprisa! ¡Tenemos que parar a Ehrhardt antes de que arme la Supernova!

Heinrich Anistaze y Odilo Ehrhardt se encontraban en una de las oficinas acristaladas dispuestas en el interior del cobertizo, rodeados por un equipo de radio y comunicaciones.

Delante de ellos estaba el doctor Fritz Weber, antiguo miembro del proyecto de la bomba atómica de Adolf Hitler, el científico nazi que durante la Segunda Guerra Mundial había realizado experimentos con seres humanos y había sido condenado a muerte por ello. A pesar de que su cuerpo, chepudo y encorvado, tenía setenta y nueve años de edad, su mente estaba más viva y lúcida que nunca.

Weber sostenía el ídolo en sus manos.

—Es hermoso —dijo.

A los setenta y nueve años de edad, Fritz Weber era dos años mayor que Ehrhardt y sesenta centímetros más bajo. Era un hombre menudo, con gafas, de mirada inquisidora y con una melena un tanto *einsteniana* que le caía a los hombros.

—¿Alguna respuesta de los gobiernos europeos y estadounidense? —le preguntó Ehrhardt.

—El gobierno alemán y el estadounidense han pedido más tiempo para conseguir el dinero. Ninguna respuesta de los demás —dijo Weber—. Es un ardid, una maniobra dilatoria habitual en los negociadores. Están intentando comprar más tiempo hasta que comprueben que sus equipos no han encontrado el ídolo primero.

—Entonces mostrémosles quién tiene el ídolo —gruñó Ehrhardt. Se volvió hacia Anistaze—. Haga una fotografía del ídolo. Póngale fecha y hora e introdúzcala en el ordenador para enviarla directamente a Bonn y a Washington. Dígales a los presidentes que el dispositivo está armado y listo para detonar en exactamente treinta minutos. Solo lo desactivaremos cuando recibamos confirmación de la transferencia de cien mil millones de dólares a nuestra cuenta de Zurich dentro de ese periodo de tiempo.

—Sí, señor —dijo Anistaze mientras iba por una cámara digital.

—Doctor Weber —dijo Ehrhardt.

—¿Sí, *Oberstgruppenführer?*

—Cuando el *Obergruppenführer* haya terminado de hacer la foto, quiero que lleve el ídolo a la cabina de control y monte la Supernova inmediatamente. Ponga una cuenta atrás de treinta minutos y active el reloj.

—Sí, *Oberstgruppenführer.*

Race, Renée y Uli subieron a toda prisa por el camino mugriento que conducía hasta el cobertizo.

Uli y Renée portaban fusiles G-11, mientras que Race llevaba la pequeña pistola Glock que Uli le había quitado al nazi muerto en el foso de residuos.

También llevaba encima de su camiseta el peto de kevlar negro del nazi muerto. Hasta ese momento no se había percatado de que los nazis los llevaran. Pero ahora que él llevaba uno, lo observó más detenidamente.

Lo primero que notó fue que era increíblemente ligero y muy fácil de llevar. Permitía una libertad total de movimientos. En segundo lugar, no obstante, vio que había una sección un tanto extraña en forma de «A» en la parte trasera del peto que cubría los omóplatos. También era muy ligero y, al igual que el alerón en un coche deportivo, lo habían incorporado al diseño del peto de kevlar, de forma que no arruinara su apariencia aerodinámica.

Como hasta ese momento, y quizá de una manera un tanto chocante ahora que llevaba aquel peto de tecnología punta, Race seguía llevando su maldita gorra de los Yankees.

—La foto ya está lista —dijo Anistaze desde el equipo de radio y comunicaciones—. La estoy enviando.

Ehrhardt se volvió hacia Weber.

—Arme la Supernova.

Weber cogió inmediatamente el ídolo y, junto con Ehrhardt, salieron rápidamente de la oficina.

—¡Allí! —gritó Renée señalando a uno de los dos larguísimos puentes colgantes que conectaban los almacenes de la orilla del río con la cabina de control situada en el centro del cráter.

Race alzó la vista y vio dos diminutas figuras, una alta y gorda y la otra pequeña y con una bata blanca de laboratorio, cruzando el moderno puente de cable de acero.

El hombre más bajo llevaba algo bajo su brazo. Un objeto envuelto en una tela de color púrpura. El ídolo.

Uli y Renée se salieron del camino mugriento y se adentraron por el follaje en dirección al cráter. Race los siguió.

Segundos después, los tres llegaron al borde de la gigantesca mina y se asomaron por él.

—Son Ehrhardt y Weber —dijo Uli—. Están llevando el ídolo a la Supernova.

—¿Qué hacemos? —preguntó Race.

Uli dijo:

—La Supernova se encuentra dentro de la cabina de control que está suspendida sobre la mina. Solo hay dos puentes que llegan hasta ella, uno situado en dirección norte y el otro en dirección sur. Tenemos que llegar hasta esa cabina y desactivar la Supernova.

—Pero, ¿cómo hacemos eso?

—Para desactivarla —dijo Uli—, hay que introducir un código en el ordenador del dispositivo.

—¿Cuál es ese código?

—No lo sé —dijo Uli con pesar—. Nadie lo sabe. Nadie, excepto Fritz Weber. Él diseñó el arma, así que es el único que sabe el código de desactivación.

—Genial —dijo Race.

Uli se giró.

—De acuerdo, escuchad. Así es como lo veo yo. Soy el único de nosotros que puede llegar a la cabina de control. Si alguno de vosotros intenta atravesar cualquiera de los puentes de cable, los dejarán caer y aislarán la cabina. Y, si no logran hacerse con el dinero, harán explotar la Supernova.

»Pero están esperando que regrese de un momento a otro, y creen que os he matado a los dos. Cuando regrese, procuraré llegar a la cabina de control. Entonces intentaré... convencer... a Weber para que desactive el arma.

—¿Qué hacemos nosotros mientras tanto? —preguntó Race.

—Para que esto funcione —dijo Uli—, debo poder estar con Weber a solas. Necesito que mantengáis a raya a Anistaze y a los demás hombres que están en el cobertizo.

A más de doscientos metros por encima de la base de la mina, el doctor Fritz Weber tecleaba sin cesar en la consola de un ordenador. A su lado, un dispositivo de corte por láser estaba a punto de comenzar a funcionar sobre el ídolo de tirio, que se encontraba dentro de una cámara sellada al vacío.

Detrás de Weber estaba Ehrhardt. Y, detrás de Ehrhardt, en el centro exacto de la cabina de control, estaba un imponente dispositivo de vidrio y plata de metro ochenta de alto.

Dos cabezas termonucleares, cada una de aproximadamente de noventa metros de altura y forma cónica, estaban colocadas dentro de un cilindro de cristal. Estaban dispuestas en lo que se conoce como «formación de reloj de arena»: la cabeza superior señalando hacia abajo y la inferior hacia arriba, de forma que todo el dispositivo parecía un enorme temporizador. Entre las dos cabezas, en el cuello del reloj de arena, había una fina cámara de titanio donde se colocaría una masa subcrítica del tirio.

La Supernova.

Un par de recipientes cilíndricos revestidos de plomo del tamaño de un cubo de basura se hallaban al lado del arma. Eran cápsulas de cabezas nucleares, unos recipientes enormes a prueba de radiaciones que se empleaban para transportar de una forma segura cabezas nucleares.

Como Weber bien sabía, un arma nuclear convencional necesitaba cerca de dos kilos de plutonio. La Supernova, por otro lado y de acuerdo con sus cálculos, requeriría mucho menos, unos ciento quince gramos de tirio. Razón por la que en ese momento, con la ayuda de dos superordenadores Cray Y-MP y un rayo láser de alta resolución que podría cortar con una precisión perfecta la milésima parte de un milímetro, iba a extraer un pequeño corte cilíndrico de tirio del ídolo.

La ciencia nuclear había avanzado muchísimo desde los trabajos de J. Robert Oppenheimer en el Laboratorio Nacional de Los Álamos durante la década de 1940.

Con la ayuda de superordenadores multitareas como los dos Cray, las ecuaciones matemáticas más complejas (relativas a los radios de fuerza, tamaño y masa del núcleo radioactivo) podían concluirse en minutos. La purificación del gas inerte, el enriquecimiento de protones y el aumento de las ondas alfa podían hacerse de forma simultánea.

Y la parte de los cálculos, la parte crucial, la que les había llevado a Oppenheimer y su equipo seis años dominar con la ayuda de primitivos ordenadores, podía hacerse ahora en segundos con los Y-MP.

A decir verdad, lo que más le había costado a Weber había sido la construcción del arma. Incluso con la ayuda de los superordenadores, había tardado más de dos años en construirla.

Mientras el láser cortaba la piedra de acuerdo con un radio preprogramado de peso-por-volumen basado en el peso atómico del tirio, Weber introdujo algunas fórmulas matemáticas en uno de los ordenadores que tenía al lado.

Instantes después, el dispositivo de corte por láser emitió un *bip* fuerte y volvió al modo «stand-by».

Ya había acabado.

Weber se acercó y apagó el dispositivo láser. Después, con la ayuda de un brazo robótico, pues los brazos humanos eran demasiado inexactos para esa tarea, extrajo el corte cilíndrico del tirio de la base del ídolo.

A continuación, colocó aquel fragmento de tirio dentro de una cámara sellada al vacío y lo bombardeó con ondas alfa y átomos de uranio, convirtiéndolo en una masa subcrítica de la sustancia más potente jamás habida en la Tierra.

Momentos después, el brazo robótico llevó la cámara a la Supernova donde, con la mayor de las precisiones y con la masa subcrítica en su interior, la colocó dentro de la cámara de titanio que pendía entre las dos cabezas termonucleares.

La Supernova estaba terminada.

La masa subcrítica del tirio se encontraba ahora en posición horizontal dentro de su trono sellado al vacío, entre las dos cabezas termonucleares, como si contuviera el poder de Dios.

Lo cierto es que así era.

En las pantallas dispuestas en la cabina de control aparecían cantidades ingentes de datos. Bajo el encabezamiento «Instalación hidrodinámica y radiográfica de doble eje», una serie interminable de unos y ceros avanzaban por una de las pantallas.

Weber hizo caso omiso de los números y comenzó a teclear en el teclado incorporado en la parte delantera de la Supernova. En la pantalla apareció un aviso: «Insertar código de activación».

Weber lo hizo.

«Supernova armada»

Weber tecleó: «Iniciar secuencia del temporizador de detonación.

Secuencia del temporizador de detonación iniciada.

Insertar duración del temporizador».

Weber tecleó: 00.30.00

La pantalla cambió al instante.

DISPONE DE
00:30:00
PARA INTRODUCIR EL CÓDIGO DE DESACTIVACIÓN
INTRODUZCA EL CÓDIGO DE DESACTIVACIÓN
_ _ _ _ _ _ _ _

Weber se detuvo y contempló la pantalla. Respiró profundamente.

Después pulsó la tecla «intro».

00.29.59

00.29.58

00.29.57

—¿Dónde está el *Unterscharführer* Kahr? —preguntó Anistaze en voz alta mientras observaba desde la oficina del cobertizo el inmenso cráter del exterior—. Ya debería haber regresado.

Anistaze se volvió.

—Usted —dijo lanzándole una radio a uno de los dos técnicos con batas de laboratorio que estaban en una terminal—. Vaya al foso y vea qué es lo que le está llevando tanto tiempo al *Unterscharführer.*

—Sí, señor.

Renée y Race llegaron al mismo tiempo hasta una de las paredes del cobertizo.

Unos instantes antes, Uli los había dejado y se había dirigido hacia el cráter, hacia el puente de cable septentrional.

Renée se asomó por la puerta de garaje que tenía a su lado.

El interior del cobertizo estaba desierto, en concreto, la parte comprendida entre las oficinas acristaladas a su derecha y los puestos de amarre a su izquierda.

No se oía el más mínimo ruido. No había nadie a la vista.

Asintió con la cabeza a Race.

¿Listo?

Race respondió a su señal agarrando su Glock un poco más fuerte.

Listo.

Entonces, sin intercambiar palabra, Renée entró por la puerta ligeramente agachada y con el G-11 listo para disparar.

Race fue a seguirla cuando una puerta a sus espaldas se abrió de repente. Se tiró al suelo y se guareció tras un viejo barril de gasoil.

Un joven técnico nazi, ataviado con una bata blanca de laboratorio y con una radio en la mano, salió por la puerta y echó a correr por el camino que conducía al foso de residuos.

A Race se le abrieron los ojos de par en par.

Iba al foso de residuos, donde encontraría el cuerpo del soldado nazi muerto y... nada más.

—Mierda —dijo Race—. Uli...

Era el momento de tomar una decisión. Podía ir tras el técnico... ¿y luego qué? ¿Matarlo a sangre fría? A pesar de todo por lo que había pasado, Race no estaba seguro de si podría hacer eso, matar a un hombre. Por otro lado, podía avisar a Uli. Sí, esa era una opción mucho mejor.

Entonces, en vez de seguir a Renée al interior del cobertizo, Race rodeó el almacén y se dirigió hacia el cráter y Uli.

Uli llegó al puente de cable septentrional.

El puente se extendía ante sus ojos, pendiendo intrépido sobre una caída vertiginosa de doscientos quince metros. Desde allí, las barandillas de cables de acero convergían como dos vías férreas que iban menguando hasta convertirse en pequeñas manchas en la puerta de la cabina de control, a unos trescientos sesenta metros de distancia.

—*Unterscharführer* —dijo de repente una voz a sus espaldas.

Uli se volvió.

Detrás de él se encontraba el mismísimo Heinrich Anistaze.

—¿Qué está haciendo? —le preguntó Anistaze.

—Iba a ver si el *Oberstgruppenführer* y el doctor Weber necesitaban ayuda en la cabina de control —respondió Uli, quizá demasiado rápido.

—¿Ha eliminado a los dos prisioneros?

—Sí, señor.

—¿Dónde está Dieter?

—Eh... Tenía que ir al baño —mintió Uli.

En ese exacto instante, el técnico de laboratorio al que Anistaze había enviado llegó al foso de residuos.

Vio el cuerpo de Dieter, tumbado boca abajo en el barro con los sesos y la sangre supurándole por la parte posterior de la cabeza.

Ni rastro de los estadounidenses. Ni tampoco de Uli.

El técnico de laboratorio cogió la radio.

—*Herr Obergruppenführe*r —Anistaze escuchó la voz del técnico por su auricular.

—Sí.

Anistaze seguía con Uli en el inicio del puente de cable septentrional. Los cuatro dedos de la mano izquierda del comandante nazi daban toquecitos silenciosos en la pernera de su pantalón mientras escuchaba atentamente a la voz del auricular.

—Dieter está muerto, señor. Repito. Dieter está muerto. No veo a los prisioneros ni al *Unterscharführer* Kahr por ninguna parte.

—Gracias —dijo Anistaze mientras miraba a Uli—. Muchas gracias.

Los ojos oscuros y fríos de Anistaze se posaron en los de Uli.

—¿Dónde están los prisioneros, *Unterscharführer*?

—¿Cómo dice, *Herr Obergruppenführer?*

—Le he preguntado que dónde están los prisioneros.

Fue entonces cuando Uli vio una Glock en la mano derecha de Anistaze.

Renée se movía silenciosa por el cobertizo con su arma en ristre.

Race no la había seguido y se preguntó qué le habría pasado. Pero no podía esperar, todavía tenía una cosa que hacer.

El silencio reinaba en el cobertizo. La cinta transportadora que surgía del túnel a su derecha estaba inmóvil. No vio a nadie en la oficina.

Se escuchó el ruido de un motor.

Renée se volvió.

Y vio cómo las palas del rotor del helicóptero Bell Jet Ranger volvían lentamente a la vida.

Después vio al piloto que, tumbado de costado en el suelo de la cabina y ajeno a su presencia, estaba realizando algunas reparaciones en el helicóptero.

Entonces, con un zumbido estridente, las palas cogieron velocidad y el rugido ensordecedor de su movimiento se apoderó del enorme espacio del cobertizo. Renée se sobresaltó.

Si no hubiese sido por el ruido de las palas, sin embargo, Renée probablemente habría oído cómo se acercaba a hurtadillas hacia ella.

Pero no lo hizo.

Y en ese momento, cuando Renée se acercaba hacia el piloto y el helicóptero con su G-11 en alto, algo muy pesado la golpeó en la cabeza y cayó al suelo.

—*Herr Obergruppenführer* —dijo Uli, que se encontraba en el borde del enorme cráter, levantando las manos—. ¿Qué va a...?

¡Pam!

Anistaze disparó su Glock; un solo disparo que impactó en el estómago de Uli. Este se encorvó y cayó al suelo.

Anistaze se acercó hacia él con la pistola en la mano.

—Así que, *Unterscharführer,* ¿debo suponer que usted también es escoria de la BKA?

Uli, apretando los dientes del dolor, rodó por los suelos y se topó con los pies del comandante nazi.

—No me responde—dijo Anistaze—. Bueno, ¿qué tal esto entonces? ¿Qué le parece si le vuelo los dedos de su mano derecha, uno a uno, hasta que me diga para quién trabaja? Y, cuando haya acabado con la derecha, empezaré con la otra.

—¡*Argh!* —gruñó de dolor Uli.

—Respuesta incorrecta —dijo Anistaze apuntando con su pistola a la mano de Uli y apretando el gatillo.

Anistaze disparó.

Momento en el que William Race apareció y arremetió de costado a Anistaze, golpeándolo y haciendo que la Glock se le cayera de la mano.

Pero los dos perdieron el equilibrio y se golpearon contra uno de los contrafuertes que sostenían el puente. El pie derecho de Anistaze se resbaló por el borde y, mientras intentaba mantener el equilibrio y no caerse, agarró con la mano un brazo de Race. Antes de que este supiera qué estaba ocurriendo, los dos se cayeron.

Por suerte, las paredes de la mina no eran totalmente verticales sino que tenían una inclinación de unos setenta y cinco grados aproximadamente. Cayeron a gran velocidad, pero no fue una caída recta. Removieron toda la mugre y suciedad del lugar mientras resbalaban y se golpeaban contra las paredes del cráter. Treinta metros después aterrizaron con un golpe sordo en tierra firme.

En el cobertizo, Renée se golpeó contra el suelo también y, durante unos instantes, vio las estrellas.

Se giró y se puso boca arriba, momento en el que vio cómo una especie de tubería o tubo que sostenía un segundo técnico de laboratorio nazi se acercaba peligrosamente a su rostro. Volvió a rodar por el suelo y el tubo golpeó las tablas de este, a escasos centímetros de su cabeza.

Se puso en pie de una voltereta y miró a su alrededor, buscando su arma. El fusil G-11 estaba en el suelo, a poco más de un metro, fuera de su alcance.

El técnico intentó golpearla de nuevo.

Renée se agachó y el tubo le pasó rozando la cabeza. Después se levantó y golpeó al técnico en la cara, lanzándolo contra una pared.

La espalda del técnico se golpeó contra un panel de control que había en la pared. Debió de apretar algún botón, supuso Renée, porque en ese momento escuchó un atronador ruido de maquinaria tras las paredes del cobertizo y de repente, sin previo aviso, la cinta transportadora que recorría todo el cobertizo comenzó a moverse.

Un movimiento brusco sacudió a Race y a Anistaze.

Ambos se encontraban algo aturdidos tras su caída de treinta metros a la mina. Estaban incorporándose cuando el suelo comenzó a moverse, a avanzar hacia delante.

Race se tambaleó un poco y miró al suelo que se movía bajo sus pies.

No era terreno firme. Era el final de la cinta transportadora, la misma cinta que salía al cobertizo.

Solo que ahora se estaba moviendo.

Hacia arriba.

Race se volvió justo a tiempo para ver cómo el puño de cuatro dedos de Anistaze se acercaba a su rostro. El golpe del soldado alemán acertó de lleno en su blanco y Race cayó como un saco de patatas en la cinta transportadora.

Anistaze se acercó a él y, de repente, todo se volvió oscuro.

Al principio Race no sabía qué estaba ocurriendo. Después cayó en la cuenta. Anistaze y él, montados sobre la cinta transportadora, acababan de entrar al largo y oscuro túnel que conducía hasta el cobertizo.

En el cobertizo, Renée luchaba con el técnico mientras el ruido ensordecedor de las palas del rotor del Bell Jet Ranger resonaba por el enorme y tenebroso almacén.

El técnico volvió a intentar golpearla con el tubo, pero ella saltó hacia atrás y el golpe se perdió. Sin embargo, vio que el piloto que se encontraba en el helicóptero la estaba mirando fijamente.

El piloto comenzó a incorporarse justo cuando el joven técnico que había ido al foso de residuos a buscar a Uli apareció por la puerta del cobertizo.

Renée vio a los dos. Y entonces, con un movimiento rápido, mientras se agachaba para esquivar otro golpe del primer técnico, cogió dos granadas que llevaba en el cinturón, las granadas que Uli le había quitado al nazi muerto en el foso de residuos, les quitó las anillas, se giró y las arrojó.

Las granadas rodaron por el suelo en distintos ángulos, una en dirección a la plataforma de aterrizaje y al helicóptero y la otra hacia el técnico que se encontraba en la puerta.

Uno, mil uno...

Dos, mil dos...

Tres, mil tres...

El técnico de la puerta se percató de lo que era demasiado tarde. Intentó moverse en el último momento, pero no fue lo suficientemente rápido.

La granada explotó. Y él también.

La segunda granada rodó por la plataforma de aterrizaje hasta colocarse justo debajo del Bell Jet Ranger blanco. Explotó bruscamente, haciendo añicos los cristales del helicóptero en un nanosegundo y matando al piloto en el acto.

La explosión también destruyó los patines de aterrizaje, lo que hizo que el helicóptero cayera y se golpeara contra la plataforma mientras las palas del rotor continuaban moviéndose a toda velocidad.

Mientras intentaban ponerse en pie en la oscuridad, Race y Anistaze comenzaron a forcejear.

Race peleó con todas sus fuerzas, tanto como su constitución le permitía, lanzando puñetazos como un desaforado; puñetazos que unas veces impactaban en su contrincante y otras no. Pero Anistaze era mucho mejor con diferencia y pronto tuvo a Race boca arriba en el suelo, intentando esquivar sus golpes en vano.

Entonces, Anistaze sacó un cuchillo Bowie de una funda que llevaba en el tobillo. Incluso en la oscuridad del túnel inclinado, Race vio cómo aquella hoja refulgente se acercaba a su rostro.

Cogió la muñeca de Anistaze con las manos e intentó alejar el cuchillo de él, pero el nazi tenía más fuerza y la hoja comenzó a acercarse más y más a su ojo izquierdo.

De repente, la oscuridad se transformó en una fortísima luz blanca y la cinta transportadora perdió inclinación, haciendo que ambos perdieran el equilibrio y brindándole la oportunidad a Race de tirar el cuchillo de Anistaze lejos de su alcance.

Miró rápidamente a su alrededor.

Estaba de nuevo en el interior del cobertizo.

Solo que ahora avanzaban en horizontal sobre la cinta transportadora. Anistaze lo mantenía inmovilizado.

Por desgracia para los dos, sin embargo, la cinta transportadora los estaba conduciendo hacia las palas del rotor del helicóptero que, debido a que había perdido los patines de aterrizaje por la explosión de la granada, se batían como una sierra circular a apenas noventa centímetros por encima de la cinta.

Las palas del rotor estaban a cuatro metros de ellos. Giraban vertiginosamente.

Tres metros y medio.

Anistaze también las vio.

Tres metros.

Race vio a Renée, que estaba forcejeando con el técnico. El estruendo de las palas del rotor resonaba por todo el cobertizo.

Dos metros y medio

Y Anistaze entonces decidió una nueva y terrorífica táctica. Con una fuerza increíble, alzó a Race por las solapas y lo sostuvo con los brazos rectos de forma que el cuello de Race quedara a la altura de las palas del helicóptero.

———

Dos metros.

Renée seguía luchando con el técnico. Vio a Race y Anistaze forcejear en la cinta transportadora y cómo Anistaze alzaba al profesor.

Sus ojos se estremecieron horrorizados.

¡Anistaze iba a decapitar a Race con las palas del helicóptero!

Metro y medio.

Vio el panel de control de la pared. El panel que ponía en funcionamiento y que paraba la cinta transportadora...

Un metro.

Race vio las palas tras él y lo que Anistaze estaba intentando hacer.

Noventa centímetros.

Intentó zafarse, pelear. Pero era inútil. Anistaze era demasiado fuerte. Race miró a los ojos de su atacante y solo vio odio en ellos.

Sesenta centímetros.

Se aproximaba a una muerte segura. Race gritó de desesperación.

—*¡Arrggghhh!*

Treinta centímetros.

En ese momento, Renée esquivó otro golpe del técnico y se colocó tras él. Después lo agarró fuertemente del pelo y golpeó su cabeza con violencia contra el panel de control de la pared.

La cinta transportadora se detuvo.

Race también se detuvo. Su nuca se quedó a escasos centímetros de las palas giratorias del helicóptero.

El rostro de Anistaze se quedó pálido de la sorpresa.

¿Qué coño...?

Race aprovechó aquella oportunidad que se le brindaba y le propinó un rodillazo al nazi en la entrepierna.

Anistaze gritó de dolor.

Race lo agarró de las solapas.

—Sonríe, hijo de puta —dijo Race.

Y entonces se tiró a la cinta transportadora y rodó hasta colocarse debajo de las giratorias y borrosas palas del helicóptero. Tomó impulso con las piernas y empujó a Anistaze, que seguía encorvado del dolor, hacia las palas del rotor.

Las palas del rotor seccionaron el cuello de Anistaze como si de mantequilla se tratara, separando la cabeza del resto del cuerpo con un corte limpio.

Una explosión de sangre salpicó toda la cara de Race que, tendido sobre la cinta, seguía agarrando las solapas de Anistaze.

Race soltó el cuerpo y rodó fuera de la cinta transportadora.

Negó con la cabeza. No podía creerse lo que acababa de hacer. Acababa de decapitar a un hombre.

Madre mía...

Alzó la vista y vio a Renée en el panel de control, a horcajadas sobre el cuerpo inconsciente del técnico nazi. El golpe que Renée le había propinado con el panel de control le había dejado fuera de combate.

Renée sonrió a Race y le levantó el pulgar.

Por su parte, Race cayó exhausto al suelo.

Sin embargo, antes de que su cabeza se apoyara contra el suelo, Renée ya estaba a su lado.

—Aún no, profesor —le dijo ayudándolo a ponerse en pie—. Todavía no podemos descansar. Vamos, tenemos que evitar que Ehrhardt haga detonar la Supernova.

En la cabina de control, el temporizador de la pantalla del ordenador de la Supernova seguía su cuenta atrás.

00.15.01

00.15.00

00.14.59

Ehrhardt cogió la radio.

—¿*Obergruppenführer*?

Ninguna respuesta.

—Anistaze, ¿dónde está?

Nada.

Ehrhardt se giró hacia Fritz Weber.

—Algo no va bien. Anistaze no responde. Inicie las contramedidas de protección del arma. Selle la cabina de control.

—Sí, señor.

Renée y Race arrastraron a Uli hasta la oficina acristalada y lo tumbaron en el suelo.

Un temporizador digital colocado en la pared mostraba una cuenta atrás.

00.14.55

00.14.54

00.14.53

—Maldición —dijo Race—. ¡Han iniciado la cuenta atrás!

Renée se puso a examinar la herida de bala de Uli. Una máquina de fax que se encontraba en el otro extremo de la oficina comenzó a hacer ruido.

Race, provisto ahora de un fusil de asalto G-11, se acercó cuando el fax terminó de salir. Lo leyó:

DEL DESPACHO DEL
PRESIDENTE DE LOS ESTADOS UNIDOS

- -

TRANSMISIÓN DE FAX SEGURA

- -

N.º FAX ORIGEN: 1-202-555-6122
N.º FAX DESTINO: 51-3-454-9775
FECHA: 5 ENE 1999
HORA: 18.55.45 (LOCAL)

CÓDIGO REMITENTE: 004 (CONSEJERO DE SEGURIDAD NACIONAL)
MENSAJE: Tras haber consultado a sus asesores y de acuerdo con su política antiterrorista, el Presidente me ha ordenado que les informe de que BAJO NINGUNA CIRCUNSTANCIA pagará ninguna cantidad de dinero para evitar la detonación de cualquier dispositivo que obre en su poder.
W. PHILIP LIPANSKI
Consejero de Seguridad Nacional
del Presidente de los Estados Unidos

—Dios Santo —murmuró Race—. No van a pagar.

Renée se acercó y echó un vistazo al fax.

—Por Dios, mira qué redacción tan forzada. Creen que es un farol. No creen que vaya a hacer explosionar la Supernova.

—¿La hará explosionar?

—Sin ninguna duda —dijo Uli desde el suelo. Race y Renée se volvieron hacia él.

Uli habló entre dientes.

—No deja de hablar de ello. Está loco. Solo quiere una cosa: su nuevo mundo. Y, si no puede tenerlo, destruirá el que existe.

—Pero ¿por qué? —dijo Race.

—Porque es la moneda con la que comercia; la moneda con la que siempre ha comerciado: la vida y la muerte. Ehrhardt es un hombre mayor, mayor y malvado. Ya no es de ninguna utilidad para el mundo. Si no consigue su dinero y, por tanto, su nuevo orden mundial, destruirá el viejo sin pensárselo dos veces.

—Fantástico —dijo Race—. ¿Y somos los únicos que podemos pararlo?

—Sí.

—Entonces, ¿cómo lo hacemos? —le dijo Renée a Uli—. ¿Cómo paramos la cuenta atrás?

—Tenéis que introducir el código de desactivación en el ordenador de la Supernova—dijo Uli—. Pero, como ya dije antes, solo Weber conoce el código.

—Entonces —dijo Race—, vamos a tener que lograr sacarle de algún modo ese código.

Instantes después, Race bordeaba corriendo el cráter en dirección al puente de cable meridional.

El plan era sencillo.

Renée esperaría al principio del puente septentrional mientras Race llegaba al puente meridional. Entonces, una vez hubiera llegado, los dos correrían hacia la cabina de control al mismo tiempo, desde distintos extremos.

La lógica de su plan se basaba en el hecho de que los dos puentes de cable que llegaban a la cabina de control eran bastante resistentes y avanzados. Estaban hechos de cables de acero tensados y para echarlos abajo sería necesario que alguien soltara cuatro acoplamientos de presión distintos. Si Race y Renée corrían por los puentes al mismo tiempo, quizá uno de ellos pudiera llegar a la cabina antes de que Ehrhardt o Weber lograran desenganchar los dos puentes.

Tras seis minutos y medio corriendo, Race llegó al puente meridional.

El puente se extendía ante él, por encima de la enorme mina. Tenía una longitud monstruosa, una característica que se veía acentuada por lo estrecho que era. Si bien tenía el ancho justo para que solo pudiera atravesarlo una persona, de largo podía medir fácilmente como cuatro campos de fútbol americano dispuestos uno tras otro.

¡Oh, Dios! pensó Race.

—Profesor, ¿listo? —dijo de repente la voz de Renée por su auricular. Hacía tanto tiempo que no usaba su equipo de radio que Race casi se había olvidado de que lo llevaba.

—Como siempre —dijo.

—Entonces, en marcha.

Race echó a correr por el puente.

Vio la cabina blanca al final de este, suspendida sobre el suelo de la mina. Vio la puerta en la pared, justo en el punto en que el puente se juntaba con la cabina. En ese momento la puerta estaba cerrada.

A través de las ventanas rectangulares de la cabina de control tampoco se percibía ningún movimiento.

No. La cabina estaba allí, en silencio, perfectamente inmóvil sobre el aire, doscientos quince metros por encima del mundo.

Race siguió corriendo.

En ese mismo instante, Renée recorría con rapidez el puente septentrional.

Corría con los ojos puestos en la puerta cerrada que había al final del puente con una tensa anticipación, como si esperara que fuese a abrirse en cualquier momento.

Pero la puerta seguía completamente cerrada.

Odilo Ehrhardt observó parapetado tras una de las ventanas de la cabina de control cómo Renée atravesaba el puente septentrional.

En la ventana de enfrente, vio a Race haciendo lo mismo por el puente meridional.

Ehrhardt tenía que elegir.

Eligió a Race.

Las diminutas figuras de Race y Renée avanzaban por los puentes colgantes que convergían en la cabina de control.

Renée, con su arma en ristre, se movía un poco más rápida que Race. Cuando llevaba recorrido casi la mitad, sin embargo, la puerta del final se abrió y Odilo Ehrhardt salió al puente.

Renée dejó de correr y se quedó inmóvil.

Ehrhardt sostenía delante de él la figura menuda del doctor Fritz Weber. Estaba usando el cuerpo de Weber, que forcejeaba intentando librarse de él, como escudo. Ehrhardt rodeaba con uno de sus brazos rollizos el cuello de Weber. En la otra mano sostenía una Glock-20 semiautomática con la que apuntaba a la cabeza del científico.

No lo haga, rogó para sus adentros Renée, deseando con todas sus fuerzas que Ehrhardt no matara al único hombre que conocía el código para desactivar la Supernova.

Obviamente no lo deseó lo suficiente pues, en ese instante, en ese preciso y espeluznante instante, Odilo Ehrhardt esbozó una sonrisa siniestra a Renée y apretó el gatillo.

El estruendo del disparo resonó por todo el cráter.

Un géiser de sangre salió de la cabeza de Weber. Sus sesos se desparramaron por la barandilla y cayeron al cráter.

Ehrhardt volcó el cuerpo inerte de Weber por la barandilla del puente y Renée solo pudo observar horrorizada cómo el cuerpo caía y caía durante doscientos quince horribles metros hasta chocar contra el fondo de la mina con un golpe sordo.

Race también oyó el disparo y, un segundo después, vio el cuerpo de Weber caer por el cráter.

—¡Dios mío...!

Comenzó a apretar el paso hacia la cabina de control y echó a correr...

En la parte norte de la cabina de control, Odilo Ehrhardt aún no había terminado.

Tras haber tirado el cuerpo de Weber por el puente, se dispuso a desenganchar los acoplamientos de presión que conectaban el puente con la cabina de control.

—¡No! —gritó Renée agarrándose a las barandillas del puente.

Con un sonido sibilante, uno de los acoplamientos se soltó, y la barandilla a la izquierda de Renée cayó.

Renée calculó mentalmente. No había forma de que pudiera llegar a la cabina de control antes de que Ehrhardt soltara los otros tres acoplamientos.

Se dio la vuelta y corrió con todas sus fuerzas hacia el inicio del puente.

¡Ssshh!

Otro acoplamiento se soltó y la otra barandilla cayó libre.

Quedaban dos acoplamientos.

Renée corría al límite de sus fuerzas por el puente, ya sin barandillas, a doscientos quince metros del suelo.

Unos segundos después, el tercer acoplamiento se soltó y las planchas de acero del suelo se ladearon hacia la izquierda.

Finalmente, con una mueca de satisfacción, Ehrhardt soltó el último acoplamiento y el enorme puente colgante (conectado al borde del cráter, pero ya no a la cabina del centro), cayó al abismo con Renée Becker sobre él.

Renée solo estaba a quince metros del borde cuando el puente se vino abajo. Tan pronto como sintió que el puente cedía se tiró sobre él e intentó aferrarse con las manos a alguna de las planchas de acero que lo conformaban.

El puente de cable cayó contra la pared inclinada del cráter. Renée se golpeó contra la pared y rebotó, pero logró sostenerse.

Race alcanzó la puerta al final del puente de cable justo cuando escuchó la voz de Renée por los auriculares.

—Profesor, aquí Renée. Mi puente ha caído. Estoy fuera de la ecuación. Ahora todo está en tus manos.

Genial, pensó Race irónicamente. *Justo lo que necesitaba oír.*

Respiró profundamente y sostuvo su arma con firmeza. Después agarró el pomo de la puerta, lo giró y empujó la puerta con el cañón de su G-11... tropezando con el cable.

¡Bip!

Race vio a Ehrhardt antes de ver de dónde provenía aquel pitido.

El corpulento general nazi estaba en el otro extremo de la cabina de control, cerca de la puerta norte. Su Glock pendía perezosamente de su costado. Estaba sonriendo a Race.

A la izquierda de Ehrhardt, Race vio la Supernova; sus relucientes superficies de plata y vidrio y el corte cilíndrico del tirio en el núcleo, suspendido dentro de la cámara sellada al vacío entre las dos cabezas termonucleares.

En una de las paredes de la cabina, al lado de la Supernova, había dos superordenadores Cray Y-MP. Las dos cápsulas que se habían empleado para transportar las armas nucleares estaban ahora en el suelo junto al arma y el ídolo, que ya había desempeñado su función, yacía abandonado en una mesa cercana.

En el ordenador portátil de la parte delantera de la Supernova, el lugar de donde había provenido aquel pitido, Race vio un temporizador con una cuenta atrás:

00.05.00

00.04.59

00.04.58

Debajo de la cuenta atrás, vio las palabras: «Secuencia de detonación alterna iniciada».

¿Secuencia de detonación alterna?

—Gracias, pequeño hombrecito que intenta hacerse el valiente —le dijo desdeñoso Ehrhardt—. Al entrar en esta cabina ha firmado su sentencia de muerte.

Race frunció el ceño.

Los ojos de Ehrhardt se desviaron a la izquierda.

Race los siguió y vio, junto a la pared este de la cabina de control, ocho bidones amarillos de ochocientos litros de capacidad. Las palabras «Peligro: líquidos hipergólicos» estaban escritas en los laterales.

En la parte delantera de aquellos enormes bidones amarillos había otras palabras: «Tetróxido de nitrógeno, hidracina».

Había cuatro bidones de hidracina y cuatro de tetróxido de nitrógeno. Un complejo entramado de cables y tubos conectaban los bidones entre sí.

Los líquidos hipergólicos, recordó Race de sus años de instituto, eran los líquidos que estallaban al entrar en contacto entre sí.

Encima de uno de los bidones de hidracina había otro temporizador con una cuenta atrás. Sin embargo, esta no avanzaba, sino que se mantenía fija en los cinco segundos.

00.00.05

Y entonces, justo entonces, Race vio que los ocho bidones amarillos estaban conectados al ordenador de la Supernova mediante un grueso cable negro que serpenteaba por el suelo de la cabina.

00.04.00

00.03.59

00.03.58

—¿Cómo? —le preguntó Race apuntando con su G-11 al pecho de Ehrhardt—. ¿Cómo he firmado mi sentencia de muerte?

—Al abrir esa puerta ha activado un mecanismo que, de un modo u otro, acabará con su vida.

—¿Cómo demonios ocurrirá eso?

Ehrhardt sonrió.

—Hay dos dispositivos incendiarios en esta habitación, profesor: la Supernova y los combustibles hipergólicos. Uno de ellos hará estallar todo el planeta, el otro solo hará estallar esta cabina. Sé que usted desea desactivar la Supernova, pero si logra hacerlo tendrá que pagar un precio.

—¿Qué precio?

—Su vida a cambio de la del mundo. Al abrir esa puerta, profesor, activó un mecanismo que conecta el ordenador de activación de la Supernova con los líquidos hipergólicos. Si, por cualquier motivo, se para la cuenta atrás, el temporizador de los líquidos hipergólicos se activará. En cinco segundos, los combustibles se mezclarán y estallarán, destrozando esta cabina, destrozándole a usted.

»Así que ahora debe tomar una decisión, profesor. Una decisión única en la historia de la humanidad. Puede morir con el resto del planeta en exactamente tres minutos y medio o puede salvar al mundo. Pero, al hacerlo, deberá sacrificar su propia vida.

Race no podía creerse lo que estaba oyendo.

Una decisión única...

Puede salvar al mundo...

Pero, para hacerlo, deberá sacrificar su propia vida...

Los dos hombres se hallaban frente a frente en la cabina de control. Race en la puerta sur con su G-11 en ristre y Ehrhardt cerca de la puerta norte con la Glock apoyada en un costado.

00.03.21

00.03.20

00.03.19

—El presidente ha aceptado pagar... —dijo Race rápidamente, quemando sus últimos cartuchos.

—No, no lo ha hecho —le espetó Ehrhardt cogiendo una hoja de papel de una mesa cercana y tirándosela a Race.

La hoja cayó al suelo. Era una copia del mismo fax que Race había visto en la oficina de la mina instantes antes. Ehrhardt debía de tener una máquina de fax en la cabina de control.

—E incluso aunque hubiera dicho que pagaría —soltó Ehrhardt—, no sabría cómo desactivar la Supernova. Solo Weber conocía el código de desactivación y él, amigo mío, está muerto. O usted o nada. Ocurra lo que ocurra, al menos tendré la satisfacción de saber que no saldrá vivo de esta cabina.

—¿Y qué hay de usted? —le dijo Race desafiante—.También morirá.

—Soy viejo, profesor Race. La muerte no significa nada para mí. El hecho de que pueda llevarme al resto del mundo conmigo a la tumba, sin embargo, lo significa todo...

En ese momento, raudo como una serpiente de cascabel, Ehrhardt levantó su Glock, apuntó a Race y apretó el...

¡Pam!

El G-11 de Race rebotó contra su hombro cuando disparó una sola vez.

La bala sin casquillo impactó en el enorme pecho de Ehrhardt. La sangre empezó a salir a borbotones de la herida.

Ehrhardt se golpeó contra la pared, del impacto, y la Glock se disparó. La bala dio en el techo, haciendo añicos una alarma contra incendios. De repente, el sistema de rociadores dispuesto en el techo de la cabina se activó y se desencadenó una tormenta de agua.

Ehrhardt, con la boca y los ojos abiertos de par en par, se desplomó en el suelo bajo la lluvia torrencial del interior de la cabina.

Race permaneció al lado de la puerta, inmóvil. El agua repiqueteaba en su rostro.

Nunca antes había disparado a un hombre. Ni siquiera durante la persecución en el río. Le entraron náuseas. Contuvo la bilis que se le agolpaba en la garganta.

Y entonces vio el temporizador de la Supernova:

00.03.00

00.02.59

00.02.58

Salió del trance y corrió a examinar al jefe nazi.

Ehrhardt seguía aún con vida, pero por poco tiempo. La sangre, que salía a borbotones de su boca, le goteaba hasta el pecho.

Pero sus ojos todavía brillaban y miraban a Race con una especie de placer demencial, como si estuviera entusiasmado ante la perspectiva de haber dejado a Race en esa situación, solo en una cabina de control de un país extranjero, con nada más que un nazi moribundo, una Supernova a punto de estallar y ocho bidones de combustibles hipergólicos explosivos que acabarían con su vida incluso si lograba desactivar la bomba principal.

Calma, Will, calma.

00.02.30

00.02.29

00.02.28

Dos minutos y medio para el final del mundo.

¡Mantén la calma, joder!

Race se puso en pie y escudriñó la pantalla del ordenador de activación.

DISPONE DE

00:02:27

PARA INTRODUCIR EL CÓDIGO DE DESACTIVACIÓN

INTRODUZCA EL CÓDIGO DE DESACTIVACIÓN

_ _ _ _ _ _ _ _ _

Race miró consternado el temporizador. La lluvia de los rociadores le golpeaba en la cabeza.

¿Qué vas a hacer, Will?

No parecía tener muchas opciones.

Podía morir con el resto del mundo o podía intentar averiguar cómo parar la Supernova y morir igualmente.

Maldita sea, pensó.

Él no era un héroe.

La gente como Renco y Van Lewen eran héroes. Él era un don nadie. Un tipo normal y corriente. Un profesor de universidad que siempre llegaba tarde al trabajo, que siempre perdía el metro. ¡Por Dios santo, si aún tenía multas de aparcamiento pendientes de pago!

No era un héroe.

Ni tampoco quería morir como tal.

Además, no sabía cómo dar con el código del ordenador de la Supernova. Él no era un *hacker.* No. La cuestión, simple y llana, era que Fritz Weber estaba muerto y él era el único que conocía el código que podía desactivar la Supernova.

00.02.01

00.02.00

00.01.59

Race cerró los ojos y suspiró.
También podía morir como un héroe.
Entonces se sentó delante de la Supernova y observó la pantalla con la mente y las ideas renovadas.
Muy bien, Will, respira profundamente. Respira profundamente.
Miró la pantalla, en concreto la línea que decía:

INTRODUZCA EL CÓDIGO DE DESACTIVACIÓN

_ _ _ _ _ _ _ _

De acuerdo.
Ocho espacios que rellenar. Que rellenar con un código.
Bien. Entonces, ¿quién sabe el código?
Weber lo sabe.
Era el único que lo sabía.
Justo entonces una voz estalló en el oído de Race y a este casi le da un síncope.
—Profesor, ¿qué está pasando?
Era Renée.
—Dios, Renée. ¡Qué susto me has dado! ¿Que qué está pasando? Verás, Ehrhardt disparó a Weber y yo después disparé a Ehrhardt y ahora estoy sentado delante de la Supernova intentando averiguar cómo desactivarla. ¿Dónde estás tú?
—Estoy de vuelta en la oficina que da al cráter.
—¿Alguna idea de cómo desactivar esta cosa?
—No, Weber era el único...
—Eso ya lo sé. Escucha. El código son ocho espacios y tengo que escribirlo ya.
—De acuerdo, déjeme pensar...
00.01.09
00.01.08
00.01.07
—Un minuto, Renée.
—Vale, vale. En la transcripción telefónica decían que su Supernova estaba basada en el modelo estadounidense, ¿no? Eso significa que el código tiene que ser numérico.
—¿Cómo sabes eso?
—Porque sé que la Supernova estadounidense tiene un código numérico. —Renée debió de percibir su silencio—. Tenemos gente en vuestras agencias.
—Oh, de acuerdo. Se trata entonces de un código numérico. Un código de ocho dígitos. Eso nos deja un billón de combinaciones posibles.

00.01.00

00.00.59

00.00.58

—Weber era la única persona que conocía el código, ¿no? —dijo Renée—. Entonces ese número tiene que ver con él.

—O podría ser un número completamente al azar —dijo Race con sequedad.

—No lo creo —dijo Renée—. La gente que usa códigos numéricos rara vez utiliza números al azar. Emplean números que signifiquen algo para ellos, números que puedan recordar pensando en un suceso o fecha memorable o similar. Así pues, ¿qué es lo que sabemos de Weber?

Pero Race no estaba escuchando.

Había algo que Renée acaba de decir...

—De acuerdo —dijo Renée, que estaba pensando en voz alta—. Fue un militar nazi durante la Segunda Guerra Mundial. Llevó a cabo experimentos con seres humanos.

Pero Race estaba pensando en algo totalmente distinto.

«Emplean números que signifiquen algo para ellos, números que puedan recordar pensando en un suceso o fecha memorable...»

Y entonces lo recordó.

El artículo del *New York Times* que había leído de camino al trabajo el día anterior, antes de llegar a la universidad y encontrarse a un equipo de las fuerzas especiales esperándole en su despacho.

El artículo decía que a los ladrones cada vez les resultaba más sencillo acceder a las cuentas bancarias porque el ochenta y cinco por ciento de la gente utilizaba la fecha de su cumpleaños u otras fechas importantes para los códigos de seguridad de las tarjetas de crédito.

—¿Cuándo era su cumpleaños? —preguntó Race de repente.

—Oh, eso lo sé —dijo Renée—. Lo vi en los expedientes. Nació en 1914. ¿Qué fecha era? ¡Ah, sí! El 6 de agosto. El 6 de agosto de 1914.

00.00.30

00.00.29

00.00.28

—¿Qué opinas? —le gritó Race por encima del rugido de la lluvia del interior de la cabina.

—Es una posibilidad —dijo Renée.

Race lo meditó durante un segundo. Mientras reflexionaba, observó la habitación. Vio a Ehrhardt sentado con la espalda apoyada en la pared, esbozando una sonrisa con la boca encharcada de sangre.

—No —dijo Race categórico—. Esa no es.

—¿Qué?

00.00.21
00.00.20
00.00.19

Por algún motivo, Race estaba pensando en ese momento con una claridad pasmosa.

—Es demasiado simple. En el caso de que hubiese utilizado una fecha, habría sido una fecha significativa; una fecha ingeniosa, petulante. No habría usado una fecha tan tonta como su cumpleaños. Habría usado una que tuviera un significado.

—Profesor, no disponemos de mucho tiempo. ¿Adónde quiere llegar?

Race intentó recordar todo lo que había escuchado anteriormente sobre Fritz Weber.

Había realizado experimentos con seres humanos.

00.00.15

Había sido juzgado en Nuremberg.

00.00.14

Y condenado a muerte.

00.00.13

Y ejecutado.

00.00.12

Ejecutado.

Ejecutado...

Eso es, pensó Race.

00.00.11

Pero, ¿cuál era la fecha?

00.00.10

—Renée, rápido. ¿Cuándo se celebró la supuesta ejecución de Weber?

00.00.09

—Eh... El 22 de noviembre de 1945.

00.00.08

El 22 de noviembre de 1945.

00.00.07

Hazlo.

00.00.06

Race se inclinó sobre el ordenador de la Supernova y tecleó los números.

INTRODUZCA EL CÓDIGO DE DESACTIVACIÓN

2 2 1 1 1 9 4 5

Una vez hubo tecleado el código, con la lluvia de los rociadores repiqueteando a su alrededor y el temporizador que tenía delante a punto de llegar a cero, Race pulsó la tecla «intro».

¡Bip!

Ehrhardt dejó de sonreír cuando escuchó el pitido.
La cara de Race se transformó en una enorme sonrisa burlona.
Dios mío, lo hice...
Y, de repente, la pantalla de la Supernova cambió:

CÓDIGO DE DESACTIVACIÓN
INTRODUCIDO
CUENTA ATRÁS DE LA DETONACIÓN PARADA EN
00:00:04

SECUENCIA DE DETONACIÓN
ALTERNA ACTIVADA

¿Secuencia de detonación alterna?
—¡Oh, joder...! —murmuró Race.
Sus ojos se posaron en el otro temporizador, el que estaba encima de uno de los bidones de hidracina al otro lado de la habitación. El temporizador que estaba parado en 00.00.05.
El segundo temporizador se activó.
00.00.04
Los ojos de Race se abrieron como platos.
—¡Joder! —dijo.

Exactamente cuatro segundos después, los líquidos hipergólicos de los bidones se mezclaron y las paredes de la cabina de control estallaron con una fuerza espeluznante.
Las ventanas explotaron en mil pedazos, seguidas a continuación por el rugido de humeantes llamas de fuego expansivas.

Los restos de la cabina volaron en todas direcciones. Puertas, trozos de la Supernova, fragmentos de madera de las mesas y del suelo... volaron con una fuerza tal que algunos de ellos llegaron hasta el borde del cráter, aterrizando en el denso follaje que rodeaba la gigantesca mina. Los restos de las dos cabezas termonucleares que formaban la Supernova aterrizaron sin explosionar en la base del cráter, pues los combustibles hipergólicos no estaban lo suficientemente refinados como para fisionar los átomos de su interior.

En cuestión de segundos, lo único que quedó de la cabina de control fue su estructura, tan ennegrecida y carbonizada que resultaba casi irreconocible, pendiendo sobre la mina. Las paredes habían desaparecido, las ventanas habían desaparecido, el suelo y el techo habían desaparecido.

William Race había desaparecido, también.

Sexta maquinación

Martes, 5 de enero, 19.10 horas

Las dos embarcaciones fluviales avanzaban lentamente por la superficie del río en dirección a la mina abandonada.

Una de las embarcaciones era una lancha motora. La otra, un hidroavión con un aspecto lamentable y un solo pontón bajo su ala derecha.

El silencio reinaba en la zona. Las aguas del río estaban en calma.

Leonardo van Lewen y *Doogie* Kennedy miraban a su alrededor desde sus respectivas cabinas, observando la mina desierta que se alzaba ante ellos. Condujeron lentamente sus embarcaciones a la orilla del río y las vararon con cuidado.

Habían escuchado la explosión hipergólica y ahora estaban contemplando la mina, el inmenso cráter marrón y la nube de humo negruzco que salía de aquel amasijo de hierros carbonizados que pendía en el centro.

No había ni un alma.

Nada se movía.

Lo que hubiese ocurrido allí ya había terminado.

Los dos boinas verdes saltaron de sus embarcaciones y caminaron con cautela y sus armas en ristre hacia un grupo de construcciones similares a almacenes que había en el borde del cañón.

Entonces, de repente, Renée apareció por la puerta de uno de esos almacenes. Los vio al momento, se acercó hasta ellos y los tres permanecieron en el borde del cañón, observando los restos ennegrecidos de la cabina de control.

—¿Qué ha ocurrido aquí? —preguntó Van Lewen.

—Ehrhardt utilizó el ídolo para montar la Supernova. Después la activó para detonarla —dijo Renée con voz triste—. El profesor Race logró parar la secuencia de la detonación, pero tan pronto como neutralizó la Supernova, toda la cabina explotó.

Van Lewen se volvió para mirar la cabina de control destrozada, el último lugar en el que William Race había sido visto con vida.

—¿La Supernova estaba allí? —preguntó.

—Sí —dijo Renée—. Fue impresionante. Paró la cuenta atrás. Estuvo increíble.

—¿Y el ídolo?

—Destrozado por la explosión, supongo, junto con la Supernova y el profesor Race.

Entonces se escuchó una especie de crujido a su derecha.

Van Lewen y Doogie levantaron las armas y se giraron.

Pero, al girarse, no vieron más que árboles y follaje.

Y entonces, de repente, vieron un objeto cilíndrico parecido a un bidón, una especie de cápsula, caer de las ramas superiores de un árbol hasta ir a parar con suavidad sobre el denso follaje, a cerca de veinte metros de distancia de ellos.

Van Lewen, Renée y Doogie fruncieron el ceño y se acercaron hasta allí.

La cápsula debía de haber estado dentro de la cabina de control cuando esta estalló y la onda expansiva la había arrastrado hasta allí.

La cápsula de la cabeza nuclear comenzó a rodar por el follaje hasta detenerse. Entonces, empezó a tambalearse de un lado a otro, como si hubiese alguien retorciéndose dentro, intentando salir...

De repente, la tapa de la cápsula se abrió y Race cayó de culo al terreno embarrado.

La cara de Renée se tornó en una sonrisa de oreja a oreja y ella y los dos boinas verdes corrieron hacia Race.

El profesor estaba tumbado boca arriba en el fango, empapado y totalmente extenuado. Todavía llevaba la gorra y el peto negro de kevlar.

Cuando sus tres compañeros se acercaron, Race les miró y les sonrió débilmente.

Después se llevó la mano derecha a la espalda y sacó un objeto que colocó en el suelo ante ellos. A pesar de las gotas de agua que refulgían sobre su superficie, se podía distinguir claramente la brillante piedra negra y púrpura, y los rasgos de la cabeza del *rapa* tallados en ella.

Era el ídolo.

El Goose planeaba grácilmente en el aire sobre la selva amazónica.

La noche estaba al caer. Se dirigía rumbo al oeste. De vuelta a las montañas. De vuelta a Vilcafor.

Doogie se encontraba en la cabina de mando, pilotando el avión, mientras que Van Lewen, Race, Renée y Uli, malherido, estaban sentados en la parte trasera.

Race rememoró su huida de la cabina de control.

En los cinco segundos que habían transcurrido desde que desactivó la Supernova y comenzó la mezcla de los combustibles hipergólicos, había buscado desesperadamente por toda la cabina una forma de escapar de allí.

Sus ojos se posaron sobre una de las cápsulas, capaces de resistir una presión de cuatro mil quinientos cuarenta kilos por centímetro cuadrado, ya que su finalidad era proteger las cabezas nucleares explosivas.

Con nada más a su alcance, cogió el ídolo de la mesa donde se encontraba y se metió dentro de la cápsula, cerrando la tapa justo en el momento en que la cuenta atrás de cinco segundos llegó a su fin.

Los combustibles se mezclaron, la cabina de control estalló y la onda expansiva lanzó la cápsula por los aires. Por suerte, la caída había sido amortiguada por los árboles que rodeaban la mina.

Pero la cuestión era que estaba vivo y eso era lo que importaba.

En ese momento, sentado en el hidroavión, Race también tenía entre sus manos un viejo libro encuadernado en cuero que había encontrado en el cobertizo tras su espectacular proeza. Se encontraba en una estantería dentro de la oficina que dominaba la mina.

Se había empeñado en buscar ese libro antes de que partieran rumbo a Vilcafor.

Era el manuscrito de Santiago.

El manuscrito original de Santiago, escrito por Alberto Santiago en el siglo XVI, robado de la abadía de San Sebastián por Heinrich Anistaze en el siglo XX y fotocopiado por el agente especial Uli Pieck de la *Bundes Kriminal Amt* poco tiempo después.

Mientras se encontraba en la parte trasera del hidroavión, Race observó el manuscrito con una especie de sobrecogimiento contenido.

Vio la letra de Alberto Santiago. Las florituras y los trazos le resultaban familiares, pero ahora los veía escritos en tinta azul y en un papel con una textura maravillosa, no en una fotocopia áspera.

Quería leerlo inmediatamente, pero no, tendría que esperar. Había algunas cosas que tenía que aclarar antes.

—Van Lewen —dijo.

—¿Sí?

—Hábleme de Frank Nash.

—¿Cómo?

—Hábleme de Frank Nash.

—¿Qué quiere saber?

—¿Había trabajado antes con él?

—No, es la primera vez. Retiraron a mi unidad de Bragg para venir a esta misión.

—¿Está al tanto de que Nash es coronel de la División de Proyectos Especiales del Ejército?

—Sí, claro.

—Entonces, ¿sabía que era todo mentira cuando Nash fue a mi despacho ayer por la mañana con una tarjeta de identificación de la DARPA y con la historia de que era un coronel retirado del Ejército que ahora trabajaba en la Agencia de Investigación de Proyectos Avanzados de Defensa?

—No sabía que hubiese dicho eso.

—¿No lo sabía?

Van Lewen miró a Race con sinceridad.

—Profesor Race, soy solo un soldado, ¿de acuerdo? Me dijeron que se trataría de una asignación de protección. Me ordenaron que le protegiera. Así que eso es lo que estoy haciendo. Si el coronel Nash le mintió, lo siento, pero yo no lo sabía.

Race apretó los dientes. Estaba cabreadísimo, furioso ante el hecho de que le hubieran engañado para que participara en la misión.

Además de estar enfadado, sin embargo, también estaba resuelto a saberlo todo, pues si Nash no era de la DARPA aquello suscitaba bastantes preguntas. Por ejemplo, ¿qué pasaba con Lauren y Copeland? ¿También eran de la División de Proyectos Especiales del Ejército?

Todas esas dudas y preguntas relativas a la misión adquirían también un tinte personal. Después de todo, Nash había dicho que había sido su hermano Marty el que había sugerido su nombre para la misión. Pero hacía casi diez años que Race no veía a su hermano.

Race se puso a pensar en Marty.

De pequeños habían estado muy unidos. A pesar de que Marty era tres años mayor, siempre habían jugado juntos al béisbol, al fútbol americano, o simplemente correteaban los dos por ahí... Pero a Will siempre se le habían dado mejor los deportes, a pesar de la diferencia de edad.

Marty, por otro lado, era con diferencia el más listo de los dos. Había destacado en el colegio y le habían marginado por ello. No era guapo. Ya a los nueve años era la viva imagen de su padre: espaldas encorvadas, cejas oscuras y espesas... y un permanente gesto severo que recordaba al de Richard Nixon.

Por el contrario, Race había heredado los rasgos de su madre: ojos azules y pelo castaño claro.

De adolescentes, mientras Will salía por la ciudad con sus amigos, Marty se quedaba en casa con sus ordenadores y su preciada colección de discos de Elvis Presley. A la edad de diecinueve años, Marty nunca había tenido novia. De hecho, la única chica que le había gustado, una guapa animadora llamada Jennifer Michaels, había acabado enamorándose perdidamente de Will. Aquello había destrozado a Marty.

La universidad llegó y mientras que sus torturadores escolares se marcharon para convertirse en cajeros de banco y agentes inmobiliarios Marty se había ido de cabeza a los laboratorios informáticos del Instituto Tecnológico de Massachussets. Su padre, un ingeniero informático, le había pagado todo el importe de la matrícula.

Race, por otro lado, muy inteligente pero con peores notas, fue a la Universidad del sur de California con una beca de deporte parcial. Allí conocería, cortejaría y perdería a Lauren O'Connor y, entre medias, estudiaría lenguas antiguas y otros idiomas.

Entonces se produjo el divorcio de sus padres.

Ocurrió tan de repente. Un día, el padre de Race llegó a casa del trabajo y le dijo a su madre que la dejaba. Resultó que llevaba casi once meses teniendo una aventura con su secretaria.

La familia se dividió en dos.

Marty, que por aquel entonces tenía veinticinco años, siguió viendo a su padre con regularidad. Después de todo, siempre había sido su viva imagen en cuanto a físico y modales.

Pero Race nunca perdonó a su padre. Cuando murió de un infarto en 1992, Race ni siquiera fue al funeral.

La típica familia nuclear estadounidense, destruida desde dentro.

Race aparcó sus pensamientos y volvió al presente, al hidroavión que sobrevolaba la selva de Perú.

—¿Qué hay de Lauren y Copeland? —le preguntó a Van Lewen—. ¿También son de los Proyectos Especiales del Ejército?

—Sí —dijo Van Lewen con aire de gravedad.

Hijo de puta.

—Muy bien —dijo Race cambiando de táctica—. ¿Qué sabe del proyecto de la Supernova?

—Juro que no sé nada acerca de ese proyecto —dijo Van Lewen.

Race frunció el ceño y se mordió el labio.

Se volvió a Renée.

—¿Sabes algo del proyecto de la Supernova estadounidense?

—Un poco.

Race arqueó las cejas expectante.

Renée suspiró.

—Proyecto aprobado por la comisión de armamento del Congreso en una sesión a puerta cerrada en enero de 1992. Presupuesto de mil ochocientos millones de dólares aprobado por el comité de gastos del Senado, de nuevo a puerta cerrada, en marzo de 1992. En principio, el proyecto iba a ser una empresa conjunta entre la Agencia de Investigación de Proyectos Avanzados de Defensa y la Armada de los Estados Unidos. La persona al frente del proyecto es...

—Espera un segundo —la interrumpió Race—. ¿La Supernova es un proyecto de la Armada?

—Sí.

Así que Frank Nash había dicho más de una mentira para lograr que fuera con ellos a la misión. La Supernova ni siquiera era un proyecto del Ejército. Era un proyecto de la Armada.

Y entonces, de repente, Race recordó algo que había escuchado la noche anterior cuando lo habían encerrado dentro del Humvee, antes de que los felinos atacaran al equipo de la BKA.

Recordó haber escuchado la voz de una mujer, la de Renée quizá, que decía algo en alemán por la radio, una frase que le había resultado un tanto incongruente en ese momento, una frase que no había traducido a Nash y a los demás.

«*Was ist mit dem anderen amerikanischen Team? Wo sind die jetz?*»

«¿Qué hay del otro equipo estadounidense? ¿Dónde están ahora?»

El otro equipo estadounidense...

—Perdona, René —dijo—. ¿Quién decías que era la persona al frente del proyecto de la Supernova?

—Su nombre es Romano. Doctor Julius Michael Romano.

Helo ahí.

El misterioso Romano, por fin.

El equipo de Romano era el otro equipo estadounidense. Un equipo de la Armada.

Santo Dios...

—A ver si lo he entendido bien —dijo Race—. La Supernova es un proyecto de la Armada dirigido por un tipo que se llama Julius Romano, ¿no?

—Así es —dijo Renée.

—¿Y Romano y su equipo están ahora mismo en Perú buscando el ídolo de tirio?

—Sí.

—Pero Frank Nash tiene ahí abajo a un equipo del Ejército que también quiere hacerse con el ídolo.

—Correcto —dijo Renée.

—Pero, ¿por qué? ¿Por qué un equipo dirigido por un coronel de la División de Proyectos Especiales del Ejército estadounidense iba a intentar vencer a un equipo de la Armada para hacerse con un ídolo que es la pieza clave del arma que la Armada posee?

Renée dijo:

—La respuesta a esa pregunta es un poco más compleja de lo que pueda parecer, profesor Race.

—Sorpréndeme.

—De acuerdo —dijo Renée respirando profundamente—. Durante los últimos seis años, la inteligencia alemana ha sido testigo en silencio de cómo las tres ramas de las fuerzas armadas de los Estados Unidos (el Ejército, la Armada y la Fuerza Aérea) se han enzarzado en una encarnizada lucha secreta por hacerse con el poder.

»Luchan por su supervivencia. Luchan por ser la fuerza armada destacada de los Estados Unidos para que, cuando el congreso de EE. UU. suprima una de ellas, algo que planea hacer en 2010, no sea su rama la que caiga. Luchan por hacerse imprescindibles.

—¿El Congreso pretende suprimir una de las fuerzas armadas en 2010? —dijo Race.

—En un acta secreta del Departamento de Defensa con fecha del 6 de septiembre de 1993 y firmada por el secretario de Defensa y el propio presidente, el Departamento de Defensa recomendaba a este último que, para el año 2010, una de estas ramas se eliminara.

—Vale... —dijo Race dubitativo—. ¿Y cómo es que sabe todo esto?

Renée le sonrió torciendo la boca.

—Vamos, profesor. La Armada de los Estados Unidos no es la única armada del mundo que interviene las comunicaciones submarinas de otros países.

—Oh —dijo Race.

—La decisión del Departamento se basaba en que la guerra ha cambiado. La antigua división tierra-mar-aire de las fuerzas armadas ya no se aplica en el mundo actual. Se trata de un anacronismo de dos guerras mundiales y mil años de combate cuerpo a cuerpo. La decisión entonces es cuál de las tres ramas eliminar.

»Desde entonces —prosiguió Renée—, cada una de las ramas de las fuerzas armadas ha intentado demostrar su valía a costa de las otras dos.

—¿Por ejemplo? —dijo Race escéptico.

—Por ejemplo, la Fuerza Aérea sostiene que tiene el bombardero B-3 y una experiencia única que les hace poseedores de la supremacía en la lucha aérea. Pero la Armada replica que posee grupos de batalla de portaaviones. Además, alegan que sus bombarderos y sus cazas no solo son tan sigilosos como el B-3, sino que también cuentan con la ventaja añadida de una pista de aterrizaje transportable. Según la Armada, con una docena de grupos de batalla de portaaviones, ¿quién necesita a la Fuerza Aérea?

»El Ejército, por otro lado, sostiene que dispone de soldados de tierra especializados y fuerzas de infantería mecanizadas. Pero tanto la Armada como la Fuerza Aérea alegan, por el contrario, que las guerras del mundo actual se libran en el mar y en el aire, y ponen como ejemplo la guerra del Golfo y el conflicto de Kosovo, batallas que se disputaron en el aire, no en la tierra.

»A eso hay que añadirle la estrecha relación de la Armada con el Cuerpo de Marines de los Estados Unidos. Dado que la existencia de los marines está garantizada por la Constitución, no pueden suprimirlos. Y también disponen de infantería de tierra y mecanizada, lo que añade más presión al Ejército a la hora de justificar su existencia.

»Por Dios santo, miren los misiles balísticos intercontinentales. Las tres ramas cuentan con instalaciones de lanzamiento de misiles: la Armada tiene misiles balísticos intercontinentales para submarinos, la Fuerza Aérea sistemas de lanzamiento aéreos y terrestres y el Ejército sistemas de lanzamiento terrestres así como portátiles. ¿De verdad que una nación necesita tres sistemas de misiles nucleares cuando realmente solo dos, o incluso uno, serían más que suficiente?

—Entonces, ¿quién parece llevar las de perder? —preguntó Race yendo al grano.

—El Ejército —dijo Renée—. Sin ninguna duda. Especialmente si tenemos en cuenta la garantía constitucional de los marines. En todos los estudios y análisis que he visto hasta ahora, el Ejército siempre ha quedado en el tercer lugar.

—Así que necesitan demostrar su valía —dijo Race.

—Necesitan desesperadamente demostrar su valía. O disminuir la de una de las otras ramas.

—¿Qué quiere decir con «disminuir la de una de las otras ramas»?

—Profesor —le dijo Renée—, ¿sabía que a finales del año pasado tuvo lugar un robo en la base de la Fuerza Aérea de Vandenberg?

—No.

—Se sustrajeron planos secretos para la nueva cabeza nuclear W-88. La W-88 es una cabeza nuclear miniaturizada de tecnología punta. Durante el robo murieron seis miembros de la seguridad de la base. El informe de la investigación oficial y, por consiguiente, la cobertura de los medios de información, sostuvieron que había sido obra de agentes chinos. Sin embargo, el informe extraoficial dice que, tras examinar las técnicas empleadas para acceder al recinto y la forma en que habían asesinado a los miembros de seguridad, solo una unidad podría haber cometido ese robo. Una unidad de las Fuerzas Especiales del Ejército. Los boinas verdes.

Race le lanzó una mirada a Van Lewen. El boina verde se limitó a encogerse de hombros en un gesto de impotencia. Él tampoco sabía nada.

—¿El Ejército robó en una base de la Fuerza Aérea? —preguntó Race incrédulo.

Renée dijo:

—Verá, profesor, el Ejército está trabajando también en una cabeza miniaturizada. Si la W-88 hubiera llegado a buen término, eso habría minado seriamente su proyecto y les habría quitado una razón más para mantenerlos en el año 2010.

Race frunció el ceño.

—Entonces, ¿qué tiene que ver todo esto con el proyecto de la Supernova?

—Muy sencillo —dijo Renée—. La Supernova es un arma de última generación. La rama de las fuerzas armadas que controle su uso garantizará su supervivencia en 2010. Es obvio que, aunque la Supernova es oficialmente un proyecto de la Armada, el Ejército ha construido su propia arma, con toda seguridad valiéndose de la información que han logrado obtener de alguna fuente que participara en el proyecto de la Armada.

—Pero nadie tiene el tirio aún —dijo Race.

—Razón por la que todo el mundo está buscando el ídolo.

—Vale, veamos si lo he entendido —dijo Race—. Aunque la Supernova es oficialmente un proyecto de la Armada, el Ejército ha construido en secreto otra. Entonces, cuando descubre que puede haber una fuente de tirio aquí, encarga a Frank Nash y a la División de Proyectos Especiales la misión de encontrar ese tirio antes de que lo haga la Armada.

—Correcto.

—Vaya... —musitó Race—. ¿Quién está detrás de todo esto?

Estaba pensando en la caravana de vehículos que los había trasladado fuera de Nueva York el día anterior. Para poder hacer eso había que tener un rango importante.

—Las altas esferas —le dijo Renée en voz baja—. Los oficiales de mayor rango en la jerarquía del Ejército estadounidense. Y eso es lo que me asusta. Jamás he visto al Ejército tan desesperado. Es decir, mire esta misión. Si el Ejército logra hacerse con esa piedra —asintió con la cabeza al ídolo que estaba en el asiento contiguo al de Race—, garantizan su futura existencia. Eso significa que Frank Nash hará lo que sea para lograrlo. Lo que sea.

Race cogió el ídolo reluciente entre sus manos. La cabeza del *rapa* gruñía amenazadora.

Lo contempló con tristeza. Vio el corte que le habían hecho en la base.

—Entonces supongo que solo hay un problema —dijo.

—¿Qué problema? —dijo Renée.

—El ídolo.

—¿Qué le pasa?

—Veras, esa es la cuestión —dijo Race—. Este ídolo no está hecho de tirio. Es falso. Es una falsificación.

—¿Que es qué? —exclamó Renée.

—¿Una falsificación? —repitió Van Lewen.

—Una falsificación —confirmó Race—. Eche un vistazo. —Le tiró el ídolo a Van Lewen—. ¿Qué es lo que ve?

El fornido sargento se encogió de hombros.

—Veo al ídolo inca que hemos venido a buscar.

—¿De veras? —Race se inclinó hacia delante y cogió una cantimplora que pendía del cinturón de Van Lewen—. ¿Puedo?

Desenroscó la tapa y vertió el contenido de la cantimplora por encima del ídolo.

El agua se derramó por la cabeza del *rapa*, deslizándose por su rostro hasta ir a parar al suelo del avión.

—¿Y bien...? —dijo Van Lewen.

—Según el manuscrito —dijo Race—, se supone que cuando el ídolo se moja, emite un leve zumbido. Este no hace ningún sonido.

—¿Entonces?

—Entonces no está hecho de tirio. Si estuviera hecho de tirio, el oxígeno del agua lo haría resonar. Este no es el auténtico ídolo. Es una falsificación.

—Pero, ¿cuándo lo supo? —preguntó Renée.

Race dijo:

—Cuando cogí el ídolo de la mesa segundos antes de que la cabina estallara, el sistema de rociadores de la cabina de control se había activado. El agua cayó sobre el ídolo, pero desde entonces no ha emitido un solo zumbido.

—Entonces, ¿la Supernova de los nazis no habría destruido al mundo? —dijo Van Lewen.

—No —dijo Race—. Solo a nosotros, y quizá unos cientos de hectáreas de la selva por la explosión termonuclear. Pero no al mundo.

—Si no está hecho de tirio —dijo Van Lewen—, ¿de qué está hecho?

—No lo sé —dijo Race—. Supongo que de algún tipo de roca volcánica.

—Y si es una falsificación —dijo Renée cogiéndole el ídolo a Van Lewen—, ¿quién la hizo? ¿Quién podría haberla hecho? La hemos encontrado dentro de un templo en el que nadie había estado desde hacía más de cuatrocientos años.

—Creo que sé quién lo hizo —dijo Race.

—¿Sí?

Race asintió con la cabeza.

—¿Quién? —le preguntaron Renée y Van Lewen al unísono.

Race levantó el manuscrito encuadernado en cuero, el manuscrito original de Santiago, el mismo manuscrito que Alberto Santiago había escrito hacía mucho, mucho tiempo.

—La respuesta a esa pregunta —dijo—, se encuentra en las páginas de este libro.

Race se fue a la parte trasera del hidroavión.

Pronto llegarían a Vilcafor. Pero antes quería leer el manuscrito, leerlo hasta el final.

Había tantas preguntas a las que quería encontrar respuesta. Como, por ejemplo, cuándo había sustituido Renco al ídolo verdadero por uno falso, o cómo había logrado que los *rapas* volvieran a entrar al templo.

Pero, sobre todo, mucho más que todo lo demás, quería saber una cosa.

Dónde se encontraba el ídolo auténtico.

Race se acomodó en su asiento al final del avión. Justo cuando estaba a punto de abrir el manuscrito, sin embargo, vio la esmeralda colgando de su cuello, la esmeralda de Renco, y la cogió con la mano. Pasó los dedos por los bordes de la brillante piedra verde. Mientras lo hacía, pensó en el esqueleto del que había cogido el collar de cuero horas antes, el esqueleto destrozado y mugriento que había encontrado en el interior del templo.

Renco...

Race apartó esos pensamientos a un lado. Soltó la esmeralda y se paró a pensar dónde se había quedado leyendo. Pronto encontró la parte del manuscrito en la que había dejado la historia:

Alberto Santiago acababa de salvar a la hermana de Renco, Lena, de los *rapas,* tras lo cual esta le había dicho a Renco que los españoles llegarían a Vilcafor al alba...

Cuarta lectura

Renco miró a Lena durante un instante eterno.

—Al alba —repitió sus palabras.

Todavía era de noche, pero se haría de día en unas horas.

—Así es —dijo Lena.

Con la tenue luz del fuego de la ciudadela, pude ver cómo en el semblante de Renco se reflejaba el dilema al que tenía que hacer frente; el conflicto entre tener que cumplir con su misión de salvar al ídolo y su deseo de ayudar a la gente de Vilcafor en un momento tan extremo como aquel.

Renco miró al interior de la ciudadela.

—Bassario —dijo.

Me giré y vi a Bassario sentado en el suelo con las piernas cruzadas en un rincón oscuro de la ciudadela, de espaldas a los allí presentes (como ya era habitual).

—Sí, oh, sabio príncipe —dijo el delincuente sin levantar la vista de lo que estaba haciendo.

—¿Cómo vas?

—Ya casi he finalizado.

Renco se acercó a donde el taimado delincuente estaba sentado. Yo le seguí.

Bassario se volvió cuando Renco se puso a su lado. Junto a él vi en el suelo al ídolo que debíamos proteger. A continuación Bassario le dio algo a Renco para que lo valorara.

Cuando vi lo que era, me paré en seco.

Pestañeé dos veces y volví a mirar, pues no estaba seguro de si mis ojos me estaban traicionando.

Pero no.

No me traicionaban.

Pues, en las manos de Bassario, justo ante mis ojos, se hallaba una réplica exacta del ídolo de Renco.

Por supuesto, Renco lo había planeado todo, lo había concebido desde el principio.

Recordé, en el inicio del viaje, nuestra breve parada en el pueblo cantero de Colco y también cómo habían dado a Renco un saco lleno de objetos de bordes afilados. Y recordé con toda claridad que en ese momento me había preguntado por qué estábamos perdiendo nuestro preciado tiempo en coger piedras.

Pero ahora sí lo entendía.

Renco había cogido piedras de la cantera casi iguales a la extraña piedra púrpura y negra en la que se había tallado el ídolo.

Renco, a continuación, le había dado esas piedras al delincuente Bassario y le había encomendado que tallara una copia idéntica del ídolo con la que, imagino, engatusar a Hernando.

Era un plan brillante.

En ese momento también caí en la cuenta de qué era lo que había estado haciendo Bassario durante el viaje en aquellos momentos en que se retiraba a un rincón y se acurrucaba al lado de una pequeña hoguera de espaldas a nosotros.

Había estado tallando la copia del ídolo.

Y lo cierto era que la copia era extraordinaria. Las fauces abiertas, los dientes afilados... todos los detalles tallados en una reluciente piedra negra y púrpura.

Entonces, durante un instante, lo único que pude hacer fue mirar al ídolo falso y preguntarme qué tipo de experto delincuente había sido Bassario.

—¿Cuánto tiempo queda para que lo termines? —le preguntó Renco a Bassario. Mientras Renco hablaba, me di cuenta de que a la réplica le faltaban algunos toques finales en la quijada.

—No mucho —respondió el delincuente—. Estará terminado para el amanecer.

—Tienes la mitad de ese tiempo —le dijo Renco. Se dio la vuelta y miró al grupo de supervivientes congregados en la ciudadela.

Aquella imagen no le dio demasiadas esperanzas.

Ante él estaba Vilcafor, viejo y débil, y siete guerreros incas, aquellos afortunados que se encontraban dentro de la ciudadela cuando había comenzado el ataque de los *rapas*. Además de los siete guerreros, sin embargo, Renco solo vio a un heterogéneo grupo de mujeres, niños y ancianos aterrorizados.

—Renco —susurré—. ¿Qué vamos a hacer?

Mi valeroso compañero frunció los labios pensativo. Después habló así:

—Vamos a poner fin a todo este sufrimiento de una vez por todas.

Mientras Bassario trabajaba sin descanso para terminar la réplica del ídolo, Renco comenzó a organizar a los supervivientes de Vilcafor.

—Ahora escuchadme —dijo cuando todos se reunieron a su alrededor en un círculo—. Los comedores de oro estarán aquí al amanecer. Según mis cálculos, eso nos deja menos de dos horas para prepararnos para su llegada.

»Las mujeres, los niños y los ancianos entrarán en el *quenko* guiados por mi hermana y se alejarán del pueblo todo lo que puedan.

»Guerreros —dijo tras volverse para mirar a los siete guerreros supervivientes del pueblo—. Vosotros vendréis conmigo al templo del que Vilcafor habla. Si esos *rapas* han salido de ese templo, entonces tendremos que volver a meterlos dentro. Los atraeremos hacia el templo mojando el ídolo y con su sonido lograremos encerrarlos de nuevo. Ahora reunid todas las armas que podáis.

Los guerreros se pusieron manos a la obra.

—Lena —dijo Renco.

—¿Sí, hermano? —Su hermosa hermana apareció a su lado. Me sonrió al llegar. Sus ojos eran increíbles.

—Necesito la vejiga de animal más grande que puedas encontrar —dijo Renco—. Llénala con agua de lluvia.

—Así se hará —dijo Lena y se marchó.

—¿Qué hay de Hernando? —le pregunté a Renco—. ¿Y si llega cuando estemos intentando devolver a los *rapas* a su guarida?

Renco dijo:

—Si, como dice mi hermana, nos están siguiendo con rastreadores chancas, entonces tan pronto como lleguen aquí él sabrá en qué dirección hemos ido. Confíe en mí, buen Alberto, cuento con que den con nosotros. Pues, cuando me encuentre, también encontrará el ídolo... y doy mi palabra de que se lo daré.

—Hernando es un hombre frío y cruel, Renco —le dije—. Despiadado y sanguinario. No es un hombre ni de honor ni de palabra. Cuando le dé el ídolo, lo matará.

—Lo sé.

—Pero entonces, ¿por qué...?

—Mi amigo, ¿qué es mejor? —dijo Renco con dulzura. Su gesto era amable y su voz calma—. ¿Que viviera y Hernando se hiciera con el ídolo de mi gente o que muriera y él se llevara una réplica sin valor?

Me sonrió.

—Personalmente, preferiría vivir, pero me temo que aquí hay mucho más en juego que mi vida.

La ciudadela se convirtió en un hervidero de actividad mientras las gentes de Vilcafor se preparaban para lo que iba a acontecer.

Renco fue a dar algunas instrucciones a los guerreros. Mientras lo hacía, aproveché para ir con Bassario y observar cómo le daba forma a la réplica del ídolo. Pero, si he de ser sincero, y que Dios me perdone, también tenía otro motivo para ir a hablar con él.

—Bassario —le susurré con titubeos—. ¿Lena... Lena tiene marido?

Bassario me lanzó una sonrisa pícara.

—¿Por qué, monje...? ¡Viejo granuja...! —dijo en voz alta.

Le rogué en murmullos que no hablara tan alto. Bassario, como era de esperar de semejante bribón, estaba sumamente divertido.

—Tuvo un marido —dijo finalmente—. Pero su matrimonio terminó hace muchas lunas, antes de la llegada de los comedores de oro. El nombre de su marido era Huarca y era un joven guerrero prometedor. Su matrimonio trajo consigo grandes expectativas y esperanzas, dentro de las expectativas que una boda concertada pueda tener. Sin embargo, casi nadie sabía que Huarca tenía brotes de furia. Tras el nacimiento de su hijo, Huarca comenzó a pegar a Lena salvajemente. Decían que Lena soportaba sus palizas para proteger a Mani de la furia de su padre. Según parece lo logró, pues Huarca jamás pegó al niño.

—¿Por qué no lo abandonó? —le pregunté—. Después de todo, ella es la princesa de vuestra gente...

—Huarca amenazó con matar al niño si Lena se lo contaba a alguien.

Dios santo, pensé.

—Entonces, ¿qué es lo que ocurrió? —pregunté.

—Todo se descubrió por accidente —dijo Bassario—. Un día Renco visitó a Lena de improviso y se la encontró encogida de miedo en un rincón de su casa acunando al niño en sus brazos. Tenía los ojos llenos de lágrimas y la cara ensangrentada y lastimada.

»Huarca fue capturado inmediatamente y condenado a muerte. Creo que al final lo lanzaron a un foso con un par de enormes y hambrientos felinos. Despedazaron sus miembros uno a uno. —Bassario sacudió la cabeza—. Monje, el hombre que pega a su mujer es el mayor de los cobardes, el mayor. Creo que Huarca tuvo el final que se merecía.

Dejé que Bassario continuara con su trabajo y me retiré a un rincón de la ciudadela para prepararme para nuestra misión.

Poco tiempo después, Renco se unió a mí para hacer lo mismo. Todavía llevaba las ropas españolas que había robado del barco prisión hacía muchas semanas: el chaleco de cuero marrón, los pantalones blancos, las botas de cuero por las rodillas. Aquellos ropajes extra, me dijo en una ocasión, le habían sido de gran utilidad durante nuestra dura caminata por la selva.

Se colocó una aljaba y comenzó a ponerse el cinturón de la espada alrededor de la cintura.

—¿Renco? —le dije.

—¿Sí?

—¿Por qué estaba Bassario en prisión?

—Ah... Bassario —suspiró con tristeza.

Esperé a que comenzara.

—Lo crea o no, Bassario fue una vez príncipe —dijo Renco—. Un joven príncipe al que se le tenía en gran estima. Su padre era ni más ni menos que el cantero real, un constructor y tallador de piedra brillante, el ingeniero más venerado del imperio. Bassario era su hijo y protegido, y pronto se convirtió en un cantero excepcional. A la edad de dieciséis años ya había sobrepasado a su padre en conocimiento y habilidad, a pesar de que su padre era el cantero real, ¡el hombre que había construido ciudadelas para el sapa inca!

»Pero Bassario era imprudente. Era un cazador excepcional y como arquero no tenía igual, pero, como a muchos de su ralea, le gustaba beber y apostar y divertirse con jóvenes doncellas de los barrios menos recomendables de Cuzco. Para desgracia suya, su éxito con las mujeres no era tal en el juego. Acumuló una deuda gigantesca con gente de una reputación más que dudosa. Entonces, cuando la deuda fue demasiado elevada como para poder pagarla, esos delincuentes decidieron que Bassario pagara su deuda de otra forma: con su talento.

—¿Cómo?

—Bassario pagó su deuda con ellos utilizando su habilidad con la mampostería para tallar falsificaciones de estatuas famosas y tesoros inestimables. Esmeralda u oro, plata o jade, daba igual, Bassario podía reproducir hasta el objeto más complejo.

»Una vez hacía la copia de una estatua famosa, sus colegas nefarios robaban en las casas de los propietarios de las estatuas y objetos auténticos, y los sustituían por la falsificación de Bassario.

»Esto les funcionó durante casi un año y esos delincuentes lograron grandes beneficios hasta que un día pillaron in fraganti a los «amigos» de Bassario en casa del primo del sapa inca cambiando un ídolo falso por el verdadero.

»Pronto se descubrió el papel de Bassario en el plan. Lo mandaron a prisión y deshonraron a toda su familia. Destituyeron a su padre como cantero real y lo despojaron de todos sus títulos. Mi hermano, el sapa inca, decretó que la familia de Bassario fuera trasladada de su hogar en el recinto real a una de las peores barriadas de Cuzco.

Asimilé todo lo que le decía en silencio.

Renco prosiguió:

—Yo consideraba que el castigo era demasiado duro y así se lo hice saber a mi hermano, pero quería darle un castigo ejemplar a Bassario e ignoró mis súplicas.

Renco miró a Bassario, que seguía trabajando en un rincón de la ciudadela.

—Bassario fue una vez un hombre muy noble. Con sus defectos, sí, pero con un fondo noble. Por eso, cuando me encargaron rescatar el ídolo de Coricancha, decidí que usaría su habilidad para mi misión. Pensé que si los delincuentes de Cuzco emplearon las habilidades de Bassario para sus fines, entonces yo también podría emplearlas en mi misión para rescatar el Espíritu del Pueblo.

Bassario terminó su réplica del ídolo.

Cuando hubo terminado llevó el ídolo falso, junto con el auténtico, a Renco.

Renco sostuvo los dos ídolos. Los observé por encima de su hombro y tal era la habilidad de Bassario que fui incapaz de averiguar cuál era el verdadero y cuál la falsificación.

Bassario se retiró a su rincón de la ciudadela y comenzó a recoger sus cosas. Su espada, su aljaba, su arco.

—¿Adónde crees que vas? —le preguntó Renco al verle.

—Me marcho —dijo Bassario.

—Pero necesito tu ayuda —dijo Renco—. Vilcafor dice que sus hombres tuvieron que quitar una roca enorme de la entrada del templo y que necesitó a diez hombres para hacerlo. Voy a necesitar a tantos como sea posible si la queremos colocar en su sitio. Necesito tu ayuda.

—Creo que ya he hecho más de lo que me correspondía en tu misión, noble príncipe —dijo Bassario—. Escapar de Cuzco, atravesar las montañas, cruzar una selva llena de peligros. Y mientras, tallar un ídolo falso. He cumplido con mi parte y ahora me voy.

—¿No eres leal a tu gente?

—Mi gente me metió en la cárcel —replicó Bassario con severidad—. Y después castigaron a mi familia por mi delito. Los desterraron a la cloaca más terrible de Cuzco. En esa barriada violaron a mi hermana, y golpearon y robaron a mis padres. Los ladrones le rompieron los dedos a mi padre para que nunca más pudiera volver a tallar piedra. Tuvo que mendigar, mendigar sobras con que poder alimentar a su familia. No siento ningún rencor por el castigo que se me impuso, ninguno, pero no puedo ser leal a ninguna sociedad que ha castigado a mi familia por un delito que yo, y solo yo, cometí.

—Lo siento —le dijo Renco con dulzura—. No tenía ni idea. Pero por favor, Bassario, el ídolo, el Espíritu del Pueblo...

—Es tu misión, Renco. No la mía. Ya he hecho suficiente por ti, más que suficiente. Creo que me he ganado mi libertad. Sigue tu destino y deja que yo siga el mío.

Y con esas duras palabras, Bassario se echó al hombro su arco, bajó al *quenko* y desapareció por entre la oscuridad.

Renco no intentó detenerlo. Se limitó a contemplarlo con el semblante inundado de tristeza.

Ya estábamos todos listos para nuestro enfrentamiento con los *rapas*. Lo único que quedaba era un toque final.

Cogí la vejiga llena de orina de mono que el anciano desdentado me había dado al inicio de la noche y la abrí.

Al instante un olor realmente repugnante asaltó mis conductos olfativos. Me estremecí y me desesperé ante la perspectiva de tener que verter aquel líquido nauseabundo sobre mi cuerpo.

Pero lo hice. Y, oh, ¡qué olor tan terrible! No me extrañaba que los *rapas* lo detestaran.

Renco rió entre dientes ante mi turbación. Después cogió la vejiga y comenzó a echarse ese apestoso líquido amarillo. La vejiga fue pasándose entre los demás guerreros que se aventurarían a las montañas y estos también se empaparon de ese líquido maloliente y hediondo.

Cuando ya estábamos a punto de terminar, Lena volvió con una vejiga mucho más grande, la vejiga de una llama supongo, también llena de un líquido.

—El agua de lluvia que me pediste —le dijo a Renco.

—Bien —dijo Renco cogiendo la vejiga de llama—. Entonces estamos listos para marchar.

Renco vertió un hilo de agua de lluvia de la vejiga de la llama sobre el ídolo auténtico.

El ídolo comenzó a zumbar al instante, emitiendo su melodiosa canción.

El interior de la ciudadela estaba vacío. Lena ya había mandado a las mujeres, niños y ancianos del pueblo al *quenko* para comenzar la travesía por sus túneles laberínticos, un viaje que los llevaría en última instancia hasta la catarata que había en el borde de la meseta. Lena había esperado en la ciudadela para cerrar la puerta de piedra tras nuestra marcha.

—De acuerdo —dijo Renco señalando con la cabeza a dos guerreros incas que estaban sujetando la enorme roca—. Ahora.

En ese momento, los dos guerreros incas rodaron la roca a un lado. Tras ella se reveló la oscuridad de la noche.

Los *rapas* estaban allí.

Esperándonos.

Reunidos en un amplio círculo tras la entrada a la ciudadela.

Conté doce de ellos, doce enormes felinos negros, cada uno de ellos provisto de unos demoníacos ojos amarillentos, orejas puntiagudas y lomos musculosos.

Renco sostuvo el ídolo, que seguía emitiendo aquel peculiar zumbido, ante él y los *rapas* se quedaron mirándolo, paralizados.

Entonces, de repente, el ídolo dejó de zumbar y, al instante, los *rapas* salieron de su trance y comenzaron a gruñirles.

Renco corrió a echar más agua de la vejiga de la llama al ídolo y este volvió a emitir el zumbido. Los *rapas* regresaron a su estado de hipnosis.

Mi corazón también volvió a latir.

A continuación, con el ídolo en sus manos y los siete guerreros incas y yo tras de él, Renco cruzó la entrada de la ciudadela y salió al frío aire de la noche.

La lluvia había cesado al fin y las nubes se habían marchado a otra parte, dejando ver el cielo estrellado y una luna llena brillante.

Con las antorchas por encima de nuestras cabezas, nos dirigimos al pueblo y al estrecho sendero que recorría la ribera del río.

Los *rapas* estaban a nuestro alrededor. Se movían con pasos lentos y deliberados, sus cuerpos pegados al suelo, mientras clavaban la mirada en el ídolo que Renco sostenía en sus manos.

Mi terror era extremo. Mejor dicho, creo que nunca he estado más aterrorizado en mi vida.

Estábamos rodeados por una manada de criaturas enormes y peligrosas, criaturas totalmente carentes de piedad o compasión alguna, criaturas que mataban sin contemplaciones.

¡Eran tan grandes! La parpadeante luz naranja de las antorchas se reflejaba en sus lomos e ijadas. Su respiración era muy fuerte, un sonido muy desagradable que parecía provenir de lo más profundo de su pecho y que no era muy distinto a la respiración de los caballos.

Mientras recorríamos el sendero de la ribera del río, miré tras de mí y vi a Lena en el pueblo sosteniendo una antorcha, observando nuestra marcha.

Unos instantes después, sin embargo, ella desapareció de mi vista. Supuse que habría decidido regresar a la ciudadela y continuar con sus deberes allí. Proseguimos nuestro viaje hacia el misterioso templo.

Recorrimos el sendero. Nueve hombres (Renco, los siete guerreros incas y yo) rodeados por una manada de *rapas*.

Llegamos a la montaña, a un estrecho pasillo que había en la pared. Uno de los guerreros incas le dijo a Renco que el templo estaba en el otro extremo de ese pasillo.

Renco volvió a mojar el ídolo. Zumbaba con fuerza. Su tono agudo cortaba el aire de la mañana. A continuación entramos en la fisura. Los felinos nos siguieron como los niños siguen a su maestro.

Mientras atravesábamos el estrecho pasillo iluminados con nuestras antorchas, un guerrero inca intentó apuñalar a uno de los embelesados *rapas* con la punta de su lanza pero, cuando estaba a punto de clavarle el arma en la ijada, el *rapa* se volvió y le gruñó con las fauces abiertas. El guerrero desistió y el felino se giró y volvió a seguir, arrobado, al ídolo.

El guerrero miró a uno de sus compañeros. Los *rapas* podrían estar embelesados, pero no totalmente inofensivos.

Salimos del estrecho pasillo a una especie de cañón circular enorme. Tal como había dicho el jefe Vilcafor, en el centro de este se encontraba un enorme dedo de piedra que se alzaba hasta el cielo.

En ese cañón había un sendero, justo a nuestra izquierda; el sendero de huida que Vilcafor había encargado construir a su gente. Subía en espiral por la circunferencia del cañón cilíndrico que, a su vez, rodeaba la torre de piedra del centro.

Renco subió al sendero y comenzó a recorrerlo lentamente mientras sostenía el ídolo empapado de agua entre sus manos. Los felinos lo siguieron. Los guerreros incas y yo fuimos subiendo despacio tras ellos.

Subimos y subimos, siguiendo la espiral constante del sendero.

Al cabo de un rato llegamos a un puente de cuerda que se extendía sobre el cañón y que conectaba el sendero exterior con la torre.

Observé la torre de piedra que se alzaba ante nosotros.

En la parte superior de esta, rodeada por un follaje no muy elevado, vi una magnífica pirámide escalonada no muy diferente a las encontradas en las tierras de los aztecas. Justo encima de la imponente pirámide se encontraba un templo de forma cuadrangular.

Renco cruzó primero el puente. Los felinos lo siguieron uno por uno. Atravesaron el puente de cuerda con una firmeza y seguridad supremas. Los guerreros fueron los siguientes. Yo fui el último en cruzar.

Una vez hube atravesado el puente, subí una serie de enormes escalones de piedra que conducían a una especie de claro. Delante de este claro se encontraba el portal del templo, su entrada.

La entrada, amplia y oscura, imponente y amenazadora, permanecía abierta, como si estuviera retando al mundo a entrar.

Con el ídolo empapado de agua en sus manos, Renco se acercó al portal.

—Guerreros —dijo con firmeza—. Ocupaos de la roca.

Los siete guerreros y un humilde servidor corrimos hacia la roca que se encontraba al lado de la entrada del templo.

Renco permaneció en la entrada del portal mientras echaba más agua al ídolo.

Los felinos estaban a su lado, mirando el ídolo hipnotizados.

Renco dio un paso y entró en el templo.

Los felinos lo siguieron.

Renco bajó un peldaño y el primer felino bajó tras él.

Otro peldaño.

Lo siguió un segundo felino, luego un tercero y, a continuación, un cuarto.

Llegados a ese punto, Renco echó toda el agua que quedaba dentro de la vejiga de la llama sobre el ídolo y entonces, tras mirar solemnemente por última vez a la posesión más preciada de su gente, se adentró a las entrañas del templo.

Los felinos saltaron al interior del templo tras él. Los doce.

—¡Rápido, la roca! —gritó Renco tras salir a toda prisa del templo—. ¡Colocadla de nuevo sobre la entrada del portal!

Empujamos a la vez.

La roca retumbó contra el umbral.

Empujé con todas mis fuerzas la piedra. Renco se colocó a mi lado y también comenzó a empujar.

La roca comenzó a moverse lentamente hacia su lugar original. Un poco más.

Ya casi estaba...

Solo un poco más...

—Renco —dijo de repente una voz desde algún lugar cercano.

Era la voz de una mujer.

Renco y yo nos giramos al unísono.

Y vimos a Lena en el borde del claro.

—¿Lena? —dijo Renco—. ¿Qué estás haciendo aquí? Pensaba que te había pedido que...

En ese momento, Lena fue bruscamente empujada a un lado y cayó al suelo. Entonces vi a un hombre tras ella, en las escaleras de piedra. En aquel instante la sangre de mis venas se quedó petrificada.

Era Hernando Pizarro.

Unos veinte conquistadores salieron del follaje detrás de Lena y se dispersaron por el claro con sus mosquetes apuntando hacia nuestros rostros. La luz de sus antorchas iluminaba todo el claro.

Iban acompañados de tres nativos a los que les sobresalían afilados trozos de huesos de las mejillas. Chancas. Los rastreadores chancas que Hernando había utilizado para seguir nuestro rastro hasta Vilcafor.

Tras todos ellos, salió otro hombre. Era más alto que los demás, más grande, con una mata de pelo negro que le llegaba hasta los hombros. Su mejilla izquierda también estaba atravesada por un hueso.

Era Castino, el salvaje chanca que había estado en el mismo barco prisión que Renco al inicio de nuestra aventura, el que había oído a Renco decir que el ídolo estaba en el Coricancha en Cuzco.

Los conquistadores y los chancas formaron un amplio círculo alrededor de Renco, los siete guerreros incas y yo.

Fue entonces cuando me percaté del aspecto mugriento que tenían. Los conquistadores estaban cubiertos de mugre y suciedad, y parecían extenuados.

Caí entonces en la cuenta. Eso era todo lo que quedaba de la legión de cien hombres de Hernando. Los hombres de Hernando habían ido muriendo en su travesía por las montañas. De hambre, de alguna enfermedad o, simplemente, de agotamiento.

Eso era todo lo que quedaba de la legión. Veinte hombres.

Hernando dio un paso adelante y tiró a Lena a sus pies. La arrastró tras él mientras se dirigía al templo. Llegó hasta el templo, se paró delante de Renco y lo observó imperiosamente. Hernando le sacaba una cabeza a Renco y era el doble de ancho de espaldas que él. Arrojó a Lena a los brazos de su hermano.

Yo, mientras tanto, miraba furtivamente y con miedo al portal del templo.

No habíamos cubierto del todo la entrada del portal. Por el hueco que quedaba entre la roca y la entrada fácilmente cabía un *rapa*.

Aquello no pintaba nada bien.

Si el agua se secaba y el ídolo dejaba de emitir su sonido, los *rapas* saldrían de su hechizo y...

—Por fin nos encontramos —dijo Hernando a Renco en español—. Has logrado esquivarme durante demasiado tiempo, joven príncipe. Tu muerte será lenta.

Renco no dijo nada.

—Y tú, monje —dijo Hernando girándose hacia mí—. Eres un traidor a tu país y a tu Dios. Tu muerte será todavía más lenta.

Tragué saliva aterrorizado.

Hernando se dirigió de nuevo a Renco.

—El ídolo. Dámelo.

Renco no rechistó. Agarró la bolsa que llevaba en el cinto y sacó el ídolo falso.

Los ojos de Hernando se iluminaron cuando lo vio. Si no lo conociera mejor, habría jurado que había comenzado a salivar.

—Dámelo —le dijo.

Renco dio un paso adelante.

—De rodillas.

Lentamente, a pesar de la humillación que aquello le suponía, Renco se arrodilló y le ofreció el ídolo a Hernando.

Hernando lo cogió. Sus ojos brillaron de avaricia al contemplar su tan codiciado botín.

Unos instantes después, apartó la vista del ídolo y se dirigió a uno de sus hombres.

—Sargento —dijo.

—¿Sí, señor? —respondió el sargento que estaba más cerca de él.

—Ejecútelos.

Mis manos estaban atadas con una cuerda muy larga. Las de Renco también.

A Lena se la llevaron dos de los soldados españoles. Los dos animales comenzaron a hacer comentarios nauseabundos acerca de lo que le harían cuando Renco y yo estuviésemos muertos, comentarios que no me atreveré a repetir aquí.

A Renco y a mí nos obligaron a arrodillarnos delante de una enorme piedra rectangular situada en medio del claro, una piedra que parecía un altar no muy elevado.

El sargento español estaba a mi lado. Había desenfundado su sable.

—Tú, chanca —dijo Hernando dándole una espada a Castino. Desde que había hecho su aparición en el claro, el vil chanca había estado mirando a Renco con un odio inconmensurable—. Puedes deshacerte del príncipe.

—Será un placer —dijo Castino en español. Cogió la espada y se acercó presuroso al altar de piedra.

—Cortadles las manos primero —dijo Hernando con diplomacia—. Me gustaría oírles gritar antes de que mueran.

Nuestros dos verdugos asintieron mientras dos conquistadores más nos colocaban a Renco y a mí en posición. Tiraron de nuestras cuerdas para que nuestros brazos quedaran extendidos a lo largo del altar. Nuestras muñecas quedaron así totalmente expuestas; nuestras manos listas para ser separadas de nuestros cuerpos.

—Alberto —dijo Renco en voz baja.

—Sí.

—Amigo mío, antes de que muramos, me gustaría que supiera que para mí ha sido un honor y un placer conocerle. Lo que ha hecho por mi gente será recordado durante generaciones. Le doy las gracias por ello.

—Mi valiente amigo —le respondí—. Si se repitieran estas circunstancias, habría hecho lo mismo. Que Dios cuide de usted en el Cielo.

—Y de usted también —dijo Renco—. Y de usted también.

—Caballeros —dijo Hernando a nuestros verdugos—. Cortadles las manos.

El sargento y el chanca levantaron sus refulgentes espadas al mismo tiempo.

—¡Esperad! —dijo alguien de repente.

En ese momento, uno de los otros conquistadores se acercó al altar. Parecía mayor que sus compañeros soldados, más entrecano; un viejo zorro astuto.

Había visto el colgante de la esmeralda que mi compañero llevaba alrededor de su cuello.

El viejo conquistador sacó con rapidez el collar de cuero por la cabeza de Renco mientras esbozaba una sonrisa avariciosa.

—Gracias, salvaje —le dijo con desprecio mientras se colocaba el collar y volvía a su posición en el portal del templo.

Nuestros dos verdugos miraron a Hernando para que este les hiciera la señal.

Pero, extrañamente, Hernando ya no los estaba mirando.

Es más, ni siquiera nos estaba mirando a Renco o a mí.

Estaba mirando boquiabierto a nuestra derecha, al templo.

Me giré para ver qué era lo que estaba mirando.

—Dios mío... —murmuré.

Uno de los *rapas* permanecía en el hueco abierto del portal, observando con curiosidad a la masa de humanos allí congregada.

Se alzaba imponente en la entrada del templo con sus patas delanteras estiradas y su lomo musculoso, pero a su vez tenía un aspecto extrañamente cómico, pues estaba sosteniendo algo en su boca.

Era el ídolo.

El ídolo auténtico.

El enorme felino, otrora aterrador y sanguinario, parecía ahora un humilde perro cobrador que iba a devolverle el palo a su dueño. Además, el *rapa* parecía como atontado, como si estuviera buscando a alguien que pudiera mojar el ídolo de nuevo para que volviera a emitir su embaucador sonido.

Hernando tenía la mirada fija en el felino, o mejor dicho, en el ídolo que sostenía entre sus poderosas fauces. Y entonces, de repente, sus ojos dejaron de mirar al *rapa* y al ídolo de su boca para mirar al ídolo que sostenía en sus propias manos, y luego a Renco y a mí. Su rostro se mudó cuando lo comprendió todo.

Lo sabía.

Sabía que había sido engañado.

El rostro del español se tornó rojo de la ira. Nos miró a Renco y a mí.

—¡Matadlos! —gritó a nuestros verdugos—. ¡Matadlos ahora!

En ese instante los acontecimientos se precipitaron.

Nuestros verdugos levantaron sus espadas de nuevo, esta vez apuntando a nuestros cuellos. Las hojas ya estaban bajando cuando de repente un silbido cortó el aire sobre mi cabeza.

Ni un segundo después, con un ruido sordo, una flecha impactó en la nariz de mi verdugo. Su rostro se cubrió de sangre y cayó al suelo.

Mientras tanto, el *rapa* que se encontraba en el portal, tras ver a la multitud agolpada en el claro y detectar otra sabrosa comida humana, soltó el ídolo y se abalanzó sobre el español más cercano. Al instante, los otros once *rapas* salieron del templo uno tras otro y comenzaron su ataque contra el grupo de conquistadores.

Castino había visto al otro verdugo caer al suelo junto a él tras ser alcanzado por la flecha y, con gesto de no entender nada, también se había detenido.

Yo sabía en qué estaba pensando.

¿Quién había disparado la flecha? ¿Y desde dónde?

Castino decidió que le daría respuesta a esas preguntas después, cuando hubiera matado a Renco.

Levantó de nuevo la espada y la bajó con una fuerza tremenda, momento en el que otra flecha impactó contra la empuñadura de su espada y esta salió despedida.

Menos de un segundo después, una tercera flecha surgió sibilante de algún lugar por encima de nosotros y atravesó la cuerda que atenazaba las manos de Renco, cortándola en dos y liberándolo.

Renco se puso inmediatamente en pie. Justo entonces, Castino, que ya no tenía su arma, dirigió uno de sus gigantescos puños a Renco. Renco colocó al conquistador que lo había estado inmovilizando entre el golpe inminente y él y los poderosos nudillos de Castino golpearon de lleno el rostro del conquistador, rompiéndole la nariz y aplastándola hasta la parte trasera de su cráneo. El conquistador murió en el acto.

Justo entonces otro conquistador apuntó con su mosquete a Renco y le disparó. Renco se giró y colocó al conquistador muerto delante de él, usándolo como escudo. El disparo del mosquete abrió un agujero rojo e irregular en el centro del pecho del soldado muerto.

Cuando Renco se alejó del altar para luchar contra los españoles, el conquistador que sostenía mis muñecas levantó su espada y me miró con aviesas intenciones.

Pero entonces, antes de que pudiera siquiera pestañear, la punta de una flecha surgió del centro de su rostro y el conquistador cayó boca abajo sobre el altar. Por la parte posterior de la cabeza le sobresalía una flecha.

Alcé la vista a la oscuridad que se cernía sobre mí, buscando el lugar de donde provenían esas flechas.

Y lo vi.

Vi la figura de un hombre en el borde del cañón.

Vi su silueta frente a la luna, agachado y apoyado en una rodilla con su arco extendido en posición de disparo mientras tiraba de una flecha hasta colocarla más allá de su oreja.

Era Bassario.

Di gracias a Dios y procedí a soltar mis ataduras.

Resulta imposible minimizar la matanza que en esos instantes se sucedía a mi alrededor. Aquello era un caos. El claro situado delante del templo se había convertido en un campo de batalla, en un feroz y sangriento campo de batalla.

La batalla campal se desarrollaba en cerca de doce flancos diferentes.

En el templo, los *rapas* ya habían matado a cinco de los conquistadores y ahora estaban atacando a cuatro españoles más y a sus tres rastreadores chancas.

En el claro los siete guerreros incas, a los que los *rapas* no atacaban por ir empapados de orina de mono, luchaban con los españoles restantes. Algunos de estos guerreros fueron abatidos por los disparos de los mosquetes de los españoles, mientras que otros atacaban a sus enemigos españoles con piedras o cualesquiera armas que pudieran sujetar con sus manos. A pesar de todas las muertes y derramamientos de sangre que había visto en mis viajes por Nueva España, este era el combate más brutal y primario que jamás había presenciado.

A mí lado, Renco y Castino habían cogido las espadas y estaban ahora librando la más feroz de las luchas.

Castino, que le sacaba a mi valeroso compañero al menos dos cabezas, agarró la espada con las dos manos y le lanzó a Renco una lluvia de poderosos estoques.

Pero Renco los esquivó con una mano, tal como yo le había enseñado, danzando por el barro como un esgrimista clásico español, manteniendo el equilibrio mientras se replegaba hacia el follaje.

Finalmente logré liberar mi muñeca izquierda de la cuerda y me puse en pie. Fue ahí cuando me di cuenta de lo aplicado que había sido mi alumno Renco. El pupilo había sobrepasado con creces al profesor.

Su destreza con la espada era deslumbrante.

Cada ataque de Castino era rápidamente sofocado por la espada de Renco.

Las dos espadas entrechocaban con una intensidad feroz.

Castino atacaba, Renco esquivaba. Castino arremetía contra él, Renco se movía de un lado a otro.

Entonces, Castino soltó una estocada endemoniada, una estocada tan rápida y feroz que habría cercenado la cabeza de cualquier hombre.

Pero no de Renco.

Sus reflejos eran demasiados rápidos. Se agachó para esquivar el ataque y en ese breve instante saltó a una roca cercana, eliminando así la diferencia de altura entre ellos, y se abalanzó en el aire contra él. Antes de que siquiera pudiera saber lo que estaba ocurriendo, vi la espada incrustada horizontalmente en el tronco de un árbol, tras el cuello de Castino.

Castino permanecía consciente, con la boca y los ojos abiertos de par en par. Instantes después, su espalda se soltó de su mano.

Y entonces todo su cuerpo cayó.

¡Renco le había cortado la cabeza!

Casi doy las gracias a Dios.

Es decir, lo habría hecho si no hubiera tenido otros asuntos de que ocuparme.

Me volví para contemplar el campo de batalla a mi alrededor.

Todavía se seguía luchando en pequeños focos dispersados por el claro, pero los únicos vencedores obvios parecían ser los *rapas*.

Fue entonces cuando vi el ídolo.

El ídolo auténtico.

Estaba en el umbral del portal, de costado, justo en el mismo lugar en el que el *rapa* lo había dejado caer de su boca instantes antes.

Con la cuerda todavía atada en la muñeca derecha, cogí una espada y una antorcha y corrí al templo, abriéndome paso entre espadas entrechocadas y gritos de los conquistadores.

Llegué al portal y caí al suelo junto al ídolo. Lo cogí en el mismo momento en que uno de los soldados españoles embistió contra mí por detrás, haciendo que ambos rodáramos por el portal y cayéramos al interior del templo.

Los dos fuimos cayendo a trompicones por unos peldaños de piedra, hacia la oscuridad del templo; una amalgama de brazos, piernas, el ídolo y la antorcha.

Llegamos al final de las escaleras y cada uno cayó en un lado. Nos encontrábamos en el interior de una especie de túnel de piedra totalmente oscuro.

Mi enemigo se puso en pie antes. En ese momento se encontraba apoyado contra una pared, delante de un pequeño nicho. Yo todavía seguía tumbado en el suelo boca arriba con el ídolo en mi regazo.

Cuando el soldado español se acercó hacia mí, vi el collar de la esmeralda alrededor de su cuello y le reconocí al instante. Era el viejo soldado que le había quitado el collar a Renco.

El viejo zorro desenfundó su espada y la levantó. Yo estaba indefenso, totalmente desprotegido.

En ese instante, con un estruendoso rugido, algo de un tamaño descomunal saltó de detrás por encima de mi cabeza y embistió contra el conquistador a una velocidad de vértigo.

Un *rapa*.

El felino golpeó al español con tal fuerza que lo lanzó al nicho situado tras él. Su cabeza se golpeó contra la pared con un sonido escalofriante y explotó, resquebrajándose como un huevo. Del agujero que se había formado en la parte posterior de su cráneo comenzaron a supurar sangre y sesos.

El viejo zorro se desplomó, pero ya estaba muerto antes de caer al suelo.

El felino se abalanzó sobre él, moviendo la cola de un lado a otro mientras lo despedazaba.

Aproveché la oportunidad, cogí el ídolo y subí las escaleras para salir del templo.

Salí a la noche, agradecido por haber escapado de la muerte una vez más.

Pero mi jolgorio duró poco. Tan pronto como salí del portal escuché un *clic*, un *clic* procedente de algún lugar a mis espaldas, seguido de un grito:

—¡Monje!

Me giré.

Y vi a Hernando Pizarro delante de mí con una pistola, apuntando a mi pecho.

Entonces, antes de que pudiera siquiera moverme, vi un destello de fuego salir del final de la pistola, escuché el estruendoso eco de la detonación y casi al mismo tiempo sentí un peso tremendo golpearse contra mi pecho. Caí hacia atrás.

Me desplomé en el suelo al instante, y ya no pude ver más que nubes, nubarrones que recorrían el cielo estrellado que se cernía sobre mí, y fue en ese momento cuando supe horrorizado que había sido alcanzado por un disparo.

Estaba tumbado boca arriba, con las mandíbulas apretadas del dolor, contemplando el cielo lleno de nubes mientras un dolor punzante y abrasador recorría mi pecho.

Hernando se inclinó hacia mí y me quitó el ídolo al que me aferraba fuertemente. Me abofeteó vengativo en el rostro y me dijo:

—Muere lentamente, monje.

Después se marchó.

Yo yacía sobre los escalones de piedra que había delante del templo, esperando a que la vida se escapara de mi cuerpo, a que el dolor se tornara insoportable.

Pero entonces, por algún motivo totalmente incomprensible, mi fuerza, en vez de desvanecerse, comenzó a retornar a mis miembros.

El dolor abrasador de mi pecho se calmó y me incorporé. Me toqué el pecho en el lugar donde la bala había hecho un agujero en mi capa.

Noté algo.

Algo blando y grueso y cuadrado. Lo saqué de la capa.

Era mi Biblia.

Mi Biblia de trescientas páginas escrita a mano y encuadernada en cuero.

En el centro había un agujero que parecía la morada de un gusano. Al final de este vi una esfera alabeada de plomo gris mate.

La bala de Hernando.

¡Mi Biblia había parado la bala!

¡Alabada sea la palabra del Señor!

Me puse en pie lleno de júbilo. Intenté localizar mi espada, pero no la encontré, así que alcé la vista al claro.

Vi a Renco en la parte más alejada del claro, luchando con dos espadas contra dos conquistadores que blandían sus sables.

Dos guerreros incas luchaban con un par de españoles no muy lejos de donde yo me encontraba. Debían de ser los únicos que habían quedado con vida en la torre de piedra.

Y entonces vi a Hernando con el ídolo en sus manos, corriendo en dirección al follaje situado a mi derecha.

Mis ojos se abrieron como platos.

Se dirigía al puente de cuerda.

Si conseguía llegar hasta allí, cortaría el puente y nos dejaría atrapados en la torre, atrapados con los *rapas.*

Corrí tras él, atravesando el claro y sorteando a un *rapa* que estaba despedazando el cuerpo de un español muerto.

Bajé volando los escalones de piedra de dos en dos. Mi corazón latía con fuerza, las piernas me martilleaban. Cuando tomé una curva en las escaleras, vi a Hernando. Estaba a unos diez pasos por delante de mí y se dirigía a toda velocidad hacia el puente.

Hernando era alto y fuerte. Yo era más bajo, más ágil, más rápido. Lo alcancé con facilidad y llegué al puente. No tenía nada con que atacarle, así que me abalancé sobre su espalda.

Choqué contra él y los dos caímos sobre las tablillas del puente de cuerda que se alzaba sobre la base del cañón.

Pero tal fue nuestro peso que, al caer, las tablillas se resquebrajaron como si de ramitas se trataran y para mi horror caímos tras ellas al abismo...

Pero nuestra caída fue breve.

De repente una sacudida nos detuvo a mitad de camino. Mientras caíamos, Hernando había intentado agarrarse a cualquier cosa para frenar su caída.

Lo que había encontrado había sido el final de la cuerda que todavía seguía atada a mi muñeca derecha. Ahora la cuerda estaba extendida sobre una de las tablillas del puente, y Hernando y yo pendíamos de cada uno de sus extremos.

Y así quedamos colgando del puente, como dos contrapesos de una polea, en dos extremos diferentes de la misma cuerda. Algunas cuerdas del puente colgaban a nuestro alrededor.

Quiso la fortuna, la mala fortuna en mi caso, que yo pendiera por debajo de Hernando y mi cabeza quedara a la altura de sus rodillas. Hernando estaba más arriba, justo debajo de las tablillas restantes del puente.

Vi que sostenía el ídolo en su mano izquierda mientras sostenía mi cuerda con la derecha. Estaba intentando llegar con la mano izquierda a las tablillas del puente para dejar allí el ídolo y tener un punto más de apoyo.

Cuando lo lograra, ya estaría sujeto por lo que podría dejarme caer. En ese momento mi peso, si bien nimio comparado con el suyo, era lo único que impedía que cayera al abismo.

Tenía que hacer algo. Y rápido.

—¿Por qué estás haciendo esto, monje? —gruñó Hernando mientras intentaba aferrarse a su salvación, cada vez más cerca—. ¿Por qué te importa este ídolo? ¡Yo mataría por él!

Mientras expresaba su furia, vi una de las cuerdas que colgaban del puente de cuerda, una de las cuerdas que otrora había sido parte de la barandilla.

Si pudiera...

—Mataría por él, ¿verdad, Hernando? —dije para distraerle, mientras intentaba con todas mis fuerzas desatar la cuerda de mi muñeca derecha, la cuerda que me mantenía unido a él—. ¡Para mí eso no significa nada!

—¿No? —gritó. En ese momento se estaba librando una carrera, una carrera por ver quién lograba primero su objetivo: si Hernando lograba agarrarse a las tablillas del puente o si yo lograba desatar la cuerda que nos mantenía unidos.

—¡No! —le respondí justo cuando logré liberarme de la cuerda.

—¿Por qué, monje?

—Porque, Hernando, yo moriría por él.

Entonces, tras haber desatado la cuerda de mi muñeca, alcancé la cuerda que pendía del puente y la agarré al mismo tiempo que soltaba la que me unía a Hernando.

La respuesta fue instantánea.

Sin el contrapeso en el otro extremo de la cuerda, Hernando cayó. Cayó al abismo.

Su cuerpo se asemejaba a una masa borrosa que gritaba aterrorizada y, cuando pasó a mi lado, alargué el brazo y le quité el ídolo.

—*¡Noooooo!* —gritó Hernando mientras caía.

Y mientras pendía sobre el abismo, agarrado a una cuerda del puente con una mano y sosteniendo el ídolo con la otra, contemplé cómo su rostro aterrorizado se iba haciendo más y más pequeño hasta que, finalmente, desapareció en el oscuro abismo bajo mis pies y en instantes lo único que pude escuchar fueron sus gritos.

Los gritos cesaron segundos después, cuando se escuchó un impacto terrible contra la base del cañón.

Instantes después me encontraba de vuelta en el claro con el ídolo.

Gracias a la luz de las antorchas que yacían desparramadas por el claro, vi cómo los *rapas* se abalanzaban sobre los conquistadores muertos y se atiborraban de carne humana fresca. Sus yelmos plateados estaban en el suelo, relucientes bajo la luz de las antorchas.

Fue entonces cuando vi a Renco y a Lena y a tres de los guerreros incas en el portal, armados con espadas y mosquetes: los únicos supervivientes de la matanza, gracias en gran parte a su destreza con la espada y a la orina de mono que los cubría. Parecían estar buscando algo. El ídolo, sin duda.

—¡Renco! —grité—. ¡Lena!

Me arrepentí al instante de haber gritado.

Uno de los *rapas* que estaban en el suelo alzó la vista inmediatamente para ver qué había sido ese grito que había interrumpido su festín.

La enorme bestia se incorporó y me miró.

Otro felino, que estaba más alejado, hizo lo mismo.

Y otro, y luego otro.

La manada de descomunales felinos formó un círculo a mi alrededor. Mantenían las cabezas gachas y las orejas replegadas.

Renco se volvió y vio el apuro en el que me encontraba. Pero estaba demasiado lejos como para poder ayudarme.

Me pregunté por qué la orina de mono ya no mantenía a los felinos a raya. Quizá el olor había perdido intensidad durante mi enfrentamiento con el conquistador anciano en el interior del templo o quizá había ocurrido cuando había caído al suelo tras ser disparado por Hernando.

Fuere como fuere, pensé que ese era el final.

El primer *rapa* tensó todo su cuerpo y se preparó para atacar. Y entonces...

La primera gota de agua golpeó mi cabeza. Poco después cayó una segunda gota y después una tercera, y una cuarta.

Y entonces, como un regalo del Señor, el cielo se abrió y la lluvia comenzó a caer.

¡Cómo llovía! Llovía a cántaros, gruesas gotas de agua que martilleaban la torre de piedra con una fuerza enorme, golpeando mi cabeza, golpeando el ídolo.

En ese momento, gracias a Dios, el ídolo comenzó a emitir su zumbido.

La melodía calmó a los felinos al instante.

Se quedaron mirando al ídolo que sostenía en mis manos ladeando la cabeza como respuesta a su melodioso y agudo zumbido.

Renco, Lena y los tres guerreros incas se acercaron a donde me encontraba, protegiendo las antorchas de la lluvia y esquivando a los embelesados *rapas*.

Vi que Renco tenía el ídolo falso de Bassario en las manos.

—Gracias, Alberto —dijo cogiendo el ídolo auténtico de mis manos—. Creo que ahora debo portarlo yo.

A su lado, Lena me sonrió. Su preciosa piel aceitunada centelleaba con la lluvia.

—Así que ha derrotado al gran comedor de oro para salvar a nuestro ídolo —dijo—. ¿Hay algo que no pueda hacer, mi valeroso héroe?

Mientras pronunciaba esas palabras, Lena se inclinó y me besó con dulzura en los labios. El corazón estuvo a punto de salírseme del pecho cuando sus labios tocaron los míos. Las piernas me fallaron. Casi me desvanezco de tan deliciosa caricia.

Una voz a mis espaldas dijo:

—Vaya, vaya, monje. Pensaba que no se os permitían esas cosas.

Me volví y vi a Bassario en los escalones de piedra con el arco cruzado sobre los hombros, sonriendo de oreja a oreja.

—Nos reservamos el derecho a hacer excepciones —dije.

Bassario se echó a reír.

Renco se volvió para mirarlo.

—Gracias por regresar para ayudarnos, Bassario. Tus flechas salvaron nuestras vidas. ¿Qué te hizo volver?

Bassario se encogió de hombros.

—Cuando llegué a la catarata al final del *quenko* vi a los comedores de oro aproximarse desde el otro lado del río. Entonces supuse que si por algún milagro lograbais sobrevivir a esto, la gente cantaría canciones sobre vosotros. Decidí que yo también quería ser parte de esas canciones. Ser recordado por algo más que por deshonrar el nombre de mi familia y, al mismo tiempo, lograr limpiar su nombre.

—Has logrado ambas cosas —dijo Renco—. De veras. Ahora, sin embargo, ¿podría rogar tu indulgencia una vez más y pedirte un último favor?

Mientras hablaba, con una antorcha en una mano y los dos ídolos con la otra, comenzó a alejarse del resto de nosotros y se dirigió bajo la lluvia hacia el portal. De camino al templo, cogió la vejiga de llama del lugar donde había caído durante la batalla y esperó a que se llenara con el agua de la lluvia.

Los felinos comenzaron a seguirlo inmediatamente o, más bien, a seguir al ídolo que tenía en sus manos.

—Una vez esté dentro del templo —dijo Renco mientras caminaba—, quiero que cerréis la puerta tras de mí.

Miré a Renco y a los tres guerreros incas que estaban a mi lado.

—¿Qué va a hacer? —le dije.

—Voy a asegurarme de que nadie vuelva a hacerse con el ídolo —dijo Renco—. Lo usaré para meter a los felinos en el templo. Entonces, cuando estén todos dentro, quiero que coloquéis de nuevo la roca en el portal.

—Pero...

—Confíe en mí, Alberto —dijo con la voz calma mientras caminaba lentamente hacia el portal con la manada de *rapas* tras él—. Nos volveremos a ver. Lo prometo.

Y, con eso, Renco llegó a la entrada del templo. Los felinos se agolparon a su alrededor, ajenos a la lluvia torrencial.

Lena, Bassario, los tres guerreros y yo nos acercamos a la roca.

Renco se quedó quieto en la entrada del templo y nos miró por última vez. Sonrió con tristeza.

—Hasta pronto, amigo —dijo.

Y entonces, entró y desapareció en la oscuridad entre la roca y el portal de piedra.

Los felinos lo siguieron al interior del templo de uno en uno.

Cuando el último felino desapareció dentro del portal, Bassario gritó:

—De acuerdo, ¡empujad!

Los seis empujamos con todas nuestras fuerzas la enorme roca.

La roca hizo un ruido sordo cuando comenzó a deslizarse por el suelo de piedra. Por suerte no tuvimos que empujar demasiado, de lo contrario no habríamos sido capaces de hacerlo con solo seis personas.

Pero Bassario y los guerreros incas eran fuertes. Y Lena y yo empujamos hasta la extenuación. Poco a poco, la roca fue colocándose en el portal cuadrangular.

Mientras procedíamos a cerrar el templo con la roca, escuché cómo el zumbido del ídolo se hacía cada vez más y más débil.

Entonces, la roca selló por completo el portal y, cuando lo hizo, ahogó el zumbido del ídolo por completo. Una gran tristeza se apoderó de mí, pues supe entonces que no volvería a ver a mi buen amigo Renco.

Antes de abandonar aquella atroz torre de piedra, hice una última cosa.

Cogí el puñal de uno de los conquistadores y grabé un mensaje en la superficie de la roca que ahora tapaba la entrada del portal. Lo grabé como advertencia para todos aquellos que contemplaran la posibilidad de abrir el templo de nuevo.

Escribí:

No entrare absoluto.
Muerte asomarse dentro.

AS

«No entrar bajo ningún concepto. La muerte acecha dentro.»

Muchos años han transcurrido desde que ocurrió todo aquello.

Ahora soy un hombre anciano, viejo y frágil que, sentado en el escritorio de un monasterio, escribe a la luz de las velas. Las montañas cubiertas de nieve se extienden en todas direcciones. Las montañas del Pirineo.

Después de que Renco entrara en el templo con los dos ídolos y los *rapas,* Bassario, Lena y yo regresamos a Vilcafor.

No mucho tiempo después se corrió la voz de nuestras hazañas por todo el imperio: la muerte de Hernando, el emplazamiento final del ídolo en el misterioso templo en compañía de una manada de *rapas* mortíferos.

Como era de esperar, el gobierno colonial español se inventó una farsa acerca de la muerte del hermano del gobernador, Hernando. Dijeron que había muerto de manera honorable a manos de una tribu de indígenas desconocida mientras surcaba valerosamente las aguas de algún río inexplorado de la selva. ¡Si mis compatriotas supieran la verdad!

Los incas compusieron canciones sobre nuestra aventura y, sí, esas canciones mencionaban el nombre de Bassario. Todos esos romances continuaron incluso después de la conquista española de sus tierras.

Los comedores de oro, decían los incas, podrían apropiarse de sus tierras, quemar sus casas, torturar y asesinar a su gente.

Pero nunca podrían llevarse su espíritu.

Todavía hoy desconozco qué fue lo que hizo Renco dentro del templo con los dos ídolos.

Solo puedo suponer que se anticipó sabiamente a los rumores que correrían tras nuestra victoria sobre Hernando. Al igual que Solon, Renco sabía que la gente, al oír que el ídolo se encontraba dentro del templo, iría en su búsqueda.

Imagino que colocó el ídolo falso en algún punto cercano a la entrada para que si alguien lograba entrar en el templo en busca del ídolo se encontrase primero con la falsificación.

Pero todo esto son especulaciones. No puedo saberlo con seguridad.

Nunca más volví a verlo.

Por lo que a mí respecta, no pude soportar seguir viviendo en el horror que era Nueva España. Decidí regresar a Europa.

Así que, después de despedirme de la bella Lena y del noble Bassario y con la ayuda de varios guías incas, me embarqué en una travesía por las montañas de Nueva España, rumbo al norte.

Caminé y caminé; atravesé selvas, montañas y desiertos hasta llegar finalmente a la tierra de los aztecas, la tierra que Cortés había conquistado en nombre de España algunos años atrás.

Allí logré, mediante sobornos, una plaza a bordo de un barco mercante lleno de oro robado que partía rumbo a Europa.

Llegué a Barcelona algunos meses después y desde allí viajé al monasterio, sito en lo alto de los Pirineos, un lugar alejado del mundo del rey y de sus conquistadores sedientos de sangre donde he ido envejeciendo y en el que no ha pasado una noche sin que soñara con mis aventuras en Nueva España, deseando a cada momento haber podido pasar solo un día más con mi buen amigo Renco.

Race pasó la página.

No había nada más. Ese era el final del manuscrito.

Alzó la vista y miró la cabina del Goose. Por el parabrisas del hidroavión vio las cimas afiladas de los Andes descollando delante de ellos.

Pronto llegarían a Vilcafor.

Race suspiró con tristeza al pensar en la historia que acababa de leer. Pensó en la valentía de Alberto Santiago, en el sacrificio de Renco y en la amistad que había nacido entre los dos. También pensó en los dos ídolos que se encontraban en el interior del templo.

Race reflexionó unos instantes sobre eso.

Había algo que no encajaba.

Algo en la forma en que el manuscrito terminaba, tan de repente, tan bruscamente y también, ahora que lo pensaba, algo que había visto el día anterior, cuando Lauren había usado el detector de resonancias de nucleótidos para determinar el emplazamiento del ídolo de tirio. Había algo en los resultados del detector que no le cuadraba.

Pensar en Lauren le hizo recordar la expedición de Frank Nash. Nuevos pensamientos se agolparon en su mente.

Como, por ejemplo, que Nash no era de la DARPA; que estaba al frente de una unidad del Ejército que intentaba vencer al verdadero equipo de la Supernova, un equipo de la Armada, para hacerse con el ídolo de tirio; que había engañado a Race para que participara en la misión.

Race apartó esos pensamientos de su mente.

Iba a tener que pensar cómo se comportaría con Nash cuando llegaran de nuevo a Vilcafor. ¿Debería enfrentarse a él o sería mejor permanecer en silencio para que Nash no supiera cuánto sabía?

Fuere como fuere, tendría que decidirlo rápido, pues tan pronto como había terminado de leer el manuscrito, el hidroavión había inclinado el morro.

Estaban comenzando a descender.

Regresaban a Vilcafor.

El agente especial John-Paul Demonaco caminó con cuidado por la cámara acorazada, examinando la escena del crimen.

Después de que el capitán de la Armada, Aaronson, se hubiera marchado para dar luz verde al ataque a los supuestos emplazamientos de los Freedom Fighters, el otro investigador de la Armada, el comandante Tom Mitchell, le había pedido a Demonaco que echara un vistazo a la escena del crimen. Quizá él viera algo que a ellos les hubiera pasado desapercibido.

—Aaronson está equivocado, ¿no es cierto? —dijo Mitchell mientras deambulaban por la habitación.

—¿Qué quiere decir? —dijo Demonaco mientras escudriñaba el laboratorio. Resultaba bastante impresionante. Es más, era uno de los laboratorios más avanzados que jamás había visto.

—Los Freedom Fighters no han hecho esto —dijo Mitchell.

—No..., no. No han sido ellos.

—Entonces, ¿quién lo ha hecho?

Demonaco permaneció en silencio durante unos instantes.

Cuando finalmente habló, no obstante, no respondió a su pregunta.

—Hábleme más del dispositivo que la Armada estaba construyendo aquí. Esa Supernova.

Mitchell respiró profundamente.

—Le contaré lo que sé. La Supernova es un arma termonuclear de cuarta generación. En vez de fisionar los átomos de elementos radiactivos terrestres como el uranio o el plutonio, crea una megaexplosión mediante la fisión de una masa subcrítica del tirio, un elemento no terrestre.

»La explosión causada por la fisión del átomo del tirio es tan poderosa que podría hacer desaparecer una tercera parte de la masa de la Tierra. En pocas palabras, la Supernova es la primera arma creada por el hombre capaz de destruir el planeta en el que vivimos.

—Este elemento, el tirio, dice usted que no es terrestre —dijo Demonaco—. Si no proviene de la Tierra, ¿de dónde proviene?

—Impactos de asteroides, meteoritos. Fragmentos de rocas que sobreviven el viaje a través de la atmósfera de la Tierra. Pero, por lo que sabemos, nadie ha encontrado aún una muestra viva de tirio.

—Pues creo que eso ya ha sucedido —dijo Demonaco—. Y creo saber quién ha sido.

Demonaco se explicó.

—Comandante, durante los últimos seis meses, han llegado hasta mi unidad del FBI rumores de una guerra entre los Freedom Fighters de Oklahoma y otro grupo terrorista que se hace llamar el Ejército Republicano de Texas.

—El Ejército Republicano de Texas, ¿no son esos los que desollaron a aquellos miembros del Servicio de Pesca, Fauna y Flora en Montana?

—Son los principales sospechosos —dijo Demonaco—. Dijimos a los medios que esos dos oficiales habían encontrado a algunos milicianos cazando de forma ilegal, pero creo que es mucho peor que eso. Creo que dieron con un campo de entrenamiento de ese grupo terrorista.

—¿Un campo de entrenamiento?

—En efecto. El Ejército Republicano de Texas es un grupo mucho mayor que los Freedom Fighters, y están bastante más preparados. De hecho, no se puede formar parte de ese grupo a menos que se haya sido miembro de las fuerzas armadas.

»Asimismo, también están excepcionalmente organizados para ser un grupo terrorista. Se parecen más a una unidad militar de elite que a un club de caza de fines de semana.

»Tienen una cadena de mando muy definida que incluye castigos severos para cualquier miembro que rompa esa jerarquía, un sistema que se ha atribuido a la influencia de su líder, Earl Bittiker, un SEAL de la Armada, que fue expulsado con deshonor en 1986 por agresión sexual a una teniente que le dio una orden que no le gustó. La violó vaginal y oralmente.

Mitchell se estremeció.

—Según parece, Bittiker era uno de los mejores de los SEAL, una máquina de matar sin remordimientos ni conciencia. Pero, al igual que muchos de esos tipos, carecía de ciertas cualidades civilizadoras. Al parecer en 1983, tres años antes de la violación, le habían diagnosticado una psicosis clínica, pero la Armada le permitió continuar en activo. Pensaron que, siempre y cuando esa agresividad fuera canalizada hacia sus enemigos, no habría problema. Una lógica aplastante.

»Tras la violación, Bittiker fue expulsado de la Armada y condenado a ocho años en Leavenworth. Cuando salió en 1994, fundó el Ejército Republicano de Texas junto con un par de soldados que también habían sido expulsados y que había conocido en la cárcel.

»El Ejército Republicano de Texas entrena constantemente —dijo Demonaco—. En el desierto, en zonas aisladas de Texas y Montana y, a veces, en las montañas de Oregón. Se supone que cuando llegue el momento de declarar la guerra al Gobierno estadounidense, o al Gobierno estadounidense junto con las Naciones Unidas, quieren estar listos para luchar en todo tipo de terrenos.

»Lo peor de todo es que también tienen dinero. Después de que el Gobierno le jodiera y bien con un contrato de petróleo, el magnate tejano del petróleo Stanford Cole le dejó a Bittiker y a su ejército cerca de cuarenta y dos millones de dólares y una nota que decía: «Que se pudran en el Infierno». No es de extrañar, pues, que Bittiker y sus compinches sean vistos a menudo en los mercados negros de armas en Oriente Medio y en África. Joder, si el último año compraron un excedente de ocho helicópteros Black Hawk al Gobierno australiano.

—¡Joder! —dijo Mitchell.

—Aun así —prosiguió Demonaco—, eso no impide que de vez en cuando roben equipos de gran importancia. Por ejemplo, aunque no podemos probarlo, creemos que el Ejército Republicano de Texas es el responsable del robo del tanque blindado M-1A1 Abrams mientras...

—¿Robaron un tanque? —dijo Mitchell incrédulo.

—De la parte trasera de un camión con remolque mientras era transportado de la fábrica de Chrysler en Detroit al Comando de Tanques, Vehículos y Armamento del Ejército de Estados Unidos en Warren, Michigan.

—¿Por qué sospecha de ellos? —preguntó Mitchell.

—Porque hace dos años, el Ejército Republicano de Texas compró un aeroplano Antonov An-22 en el mercado de armas de Irán. El An-22 es un avión jodidamente grande, el equivalente ruso a nuestros mayores aviones a reacción de transporte militar, el C-5 Galaxy y el C-17 Globemaster. Si quieres un avión de carga, vas y compras un An-12 o un C-130 Hércules, no un An-22. Solo necesitas un An-22 si tienes pensado mover algo grande, muy grande. Algo como un tanque de 67 toneladas.

Demonaco paró de hablar y negó con la cabeza.

—Pero esa es la menor de nuestras preocupaciones ahora.

—¿Por qué?

—Porque últimamente nos han llegado unos rumores bastante preocupantes acerca del Ejército Republicano de Texas. Parece ser que han encontrado un alma gemela en el culto Aum Shinrikyo de Japón, un grupo que soltó gas sarín en el metro de Tokio en 1995. Después del atentado de Tokio, algunos miembros del culto vinieron a Estados Unidos y se infiltraron en ciertas milicias. Tenemos motivos para creer que algunos miembros de Aum Shinrikyo se han unido al Ejército de Texas.

—¿Eso qué significa para nosotros? —preguntó Mitchell.

—Significa que tenemos un problema muy serio.

—¿Por qué?

—Porque el culto Aum Shinrikyo es un culto del día del Juicio Final. Su único objetivo, más bien, su única razón de ser, es provocar el fin del mundo. Solo tenemos noticia del incidente del metro de Tokio porque disponemos de grabaciones de las cámaras de seguridad. ¿Sabía que a principios de 1994 los de Aum Shinrikyo lograron hacerse con el control de un silo de misiles remotos chino? Casi lanzan treinta misiles nucleares tácticos en los Estados Unidos para intentar iniciar una guerra termonuclear.

—No, no lo sabía —dijo Mitchell.

—Comandante, en Estados Unidos nunca hemos tenido un culto del día del Juicio Final. Tenemos grupos antigubernamentales violentos, grupos anti ONU, antiabortistas, antisemíticos y antinegros. Pero nunca hemos tenido un grupo cuya única ambición fuera provocar la destrucción masiva de la vida en este planeta.

»Ahora bien, si Earl Bittiker y el Ejército de Texas han decidido adoptar una filosofía del día del Juicio Final, eso nos deja con un gran problema. Porque entonces tendremos uno de los grupos paramilitares más peligrosos merodeando por Estados Unidos con un objetivo letal.

—De acuerdo, entonces —dijo Mitchell—, ¿qué tiene que ver todo esto con el robo?

—Fácil —dijo Demonaco—. El grupo que realizó este robo es un pelotón de asalto altamente cualificado y preparado. Las tácticas que emplearon son propias de las Fuerzas Especiales y los SEAL, lo que señalaría a una organización más del tipo del Ejército Republicano de Texas y no a los Freedom Fighters.

—Sí.

—Pero quienquiera que hiciera esto nos ha dejado una sola bala con el núcleo de tungsteno para que pensemos en los Freedom Fighters. Si el Ejército Republicano de Texas hizo esto, ¿no cree que tendría sentido que intentaran despistarnos incriminando a sus enemigos, los Freedom Fighters de Oklahoma?

—Sí...

—Lo que me preocupa, sin embargo —dijo Demonaco—, es tras qué están. Porque si el Ejército Republicano de Texas ha adoptado realmente el culto del día del Juicio Final, entonces esa Supernova de la que usted me habla es exactamente el tipo de cosa que estarían buscando.

—Otro aspecto que debemos tener en cuenta —prosiguió Demonaco—, es cómo entraron. Tenían a alguien dentro, alguien que supiera los códigos y que les pudiera proporcionar las llaves tarjeta para todos los cierres de seguridad. ¿Tiene un registro de los nombres de todos los que trabajan en el proyecto?

Mitchell sacó una hoja de papel del bolsillo superior de la chaqueta y se la pasó a Demonaco.

—Esta es una lista de toda la gente que trabaja en el proyecto de la Supernova, de la Armada y de la DARPA.

Demonaco echó un vistazo a la lista.

NOMBRE DEL PROYECTO: **N23-657-K2 (SUPERNOVA)**
CLASIFICACIÓN: **ROJA (ALTAMENTE CONFIDENCIAL)**
AGENCIAS COMPETENTES: **ARMADA/ DARPA**

PERSONAL:

NOMBRE	CARGO	AGENCIA	N.° SEGURIDAD
ROMANO, Julius M.	FÍSICO NUCLEAR	ARMADA	A/ 1005-A2
	LÍDER PROYECTO		
FISK, Howard K.	FÍSICO TEÓRICO	DARPA	D/ 1546-77A
	LÍDER PROYECTO		
		DARPA	
BOYLE, Jessica D.	FÍSICA NUCLEAR	DARPA	D/ 1788-82B
LABOWSKI, John A.	INGENIERO SISTEMA	ARMADA	A/ 7659-C7
	TRANSPORTE		
MAHER, Karen B.	SISTEMAS SECUNDARIOS	DARPA	D/ 6201-22C
NORTON, Henry J.	ASISTENCIA TÉCNICA	ARMADA	A/ 7632-C1
RACE, Martin E.	INGENIERO DISEÑO	DARPA	D/ 3279-97A
	SISTEMA DE ENCENDIDO		
SMITH, Martin W.	SISTEMA ELECTRÓNICO		
	DISPOSITIVO	DARPA	D/ 5900-35B

PERSONAL ADICIONAL

KAYSON, Simon F.	SEGURIDAD PROYECTO	ARMADA	A/ 1009-A2
DEVEREUX, Edward G.	ESPECIALISTA LINGÜÍSTICO	HARVARD	N/A

Mitchell dijo:

—Hemos investigado a todos. Están todos limpios, incluso Henry Norton, el tipo cuya tarjeta de seguridad y códigos PIN emplearon para entrar.

—¿Dónde se encontraba la noche del robo? —preguntó Demonaco.

—En el depósito de cadáveres de Arlington —dijo Mitchell—. Los informes paramédicos confirman que a las 5.36 a. m. de la noche del robo, exactamente quince minutos antes de que los ladrones entraran en el edificio, Henry

Norton y su mujer, Sarah, fueron encontrados muertos de sendos disparos en su hogar de Arlington.

—A las 5.36 —dijo Demonaco—. Se movieron con rapidez después de matarlos. Sabían que su nombre estaría marcado por control electrónico en el hospital.

Tanto Demonaco como Mitchell sabían que los nombres de los empleados de algunas agencias del Gobierno estaban marcados por controles electrónicos en caso de que fueran ingresados de improviso en el hospital. Tan pronto como se introducía el nombre de alguien importante en los ordenadores del hospital, aparecía una pantalla de aviso para que el médico llamase a la agencia gubernamental pertinente.

—¿Tenía Norton alguna relación con milicias? —preguntó Demonaco.

—No. Llevaba toda la vida en la Armada. Era experto en sistemas de asistencia técnica: ordenadores, sistemas de comunicación y navegación. Tiene un expediente impecable. Parece un puto *boy scout.* Sería la última persona que pensarías que podría traicionar a su país.

—¿Qué hay de los demás?

—Nada. Ninguno de ellos tiene ningún vínculo con organizaciones paramilitares. Cada miembro del equipo ha tenido que pasar por un control de seguridad exhaustivo antes de entrar a trabajar en el proyecto. Están limpios. No parece siquiera que ninguno de ellos conozca a algún miembro de una milicia.

—Bueno, alguien tiene que ser —dijo Demonaco—. Averigüen quién trabajó más con Norton, alguien que podría haberlo visto meter sus códigos PIN todos los días. Haré unas llamadas a mi gente para ver en qué han estado metidos Earl Bittiker y el Ejército Republicano de Texas últimamente.

El Goose levantó una cortina de agua al tocar la superficie del río Alto Purús, no muy lejos de la base de la catarata que caía en cascada por la meseta.

Ya era de noche y, conscientes de la presencia de los *rapas* en el pueblo, Race y los demás decidieron que amarrarían el hidroavión cerca de la catarata y regresarían a Vilcafor por el *quenko*.

Después de que Doogie dejara el Goose en la ribera del río, bajo un grupo de árboles, los cuatro desembarcaron. Dejaron a Uli en el avión, inconsciente y sedado con un poco de metadona que habían encontrado en un botiquín de primeros auxilios en la parte trasera del avión.

Antes de atravesar el sendero situado tras la catarata, sin embargo, Race quiso que hicieran algo bastante raro.

Con un par de cajas de madera que habían encontrado dentro del Goose y unas barritas energéticas que Van Lewen y Doogie portaban consigo, habían construido unas trampas un tanto rudimentarias con el objetivo de atrapar a los monos que se encontraban en los árboles sobre ellos.

Diez minutos después tenían a un par de primates furiosos atrapados dentro de las dos cajas de madera. Los dos monos no dejaron de gritar mientras Van Lewen y Doogie los portaban por el sendero situado tras la catarata que llevaba a la puerta de piedra del *quenko*.

Diez minutos después, Race subió los peldaños que conducían a la ciudadela de Vilcafor.

Nash, Lauren, Copeland, Gaby López y Johann Krauss se encontraban en un rincón de la ciudadela observando cómo Lauren intentaba establecer contacto por radio con Van Lewen o Doogie.

Todos se volvieron a la vez cuando vieron salir a Race del *quenko* con el ídolo falso en sus manos.

Renée, Van Lewen y Doogie salieron a la ciudadela tras él. Estaban totalmente cubiertos de barro y mugre. Race todavía tenía gotas de la sangre de Heinrich Anistaze en su rostro.

Nash vio el ídolo en sus manos.

—¡Lo tienen! —gritó. Corrió hacia Race y se lo arrebató de las manos.

Lo contempló con adoración.

Race observó a Nash con frialdad. En ese instante decidió que no le diría a Nash lo que sabía de él. Esperaría a ver qué era lo que hacía Nash en adelante. Todavía podían conseguir el ídolo, quizá incluso con la ayuda de Race, pero Race estaba resuelto a garantizar que no sería Nash quien se lo quedara.

—Es precioso —dijo Nash maravillado.

—Es una falsificación —dijo Race con rotundidad.

—¿Qué?

—Que es una falsificación. No está hecho de tirio. Si volvemos a encender el detector de resonancias de nucleótidos, veremos que hay una fuente de tirio en esta zona. Pero no es este ídolo.

—Pero... ¿cómo?

—Durante su huida de Cuzco, Renco Capac encargó al delincuente Bassario que tallara una réplica exacta del Espíritu del Pueblo. Renco tenía planeado rendirse ante Hernando y darle el ídolo falso. Sabía que Hernando lo mataría, pero también sabía que el deseo cegador de Hernando por tener el ídolo haría que jamás sospechase que se pudiera tratar de un ídolo falso.

»Según parece, sin embargo, Renco y Alberto Santiago mataron a Hernando y a sus hombres y, tal como dice el manuscrito, Renco escondió los dos ídolos en el templo.

Nash giró el ídolo en sus manos y vio por primera vez el corte cilíndrico de la base. Alzó la vista y miró a Race.

—Entonces, ¿el ídolo auténtico está escondido en alguna parte del templo?

—Eso es lo que dice el manuscrito de Santiago —contestó Race.

—¿Pero...?

—Pero no le creo.

—¿No le cree? ¿Por qué no?

—¿Sigue funcionando el DRN? —preguntó Race a Lauren.

—Sí.

—Móntalo y os explicaré a qué me refiero.

Todos se desplazaron hasta el techo de la ciudadela, donde Lauren comenzó a montar el detector de resonancias de nucleótidos.

Mientras montaba el dispositivo, Race alzó la vista al pueblo. Todavía era de noche y caía una ligera lluvia. Captó la sombra alargada de un felino que lo observaba desde detrás de una de las construcciones del pueblo.

Tras unos segundos, Lauren ya tenía listo el DRN. Apretó un interruptor y la barra de plata situada en la parte superior de la consola comenzó a girar lentamente.

Treinta segundos después, el detector emitió un *bip* agudo y la barra cesó de girar al instante. Sin embargo, no estaba apuntando al ídolo que

Nash sostenía entre sus manos, sino más lejos, hacia lo alto de las montañas.

—Estoy recibiendo una lectura —dijo Lauren—. Es una señal fuerte, una resonancia de alta frecuencia.

—¿Cuáles son las coordenadas? —dijo Race.

—Torciendo 270 grados hacia el oeste. El ángulo vertical es de 29 grados, 58 minutos. Alcance, 793 metros. Las mismas que la otra vez, si no recuerdo mal —dijo mirando a Race.

—Recuerdas bien —dijo—. También recordarás que pensamos que estaba dentro del templo.

—Sí... —dijo Lauren.

Race la miró con dureza, con una mayor dureza de lo habitual. Se preguntó si ella habría formado parte del engaño de Nash. Concluyó que probablemente sí.

—¿Recuerdas por qué pensamos que se encontraba en el templo?

Lauren frunció el ceño.

—Bueno, recuerdo que subimos por el sendero en espiral del cráter y vimos el templo. Entonces supusimos que el emplazamiento del templo encajaba con la trayectoria del DRN. Ergo, el ídolo estaba en el templo.

—Correcto —dijo Race—. Eso es exactamente lo que hicimos. Y ahí fue exactamente donde nos equivocamos.

Volvieron al interior de la ciudadela.

Race cogió un bolígrafo y una hoja del interior del todoterreno que seguía pegado a la entrada de la ciudadela.

—Copeland —le dijo al científico de gran estatura y poco sentido del humor—. ¿Cree que con todos esos artilugios electrónicos que tenemos aquí podría encontrarme una calculadora normal y corriente?

Copeland encontró una dentro de uno de los contenedores estadounidenses y se la pasó.

—De acuerdo —dijo Race dejando que los demás se arremolinaran a su alrededor y observaran.

Hizo un dibujo en la hoja de papel.

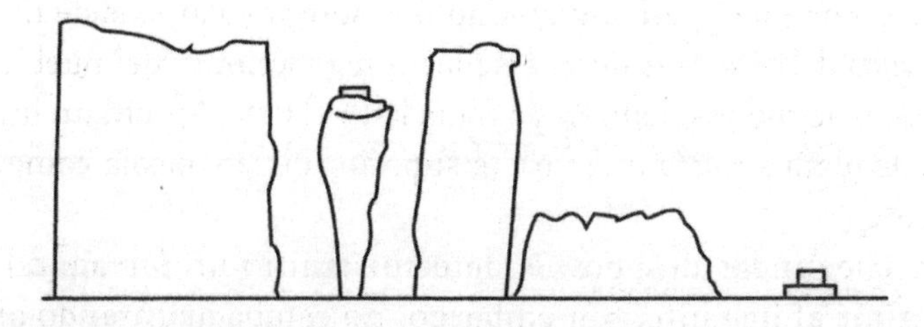

—De acuerdo —dijo—. Este es un dibujo de Vilcafor y de la meseta situada al este vistos desde un lateral. ¿De acuerdo?

—Sí —dijo Lauren.

Race dibujó algunas líneas en el dibujo:

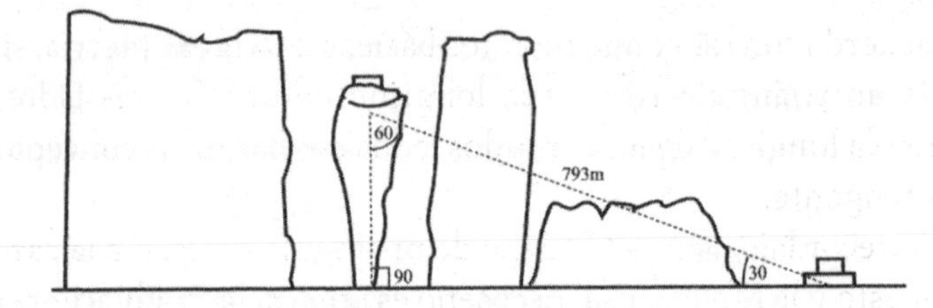

—Y esto es lo que dedujimos ayer de la lectura que obtuvimos del detector de resonancias de nucleótidos: 793 metros hasta el ídolo. Ángulo de inclinación 29 grados, 58 minutos, pero usaremos 30 grados para hacerlo más sencillo. La cuestión es que, cuando subimos al cráter y vimos el templo, pensamos inmediatamente que el templo coincidía con la lectura. ¿Cierto?

—Cierto... —dijo Nash.

—Pues nos equivocamos —dijo Race—. ¿Recordáis cuando estábamos subiendo el sendero en espiral alrededor de la torre de piedra y Lauren procedió a hacer una lectura con su brújula digital?

—Vagamente —dijo Nash.

—Bueno, yo sí lo recuerdo. Cuando estábamos al mismo nivel de la torre de piedra, al otro lado del puente de cuerda, Lauren dijo que nos encontrábamos a exactamente 632 metros, horizontalmente hablando, del pueblo.

Añadió otra línea y cambió las palabras «793 m» escritas sobre la hipotenusa, el lado mayor del triángulo, por «*x* m».

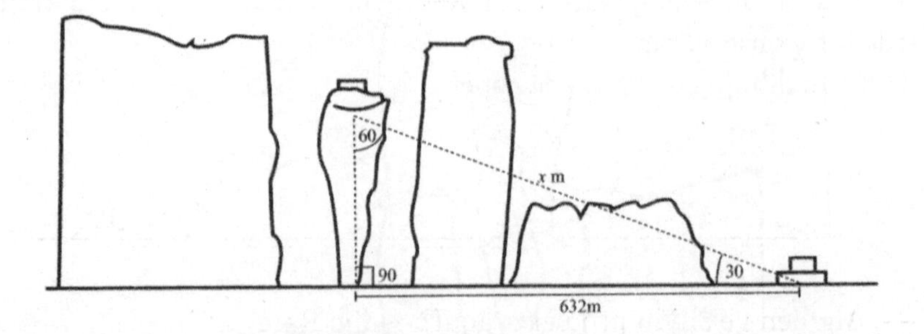

—¿Alguno de los aquí presentes recuerda trigonometría del instituto? —preguntó. Todos los físicos teóricos a su alrededor se encogieron de hombros con timidez—. Qué cosas tengo, si no es física nuclear —dijo Race—, pero aun así tiene algunos usos.

—Oh, ya lo entiendo... —dijo Doogie de repente. Estaba situado al final del pequeño grupo congregado alrededor de Race. Los demás, por el contrario, siguieron sin entender nada.

Race dijo:

—De acuerdo con los conocimientos básicos de trigonometría, si se sabe un ángulo de un triángulo recto y la longitud de uno de sus lados, se puede determinar la longitud de los otros dos lados mediante los conceptos de seno, coseno y tangente.

»¿No lo recordáis, chicos? El seno de un ángulo es igual a la razón entre el cateto opuesto y la hipotenusa. El coseno es igual al lado adyacente del ángulo dividido por la hipotenusa.

»En nuestro ejemplo, para encontrar *x*, la distancia entre nosotros y el templo, usaríamos el coseno de 30°.

Race entonces escribió:

$$\text{Cos}30^\circ = 632 / x$$

—Por tanto —dijo:

$$x = 632 / \cos 30^\circ$$

Tecleó algunos números en la calculadora que Copeland le había dado.

—Según la calculadora, el coseno de 30° es 0,866. Por tanto, *x* es igual a 632 dividido entre 0,866. Y eso da... 729.

Race hizo los pertinentes cambios en el dibujo, escribiendo febrilmente. Lauren lo observaba atónita. Renée simplemente lo contemplaba con una sonrisa de oreja a oreja.

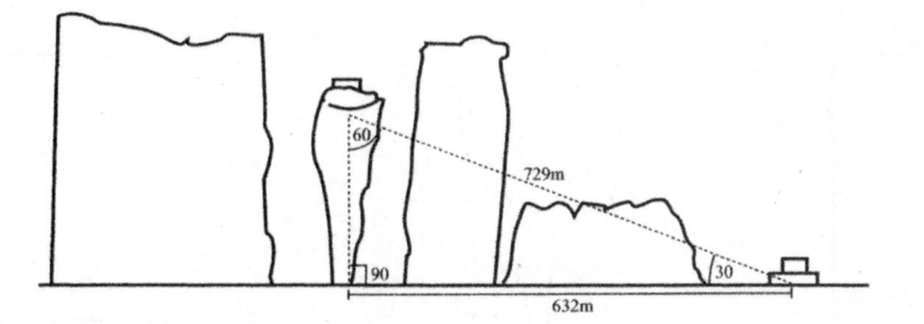

—¿Alguien ve algún problema aquí? —dijo Race.

Nadie respondió.

Race corrigió por última vez el dibujo, colocando una enorme «X».

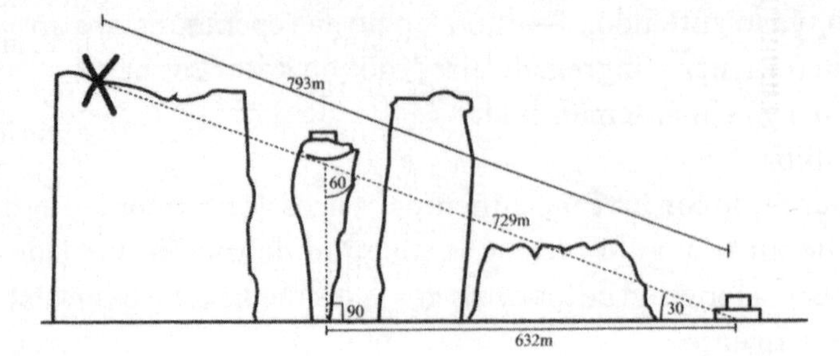

—Cometimos un error —dijo—. Dimos por sentado que, por su altura, el templo estaba a 793 metros del pueblo y, por tanto, el ídolo se encontraba allí. No íbamos mal encaminados, pero nuestro cálculo era incorrecto, porque el ídolo auténtico no se encuentra dentro del templo. Está más arriba, en alguna parte de la meseta.

—¿Pero dónde? —dijo Nash.

—Me imagino —respondió Race—, que el ídolo se encuentra en la aldea de la tribu de indígenas que construyeron el puente de cuerda de la torre de piedra, la misma tribu de indígenas que atacó a nuestros amigos alemanes cuando estaban a punto de abrir el templo.

—¿Qué hay del manuscrito? —dijo Nash—. Pensaba que decía que los dos ídolos estaban dentro del templo.

—El manuscrito no cuenta toda la historia —dijo Race—. Solo puedo suponer que Alberto Santiago cambió el final para que nadie que lo leyera después conociera el lugar donde descansa el ídolo.

Race sostuvo en alto el papel con el dibujo.

—Aquí es donde se encuentra el ídolo. Vuestro DRN dice eso y también las matemáticas.

Nash frunció el ceño, pensativo. Finalmente dijo:

—De acuerdo. Vayamos por él.

Los dos monos que Race y los demás habían capturado cerca del río les habían obsequiado alegremente, o quizá no tanto, con un amplio suministro de orina con el que los dos enfurecidos primates habían rociado las bolsas de plástico que Race había colocado para cubrir las cajas.

La orina de mono, hablando claro, apestaba. Su hedor nauseabundo y penetrante y aquel olor a amoniaco invadieron el interior de la ciudadela. *No me extraña que a los rapas les asquee ese olor,* pensó Race mientras él y los demás se echaban la orina tibia y apestosa por el cuerpo.

Cuando hubieron terminado, Van Lewen repartió las armas. Dado que Doogie y él eran los únicos boinas verdes que quedaban (dando por supuesto que *Buzz* Cochrane seguía en la parte superior de la torre), ellos se quedaron con los G-11. A Nash, Race y Renée les dieron M-16 provistos de ganchos.

Race, que todavía llevaba el peto de kevlar y la gorra de béisbol azul, colgó el gancho de su cinturón.

A Copeland y a Lauren les dieron la SIG-Sauer y una P228 semiautomática, respectivamente. Krauss y López, que eran científicos normales y corrientes, se quedaron sin armas.

Cuando estuvieron listos, Van Lewen entró en el todoterreno, se dirigió a la parte posterior del vehículo y levantó la ventanilla trasera.

Su G-11 salió primero.

Entonces, lentamente, Van Lewen se asomó por la ventanilla y observó a su alrededor. Al instante, sus ojos se abrieron como platos.

El enorme todoterreno de ocho ruedas estaba rodeado de *rapas.*

Sus colas se movían de un lado a otro tras sus gigantescos cuerpos. Sus amarillentos ojos se posaron sobre él, fríos y duros.

Van Lewen contó doce *rapas.*

Entonces, el felino que estaba más cerca bufó, olió la orina y se alejó del todoterreno.

Uno tras otro, los demás felinos hicieron lo mismo, separándose del vehículo blindado y formando un círculo a su alrededor.

Van Lewen salió a la calle con su arma en ristre. Los demás lo siguieron, Race entre ellos.

Al igual que el resto, Race se movía despacio, con cautela, sin perder de vista a los felinos mientras mantenía el dedo en el gatillo de su M-16.

Era una sensación realmente extraña. Hombres provistos de pistolas y fusiles, y felinos provistos de una agresividad innata. A pesar de sus armas, Race estaba seguro que los *rapas* podrían abatirlos con facilidad si se atrevieran a disparar contra ellos.

Pero los felinos no los atacaban.

Era como si los humanos estuvieran protegidos por una especie de muro invisible, un muro que los *rapas* se negaban a atravesar. Seguían a Race y a los demás desde una distancia prudente, en paralelo, mientras ellos recorrían el sendero de la ribera del río.

¡Dios, son enormes!, pensó Race mientras avanzaba por entre el grupo de felinos negros.

La última vez que los había visto desde tan cerca había sido al otro lado de las ventanillas del Humvee, pero ahora, ahora que los tenía a su alrededor, sin la protección de ventanillas o puertas, parecían el doble de grandes. Podía escuchar su respiración. Era tal y como Alberto Santiago lo había descrito, una respiración profunda similar a la de un caballo. El sonido de una bestia poderosa.

—¿Por qué no los disparamos? —susurró Copeland.

—Yo no iría por ahí haciendo eso —le contestó Van Lewen—. Por el momento, creo que su aversión a la orina de mono es mayor que su deseo de matarnos. Si abrimos fuego contra ellos, creo que es probable que su deseo de sobrevivir gane a su aversión a la orina de mono.

Los ocho recorrieron el sendero de la ribera del río y la estrecha fisura de la meseta mientras los *rapas* los seguían de cerca.

Salieron del pasillo a la base del cráter y vieron el lago de poca profundidad que se extendía ante ellos, la torre de piedra que se alzaba en el centro del cráter y la fina pero increíblemente elevada catarata que caía por la parte suroeste del cañón.

En ese momento la lluvia había cesado y la luna llena iluminaba el cráter, bañándolo con una luz azul mística.

Guiado por Van Lewen, el grupo ascendió por el sendero en espiral bajo la luz de la noche.

Los *rapas* subieron por el sendero tras ellos. Con aquellas cabezas negras y esas orejas puntiagudas parecían demonios saliendo de las entrañas del Infierno, listos para arrastrar a Race y a sus compañeros a los confines de la Tierra si daban un paso en falso. Pero seguían manteniendo la distancia, repugnados por el olor de la orina de mono.

Finalmente, el grupo llegó a los dos contrafuertes que habían sostenido el puente de cuerda.

Este colgaba ahora en vertical contra la torre, al otro lado del abismo, exactamente en el mismo lugar donde los nazis lo habían dejado.

Race echó un vistazo a la torre. No había ni rastro de *Buzz* Cochrane.

A continuación, sin embargo, en vez de cruzar a la torre de piedra (cosa que, en ese momento, era imposible hacer), Van Lewen siguió subiendo por el sendero en espiral hacia el borde del cráter.

El sendero se estrechaba bajo la catarata de la parte suroeste, para luego ensancharse cerca del borde del cráter.

Race salió al borde del cráter y miró en dirección oeste. Vio las cimas majestuosas de los Andes descollando sobre él, sombras oscuras y triangulares que se sobreponían en el cielo nocturno. A su izquierda, vio el diminuto río que abastecía de agua a la catarata y, junto a él, una zona de selva frondosa.

Un sendero estrecho y embarrado, que se había formado más por el uso que de forma deliberada, nacía donde Race se encontraba y se perdía por entre el follaje verde y frondoso.

Pero había algo a ambos lados del sendero que captó su atención: un par de estacas de madera clavadas en el barro.

En cada estaca habían colocado un cráneo aterrador.

Race sintió un escalofrío cuando enfocó con la linterna de su M-16 a uno de los cráneos.

Tenía un aspecto terrorífico, magnificado a su vez por las cantidades copiosas de sangre fresca y carne podrida que pendían de él. Tenía una forma rara, no era humana. Los dos cráneos eran muy alargados, con los dientes caninos afilados, orificios nasales con forma de triángulos invertidos y las cavidades de los ojos anormalmente grandes.

Race tragó saliva.

Eran cráneos de felinos.

Cráneos de *rapas*.

—Una señal de «Prohibido el paso» primitiva —dijo Krauss cuando vio los dos cráneos empalados en las estacas.

—No creo que sean para que no pase la gente —dijo Gaby López mientras olía uno de los cráneos—. Han sido impregnados en orina. Los han colocado para mantener a los *rapas* a raya.

Van Lewen siguió andando y se adentró en el follaje. Race y los demás lo siguieron, guiados por la luz de sus linternas.

A menos de treinta metros de los cráneos, Van Lewen y Race se encontraron con un enorme foso no muy distinto del que rodeaba Vilcafor.

Las únicas diferencias entre los dos fosos eran, primero, que este foso no estaba seco, sino que estaba lleno de agua. Y segundo, que estaba habitado por una familia de enormes caimanes.

—Genial —dijo Race mientras los observaba acechando en los alrededores del foso—. Caimanes de nuevo.

—¿Otro mecanismo de defensa? —preguntó Renée.

—Los caimanes son los únicos animales de esta zona que tienen una posibilidad remota de vencer a un *rapa* —dijo Krauss—. Las tribus primitivas no disponen de fusiles ni de cables trampa, así que tienen que buscar otros métodos para contener a sus enemigos felinos.

Al otro lado del foso, Race vio otra zona de follaje, no muy elevado, tras el cual se extendía un grupo de cabañas con tejados de paja guarecidas bajo un grupo de enormes árboles.

Era una especie de aldea o pueblo.

El breve tramo de follaje entre el pueblo y el foso les daba a las cabañas un aspecto pintoresco, casi místico. Algunas antorchas ardían en largos palos, bañando aquella pequeña aldea de un inquietante destello anaranjado. Aparte de las antorchas, sin embargo, la aldea parecía estar totalmente desierta.

Una ramita crujió.

Race se volvió y vio a la manada de *rapas* en el sendero embarrado, a unos diez metros de ellos. Por algún motivo habían logrado pasar los cráneos empapados de orina y ahora estaban a poca distancia entre Race y los demás, observándolos expectantes.

En la zona de la aldea, al otro lado del foso, había un estrecho puente de troncos de madera en el suelo. En uno de sus extremos había atada una cuerda de una manera no muy distinta a la del puente de cuerda de la torre de piedra. Se extendía hasta donde se encontraba Race, atada a una estaca clavada en el suelo.

Van Lewen y Doogie tiraron de la cuerda hasta lograr tender el puente sobre el foso.

Los ocho cruzaron el puente y se adentraron por el follaje que rodeaba la aldea.

Una vez hubieron cruzado todos el puente, Van Lewen y Doogie lo recogieron y volvieron a dejarlo donde estaba para que los *rapas* no pudieran seguirlos.

Salieron juntos del follaje a un claro enorme de forma cuadrangular, una especie de plaza. Apuntaron con la luz de sus linternas a las cabañas con tejados de paja y a los árboles que rodeaban el claro desierto y mugriento.

En el extremo norte de aquel claro había una jaula de bambú, sus cuatro lados hechos con cuatro troncos gruesos de árboles. Tras la jaula, excavado en las paredes de barro del foso, había un hoyo de unos nueve metros de ancho y cuatro metros y medio de profundidad. Una puerta de bambú entrelazado separaba el hoyo del foso.

En el centro, sin embargo, estaba la imagen más deslumbrante de todas.

Era una especie de santuario, una estructura de madera similar a un altar que había sido tallada en uno de los árboles más gruesos de la aldea.

Estaba lleno de huecos y nichos. Dentro de los nichos, Race vio una colección de reliquias espectaculares: una corona de oro con zafiros incrustados, estatuas de oro y plata de guerreros y doncellas incas, varios ídolos de piedra y un rubí gigantesco que tenía fácilmente el tamaño de un puño humano.

Incluso en la penumbra en que se encontraban, el santuario brillaba; sus tesoros relucían a la luz de la luna. Las hojas de los árboles circundantes pendían sobre él, enmarcándolo como el telón de un teatro.

En el centro del altar de madera se hallaba el recoveco más elaborado de todos. Estaba cubierto por una pequeña cortina y era sin duda la pieza central de todo el altar. Pero lo que quisiera que fuera el objeto que se encontraba allí permanecía oculto a nuestra vista.

Nash dio unas zancadas en su dirección. Race sabía en qué estaba pensando. Nash tiró fuertemente de la cortina que cubría el hueco.

Y lo vio. Race también lo vio, y se quedó boquiabierto.

Era el ídolo.

El ídolo auténtico.

El Espíritu del Pueblo.

La visión del ídolo dejó a Race sin aliento. Lo primero que se le vino en mente fue el excelente trabajo que había hecho Bassario. Su ídolo falso era una copia perfecta. Pero, por mucho que lo hubiera intentado, Bassario había sido incapaz de reproducir el aura que rodeaba al ídolo auténtico.

Era la majestuosidad personificada.

La ferocidad de la cabeza del *rapa* inspiraba terror. El brillo de la piedra negra y púrpura, el tirio, esplendor. Todo el ídolo inspiraba veneración.

Embelesado, Nash se acercó a coger el ídolo. En ese mismo instante, la punta de piedra de una flecha le pasó rozando la cabeza.

La flecha había sido lanzada por un indígena con aspecto furioso que había surgido del follaje, a la derecha del santuario. Preparó el arco para volverles a lanzar una flecha.

Cuando Van Lewen levantó su G-11, la selva circundante cobró vida y de ella salieron no menos de cincuenta indígenas.

Prácticamente todos llevaban arcos y flechas. Los estaban apuntando.

Van Lewen todavía tenía su arma en alto. Doogie no. Estaba a unos cuantos metros de distancia de Van Lewen, completamente inmóvil.

Se hallaban en un callejón sin salida. Van Lewen, armado con un artefacto que podría matar a veinte hombres en un instante contra más de cincuenta indígenas armados con flechas y arcos listos para ser disparados.

Son demasiados, pensó Race. Incluso aunque Van Lewen lograra efectuar algunos disparos, no sería suficiente. Los indígenas los matarían a todos, pues su superioridad numérica era aplastante.

—Van Lewen —dijo Race—. No...

—Sargento Van Lewen —dijo Nash desde el altar. En este había clavada una flecha, justo a la altura de su cabeza—. Baje el arma.

Van Lewen obedeció. Tan pronto como lo hizo, los indígenas avanzaron y les arrebataron las armas.

Un hombre mayor con una larga barba gris y la piel aceitunada dio un paso adelante. No portaba ningún arco. Parecía el jefe de la tribu.

Otro hombre se puso al lado del jefe. Tan pronto como lo vio, Race pestañeó incrédulo.

El segundo hombre no era un indígena, más bien un hombre latinoamericano de complexión corpulenta. Estaba muy moreno e iba vestido como los indígenas, pero incluso las generosas dosis de pinturas ceremoniales que llevaba en el rostro y pecho no podían ocultar sus rasgos decididamente urbanos.

Cuando el jefe de la tribu miró a Nash, que se encontraba delante del santuario como un ladrón al que han pillado con las manos en la masa, gruñó algo en su lengua materna.

El hombre latinoamericano que estaba a su lado lo escuchó con atención y luego le ofreció algún consejo a modo de respuesta.

—*Hmph* —gruñó el jefe.

Race estaba al lado de Renée. Los dos estaban rodeados por cinco indígenas que los apuntaban con arcos.

Justo entonces uno de los indígenas dio un paso adelante y le tocó la mejilla a Race, como para comprobar si su piel blanca era real.

Race apartó la cara.

Cuando lo hizo, sin embargo, el indígena gritó de asombro, lo que hizo que todos los demás se volvieran. Corrió hacia el jefe, gritando:

—*¡Rumaya! ¡Rumaya!*

El jefe se acercó a donde se encontraba Race y su consejero blanco lo siguió. El viejo jefe se colocó delante de Race y lo observó con frialdad al mismo tiempo que el indígena que había tocado el rostro de Race señalaba a su ojo izquierdo y decía:

—*Rumaya. Rumaya.*

El jefe agarró con brusquedad a Race por la barbilla y giró su rostro hacia la derecha.

Race no se resistió.

El jefe observó su rostro en silencio, examinando la marca marrón triangular de nacimiento que tenía justo debajo de su ojo izquierdo. A continuación el jefe se lamió el dedo y comenzó a frotarle la marca para ver si salía. Pero no.

—*Rumaya...* —musitó.

Se volvió a su consejero latinoamericano y dijo algo en quechua. El consejero le susurró algo a continuación en voz baja y tono respetuoso, a lo que el anciano jefe negó con la cabeza y señaló con énfasis al hoyo cuadrangular que había sido excavado en las paredes del foso.

Entonces, el jefe se dio la vuelta y gritó una orden a su gente.

Los indígenas metieron a todos dentro de la jaula de bambú excepto a Race.

Por su parte, Race fue conducido a empellones hacia el hoyo embarrado adyacente al foso.

El consejero latinoamericano se colocó a su lado.

—¡Hola! —dijo el hombre con un acento inglés muy marcado que cogió a Race totalmente por sorpresa.

—Hola —dijo Race—. Esto..., ¿podría decirme de qué va todo esto?

—Esta gente son descendientes directos de una tribu inca lejana. Han visto que posee la Marca del Sol, esa marca de nacimiento que tiene bajo el ojo izquierdo. Creen que podría ser la segunda llegada de su salvador, un hombre que conocen como el Elegido. Pero quieren comprobarlo primero para estar seguros.

—¿Y cómo van a comprobarlo exactamente?

—Le meterán en el hoyo y abrirán la puerta que lo separa del foso para que entre un caimán. Entonces esperarán a ver quién de los dos sobrevive a la lucha, o el caimán o usted. Verá, de acuerdo con su profecía...

—Lo sé —dijo Race—. Lo he leído. De acuerdo con la profecía, el Elegido llevará la Marca del Sol, luchará contra grandes lagartos y salvará su Espíritu.

El hombre miró a Race con recelo.

—¿Es usted antropólogo?

—Lingüista. He leído el manuscrito de Santiago.

El hombre frunció el ceño.

—¿Ha venido aquí buscando el Espíritu del Pueblo?

—Yo no. Ellos —dijo Race señalando con la cabeza a Nash y a los demás que se encontraban dentro de la jaula de bambú.

—Pero, ¿por qué? No tiene ningún valor económico.

—Fue tallado en un meteorito —dijo Race—. Y ahora se ha descubierto que ese meteorito es una piedra muy especial.

—¡Oh! —dijo el hombre.

—Entonces, ¿quién es usted? —preguntó Race.

—Oh, sí. Lo siento mucho, olvidé presentarme —dijo el hombre poniéndose derecho—. Soy el doctor Miguel Moros Márquez. Soy antropólogo de la Universidad de Perú y he estado viviendo con esta tribu los últimos nueve años.

Un minuto después, Race fue conducido por un sendero inclinado que descendía por el fango.

El sendero estaba flanqueado a ambos lados por paredes de tierra y terminaba en una pequeña puerta de madera que daba al hoyo. Tan pronto como Race llegó a la puerta, unos indígenas que estaban situados encima del foso tiraron de esta hacia arriba y Race entró vacilante al hoyo adyacente a aquel foso infestado de caimanes.

El hoyo tenía una forma cuadrangular un tanto rudimentaria y era grande, de unos nueve por nueve metros.

Tres de sus lados eran paredes de barro. La cuarta pared, sin embargo, tenía una puerta enorme hecha de «barrotes» de bambú. Race pudo ver a través de ellas las ondas oscuras del foso exterior.

Para empeorar las cosas, el fondo del hoyo estaba cubierto de una capa de agua negra, agua que se filtraba por los barrotes entrecruzados de bambú. En el punto donde se encontraba Race, el agua llegaba por las rodillas. Su profundidad en otras partes del foso era indeterminada.

Bueno, esto es nuevo, Will. ¿Qué demonios has hecho para acabar en esta situación?

Justo entonces, una sección rectangular de la enorme puerta de bambú, una especie de puerta dentro de la puerta, fue levantada por unos cuantos indígenas colocados en el borde del hoyo y al instante se formó una gran abertura en medio de la puerta más grande, entre el hoyo y el foso infestado de caimanes.

Race observó con horror cómo la puerta subía y subía, dejando un espacio cada vez más grande. Unos segundos después alcanzó su altura máxima y se detuvo. Se produjo un largo silencio.

Los habitantes de la aldea estaban ahora en el borde del hoyo, expectantes ante la llegada de alguno de los caimanes.

Race se tocó los bolsillos buscando cualquier cosa que le pudiera servir de ayuda. Todavía llevaba los vaqueros y la camiseta blanca y el peto de kevlar que Uli le había dado en la mina y, por supuesto, sus gafas y la gorra de béisbol de los Yankees.

No llevaba encima ningún arma, salvo el gancho que colgaba de su cinturón.

Race lo cogió. El gancho iba unido a una cuerda y, por el momento, estaba retraído, como un paraguas cerrado.

Lo miró pensativo durante unos instantes. Quizá pudiera usarlo para trepar y salir de allí.

Fue en ese momento cuando algo muy grande se deslizó por la puerta abierta del foso.

Race se quedó inmóvil.

A pesar de tener prácticamente tres cuartas partes de su cuerpo sumergidas en el agua, seguía siendo monstruoso.

Race vio sus orificios nasales, sus ojos, su lomo blindado sobresaliendo por encima de la superficie... todo él moviéndose al unísono mientras surcaba inquietantemente las aguas del hoyo. Race observó cómo su cola acorazada se movía perezosamente de un lado a otro, propulsándolo hacia delante.

Era un caimán y era enorme.

Medía al menos cinco metros y medio de largo.

Una vez se hubo deslizado por completo hasta el hoyo, la puerta de bambú fue bajando lentamente hasta volver a su posición inicial.

Ahora solo estaban Race y el caimán.

Frente a frente.

Dios santo...

Race se replegó a una de las esquinas del hoyo cuadrangular. Sus pies chapotearon por el agua.

El caimán no movió un músculo.

Es más, aquella enorme criatura ni siquiera parecía percatarse de su presencia.

Race podía oír el batir de su corazón repiqueteándole en la cabeza.

El caimán seguía sin moverse.

Race permaneció inmóvil en la esquina.

Y entonces, de repente, sin previo aviso, el caimán se movió.

Pero no fue un movimiento rápido. No corrió hacia Race ni arremetió o se lanzó hacia él. Al contrario, se sumergió lentamente bajo la superficie del agua embarrada.

Los ojos de Race se abrieron como platos.

Mierda. Mierda.

¡El caimán se había sumergido por completo! No podía verlo. Por si fuera poco, la luz de la luna y de las antorchas de los indígenas no le dejaban ver más que las pequeñas ondas que se formaban en la superficie del agua.

Silencio.

Las olas golpeaban contra las paredes de tierra del hoyo. Todos y cada uno de los músculos del cuerpo de Race estaban en tensión, alertas para cuando el caimán emergiera de nuevo. Apretó el gancho de acero en sus manos como si fuera un garrote.

La superficie del agua estaba totalmente calma.

Silencio total y absoluto.

Race podía sentir cómo el miedo crecía en su interior.

Joder, joder, joder, joder, joder, joder, joder, joder.

Se preguntó cómo podía el caimán permanecer bajo la...

El ataque vino de la izquierda, justo cuando Race estaba mirando a la derecha.

Con un estruendoso rugido, el caimán surgió de las aguas con las fauces abiertas de par en par y su cuerpo de dos toneladas volando por los aires.

Race vio al instante al caimán y se echó a un lado, cayendo al agua justo cuando el caimán se lanzaba hacia él. El caimán se golpeó contra el agua.

Race se puso en pie y se volvió para a continuación lanzarse de nuevo al agua cuando el caimán volvió a intentar atacarlo. Cerró las fauces delante de su cara con un ruido sordo y carnoso.

Race estaba ahora cubierto de barro, pero le daba igual. Volvió a incorporarse. Estaba cerca de la pared de tierra del hoyo. Se giró. Justo para ver cómo el caimán se acercaba a toda velocidad.

Se agachó y sumergió todo el cuerpo bajo la superficie. El caimán pasó por encima de él y se golpeó el morro contra la pared embarrada del hoyo.

Race volvió a salir a la superficie y se encontró con los vítores de los indígenas que observaban la escena en el borde. Caminó hacia su derecha, pero allí el agua tenía más profundidad. Comenzó a desenrollar la cuerda que estaba unida al gancho.

Alzó la vista al borde del hoyo.

Unos cuatro metros y medio.

El agua le llegaba ahora por la cintura. Mientras iba soltando la cuerda, no dejaba de mirar a su alrededor para ver dónde se encontraba el caimán.

Pero no lo veía.

El caimán no estaba por ninguna parte.

El hoyo estaba completamente desierto.

Debía de haberse sumergido de nuevo...

Race miró con temor a las aguas que lo rodeaban.

Oh, mierda..., pensó.

Y entonces sintió cómo algo golpeaba su pierna a gran velocidad y un dolor agudo le recorría el tobillo. Después fue arrastrado bajo el agua.

Race abrió los ojos y vio, a través de las aguas oscuras que lo rodeaban, ¡que el caimán había atrapado su pie entre sus fauces!

Pero no lo había agarrado bien y abrió las fauces un segundo para cogerlo mejor.

Eso era todo lo que necesitaba. Tan pronto como el enorme reptil hubo soltado su pie Race se alejó y las fauces del caimán volvieron a errar su objetivo.

Race salió de nuevo a la superficie con la cuerda del gancho flotando por el agua tras él. Sus pulmones le pedían aire a gritos.

El caimán también salió a la superficie tras él, bruscamente, y apresó la cuerda del gancho con su mandíbula. La cuerda se rompió. Race perdió el equilibrio y cayó torpemente en una zona menos profunda, lejos del caimán.

Se giró rápidamente y vio cómo el caimán se acercaba hacia él desde un lateral. Tenía las fauces abiertas de par en par. Su boca llena de dientes ocupaba todo el campo de visión de Race. Sin nada más con que poder defenderse, Race metió el gancho, junto con todo su brazo derecho, en las fauces abiertas del caimán.

El enorme reptil cerró las fauces justo cuando Race apretó el botón del gancho.

En ese momento, un nanosegundo antes de que los dientes afilados del caimán se cerraran en su bíceps derecho, el gancho se desplegó con una fuerza monumental.

La cabeza del caimán explotó.

Dos de los garfios de acero salieron por las cuencas de los ojos del caimán y, en aquel asqueroso segundo, los ojos del caimán se separaron de la cabeza y fueron reemplazados por las puntas afiladas de los ganchos.

Los otros dos se abrieron por la parte inferior de la cabeza del caimán, lacerando y perforando su piel con facilidad.

Los dos garfios que habían perforado las cuencas de los ojos del caimán debían de haber perforado también su cerebro, pues el enorme animal murió al instante. Ahora Race estaba sentado en el suelo del hoyo con un caimán de cinco metros y medio unido a su brazo derecho; su boca triangular alargada apresando su brazo desnudo; sus dientes a milímetros escasos de su piel; su inmenso cuerpo negro, inerte, extendido en el hoyo...

El grupo de indígenas congregados en el borde del hoyo se quedaron allí, aterrorizados y asombrados.

Y entonces, lentamente, comenzaron a aplaudir.

Race salió del hoyo y se encontró con la adulación de los indígenas. Le dieron palmaditas en la espalda y le dedicaron sus mejores sonrisas, melladas y amarillentas.

Abrieron inmediatamente la jaula en la que estaban Nash y los otros y unos instantes después se unieron a Race en el centro de la aldea.

Van Lewen negó con la cabeza mientras se acercaba a Race.

—¿Qué demonios acaba de hacer? No podíamos ver nada desde esa jaula.

—Acabo de matar a un gran lagarto —dijo Race.

El antropólogo, Márquez, se acercó y sonrió a Race.

—¡Bien hecho, señor! ¡Bien hecho! ¿Cómo dijo que se llamaba?

—William Race.

—Felicidades, señor Race. Acaba de convertirse en un dios.

El móvil de John-Paul Demonaco sonó.

Demonaco y el investigador de la Armada, Mitchell, seguían en las dependencias de la DARPA. Mitchell estaba atendiendo otra llamada.

—Dice que es de Bittiker... —dijo Demonaco por el teléfono. De repente, su cara se tornó lívida—. Llame al Departamento de Policía de Baltimore y que envíen allí a la brigada antiexplosivos. Llegaré tan pronto como pueda.

Mitchell se acercó cuando Demonaco colgó.

—Era Aaronson —dijo el investigador de la Armada—. Acaban de concluir la redada en el supuesto emplazamiento de los Freedom Fighters. No hay nada. Está vacío.

—No importa —dijo Demonaco dirigiéndose a la puerta.

—¿Qué ocurre? —dijo Mitchell mientras le seguía.

—Acabo de recibir una llamada de uno de los míos en Baltimore. Está en el apartamento de uno de nuestros informadores del Ejército Republicano de Texas. Dice que tiene algo gordo.

Hora y media después, Demonaco y Mitchell llegaron a un almacén viejo y en mal estado en el área industrial de Baltimore.

Tres coches patrulla, un par de Buicks sin distintivos (coches del FBI) y una enorme furgoneta azul con las palabras «Brigada antiexplosivos» en un lateral ya estaban aparcados delante del edificio.

Demonaco y Mitchell entraron en el almacén y subieron algunas escaleras.

—Este lugar pertenece a un tipo llamado Wilbur Francis James, más conocido como «*Bluey*» —dijo Demonaco—. Fue radiotelegrafista en la Armada, pero le dieron de baja por robar equipos de su lugar de trabajo (escáneres de frecuencia, M-16...). Ahora es un delincuente de poca monta que actúa como enlace entre el Ejército Republicano de Texas y ciertos delincuentes que les proporcionan armas e información. Hace un par de meses lo pillamos con tres contenedores robados de gas nervioso VX, pero decidimos retirar los cargos si nos ayudaba a obtener información. Hasta la fecha ha sido una fuente muy fiable.

Llegaron a un pequeño apartamento en la parte superior del almacén que estaba custodiado por un par de policías. Entraron dentro. El apartamento era una porquería. Las baldosas del suelo estaban sucias y el papel de las paredes despegado.

Conforme fue avanzando, Demonaco se encontró con un joven agente de color llamado Hanson y el jefe de la brigada antiexplosivos del Departamento de Policía, un hombre rechoncho y bajo llamado Barker.

Bluey James estaba sentado en un rincón de la habitación con los brazos cruzados. Estaba fumando un cigarrillo de forma desafiante. Era un alfeñique sin afeitar, con el pelo castaño recogido en rastas y una camisa hawaiana llena de mugre. En los pies llevaba unas chanclas. Con calcetines.

—¿Qué tienen? —le preguntó Demonaco a Hanson.

—Cuando llegamos, no encontramos nada —dijo el joven agente mientras observaba con desdén a *Bluey* James—. Pero cuando procedimos a registrar el apartamento encontramos esto.

Hanson le pasó a Demonaco un paquete del tamaño de un libro de bolsillo. Estaba envuelto en papel de estraza y todavía no había sido abierto. También había un sobre blanco normal que sí estaba abierto.

—Estaba oculto en una pared falsa —dijo Hanson.

Demonaco se volvió hacia Bluey.

—Menuda inventiva —dijo—. Te estás volviendo más inteligente con la edad, Bluey.

—Chúpamela.

—¿Rayos X? —le dijo Demonaco al hombre llamado Barker.

—Está limpio —le dijo el hombre de la brigada antiexplosivos—. A juzgar por el escáner, parece un CD o algo así.

Bluey James resopló.

—No sabía que era un puto delito en este país que un hombre se compre un CD. Aunque probablemente lo sea la música de mierda que escuchas, Demonaco.

—¿Por qué, no te gusta *Achy Breaky Heart?* —dijo Demonaco. Miró el sobre blanco y sacó una hoja de él. La hoja decía:

> Cuando tengamos el tirio, contactaré contigo directamente. Después de que recibas mi llamada, manda por *e-mail* el contenido de este CD a cada una de las siguientes organizaciones.
> Bittiker

A continuación venía una lista de cerca de una docena de nombres y direcciones, todos ellos relativos a cadenas de televisión: CNN, ABC, NBC, CBS, FOX.

Demonaco le dio la vuelta al paquete marrón que tenía en sus manos. ¿Qué podría querer enviar Bittiker por correo electrónico a las principales cadenas de televisión del país?

Abrió el paquete.

Vio un reluciente CD plateado.

Lo primero que percibió, sin embargo, era que no se trataba de un CD normal.

Era un VCD, un *video compact disc.*

Se volvió:

—Bluey, ¿qué demonios es esto?

—*The Best of Billy Ray Cirus.* Para ti, gilipollas.

—Demonaco —dijo Mitchell señalando con la cabeza a un reproductor de VCD que había sobre el televisor triniton de Bluey. Al lado había un ordenador IBM negro. Los tres objetos parecían completamente fuera de lugar en aquel apartamento ruinoso.

Demonaco metió el CD en el reproductor de VCD y le dio al «play».

El rostro de Earl Bittiker apareció en la pantalla del televisor.

Era un rostro repugnante, maléfico, lleno de cicatrices y odio. Bittiker era rubicundo, con rasgos hundidos, pelo rubio greñudo y unos ojos grises gélidos que solo dejaban entrever la ira que existía tras ellos. Demonaco y Mitchell vieron la Supernova detrás del terrorista.

Bittiker comenzó a hablar directamente a la cámara.

—Gente del mundo, mi nombre es Earl Bittiker y soy el anticristo.

»Si están viendo este mensaje, eso significará que están a punto de morir. A las doce en punto del mediodía, hora Este estándar, morirán a manos de un arma que fue creada con sus propios impuestos. Un arma que en pocas horas va a enviar a este mundo vil al lugar donde pertenece.

»Gente del mundo, mi lucha no es contra ustedes. Es el mundo en el que habitan lo que odio, un mundo que no merece seguir existiendo. Es un perro enfermo y debe ser sacrificado.

»Gobiernos del mundo, ustedes son los culpables de lo que está a punto de ocurrir. Comunistas, capitalistas y fascistas, todos ustedes han ido engordando mientras la gente a la que gobernaban se moría de hambre. Se han hecho ricos mientras ellos se volvían cada vez más pobres. Han vivido en mansiones mientras ellos vivían en guetos.

»La naturaleza humana desea gobernar al prójimo. Se da de muchas formas distintas y en muchas situaciones, desde la política hasta la limpieza étnica, y todos nosotros somos responsables, desde un capataz hasta el presidente de los Estados Unidos. Pero en esencia sigue tratándose de lo mismo: el poder y el deseo de ejercerlo. Es un cáncer para este mundo, un cáncer al que se le debe poner fin.

»A todas las televisiones que reciban este mensaje, contacten con la Armada o la Agencia de Investigación de Proyectos Avanzados de Defensa y pregúntenles qué ha ocurrido con su Supernova. Pregúnteles acerca de su existencia y su objetivo. Pregúntenles por los diecisiete miembros de seguridad que murieron hace dos días cuando mis hombres entraron en las dependencias de la DARPA en Virginia. Estoy seguro de que nadie les ha informado de este incidente, porque esa es la forma en que funciona el Gobierno en la actualidad. Después de haberlo hecho, pregúntenle al Gobierno si esto —Señaló al arma que tenía a sus espaldas—, es lo que estaban buscando.

Bittiker miró a la cámara con dureza.

—Gente del mundo, no exijo nada. No pido dinero por el arma. No quiero que liberen a ningún prisionero político de sus celdas. No hay forma de impedir que haga explosionar este dispositivo. Ni ahora, ni nunca. No hay nada que puedan hacer para evitar que esto ocurra. A las doce del mediodía, todos estaremos ya en el Infierno.

La imagen de la pantalla se cortó.

Se produjo un largo silencio mientras todos los allí presentes digerían lo que Bittiker acababa de decir. Incluso Bluey James estaba horrorizado.

—Joder...

—Muy inteligente —dijo Demonaco—. Solo ha informado de la hora a la que explotará. Las doce del mediodía. Ahora lo único que tiene que hacer es encontrar el tirio y ponerse en contacto con Bluey y su plan estará listo.

Se giró para mirar a Mitchell.

—Creo que acabamos de encontrar su Supernova, comandante. —Después se volvió hacia Bluey—. ¿Debo suponer que todavía no has recibido esa llamada?

—¿Tú qué crees, gilipollas?

—¿Qué es lo que sabes de todo esto, Bluey? —le preguntó Demonaco cambiando el tono.

—Lo que siempre sé, tío. Una puta mierda.

—Si no me dices algo ahora mismo, te acusaré formalmente de haber ayudado y secundado el asesinato de diecisiete miembros de seguridad en un edificio federal...

—Eh, tío. ¿Es que no lo has escuchado o qué? El mundo está a punto de terminar. ¿Qué me importan a mí esos cargos ahora?

—Supongo que todo depende de quién crees que va a ganar esta pequeña contienda, si nosotros o Bittiker.

—Bittiker —respondió Bluey categórico.

—Entonces todo apunta a que vas a pasar tus últimas horas en la tierra en la cárcel —dijo Demonaco asintiendo con la cabeza a los dos policías que custodiaban la entrada—. Llévense a esta rata de aquí.

Los dos policías cogieron a Bluey por los brazos.

—Oh, no, espera un minuto, joder... —dijo Bluey.

—Lo siento, Bluey.

—De acuerdo, tío. ¡Escúchame bien! Yo no tengo nada que ver con ningún asesinato, ¿entiendes? Yo soy solo el enlace. Cierro tratos en nombre de

Bittiker. Como un abogado. Algo que no ha sido especialmente fácil desde que perdió el control y la cabeza.

—¿Que ha perdido la cabeza? —Demonaco les hizo un gesto a los policías para que volvieran a sus puestos.

—Sí. ¿Dónde has estado, tío? Primero deja que ese grupo de putos descerebrados se unan al Ejército Republicano de Texas. Japoneses, tío. Putos *japos.* Deberías ver a esos hijos de puta. Son unos putos kamikazes, tío. Pertenecen a algún culto de Japón. Quieren acabar con el mundo y todas esas mierdas. Pero Earl decidió que le gustaba lo que tenían que decir y les dejó entrar en la organización. Pero entonces, joder, va y hace la cosa más extraña de todas. Va y se une a los putos Freedom Fighters.

—¡Qué!

—Para adquirir sus conocimientos y experiencia técnica. Si me preguntaras por ellos, tío, te diría que los Freedom Fighters son una panda de chupapollas, pero conocen su tecnología. Es decir, joder, mandar mensajes al mundo en un VCD. ¿Creéis que fui yo el que compró este reproductor?

—El Ejército Republicano de Texas se ha unido a los Freedom Fighters... —dijo Demonaco—. ¡Joder!

Bluey seguía cotorreando.

—Todo es por culpa de los *japos.* Desde que llegaron aquí, esos cabezahuecas le han estado diciendo a Earl que si quiere acabar con el mundo necesitará un equipo para hacerlo. No pistolas ni mierdas de esas, sino bombas. Armas nucleares. Y entonces cuando se enteraron de lo de Supernova, bueno...

Pero Demonaco no le estaba escuchando.

Se volvió hacia Mitchell.

—El Ejército Republicano de Texas ha absorbido a los Freedom Fighters. Esa es la razón por la que su superior Aaronson no encontró a nadie en el emplazamiento de los Freedom Fighters. Ya no existen. Dios, por eso usaron las balas de tungsteno. Compraron tiempo haciéndonos creer que se trataba de un grupo terrorista que ya no existe. El Ejército Republicano de Texas y los Freedom Fighters no estaban librando una guerra territorial. Se estaban uniendo...

—¿Qué está diciendo? —preguntó Mitchell.

—Lo que digo es que acabamos de presenciar la unión de tres de las más peligrosas organizaciones terroristas del mundo. Una de ellas es una unidad brillantemente organizada, la segunda es quizá el grupo paramilitar estadounidense que dispone de la tecnología más avanzada y la tercera es un culto del día del Juicio Final de Japón.

»Júntelo todo —dijo Demonaco—, y obtendrá un gran problema, porque esos son los tipos que robaron su Supernova y, a juzgar por lo que acabamos de ver en ese vídeo, están ahí fuera intentando hacerse con algo de tirio.

Bajo la tenue luz previa al amanecer se estaba preparando un gran festín.

Después de haber derrotado al caimán, Race había declinado amablemente la adulación de los indígenas y había pedido poder descansar un rato. Dios, cómo necesitaba dormir. Habían pasado casi treinta y seis horas desde la última vez que había podido conciliar el sueño. Se levantó tras el amanecer.

Le habían preparado una comida digna de reyes. Habían dispuesto alimentos crudos de la selva en grandes hojas verdes. Maíz, bayas, manducas. Incluso algo de carne cruda de caimán. Llovía ligeramente, pero a nadie parecía importarle demasiado.

Race y la gente del Ejército estaban sentados en un amplio círculo en el claro situado delante del santuario de la aldea. Comían bajo la atenta mirada del ídolo auténtico, que permanecía con orgullo en su altar de madera tallada.

A pesar de que los indígenas les habían devuelto las armas, todavía había un ligero halo de recelo en el aire. Cerca de doce guerreros indígenas permanecían fuera del círculo, armados con arcos y flechas, observando con cautela a Nash y a su gente, como habían estado haciendo durante toda la noche.

Race se sentó con el jefe de la tribu y el antropólogo, Miguel Moros Márquez.

—El jefe Roa quiere expresarle su gratitud por haber venido a nosotros —le dijo Márquez, traduciendo las palabras del anciano jefe.

Race sonrió.

—Hemos pasado de ladrones a invitados honrados.

—Más de lo que se puede imaginar —dijo Márquez—. Más de lo que se puede imaginar. Si no hubiese sobrevivido a su encuentro con el caimán, sus amigos habrían servido de sacrificio a los *rapas*. Ahora sus amigos disfrutan de su gloria.

—No son mis amigos realmente —dijo Race.

Gaby López estaba sentada al otro lado del antropólogo. Su alegría por estar al lado de semejante leyenda era patente. Después de todo, como le había dicho a Race su primer día en Perú, Márquez se había adentrado nueve años atrás en la selva para estudiar las tribus amazónicas primitivas y nunca había regresado.

—Doctor Márquez —dijo Gaby—, por favor, háblenos de esta tribu. Sus experiencias aquí deben de haber sido fascinantes.

Márquez sonrió.

—Así es. Estos indígenas son una gente realmente extraordinaria, una de las últimas tribus intactas que han sobrevivido en Sudamérica. A pesar de que me han dicho que llevan viviendo en esta aldea durante siglos, son nómadas, al igual que la mayoría de las tribus de esta región. A menudo se desplazan a otros emplazamientos en busca de comida o de un clima más cálido, durante seis meses o incluso un año. Pero siempre vuelven a la aldea. Dicen que tienen una conexión con esta zona, un vínculo con el templo del cráter y los dioses felinos que habitan en él.

—¿Cómo se hicieron con el Espíritu del Pueblo? —le preguntó Race interrumpiéndolo.

—¿Perdón? No le entiendo.

—Según el manuscrito de Santiago —dijo Race—, Renco Capac utilizó el ídolo para encerrar a los *rapas* dentro del templo. Él se quedó en el interior del templo con ellos. ¿Entraron en algún momento en él y sacaron el ídolo?

Márquez tradujo lo que Race había dicho al jefe indígena, Roa. El jefe negó con la cabeza y dijo algo rápidamente en quechua.

—El jefe Roa dice que el príncipe Renco era un hombre muy inteligente y valeroso, como cabría esperar del Elegido. El jefe también dice que los miembros de esta tribu están muy orgullosos de ser sus descendientes directos.

—Sus descendientes directos —dijo Race—. Pero eso significa que Renco logró salir del templo...

—Sí, eso significa —respondió Márquez crípticamente, traduciendo las palabras del jefe.

—¿Pero cómo? —dijo Race—. ¿Cómo logró salir del templo?

En eso, el jefe le gritó una orden a uno de sus guerreros indígenas y el guerrero se dirigió a una cabaña cercana. Regresó instantes después portando algo diminuto en sus manos.

Cuando el guerrero regresó al lado del jefe, Race vio que el objeto que llevaba en las manos era un cuaderno encuadernado en cuero. Las cubiertas parecían muy antiguas, pero las páginas parecían intactas.

El jefe habló. Márquez le tradujo.

—Señor Race, Roa dice que la respuesta a su pregunta está en la construcción del templo. Después de la famosa lucha de Renco y Alberto con Hernando Pizarro, sí, Renco entró en el templo con el ídolo. Pero también logró salir de allí con él. La historia completa de lo que ocurrió después de que Renco entrara en el templo está en este cuaderno.

Race miró al cuaderno que el jefe tenía en las manos.

Se moría por saber qué decía.

El jefe le pasó el diminuto cuaderno a Race.

—Roa se lo ofrece como un regalo —dijo Márquez—. Después de todo, usted es la primera persona que ha llegado a esta aldea en cuatrocientos años capaz de leerlo.

Race abrió el cuaderno al instante y vio unas seis hojas color crema con la escritura de Alberto Santiago.

Lo miró con reverencia.

Era el final auténtico de la historia de Santiago.

—Tengo una pregunta —dijo pomposamente Johann Krauss de repente, inclinándose un poco desde su lugar en el círculo—. ¿Cómo han logrado sobrevivir los *rapas* durante tanto tiempo dentro del templo?

Tras consultarlo con el jefe, Márquez contestó:

—Roa dice que encontrará la respuesta a esa pregunta en el cuaderno.

—Pero... —comenzó Krauss.

Roa lo cortó con un rugido.

—Roa dice que encontrará la respuesta a esa pregunta en el cuaderno —le respondió con firmeza Márquez. Mientras que la hospitalidad de Roa para con Race no tenía límites, no era así el caso para con el resto de sus compañeros.

Comenzó a llover con más fuerza. Después de unos minutos, Race escuchó el estruendo de un trueno lejano. Doogie y Van Lewen también se giraron al oírlo.

—Se avecina tormenta —dijo Race.

Doogie negó con la cabeza mientras miraba el cielo. El estruendo del trueno se tornó más fuerte.

—No —dijo cogiendo su G-11 del suelo.

—¿De qué está hablando?

—No es un trueno, profesor.

—¿Entonces qué es?

En ese momento, antes de que Doogie pudiera responderle, un enorme helicóptero Super Stallion rugió sobre sus cabezas.

Al instante apareció otro helicóptero idéntico sobrevolando la aldea. Las palas del rotor golpeaban el aire y agitaban los árboles con su movimiento vertical.

Race, Doogie y Van Lewen se pusieron en pie. Los indígenas cogieron sus arcos.

El estruendo de los dos Super Stallions planeando sobre la pequeña aldea era ensordecedor. De repente, ocho cuerdas cayeron de cada helicóptero. En menos de un segundo, dieciséis hombres con ropa de combate se deslizaron por las cuerdas con sus armas en ristre. Sombras de mal augurio en el cielo previo al amanecer.

Las armas de los hombres que descendían de los helicópteros comenzaron a escupir balas.

La gente echó a correr en todas direcciones. Los indígenas cogieron sus flechas y arcos se pusieron a cubierto en el follaje que rodeaba a la aldea. Van Lewen y Doogie dispararon sus G-11 después de que las balas de los dieciséis hombres impactaran en el barro, a su alrededor.

Race se giró y vio cómo Doogie recibía dos impactos brutales en su pierna izquierda. Después se giró al otro lado y vio al zoólogo alemán, Krauss, convulsionarse violentamente cuando toda la parte delantera de su cuerpo (su rostro, sus brazos, su pecho...) se convirtió en una masa indistinguible de jirones de carne ensangrentados tras el impacto de cerca de un millón de disparos de ametralladoras.

Los dos Super Stallions se mantenían en el aire a unos seis metros por encima de la aldea mientras sus cañones disparaban sin cesar. Cuando se puso en pie, Race vio una palabra estampada en sus laterales: «Armada».

Era el equipo de Romano.

Finalmente habían llegado.

Y entonces, justo entonces, cuando corría a ponerse a cubierto de los dos enormes helicópteros que se cernían amenazadores sobre la aldea, se le pasó por la mente un pensamiento un tanto extraño.

¿No se suponía que Romano venía con tres Super Stallions?

De repente, una ráfaga de disparos impactaron a su alrededor y Race echó a correr hacia la zona arbolada. Mientras corría se volvió un instante y vio a Frank Nash alejándose a toda velocidad del santuario con Lauren y Copeland detrás.

Los ojos de Race se posaron en el santuario. El ídolo seguía allí.

¿O no?

Mientras el impacto de las balas levantaba el terreno a su alrededor, Race se acercó hacia el santuario y cogió el ídolo.

Tenía un corte cilíndrico en la base.

Era la falsificación.

—No... —murmuró.

Los helicópteros no cesaban de disparar. El viento de tormenta que levantaban le golpeaba como si de un tornado se tratase.

Race corrió contra el poderoso viento en dirección al follaje, tras Nash y los otros dos.

—¿Adónde vas? —le gritó Renée tras el árbol en el que se había guarecido.

—¡Nash tiene el ídolo! —gritó Race—. ¡El auténtico!

En ese momento, uno de los enormes helicópteros que volaban sobre ellos explotó. Fue una explosión asombrosa y atronadora. Sobre todo, porque fue totalmente inesperada.

Race alzó la vista y vio cómo el poderoso helicóptero caía a tierra a cámara lenta, encima de los hombres que pendían de las cuerdas.

Los hombres, SEAL de la Armada, fueron los primeros en caer al suelo y en menos de un segundo el helicóptero cayó encima de ellos, aplastándolos al instante. Su armazón se golpeó contra el suelo con un ruido sordo.

Race miró por encima de los restos del helicóptero siniestrado y vio un rastro de humo horizontal en el aire que comenzaba a disiparse.

Era el rastro de humo de un misil aire-aire. Race siguió el rastro para ver de dónde procedía.

Y vio otro helicóptero.

Solo que este no era un transporte de tropas como los dos Super Stallion. Era un helicóptero para dos personas, un helicóptero de ataque, esbelto, con el morro en forma de prisma y un rotor de cola. Parecía una mantis mecánica.

Aunque Race no lo sabía, estaba viendo un AH-66 Comanche, el helicóptero de ataque de próxima generación del ejército de los EE. UU.

El apoyo aéreo de Nash.

Ellos también habían llegado.

Race vio un segundo helicóptero de ataque Comanche materializarse en el cielo tras el primero y vio cómo abría fuego contra el Super Stallion superviviente con su Gatling de cañones gemelos.

El segundo Super Stallion respondió con el fuego de sus ametralladoras para intentar cubrir a los ocho SEAL que colgaban de sus cuerdas.

El primer SEAL tocó el suelo justo cuando una flecha le impactó en la sien. Cayó al instante.

Los siete SEAL restantes siguieron descendiendo por las cuerdas. Dos más fueron abatidos por las flechas en el descenso. Los otros llegaron al suelo y echaron a correr.

En el aire, su Super Stallion estaba en serios apuros. Giró lateralmente en el aire para colocarse de frente a los dos Comanches del Ejército que le disparaban.

Entonces de repente, *¡shumm!*, un misil Sidewinder salió desde el lanzamisiles lateral del Super Stallion. El misil dejó tras de sí un rastro de humo perfectamente horizontal antes de impactar a una velocidad de vértigo en uno de los Comanches. El helicóptero se hizo pedazos en el aire con una explosión estruendosa.

Pero tan solo fue un premio de consolación, pues no logró nada. Solo sirvió para decidir el destino del Super Stallion, porque todavía quedaba un Comanche en pie.

Tan pronto como el primer helicóptero del Ejército fue alcanzado, el segundo giró y lanzó un misil Hellfire.

El misil salió disparado hacia el Super Stallion a una velocidad increíble. Encontró su objetivo en segundos e impactó contra el lateral del helicóptero de la Armada.

El Super Stallion se hizo añicos en un instante, rociando el suelo de restos en llamas. A continuación, el helicóptero cayó en los árboles situados sobre la aldea.

Las hojas empapadas de los helechos golpeaban con fuerza el rostro de Race mientras este y Renée corrían tras Nash en dirección este, por el frondoso follaje situado al sur del claro de la aldea.

Se cruzaron con Van Lewen. Se encontraba tras una de las cabañas, disparando con su G-11 a tres de los cinco SEAL que habían sobrevivido del segundo Super Stallion.

Disparaba bajo para intentar herirlos, no matarlos. Después de todo eran compatriotas y, tras lo que le había oído a Renée en el avión acerca de Frank Nash y de la misión del Ejército de debilitar a la Armada, había comenzado a cuestionarse sus alianzas. No quería matar a hombres que, como él, solo estaban siguiendo órdenes, a menos que no le quedara otra que hacerlo.

Los tres SEAL se habían agachado bajo uno de los árboles cerca del santuario y sus MP-5, usados de forma conjunta, resultaban muy eficaces contra su único G-11. El fuego de los SEAL cesó de repente cuando fueron arrollados por una horda de indígenas que portaban hachas, flechas, palos y garrotes.

Van Lewen se estremeció.

—¿Adónde van? —gritó cuando Race y Renée pasaron corriendo a su lado.

—Vamos tras Nash. ¡Ha robado el ídolo verdadero!

—¿Que él qué...?

Pero Race y Nash ya se habían adentrado en la zona arbolada. Van Lewen corrió tras ellos.

Gaby López también estaba corriendo. Solo que para salvar su vida.

Tan pronto como los Super Stallions de la Armada habían hecho acto de presencia, ella se había apresurado a guarecerse tras los árboles más cercanos. Pero había ido por el lado equivocado. Todos los demás habían ido en dirección sur mientras que ella había ido hacia el norte y ahora estaba corriendo por entre el follaje, que le llegaba a la altura del pecho y que conducía a la zona noreste de la aldea, agazapada, intentando esquivar las balas que impactaban en las hojas alrededor de su cabeza.

Los dos SEAL restantes de la Armada estaban detrás de ella, disparándole con sus MP-5, abriéndose paso por entre la maleza.

Gaby miró hacia atrás mientras corría, buscando temerosa a sus perseguidores. Entonces, cuando se volvió para mirar una vez más, sintió cómo el suelo desaparecía bajo sus pies.

Cayó como una piedra.

Un segundo después, impactó contra el agua.

Un líquido embarrado la salpicó. Gaby abrió los ojos y vio que estaba sentada en el foso que rodeaba la aldea. Se incorporó rápidamente. El agua le llegaba por los tobillos.

Un pensamiento le pasó rápidamente por la cabeza: caimanes.

Miró a su alrededor desesperada. Vio que el foso tenía una forma circular y que desde donde ella estaba se curvaba en ambas direcciones, como una carretera que desaparece tras una curva. Sus embarradas paredes verticales se alzaban sobre ella. El borde estaba a más de tres metros por encima de su cabeza.

De repente, el fuego de una ametralladora levantó el agua a su alrededor. Gaby se tiró al agua y las balas le pasaron rozando la cabeza, impactando en las paredes del foso.

Entonces escuchó otros disparos, esta vez diferentes, disparos de un G-11, y en un instante los primeros disparos cesaron y el silencio se apoderó de la escena. Gaby seguía tumbada boca arriba sobre el agua del foso. Tras unos segundos, alzó con cautela la cabeza.

Se encontró con el rostro sonriente de un caimán.

Gaby se quedó inmóvil.

Estaba en el barro, delante de ella, observándola, con su cola moviéndose de un lado para otro. La tenía. Era su presa.

Con un sonoro rugido, el reptil gigante arremetió con sus fauces abiertas de par en par contra Gaby.

Escuchó un ruido. Algo había caído encima del caimán. Gaby no sabía lo que era. Le había parecido un animal y ahora el caimán y este rodaban delante de ella por el fango y el agua.

Se quedó boquiabierto cuando vio de qué animal se trataba.

Era un hombre. Un hombre con uniforme de combate. Había saltado del borde del foso, atacando al caimán en el mismo preciso instante en que este había arremetido contra ella.

El caimán y el hombre rodaban y forcejeaban. El reptil se retorcía y daba sacudidas; el hombre tomaba aire cada vez que la ocasión se lo permitía.

Y entonces Gaby vio quién era.
Era Doogie.

Lucharon, rodando por las aguas y forcejeando, gruñendo y retorciéndose. El caimán arremetía frenéticamente contra Doogie mientras el boina verde herido luchaba por mantenerle el morro cerrado, tal como había visto hacer a los hombres que luchaban contra los cocodrilos cuando era pequeño.

Todavía tenía su G-11, pero no tenía munición. Había empleado sus últimos disparos en abatir a los dos SEAL de la Armada que estaban disparando a Gaby. Entonces había visto aparecer al caimán y embestir contra ella, así que había hecho lo único que en ese momento se le había pasado por la cabeza. Saltar sobre él.

El caimán logró zafarse de Doogie, abrió sus fauces y se lanzó a su cabeza. Desesperado, Doogie cogió su G-11 y, sin pensarlo, se lo metió al caimán en la boca y lo colocó verticalmente.

El caimán gruñó sorprendido.

Sus fauces estaban ahora abiertas de par en par, como el capó de un coche. Aquella enorme criatura no podía cerrar la boca.

Doogie aprovechó la oportunidad y sacó su cuchillo Bowie.

El caimán permanecía delante de él con sus fauces abiertas por el G-11 colocado en vertical.

Doogie intentó ponerse detrás del enorme reptil para poder acuchillarle en el cráneo y matarlo, pero el caimán lo vio moverse y se volvió con rapidez, cayendo sobre él. Le aprisionó los pies y Doogie cayó al agua embarrada.

El caimán a continuación siguió avanzando, aplastando las piernas de Doogie con sus patas delanteras y hundiéndolas en el barro.

—*¡Arggghhh!* —gritó Doogie cuando el peso del caimán le aplastó las espinillas. El enorme reptil dio un paso adelante, pasando por encima de su muslo izquierdo, herido. Doogie gritó de dolor cuando sus piernas se hundieron más en el barro.

Las fauces abiertas de par en par del caimán se encontraban a sesenta centímetros de su nariz.

Que te jodan, pensó Doogie cuando metió la mano dentro de las enormes fauces del caimán y colocó detrás del G-11 el cuchillo Bowie en vertical, de forma que el mango del cuchillo quedaba apoyado contra la lengua del caimán mientras que la hoja apuntaba al paladar de la enorme bestia.

—Cómete esto —dijo Doogie. Se colocó de costado y tiró con ambos brazos del G-11.

La respuesta fue instantánea.

Sin el G-11, las poderosas fauces del caimán se cerraron. El cuchillo Bowie le atravesó el cerebro.

La hoja manchada de sangre del cuchillo salió por la cabeza gigante del reptil y el cuerpo del caimán cayó inerte al instante.

Doogie lo miró, impresionado por lo que acababa de hacer. El enorme animal estaba con medio cuerpo encima de él, gruñendo involuntariamente, expulsando grandes cantidades de aire que ya no necesitaba.

—*Uau*... —soltó Doogie.

Entonces negó con la cabeza, se zafó de la enorme bestia y se dirigió hacia Gaby, que seguía tumbada en el barro, completamente estupefacta ante su acto de valentía.

—Vamos —dijo cogiéndole de la mano—. Salgamos de aquí.

Frank Nash corría por el frondoso follaje entre la aldea y el cráter. En sus manos, y como si de una pelota de fútbol americano se tratara, sostenía el ídolo.

Lauren y Copeland corrían tras él con las pistolas SIG-Sauer en sus manos.

Aprovechándose de la confusión del ataque aéreo, Lauren, Copeland y él habían colocado uno de los puentes de troncos de madera sobre el foso, lo habían cruzado y se habían adentrado por la densa maleza.

—¡Aquí Nash! ¡Aquí Nash! —gritó por su micrófono de garganta mientras corría—. ¡Equipo aéreo, vengan a buscarnos!

Alzó la vista al cielo y vio el Comanche del Ejército que había sobrevivido volando sobre los restos humeantes de la aldea. Tras él vio a otro helicóptero, un tercer helicóptero que era más corpulento que el Comanche. Era un Black Hawk II, el tercer helicóptero del Ejército.

—Coronel Nash... aquí el capitán Hank Thompson —por el auricular pudo escuchar una voz, si bien con interferencias—. Lamento... tardado tanto... perdimos su señal... una tormenta eléctrica.

—Thompson, lo tenemos. Repito, lo tenemos. Estoy ahora mismo a unos cincuenta metros este de la aldea en dirección al cráter. Necesito que nos evacuen inmediatamente.

—Negativo, coronel... imposible aterrizar aquí... demasiados árboles.

—Entonces diríjanse al pueblo —gritó Nash—. El que tiene la ciudadela. Pongan rumbo al este, atraviesen el cráter y miren abajo. No tiene pérdida. Hay mucho sitio donde aterrizar.

—Allí nos veremos, coronel.

Los dos helicópteros del Ejército giraron en el aire sobre la aldea y pasaron tronando por encima de Nash, rumbo a Vilcafor.

Cuando ni siquiera había transcurrido un minuto, Nash, Lauren y Copeland llegaron al cráter y bajaron por el sendero en espiral.

Race, Renée y Van Lewen atravesaron el follaje que separaba la aldea del cráter tras Nash y el ídolo.

Los *rapas* no estaban por ninguna parte.

Deben de haberse retirado a las profundidades del cráter con la llegada del amanecer, pensó Race. Deseó con todas sus fuerzas que la orina de mono que se había rociado por el cuerpo siguiera funcionando.

Los tres llegaron al sendero del cráter y lo bajaron corriendo.

Mientras Race, Renée y Van Lewen comenzaban a bajar el sendero en espiral, Nash, Lauren y Copeland estaban llegando a la base del cráter.

Llegaron a la fisura y la atravesaron. No se percataron de las oscuras cabezas felinas que se alzaban perezosas del lago mientras ellos corrían.

Los tres salieron al sendero de la ribera del río y se encontraron con una densa niebla matutina, pero no se detuvieron a admirarla. Siguieron avanzando en dirección a Vilcafor y al estruendo de los helicópteros.

Un par de minutos después alcanzaron el foso en la parte occidental del pueblo.

Y se detuvieron.

Ante ellos, en el centro de Vilcafor, con las manos tras la cabeza y la suave niebla arremolinándose en sus pies, había un grupo de cerca de doce hombres y mujeres. Todos ellos permanecían inmóviles, ajenos al ruido de los rotores de los helicópteros.

Dos de ellos eran SEAL de la Armada. Iban vestidos con sus uniformes de combate, pero no llevaban armas. Algunos llevaban los uniformes azules de la Armada y otros ropas de civil: los científicos de la DARPA.

Y entonces Nash vio su helicóptero. Se encontraba estacionado tras el grupo de gente.

Un Super Stallion.

El tercer helicóptero de la Armada.

Estaba en el centro del pueblo, inmóvil y en silencio, con las siete palas de los rotores quietas. Nash vio la palabra «Armada» en un lateral, escrita en blanco y negrita.

Entonces miró hacia arriba para ver de dónde provenía el estruendo que llenaba el aire por encima del pueblo.

Y los vio.

Vio los dos helicópteros del Ejército, el Comanche y el Black Hawk II, a los que había dicho que aterrizaran en Vilcafor. Se cernían inmóviles sobre el pueblo con sus dos cañones gemelos Gatling y sus lanzamisiles apuntando directamente al equipo de la Armada y la DARPA que estaban debajo.

Race y los demás aparecieron por el sendero de la ribera del río unos minutos después.

Cuando llegaron a la calle principal de Vilcafor, los dos helicópteros del Ejército ya habían aterrizado y Nash estaba pavoneándose delante de los hombres de la Armada. En una mano sostenía el ídolo y en la otra una pistola SIG-Sauer plateada.

Las tripulaciones de los helicópteros del Ejército, seis hombres en total, dos del Comanche y cuatro del Black Hawk, apuntaban con sus M-16 al grupo de la Armada-DARPA.

—Ah, profesor Race. Me alegro de que se una a nosotros —dijo Nash cuando Race y los demás llegaron a la calle principal. Race, Renée y Van Lewen se quedaron mirando la extraña mezcla de miembros de la Armada y civiles que, con las manos entrelazadas a la nuca, permanecían en el centro del pueblo.

Race no respondió a Nash. Sus ojos se posaron sobre las cerca de doce personas de la Armada.

Supuso que si ese era el equipo de Romano, el verdadero equipo de la Supernova, entonces quizá...

Se quedó inmóvil.

Lo vio.

Vio a un hombre, un civil, entre el grupo de hombres de la Armada, vestido con ropas y botas de excursionismo. A pesar de que no lo veía desde hacía casi diez años, Race reconoció las cejas oscuras y la espalda encorvada al instante.

Estaba mirando a su hermano.

—Marty... —dijo Race.

—Profesor Race... —dijo Nash.

Race no le hizo caso y se acercó a zancadas hasta donde se encontraba su hermano. Se paró delante de él, pero no se abrazaron. Eran hermanos, pero dos hombres completamente diferentes.

Race estaba hecho un desastre. Estaba cubierto de barro y apestaba a orina de mono, mientras que Marty iba perfectamente acicalado y con la ropa limpia y prístina. Observó con los ojos como platos a Race, su ropa mugrienta y su vieja gorra manchada de barro como si de la criatura de la Laguna Negra se tratara.

Marty era más bajo que Race y, así como Race siempre tenía una expresión tranquila, no forzada, el rostro de Marty lucía un perpetuo ceño.

—Will... —dijo Marty.

—Marty, lo siento. No lo sabía. Me engañaron para que viniera con ellos. Dijeron que estaban con la DARPA y que te conocían y que...

Y entonces, de repente, Race se calló al ver a otro miembro del equipo de la Armada al que conocía.

Frunció el ceño.

Era Ed Devereux.

Devereux era un hombre de color de poca estatura y gafas. Era, a sus cuarenta y un años, uno de los profesores de lenguas antiguas más valorado en Harvard. Había quien decía que era el mejor profesor de latín del mundo. En ese momento permanecía callado en la fila de la gente de la Armada y la DARPA. Sostenía un libro con las tapas de cuero en uno de sus brazos. Race supuso que era la copia del manuscrito de la Armada.

Fue entonces cuando Race recordó que al conocer a Frank Nash en su despacho hacía dos días, al principio de todo aquello, le había recomendado a Nash que llevaran a Devereux a la misión en vez de a él, puesto que el profesor de Harvard era mucho mejor que Race en latín medieval.

Pero ahora... ahora Race sabía por qué Nash había insistido en llevarlo a él y no a Devereux.

Lo había hecho porque Devereux ya estaba cogido. Por el equipo auténtico de la DARPA.

—No logrará salir de esto con vida, Nash —le dijo uno de los hombres de la Armada-DARPA de mayor edad. Estaba completamente calvo y tenía el porte propio de los que están al frente de un cargo de responsabilidad. Era el doctor Julius Romano.

—¿Por qué dice eso? —dijo Nash.

—El Comité de las Fuerzas Armadas tendrá noticias de esto —dijo—. La Supernova es un proyecto de la Armada. No tienen nada que hacer aquí.

—La Supernova dejó de ser un proyecto de la Armada cuando fue robada de las oficinas centrales de la DARPA dos días atrás —dijo Nash—. Lo que significa que ahora el Ejército es la única fuerza armada de los Estados Unidos con una Supernova en su poder.

Romano dijo:

—Hijo de...

En ese instante la cabeza de Romano estalló en pedazos como un tomate. La sangre brotó por todas direcciones. Un segundo después su cuerpo caía al suelo inerte, sin vida, muerto.

Race se giró cuando se produjo el disparo, justo para ver a Nash con la pistola SIG-Sauer en posición. Nash avanzó por la fila de los miembros de la Armada y de la DARPA y apuntó con la pistola a la cabeza del hombre siguiente.

¡Pam!

Disparó la pistola y el hombre cayó.

—¿Qué está haciendo? —gritó Race.

—¡Coronel! —gritó Van Lewen, incrédulo, e hizo un amago de levantar su G-11.

Pero, tan pronto como se movió, otra pistola SIG-Sauer apuntó a su cabeza. Al otro extremo de la pistola estaba Troy Copeland.

—Tire el arma, sargento —dijo Copeland.

Van Lewen apretó la mandíbula, tiró el G-11 y miró a Copeland.

Lauren también estaba apuntando a Renée.

Completamente confundido, Race se giró para mirar a Marty, pero su hermano permanecía al final de la fila de los miembros de la Armada y la DARPA, mirando estoicamente hacia delante. Su único movimiento era un leve pestañeo cada vez que se oía un disparo.

—Coronel, esto es asesinato —dijo Van Lewen.

Nash se colocó delante de otro hombre de la Armada y le apuntó con la pistola.

¡Pam!

—No —dijo—. Simplemente se trata de un proceso de selección natural. La supervivencia del más fuerte.

Nash llegó a Ed Devereux.

El menudo profesor de Harvard estaba ante él, temblando. Sus ojos se abrían temerosos tras sus gafas con montura de alambre. Todo su cuerpo temblaba de miedo. Nash apuntó con la pistola a la cabeza de Devereux.

Devereux gritó.

—¡No...!

¡Pam!

El grito se cortó abruptamente y Devereux cayó al suelo.

Race no podía creer lo que estaba sucediendo. Estadounidenses matando a estadounidenses. Era una pesadilla. Se estremeció cuando Devereux cayó al suelo, muerto.

Fue entonces cuando vio el libro encuadernado en cuero que Devereux sostenía cuando le alcanzó el disparo. Yacía en el barro boca arriba, abierto, dejando entrever una serie de hojas viejas llenas de ilustraciones y caligrafía medievales.

Era el manuscrito de Santiago.

O, más bien, se corrigió Race, la copia parcial del manuscrito que había sido transcrita por otro monje en 1599, treinta años después de la muerte de Alberto Santiago.

—Coronel, ¿qué demonios está haciendo? —dijo Race.

—Estoy eliminando a la competencia, profesor Race.

Nash fue recorriendo la fila de hombres y mujeres, disparándolos a bocajarro con una tranquilidad pasmosa, uno tras otro. Sus ojos se mostraban fríos, desprovistos de cualquier emoción mientras ejecutaba a sangre fría a sus enemigos, a sus compatriotas estadounidenses.

Algunos de los miembros de la Armada-DARPA comenzaron a rezar cuando Nash apuntó con la pistola a sus rostros mientras que algunos civiles comenzaron a sollozar. Race, incapaz de parar la matanza, vio cómo los ojos se le llenaban también de lágrimas al contemplar las ejecuciones.

Pronto solo quedó un hombre, el último de la fila.

Marty.

Race observó a Nash delante de su hermano. Se sentía completamente impotente, no podía hacer nada para ayudar a Marty.

Y entonces, Nash bajó el arma. Se giró para mirar a Race, del que no despegó la mirada cuando comenzó a hablar:

—Lauren, ¿podrías traerme mi portátil del todoterreno, por favor?

Race frunció el ceño, confundido.

¿Qué demonios...?

Lauren se apresuró al todoterreno, que seguía aparcado delante de la ciudadela. Volvió un minuto después con el portátil de Nash, el que había estado usando en las fases iniciales de la misión. Se lo pasó a Nash quien, a su vez y de un modo totalmente inesperado, se lo pasó a Race.

—Enciéndalo —dijo Nash.

Race lo hizo.

—Haga clic en «Correo interno del ejército de EE. UU». —dijo Nash.

Race procedió a hacerlo.

Apareció una ventana con las palabras:

RED DE MENSAJERÍA INTERNA DEL EJÉRCITO DE EE. UU.

La pantalla cambió y dio paso a una lista de correos electrónicos.

—Tiene que haber un mensaje con su nombre. Haga una búsqueda con el nombre «Race» —le ordenó Nash.

Race tecleó su nombre y apretó la tecla de búsqueda. Se preguntó adónde querría llegar Nash con aquello.

De repente, el ordenador emitió un *bip:* «2 mensajes encontrados».

La larga lista de correos se acortó en dos únicos mensajes.

FECHA	HORA	ASUNTO
3.1.99	1801	MISIÓN SUPERNOVA
4.1.99	1635	WILLIAM RACE

—¿Ve el que tiene su nombre como asunto? —dijo Nash.

Race vio el segundo mensaje e hizo doble clic con el botón izquierdo del ratón. En la pantalla apareció un correo:

4 ENERO 1999. 16.35 RED INTERNA EJÉRCITO DE EE. UU. 617 5544 89516-07

N.º 187

De: Jefe de División de Proyectos Especiales
Para: Frank Nash
Asunto: WILLIAM RACE

No deje a Race en Cuzco. Repito. No deje a Race en Cuzco. Llévelo con usted a la selva. Una vez hayan conseguido el ídolo, liquídenlo y desháganse del cuerpo.

GENERAL ARTHUR H. LANCASTER
Jefe de la División de Proyectos Especiales del Ejército de los Estados Unidos de América

---

—Solo quería que supiera que ya hace tiempo que debería estar muerto —dijo Nash.

Race sintió cómo se le helaba la sangre mientras miraba el correo electrónico.

Aquello era una sentencia de muerte, su sentencia de muerte. Una misiva del general al frente de la División de Proyectos Especiales del Ejército en la que ordenaba que lo mataran.

Santo Dios.

Intentó mantener la calma.

Miró la fecha y hora del correo.

El 4 de enero, a las 16.35.

La tarde del día que salió de Nueva York.

Por tanto, ese correo tuvo que llegar mientras estaban volando a Perú en el avión de carga.

El vuelo a Perú.

Parecía que hubiesen pasado años de aquello.

Y entonces Race recordó de repente que, en un momento del vuelo, había sonado una especie de timbre en el portátil de Nash. Lo recordaba perfectamente. Había sido justo después de que terminara de traducir la copia parcial del manuscrito que Nash tenía en su poder.

Y entonces cayó en la cuenta.

Esa era la razón por la que Nash lo había llevado consigo a Vilcafor. A pesar de que al principio de la misión Nash había dicho que si terminaba de traducir el manuscrito antes de que aterrizaran, Race no tendría que bajarse del avión. Sin embargo, Nash había llevado a Race con ellos. ¿Por qué?

Porque Nash no podía dejar ningún testigo.

Dado que la suya era una misión secreta, una misión del Ejército que intentaba batir a la Armada, Nash no podía correr el riesgo de dejar testigos potenciales con vida.

—Iba a matarle hace dos días —dijo Nash—, después de que abriéramos el templo. Pero entonces llegó ese equipo de la BKA alemana e interrumpió mis planes. Abrieron el templo y, bueno, quién habría adivinado con lo que iban a encontrarse. Pero entonces, tuvimos acceso a esas partes adicionales del manuscrito y me alegré de no haberle matado.

—No sabe lo que me complace que se alegrara —le respondió Race.

Justo entonces, más por curiosidad que por otra cosa, como seguía con el portátil, hizo doble clic en el otro mensaje que mencionaba su nombre, el que llevaba por asunto «Misión Supernova».

El correo apareció entero en la pantalla.

Sin embargo, era un mensaje que Race ya había visto antes, justo al inicio de la misión, cuando atravesaban Nueva York en la caravana de vehículos.

3 ENERO 1999. 22.01 RED INTERNA EJÉRCITO DE EE. UU. 617 5544 88211-05 N.º 139

De: **Nash, Frank**
Para: Todos los miembros del equipo Cuzco.
Asunto: MISIÓN SUPERNOVA

Contactar tan pronto como sea posible con Race.
Su participación es crucial para el éxito de la misión.
Se espera que el paquete llegue mañana 4 de enero a Newark a las 09.45.
Todos los miembros deberán tener sus equipos cargados en el transporte a las 09.00.

Race frunció el ceño al leerlo.

«Contactar tan pronto como sea posible con Race.»

«Su participación es crucial para el éxito de la misión.»

Cuando había visto el correo por primera vez, Race no le había prestado demasiada atención. Había dado por sentado que aludía a él, a William Race, y que era con él con quien debían contactar inmediatamente.

Pero, ¿y si era con otra persona con quien el Ejército tenía que contactar? ¿Con algún otro Race?

En ese caso, significaría que tendrían que ponerse en contacto con...

Marty.

Race alzó la vista del portátil horrorizado, cuando justo en ese momento su hermano salió de la fila de los miembros muertos de la Armada y la DARPA y le estrechó la mano a Frank Nash.

—¿Cómo estás, Marty? —le dijo Nash con familiaridad.

—Bien, Frank. Me alegro de haber llegado finalmente.

A Race no dejaba de darle vueltas la cabeza.

Sus ojos pasaron de Nash y Marty a los cuerpos muertos sobre la calle embarrada, y de ellos a la copia del manuscrito que yacía en el barro junto a Ed Devereux.

Y entonces todo cobró sentido de repente.

Race vio la caligrafía elaborada del texto, las impresionantes ilustraciones medievales. Era idéntica al ejemplar fotocopiado del manuscrito de Santiago que había traducido para Nash cuando estaban rumbo a Perú.

Oh, no...

—Marty, no...

—Lamento que te hayas visto envuelto en todo esto, Will —dijo Marty.

—Teníamos que lograr como fuera una copia del manuscrito —dijo Nash—. Dios, cuando esos nazis entraron en el monasterio en Francia y robaron el manuscrito auténtico, desencadenaron una persecución increíble. De repente, todo aquel con una Supernova tenía la posibilidad de hacerse con una muestra viva de tirio. Era una oportunidad única. Entonces, cuando interceptamos una transmisión de la DARPA en la que se decía que había una segunda copia del manuscrito, decidimos pedir a alguien de la DARPA que nos fotocopiara esa copia: Marty.

Pero cómo, pensó Race. *Marty estaba en la* DARPA, *no en el Ejército. ¿Dónde estaba el vínculo? ¿Qué relación había entre Marty, Nash y la División de Proyectos Especiales del Ejército?*

En ese momento, vio a Lauren acercarse a Marty y besarle en la mejilla.

¿Pero qué...?

Fue entonces cuando Race vio el anillo en la mano izquierda de Marty.

Una alianza.

Miró a Lauren y a Marty de nuevo.

No...

Entonces escuchó la voz de Lauren en su cabeza: «Mi primer matrimonio no salió bien. Pero he vuelto a casarme recientemente».

—Veo que has conocido a mi mujer, Will —dijo Marty dando un paso hacia delante con Lauren cogida de la mano—. No te había dicho que me había casado, ¿verdad?

—Marty...

—¿Recuerdas cuando éramos adolescentes, Will? Tú siempre fuiste el popular y yo el solitario. El tipo con las cejas gruesas y la espalda corvada que se quedaba en casa los sábados por la noche mientras tú salías con todas las chicas. Pero hay una chica a la que no pudiste conseguir, ¿verdad, Will?

Race permanecía en silencio.

—Y parece que yo sí la he conseguido —dijo Marty.

Race estaba aturdido. ¿Era posible que Marty hubiese tenido una infancia tan terrible como para perseguir a Lauren con el único fin de ponerse al nivel de Race?

No. Aquello no era posible.

Esa teoría no se podía usar con alguien como Lauren. Ella no se habría casado con nadie que no quisiera, lo que significaba que no se habría casado con nadie que no supusiera un paso adelante en su trayectoria profesional.

Fue entonces cuando otra imagen se apoderó de la mente de Race.

La imagen de Lauren y Troy Copeland en el Huey hace dos noches, besándose como un par de adolescentes antes de que Race los pillara in fraganti.

Lauren tenía una aventura con Copeland.

—Marty —dijo rápidamente—. Escucha, ella va a traicionarte...

—Cállate, Will.

—Pero Marty...

—¡He dicho que te calles!

Race permaneció en silencio. Un instante después, dijo en voz baja:

—¿Qué te ha ofrecido el Ejército para vender a la DARPA, Marty?

—No tuvieron que ofrecerme demasiado —dijo Marty—. Mi mujer me pidió un favor. Y su jefe, el coronel Nash, me ofreció un puesto ejecutivo en el proyecto de la Supernova del Ejército. Will, soy un ingeniero de diseño. Diseño todos los sistemas informáticos que controlan estos dispositivos. Pero en la DARPA no soy nadie. Toda mi vida, Will, toda mi vida, lo único que he deseado ha sido reconocimiento. Ahora por fin voy a tenerlo.

—Marty, por favor, escúchame. Hace dos noches, vi a Lauren con...

—Déjalo, Will. Todo ha acabado. Lamento que tuviera que ocurrir así, pero las cosas han salido de esta manera y no puedo hacer nada por evitarlo. Adiós.

A continuación Frank Nash se colocó delante de Race. Marty fue reemplazado en su campo de visión por el cañón de la SIG-Sauer de Nash.

—Ha sido un placer, profesor. De veras que sí —dijo Nash apretando el gatillo.

—No —dijo Van Lewen de repente. Se colocó entre la pistola de Nash y Race—. Coronel, no puedo permitir que haga eso.

—Apártese, sargento.

—No, señor. No lo haré.

—¡Apártese de una puta vez!

Van Lewen se puso recto. Mientras, la pistola seguía apuntándolo.

—Señor, mis órdenes son claras. Fue usted quien me las dio. Debo proteger al profesor Race a cualquier precio.

—Sus órdenes acaban de cambiar, sargento.

—No, señor. Si quiere matar al profesor Race, entonces tendrá que matarme a mí primero.

Nash frunció el ceño un instante.

Entonces, en menos de un segundo, la SIG que tenía en la mano derecha se disparó y la cabeza de Van Lewen estalló, salpicándole su sangre a Race.

El cuerpo del boina verde cayó al suelo con un golpe sordo, como una marioneta a la que le acabaran de cortar las cuerdas. Race se quedó mirando el cuerpo inerte de Van Lewen.

El alto y noble sargento había sacrificado su propia vida por la suya, había permanecido delante del cañón de la pistola por él. Y ahora, ahora estaba muerto. A Race le entraron ganas de vomitar.

—Hijo de la gran puta —le dijo a Nash.

Nash volvió a apuntarlo con la pistola.

—Esta misión es más importante que cualquier hombre, profesor. Más importante que él, más importante que yo y, decididamente, más importante que usted.

Apretó el gatillo.

Race vio algo marrón pasar volando por delante de su rostro antes de escuchar el zumbido de la bala.

Entonces, justo cuando Nash apretó el gatillo de la pistola, una pequeña explosión de sangre salió del antebrazo del coronel del Ejército. Había sido alcanzado por una flecha.

La mano con la que Nash sostenía la pistola fue alcanzada desde un costado y la SIG se disparó, pero el disparo se desvió a la izquierda de Race. Nash gritó de dolor y tiró el arma justo cuando una lluvia de cerca de veinte flechas más comenzaron a caer a su alrededor. Dos hombres del Ejército murieron al instante.

La lluvia de flechas fue seguida por un grito de batalla que cortó el aire de la mañana como si de un cuchillo se tratase.

Race se giró ante aquel sonido y casi se le desencaja la mandíbula de la visión que contempló al volverse.

Vio a todos los indígenas de la aldea (todos los adultos, al menos cincuenta hombres) cargando contra ellos desde los árboles situados al oeste de Vilcafor. Gritaban fuera de sí mientras se acercaban al centro del pueblo, blandiendo todas las armas que habían encontrado por el camino: arcos, flechas, hachas, palos... Sus rostros tenían algunas de las expresiones más pavorosas que Race había visto en su vida.

La carga de los indígenas fue aterradora.

Su furia era intensa y su ira era casi tangible. Frank Nash había robado su ídolo y querían recuperarlo.

De repente, se escucharon los disparos de un M-16 desde algún punto cercano a Race.

Un par de los pasajeros del helicóptero habían abierto fuego contra los indígenas. Casi al instante, cuatro de los que encabezaban el ataque fueron alcanzados. Cayeron al suelo y su rostro se golpeó contra el fango.

Pero los demás prosiguieron con su carga.

Nash, ahora con una flecha alojada en su antebrazo de cuya punta pendía un trozo de su carne, se giró y corrió en dirección a los dos helicópteros del Ejército. Su gente lo siguió.

Race ni siquiera se había movido. Seguía en el centro de la calle observando estupefacto el ataque de los indígenas.

Entonces, alguien lo agarró con fuerza por el hombro.

Era Renée.

—¡Profesor, vamos! —gritó mientras tiraba de él hacia el Super Stallion vacío que había al otro lado del pueblo.

Los miembros del Ejército llegaron a sus helicópteros.

Nash, Lauren, Marty y Copeland saltaron al compartimiento trasero del Black Hawk II, al mismo tiempo que los dos miembros de la tripulación del helicóptero saltaron a los asientos del piloto y el copiloto.

Los rotores del Black Hawk II comenzaron a girar al instante.

Nash echó un vistazo desde el compartimiento trasero y vio a Race y a Renée corriendo hacia el Super Stallion.

Gritó al miembro de la tripulación que controlaba una ametralladora Vulcan:

—¡Elimine a ese helicóptero!

Mientras los rotores del Black Hawk II ganaban velocidad y el helicóptero comenzaba a despegar lentamente, el copiloto apretó el gatillo y una ráfaga de disparos salieron de la ametralladora.

La ráfaga fue demoledora. Perforó los lados reforzados del Super Stallion con miles de agujeros de bala, cada uno de ellos del tamaño del puño de un hombre.

Justo entonces, cuando Race y Renée se estaban acercando a él, el Super Stallion voló en pedazos.

Los dos se tiraron al suelo un segundo antes de que la lluvia de fragmentos de metal candentes les pasara rozando la cabeza. Los trozos volaron en todas direcciones. Dos fragmentos de metal al rojo vivo golpearon el hombro de Renée. Esta gritó de dolor.

—¡Ahora, elimínelos! —gritó Nash señalando a Race y a Renée, herida.

El Black Hawk II estaba a unos cuatro metros y medio por encima del suelo. Ganaba altura a gran velocidad. El copiloto giró la Vulcan y apuntó al cráneo de Race.

¡Pam!

La cabeza del copiloto cayó hacia atrás con violencia. Había sido alcanzado por un disparo que había impactado en su frente.

Nash se volvió sorprendido. Miró en el suelo para averiguar de dónde provenía el disparo que había matado a su artillero.

Y lo vio.

Doogie.

Estaba apoyado sobre una rodilla en el borde del foso y sostenía un MP5 de la Armada robado que apuntaba directamente al Black Hawk II. Gaby López estaba detrás de él.

Doogie disparó de nuevo y este impactó en el techo de acero sobre la cabeza de Nash.

Nash le gritó al piloto:

—¡Sáquenos de aquí de una puta vez!

Race corrió hacia el todoterreno de ocho ruedas sujetando a Renée con un brazo.

Los indígenas estaban ahora bajo los dos helicópteros del Ejército y les gritaban llenos de ira, agitando sus palos y disparando en vano las flechas a las estructuras inferiores blindadas de aquellas bestias voladoras de acero.

Race llegó a la parte trasera del todoterreno, abrió la ventanilla circular trasera y ayudó a Renée a entrar por ella.

Justo cuando iba a meterse él, vio a Doogie y a Gaby, que corrían por la calle principal en su dirección, agitando las manos. Gaby estaba ayudando a Doogie que, herido, renqueaba todo lo rápido que podía.

Llegaron al todoterreno.

—¿Qué coño está pasando aquí? —dijo Doogie con el aliento entrecortado. Race vio su pierna izquierda llena de sangre. Se había hecho un torniquete—. ¡Nada más llegar hemos visto cómo el coronel disparaba a Leo en la puta cabeza!

El rostro de Doogie estaba convulso con una mezcla de rabia y confusión.

—El coronel tenía otras prioridades —dijo Race con amargura.

—¿Qué vamos a hacer? —dijo Doogie.

Race se mordió el labio pensativo.

—Vamos —dijo—. Entremos. Esto no ha terminado aún.

Los dos helicópteros del Ejército, el Comanche y el Black Hawk II, se alzaban en el cielo sobre la calle principal de Vilcafor.

Nash miró por el lateral de su helicóptero al grupo de furiosos indígenas que tenían debajo y que gritaban y agitaban sus puños a los helicópteros. Soltó una risotada y alejó la vista de ellos para posarla en el parabrisas delantero.

Los dos helicópteros alcanzaron altura y se situaron por encima de las copas de los árboles.

La sonrisa de Nash se quedó helada.

Había ocho, ocho helicópteros Black Hawk I, muy similares al suyo; modelos anteriores que el Ejército había descartado años atrás. Todos ellos estaban pintados de negro, sin ninguna marca o distintivo, y formaban un círculo de quinientos metros alrededor de Vilcafor como una manada de chacales hambrientos en los márgenes de la batalla, expectantes y listos para recoger las sobras.

De uno de los Black Hawk comenzó a salir una nube de humo y un misil salió despedido de una de sus alas.

Un rastro humeante se extendió por el aire delante del helicóptero mientras el misil se dirigía al Comanche del Ejército. El helicóptero estalló en un segundo y cayó torpemente al suelo. Se golpeó contra una de las cabañas de piedra de la calle principal. El amasijo de hierros en que se había convertido su armazón de metal escupía llamas de fuego.

Race y los demás estaban dentro de la ciudadela, a punto de bajar por el *quenko,* cuando escucharon la explosión.

Corrieron de nuevo al todoterreno e intentaron divisar algo por entre sus estrechas ventanillas para ver qué había ocurrido.

Vieron los restos del Comanche, que había caído de lado encima de una de las pequeñas cabañas de Vilcafor.

También vieron el Black Hawk II de Nash inmóvil en el aire.

Los rotores del Black Hawk del Ejército golpeaban el aire rítmicamente mientras el helicóptero se mantenía inmóvil sobre Vilcafor, en el centro del círculo que formaban los helicópteros negros.

De repente, dos de esos helicópteros salieron de la formación y volaron en dirección al pueblo.

Algunos soldados vestidos de negro que se encontraban apostados en los costados del helicóptero abrieron fuego contra los indígenas y estos se dispersaron al instante. Corrieron a los puentes de madera y se perdieron por entre el frondoso follaje que rodeaba el pueblo.

Por el altavoz de uno de los helicópteros se escuchó una voz. Era la voz de un hombre que hablaba en inglés.

—Black Hawk del Ejército, están avisados. Les estamos apuntando con nuestros mísiles. Aterricen inmediatamente. Repito, aterricen inmediatamente y prepárense para entregarnos el ídolo. Si no aterrizan inmediatamente, haremos pedazos su helicóptero en el aire y lo recogeremos de entre los restos.

Nash y Marty se miraron.

Lauren y Copeland hicieron lo mismo.

—No mienten con lo de los misiles, señor —dijo el piloto volviéndose hacia Nash.

—Bájenos —dijo Nash.

Flanqueado por los dos Black Hawks negros, el helicóptero de Nash descendió lentamente a tierra.

Los tres helicópteros llegaron al suelo a la vez. Apenas el helicóptero del Ejército tocó el terreno embarrado, se volvió a escuchar la voz de los altavoces.

—Ahora salgan del helicóptero con las manos en alto.

Nash, Lauren, Copeland y Marty así lo hicieron, acompañados por el piloto del helicóptero.

Race y los demás observaban sobrecogidos la escena desde la seguridad de su todoterreno.

Race no podía creer que aquello estuviera ocurriendo. Era como una de esas fábulas en que el pez grande se come al pequeño, solo para, instantes después, ser comido por un pez aún más grande.

Todo apuntaba a que Frank Nash se acababa de encontrar con un pez más grande que él.

—¿Quién demonios son esos tipos? —preguntó Doogie.

—Supongo... —dijo Renée. Una gasa le cubría el hombro herido— que son los responsables del asalto en las oficinas de la DARPA dos días atrás. El asalto en el que se robó la Supernova de la Armada.

En la otra punta del continente, el agente especial John-Paul Demonaco y el comandante Tom Mitchell se encontraban sentados en el mugriento apartamento de *Bluey* James esperando a que sonara el teléfono. Estaban esperando la llamada que indicara a Bluey que mandase el VCD con el mensaje de Bittiker a todas las cadenas de televisión. Naturalmente, el teléfono de Bluey había sido pinchado y había un equipo de rastreo del FBI listo para averiguar la procedencia de la llamada.

Alguien llamó a la puerta.

Mitchell la abrió. Tras ella había dos agentes de la Unidad Antiterrorista Nacional para la que Demonaco trabajaba. Un hombre y una mujer, los dos jóvenes, de unos treinta y tantos años.

—¿Qué tenemos? —dijo Demonaco.

—Hemos investigado a Henry Norton —dijo la agente—, el tipo cuyas llaves tarjeta y códigos fueron empleados en el robo. Nuestras investigaciones han confirmado que no tenía contactos conocidos con paramilitares.

—Entonces, ¿con quién trabajaba? ¿Quién ha podido verle introducir los códigos y después pasárselos a alguien?

—Según parece trabajaba codo con codo con un tipo llamado Martin Race, Martin Eric Race. Era uno de los miembros de la DARPA que trabajaban en el proyecto, el ingeniero de diseño del sistema de encendido.

—Pero también lo hemos investigado —dijo el agente.

—Y está limpio. No tiene ningún vínculo con las milicias, ni siquiera se le conocen contactos con ningún grupo extremista. Hasta está casado con una científica que ocupa un puesto importante en el Ejército llamada Lauren O'Connor. Técnicamente, es comandante, pero no tiene experiencia en combate. El rango es puramente honorario. Race y O'Connor se casaron a finales de 1997. No tienen hijos. Nada discordante en apariencia. Pero...

—¿Pero qué?

—Pero hace exactamente tres semanas, su tarjeta de control electrónico saltó. Había sido vista saliendo de un motel en Gainesville con este hombre. —El agente le pasó una foto en blanco y negro de ocho por diez de un hombre que salía de una habitación del motel—. Troy Copeland. También comandante de la División de Proyectos Especiales del Ejército. Parece que la señora

O'Connor ha tenido una aventura con el señor Copeland durante este último mes.

—¿Y...? —preguntó Demonaco expectante.

—Copeland estuvo el año pasado bajo vigilancia, pues se sospechaba que pasaba los códigos de seguridad del Ejército a ciertos grupos de milicias, uno de los cuales, espere a oírlo, es el Ejército Republicano de Texas.

»Pero, dado que la aventura parece haber empezado este último mes —dijo la agente—, la DARPA probablemente no haya comprobado los informes de seguimiento.

Demonaco suspiró.

—Y el Ejército y la Armada tampoco es que sean amigos íntimos que digamos. Llevan años sacándose los ojos. —Se volvió—. ¿Comandante Mitchell?

—Sí.

—¿Tiene el Ejército una Supernova?

—Supuestamente no.

—Responda a mi pregunta.

—Creemos que están trabajando en una, sí.

—¿Es posible, entonces —dijo Demonaco—, que esta mujer, O'Connor, engañara a su marido para que le pasara códigos secretos de la DARPA a ella y al Ejército, y después se los dijera a su amante Copeland sin saber que este se los estaba dando al Ejército Republicano de Texas?

—Eso es lo que pensamos —dijo el agente.

—¡Maldición!

Con el Espíritu del Pueblo en sus manos, Frank Nash salió del Black Hawk II. Lauren, Marty, Copeland y el piloto hicieron lo mismo.

Los rotores de los dos Black Hawks negros que habían aterrizado a ambos lados del helicóptero del Ejército seguían moviéndose lentamente.

—¡Aléjense del helicóptero! —gritó la voz por los altavoces.

Nash y los demás se alejaron.

Un instante después, otro rastro de humo recorrió el cielo a gran velocidad desde uno de los Black Hawk negros. El misil impactó en el helicóptero del Ejército, haciéndolo añicos.

Nash se estremeció.

Un largo silencio se apoderó de la escena. Tan solo se oía el sonido rítmico de los rotores que seguían en funcionamiento.

Cerca de un minuto después, un hombre bajó del helicóptero negro más cercano.

Estaba vestido con uniforme de combate (botas, cinchas...) y llevaba en su mano izquierda una pistola semiautomática con un aspecto un tanto extraño.

Era una pistola negra bastante grande, más grande que la famosa IMI Desert Eagle, la pistola semiautomática de mayor producción mundial. Esta pistola, sin embargo, tenía un mango macizo y una placa inusualmente larga que se extendía por todo el cañón.

Nash la reconoció al instante.

No era una pistola semiautomática. Era una pistola Calico rara y muy cara, la única pistola realmente automática del mundo. Apretabas el gatillo y una ráfaga de disparos salía del cañón. Al igual que un M-16, la Calico podía ajustarse para disparar tres ráfagas de disparos o ponerla en modo automático. Pero independientemente del modo que se usara, el resultado era el mismo. Si disparabas a alguien con una Calico, le abrías en canal.

El hombre que sostenía la Calico se acercó a Nash mientras los hombres que estaban en el helicóptero de detrás apuntaban con sus M-16 a los demás.

El hombre extendió el brazo.

—El ídolo, por favor —dijo.

Nash lo observó unos instantes. Era un hombre de mediana edad, pero estaba muy delgado, demacrado, con brazos musculosos y nervudos. Tenía un rostro marcado y rubicundo, y estaba plagado de cicatrices. Un mechón de pelo rubio fino caía hasta sus ojos, unos ojos azules que rebosaban odio.

Nash no le pasó el ídolo.

Fue entonces cuando el hombre levantó con tranquilidad la Calico y voló en pedazos la cabeza del piloto del Ejército con una ráfaga de tres disparos.

—El ídolo, por favor —repitió el hombre.

Nash se lo dio a regañadientes.

—Gracias, coronel —dijo el hombre.

—¿Quién es usted? —preguntó Nash.

El hombre ladeó la cabeza ligeramente a un lado. Entonces, lentamente, la comisura de sus labios se tornó en una sonrisa desdeñosa.

—Mi nombre es Earl Bittiker —dijo.

—¿Y quién coño es Earl Bittiker? —resopló Nash.

El hombre sonrió de nuevo. La misma sonrisa altanera.

—Soy el hombre que va a destruir el mundo.

Race, Renée, Gaby y Doogie estaban mirando por las ventanillas del todoterreno, testigos del drama que se estaba desarrollando fuera.

—¿Cómo han sabido llegar hasta aquí? —dijo Renée—. No puede haber otra copia del manuscrito ahí fuera.

—No. No hay más copias —dijo Race—. Pero creo saber cómo lo hicieron.

Miró alrededor del todoterreno. Estaba buscando algo. Algunos segundos después, lo encontró. Era el portátil de la BKA. Lo encendió. En unos segundos apareció una pantalla ya familiar, escrita en alemán.

TRANSMISIÓN DE COMUNICACIONES POR SATÉLITE REGISTRO 44-76/BKA32

N.º	FECHA	HORA	FUENTE	RESUMEN
1	4.1.99	1930	OC BKA	INF. SITUAC. EQUIPO PERÚ
2	4.1.99	1950	FUENTE EXT	FIRMA SEÑAL UHF
3	4.1.99	2230	OC BKA	INF. SITUAC. EQUIPO PERÚ
4	5.1.99	0130	OC BKA	INF. SITUAC. EQUIPO PERÚ
5	5.1.99	0430	OC BKA	INF. SITUAC. EQUIPO PERÚ
6	5.1.99	0716	CAMPO (CHILE)	LLEGADA A SANTIAGO DIRECCIÓN A COLONIA ALEMANIA
7	5.1.99	0730	OC BKA	INF. SITUAC. EQUIPO PERÚ
8	5.1.99	0958	CAMPO (CHILE)	LLEGADA A COLONIA ALEMANIA; COMIENZO VIGILANCIA
9	5.1.99	1030	OC BKA	INF. SITUAC. EQUIPO PERÚ
10	5.1.99	1037	CAMPO (CHILE)	SEÑ. URGENTE EQUIPO CHILE SEÑ. URGENTE EQUIPO CHILE
11	5.1.99	1051	OC BKA	INFORME INMEDIATAMENTE EQUIPO PERÚ

Era la pantalla que habían visto ayer, antes de que los nazis llegaran, la que mostraba cada señal de comunicación que había sido recibida por el equipo peruano de la BKA.

Race vio al instante la línea que estaba buscando.

La línea segunda:

—Doogie —dijo—. Ayer dijiste algo de una señal UHF. ¿De qué se trata exactamente?

—Es una señal de búsqueda estándar. Envié una al equipo aéreo ayer, para que supieran dónde recogernos.

Renée señaló a la pantalla.

—Pero esta señal UHF fue enviada hace dos días, el 4 de enero a las 19.50. Eso fue bastante antes de que mi equipo llegara aquí.

—Correcto —dijo Race—. Y la hora a la que fue enviada es importante.

—¿Por qué? —preguntó Doogie.

—Porque exactamente a las 19.45 de nuestra primera noche aquí, Lauren usó el detector de resonancias de nucleótidos para explorar la zona y determinó que había tirio en las inmediaciones de este pueblo. La señal UHF fue enviada exactamente cinco minutos después de que se detectara la presencia del tirio. ¿Y qué estábamos haciendo entonces?

—Estábamos descargando los helicópteros —dijo Doogie encogiéndose de hombros—. Preparando nuestro equipo.

—Exacto —dijo Race—. El momento perfecto para que alguien enviara una señal UHF ya que nadie miraba, una señal que le diría a sus amigos que la presencia de tirio había sido confirmada.

—Pero, ¿quién lo hizo? —preguntó Gaby.

Race asintió con la cabeza al exterior.

—Creo que vamos a averiguarlo.

Earl Bittiker sacó otra pistola Calico de una funda y se la pasó a Troy Copeland.

—Qué hay, Troy —dijo.

—Me alegro de que hayáis llegado —respondió Copeland, cogiendo la enorme pistola.

El rostro de Lauren se tornó lívido.

—¿Troy? —dijo incrédula.

Copeland le sonrió. Fue una sonrisa cruel, desagradable.

—Deberías tener cuidado de con quién jodes, Lauren, porque esa persona podría estar jodiéndote a ti de otra manera. Aunque imagino que por lo general eres tú la que jode a los demás y no al revés.

El rostro de Lauren se ensombreció.

A su lado, Marty palideció.

—¿Lauren?

Copeland comenzó a reírse entre dientes.

—Marty, Marty, Marty. El pequeño Marty, que vendió a la DARPA para lograr un poco de respeto. Deberías tener más cuidado de a quién dices tu información, amigo. Pero claro, ni siquiera sabías que tu propia mujer se estaba tirando a otro hombre.

Race observaba la escena que se estaba desarrollando en el exterior con todo su cuerpo en tensión.

Podía escuchar lo que Copeland le estaba diciendo a Marty, cómo lo estaba humillando.

—A ella también le gustaba —dijo Copeland—. Lo cierto es que no se me ocurren muchas cosas que me gusten más que escuchar a tu mujer gritar mientras tiene un orgasmo.

El rostro de Marty enrojecía por momentos, tanto de la ira como de la humillación.

—Te mataré —gruñó.

—No lo creo —dijo Copeland. Apretó el gatillo de la Calico y disparó una ráfaga de balas al abdomen de Marty.

A Race casi se le sale el corazón al escuchar el disparo del arma.

La camisa de Marty quedó hecha jirones por el disparo. Su estómago se tornó en una masa roja. Race vio cómo su cuerpo se golpeaba contra el suelo.

—Marty... —susurró.

En la calle principal, Copeland apuntó a continuación con la pistola a Lauren, mientras Bittiker hacía lo mismo con Frank Nash.

—¿Cómo lo llamaste, Frank? —le dijo Copeland a Nash—. La ley de las consecuencias no deliberadas, grupos terroristas haciéndose con una Supernova. Afrontémoslo, solo veías esta arma como una herramienta para tirarte un farol, un arma que poseías, pero que jamás habrías tenido el coraje de usar. Quizá deberías haberlo pensado de otro modo: no la construyas si no tienes intención de usarla.

Copeland y Bittiker dispararon al mismo tiempo.

Nash y Lauren cayeron juntos, golpeándose contra el terreno embarrado. Lauren murió al instante, el disparo le alcanzó el corazón. Nash, por otro lado, fue alcanzado en el estómago y cayó al suelo gritando de dolor.

Entonces, con el ídolo en su poder, Bittiker y Copeland corrieron a uno de los Black Hawks negros y subieron a bordo.

Los dos helicópteros ascendieron rápidamente. Una vez estuvieron por encima de las copas de los árboles, se inclinaron hacia delante y se marcharon a toda velocidad de Vilcafor, rumbo al sur.

Tan pronto como los helicópteros del Ejército Republicano de Texas se hubieron marchado, Race salió por la ventanilla trasera del todoterreno y corrió a la calle principal. Se arrodilló ante el cuerpo de Marty, que intentaba devolver sus intestinos a su lugar a pesar de lo débil que estaba. La sangre le salía a borbotones de la boca. Cuando Race miró a su hermano a los ojos, solo vio miedo y sobrecogimiento.

—Oh, Will... Will —dijo Marty con los labios temblorosos. Agarró el brazo de Race con la mano manchada de sangre.

—Marty, ¿por qué? ¿Por qué hiciste esto?

—Will... —dijo—. Encendido...

Race lo cogió entre sus brazos.

—¿Qué? ¿Qué estás intentando decirme?

—Lo... siento tanto... el sistema de encendido... por favor... detenlos.

Y entonces los ojos de Marty se vidriaron lentamente hasta convertirse en una mirada ausente, congelada. Su cuerpo ensangrentado se desplomó sin vida sobre los brazos de Race.

Fue entonces cuando Race escuchó un grito ahogado cerca de él.

Se giró y vio a Frank Nash tumbado boca arriba a pocos metros de él. La mitad superior de su cuerpo también estaba destrozada. Estaba tosiendo sangre, lo que le producía arcadas.

Y de repente, Race vio cómo algo se movía por detrás de Nash.

Vio al primer indígena al que la curiosidad le había hecho salir tras los árboles.

—Profesor —Doogie le llamó en voz baja desde el todoterreno—. Creo que sería una buena idea que se alejara de ahí.

El resto de indígenas salieron de la selva. Todavía portaban sus armas primitivas, sus palos y hachas, y parecían realmente enfadados.

Race dejó con cuidado el cuerpo de Marty en el suelo. Después se puso en pie y caminó despacio, muy despacio, hacia el todoterreno.

Los indígenas no parecieron verlo.

Solo tenían ojos para una persona, Nash, que yacía en medio de la calle, escupiendo sangre.

Y entonces, con un grito salvaje y agudísimo, los indígenas echaron a correr y se abalanzaron sobre Nash como un enjambre de pirañas. En cuestión de segundos, Race ya no pudo ver al despiadado coronel del Ejército y pronto lo único que ocupó su campo de visión fue una masa de indígenas de piel aceitunada congregada alrededor de Nash, con sus hachas y palos en alto. De repente, escuchó un grito desgarrador, un grito de tal terror que solo podía provenir de un hombre.

Frank Nash.

Race cerró tras de sí la ventanilla trasera del todoterreno y miró a los rostros de las personas allí congregadas.

—De acuerdo —dijo—. Parece que vamos a tener que volver a pasar por todo lo anterior. Tenemos que detener a esos cabrones antes de que usen el ídolo en una Supernova.

—Pero, ¿cómo? —preguntó Doogie.

—Lo primero que tenemos que hacer —dijo Race— es averiguar adónde lo llevan.

Race y los demás corrieron por los estrechos túneles del *quenko.* Corrían todo lo rápido que sus cuerpos malheridos les permitían.

Apenas tenían armas, solo un par de SIG-Sauers y el MP-5 que Doogie había encontrado en la aldea. En cuanto a ropa de combate, Doogie todavía llevaba su uniforme y Race el peto de kevlar. Eso era todo.

Pero sabían adónde iban y eso era lo que importaba.

Se dirigían hacia la catarata.

Y hacia el Goose que habían escondido en la ribera del río.

Tras cerca de diez minutos corriendo, llegaron a la catarata que había al final del *quenko.* Cuatro minutos más y llegaron al Goose, que estaba exactamente donde Race, Renée, Doogie y Van Lewen lo habían dejado, bajo las enormes hojas de unos árboles situados en la ribera del río. A Race le alegró ver que Uli seguía durmiendo dentro del hidroavión.

Cuatro minutos más y el hidroavión estaba de vuelta en el agua, surcando las aguas y cogiendo velocidad sobre la superficie pardusca del río. Aceleró para tomar velocidad y despegó maravillosamente de la superficie del río hasta elevarse en el aire.

Doogie giró el hidroavión en dirección sur, la dirección que los Black Hawks del Ejército Republicano de Texas habían tomado.

Tras unos diez minutos volando, Doogie los vio, ocho manchas negras en el horizonte. Estaban virando a la derecha, poniendo rumbo al suroeste, sobre las montañas.

—Se dirigen a Cuzco —dijo Doogie.

—No los pierdas de vista —dijo Race.

Una hora después, los ocho helicópteros aterrizaron en un aeródromo privado a las afueras de Cuzco.

Esperándolos, en una mugrienta pista, había un avión de carga Antonov An-22.

Con su poderoso sistema de propulsión cuádruple y una enorme rampa de carga trasera, el An-22 había sido uno de los cargueros para tanques más fiables de la Unión Soviética. Era un producto muy valioso para su exportación, y se vendía a países que no podían permitirse, o a los que no les estaba permitido comprar, cargueros estadounidenses.

Tras la Guerra Fría y el desmoronamiento de la economía rusa, sin embargo, muchos An-22 habían acabado en el mercado negro. Mientras que las estrellas del celuloide y los golfistas profesionales compraban Lear Jets por treinta millones de dólares, las organizaciones paramilitares podían comprar un An-22 de segunda mano por poco más de doce millones de dólares.

Earl Bittiker y Troy Copeland salieron del helicóptero y se dirigieron a toda prisa hacia la rampa de carga trasera del avión.

Mientras llegaban a la parte posterior del avión, Bittiker alzó la vista a la zona de carga y lo contempló con orgullo y alegría.

Un tanque de batalla M-1A1 Abrams.

Era impresionante. Ante sus ojos estaba la viva imagen de la fuerza indomable y brutal. Su armazón pintado de negro mate, sus monstruosamente enormes orugas dispuestas sobre la cubierta de carga...

Bittiker observó su imponente torreta trapezoidal. Se extendía resuelta hacia la parte delantera del avión. El cuerpo alargado de su cañón de ciento cinco milímetros apuntaba al frente formando un ángulo de treinta grados.

Bittiker miró satisfecho el tanque. Era el lugar perfecto para guardar la Supernova robada. Era inexpugnable.

Le pasó el ídolo a uno de los técnicos de los Freedom Fighters y el hombre menudo se dirigió a toda prisa hacia el tanque.

—Caballeros —dijo Bittiker por su radio a los hombres que estaban en los otros helicópteros—. Muchas gracias por su leal servicio. A partir de ahora nos encargaremos nosotros de todo. Nos veremos en otra vida.

Después apagó la radio y sacó su móvil. Marcó el número de *Bluey* James.

El teléfono sonó en el apartamento de Bluey. El equipo de rastreo digital del FBI se encendió como un árbol de navidad.

Demonaco se colocó unos auriculares y asintió con la cabeza a Bluey.

Bluey cogió el teléfono.

—¿Sí?

—Bluey, aquí Bittiker. Tenemos el tirio. Envía el mensaje inmediatamente.

—Entendido, Earl.

Bittiker colgó y, con Copeland a la zaga, subió por la rampa de carga de la parte trasera del Antonov.

Eran las 11.13 a. m.

—¡Dios mío! ¡Ya han despegado! —exclamó Doogie. Señaló al antiguo Antonov que, en esos momentos rugía por la mugrienta pista y tomaba altura.

—Mirad el tamaño de esa cosa —dijo Renée.

—Creo que acabamos de descubrir dónde guardan su Supernova —dijo Race.

El Antonov planeaba en el cielo. Sus alas extendidas relucían con la luz de la mañana.

En el silencio sepulcral del carro de combate Abrams situado en la grande y tenebrosa zona de carga del avión, dos técnicos de los Freedom Fighters trabajaban con cuidado y meticulosidad en una cámara de trabajo sellada al vacío. Extrajeron con cuidado una sección cilíndrica de la base del ídolo de tirio con un dispositivo de corte por láser.

Tras los dos técnicos, y ocupando prácticamente toda la sala del tanque, estaba la Supernova; la Supernova que hasta hacía dos días se encontraba en la cámara acorazada de las oficinas de la DARPA.

Una vez hubieron extraído el corte cilíndrico del tirio, y con la ayuda de dos superordenadores IBM situados en la zona de carga exterior, lo sometieron a un aumento de ondas alfa, a la purificación del gas inerte y al enriquecimiento de protones, transformando así el fragmento de tirio en una masa subcrítica.

—¿Cuánto tiempo tardará en estar listo? —dijo de repente una voz por encima de ellos.

Los dos hombres alzaron la vista y vieron a Earl Bittiker observándolos desde la escotilla circular del tanque.

—Quince minutos más —le contestó uno de ellos.

Bittiker miró su reloj.

Eran las 11.28 a. m.

—Avísenme tan pronto como esté listo —dijo.

—Doogie —dijo Race mientras contemplaba el enorme avión de carga que tenían sobre ellos—. ¿Cómo se abren las rampas de carga de estos aviones?

Doogie frunció el ceño.

—Bueno, hay dos formas. O bien se aprieta el botón de una consola situada dentro de la plataforma de carga o se usa la consola exterior.

—¿Qué es la consola exterior?

—Son tan solo un par de botones ocultos en un compartimiento del exterior del avión. Por lo general están dispuestos en el lado izquierdo de la rampa de carga, cubiertos por un panel para protegerlos del viento.

—¿Se necesita un código o algo para abrir el panel?

—No —dijo Doogie—. No es muy probable que nadie vaya a abrir la rampa de carga del exterior mientras el avión está en el aire, ¿no crees?

Se giró para mirar a Race. Y, de repente, sus ojos se abrieron como platos.

—No puedes estar hablando en serio.

—Tenemos que hacernos con ese ídolo antes de que introduzcan el tirio en la Supernova —dijo Race—. Es tan simple como eso.

—¿Pero cómo?

—Colócanos detrás del avión y permanece debajo para que no te vean. Entonces acércalo todo lo que puedas a él.

—¿Qué vas a hacer?

Race se giró y miró al lastimoso grupo de gente congregado a su alrededor: Doogie, con disparos de bala en la pierna y el hombro; Renée, con un hombro herido; Gaby, todavía conmocionada tras los acontecimientos recientes; Uli, fuera de combate.

Race contuvo la risa.

—¿Que qué voy a hacer? Voy a salvar el mundo.

Se puso en pie y cogió el único fusil ametrallador que tenían, el MP5 de la Armada.

—De acuerdo. Súbanos.

Los dos aviones planeaban por el brillante cielo de la mañana.

El Antonov volaban a tres kilómetros por encima de la tierra, unos once mil pies, con una velocidad que alcanzaba fácilmente los doscientos nudos.

Aunque los ocupantes del Antonov no lo sabían, elevándose en el aire tras ellos y acercándose a la sección de la cola, estaba un avión mucho más pequeño: el Goose.

Los paneles del hidroavión vibraron con violencia cuando este alcanzó su velocidad máxima de doscientos veinte nudos. Doogie mantenía la palanca de dirección todo lo firme que podía.

Las cosas no pintaban muy bien. El techo operacional del Goose era de siete mil metros. Si el Antonov seguía subiendo, pronto estaría fuera del alcance del Goose.

El hidroavión de pequeñas dimensiones fue acercándose gradualmente al enorme Antonov. Los dos aviones conformaban una especie de ballet aéreo un tanto extraño; el gorrión persiguiendo al albatros. Lentamente, muy lentamente, el Goose se colocó detrás del Antonov y acercó el morro justo por debajo de los cuartos traseros del avión de carga.

Entonces, sin previo aviso, la escotilla situada en el morro del Goose se abrió y la diminuta figura de un hombre se asomó al exterior.

La ráfaga de viento que golpeó el rostro de Race cuando este asomó la cabeza por la escotilla delantera del Goose fue descomunal.

El impacto golpeó todo su cuerpo. Si no hubiese llevado el peto de kevlar, casi con toda seguridad el golpe lo habría dejado inconsciente.

Vio los cuartos traseros inclinados del Antonov, que se alzaban ante él a unos cuatro metros y medio de distancia.

¡Dios, era enorme...!

Era como mirar el trasero del pájaro más grande del mundo.

Entonces Race miró hacia abajo.

¡Oooh... joder!

El mundo estaba a mucha, muchísima distancia de ellos. Vio cómo se sucedía ante sus ojos un enorme colchón de colinas y campos y, al este, delante de los dos aviones, el mar infinito de la selva.

No pienses en la caída, le gritó una voz desde su interior. *¡Céntrate en lo que tienes que hacer!*

De acuerdo.

Bien. Tenía que hacerlo rápido, antes de que se quedara sin aire y de que los dos aviones alcanzaran una altura donde la combinación de la falta de oxígeno y el viento gélido lo matasen.

Agitó las manos a Doogie para que acercara el Goose un poco más al avión de carga.

El Goose se acercó más.

Dos metros y medio de distancia.

Earl Bittiker y Troy Copeland se encontraban en la cabina de mando, ajenos a lo que estaba ocurriendo en el aire tras el avión.

De repente, el teléfono situado en la pared contigua a Bittiker sonó.

—Sí —dijo Bittiker.

—Señor. —Era el técnico encargado de montar la Supernova—. Hemos colocado el tirio en el arma. La Supernova está lista.

—De acuerdo. Ya bajo —dijo Bittiker.

———

El Goose estaba a menos de un metro de distancia del Antonov y a cinco mil metros por encima del mundo. Y seguía subiendo.

Race tenía la parte superior del cuerpo fuera de la escotilla del morro del avión. Vio la rampa de carga del Antonov. Esta seguía cerrada. La única prueba de su existencia era un conjunto de líneas que recorrían la parte trasera del enorme avión.

Entonces, Race vio un pequeño panel a la izquierda de la rampa, pegado a la pared exterior del avión.

Agitó las manos a Doogie para que acercara más el Goose.

Bittiker salió del compartimiento superior del Antonov y miró la zona de carga desde una estrecha pasarela de metal. Vio el gigantesco tanque bajo él y el poderoso cañón apuntándolo directamente.

Miró su reloj.

Eran las 11.48. El VCD ya habría sido emitido hacía media hora. La gente estaría atemorizada. El día del Juicio Final había llegado.

Bittiker bajó por unas escaleras, rodeó la torreta y subió al tanque.

Llegó a las entrañas del carro de combate Abrams y vio la Supernova, las dos cabezas termonucleares suspendidas en formación de reloj de arena y el corte cilíndrico del tirio en posición horizontal en la cámara de vacío situada entre ellas.

Asintió con la cabeza, satisfecho.

—Comience la secuencia de detonación —dijo.

—Sí, señor —dijo uno de los técnicos. Se acercó hasta el portátil situado en la parte delantera del dispositivo.

—Cuenta atrás en doce minutos —dijo Bittiker—. Para las doce del mediodía.

El técnico tecleó con rapidez y en cuestión de segundos apareció en la pantalla una cuenta atrás:

DISPONE DE
00:12:00
PARA INTRODUCIR EL CÓDIGO DE DESACTIVACIÓN
INTRODUZCA EL CÓDIGO DE DESACTIVACIÓN
_ _ _ _ _ _ _ _

El técnico pulsó la tecla «intro» y el temporizador comenzó la cuenta atrás. Bittiker sacó su móvil y marcó de nuevo el número de Bluey.

El equipo de rastreo digital colocado en el apartamento de Bluey volvió a encenderse como un árbol de navidad.

Bluey cogió el teléfono:

—Sí.

—¿Ha salido el mensaje?

—Sí, Earl —mintió Bluey mientras miraba a los ojos a John-Paul Demonaco.

—¿La gente está presa del pánico?

—Ni te lo imaginas —dijo Bluey.

El Goose se acercó más a los cuartos traseros del Antonov. Solo sesenta centímetros los separaban.

Golpeado por el fuerte viento, Race se agarraba con una mano a la escotilla del Goose mientras que con la otra intentaba llegar al panel del avión de carga.

Estaba demasiado lejos. Doogie acercó más el hidroavión, todo lo que se atrevía a acercarlo...

... Y Race agarró el panel y lo abrió.

Vio dos botones dentro (uno rojo y otro verde) y, sin pensárselo dos veces, golpeó su puño contra el botón verde.

Con un terrible zumbido, la rampa de carga trasera del Antonov comenzó a descender, ¡justo delante del morro del Goose!

Con los reflejos de un felino, Doogie maniobró con rapidez para apartar el hidroavión de la trayectoria descendente de la rampa, pero, al hacerlo, casi tira a Race de la escotilla. Sin embargo, Race se había agarrado bien y permaneció con medio cuerpo fuera mientras Doogie pilotaba con destreza el hidroavión ante la rampa de carga que se abría ante ellos.

Los dos aviones continuaron volando en tándem por el cielo peruano. El enorme Antonov y el menudo Goose estaban a menos de sesenta centímetros de distancia, volando a unos seis mil metros. Solo que ahora la rampa de carga trasera del Antonov estaba abierta, ¡justo delante del morro del hidroavión!

Entonces, en el preciso momento en que la rampa se abrió del todo y a pesar de que estaban a seis mil metros de la tierra, la diminuta figura de William Race salió de la escotilla y saltó del morro del Goose a la rampa de carga abierta del Antonov.

Race aterrizó de cabeza sobre la rampa de carga del avión.

Intentó agarrarse a cualquier cosa para que el viento no se lo llevara. Fue arrastrándose por la rampa, reptando sobre su estómago. Bajo él, el Goose y seis mil metros de cielo abierto.

Curiosos los lugares a los que a veces te lleva la vida...

La zona de carga llenó entonces su campo de visión.

Vio el enorme carro de combate Abrams en medio. El viento se llevaba consigo todo lo que no estuviera asegurado o pesara lo suficiente. Vio también las luces de alarma y escuchó el aullido histérico de las sirenas que, sin duda, estaban alertando a quienquiera que se encontrara a bordo del avión de que la rampa de carga había sido abierta sin que nadie lo hubiese ordenado.

Earl Bittiker ya lo sabía.

Tan pronto como la rampa de carga se hubo abierto, escuchó el sonido del viento abriéndose paso por la zona de carga. Menos de un segundo después comenzaron a sonar las sirenas de alarma.

Bittiker se volvió en el interior del tanque Abrams. Todavía tenía el móvil colocado en la oreja.

—¿Qué coño ha sido eso? —dijo mientras subía la escalerilla para asomarse por la escotilla y ver lo que pasaba.

Ya de pie, Race cogió su MP5 y recorrió el estrecho pasillo entre el tanque y la pared de la zona de carga.

De repente, la cabeza de un hombre asomó por la escotilla superior del tanque, a su izquierda.

Race se volvió y apuntó con su arma al hombre.

—¡Quieto! —gritó.

El hombre se detuvo.

Los ojos de Race se abrieron como platos cuando vio de quién se trataba.

Era el hombre que le había quitado el ídolo a Frank Nash en Vilcafor. El líder de los terroristas.

Mierda.

El hombre tenía un móvil en la mano.

—¡Baje de ahí ahora mismo! —gritó Race.

Al principio, Bittiker no se movió. Tan solo se quedó mirando a Race atónito, observando a aquel hombre con gafas, vaqueros y una camiseta llena de mugre, una maltrecha gorra de los New York Yankees y un peto de kevlar, que le estaba ordenando que bajara mientras lo apuntaba con un MP5.

Bittiker miró la rampa de carga abierta tras Race. Vio al hidroavión volando a unos veinte metros por detrás del Antonov, intentando en vano mantenerse a la misma altura y velocidad del avión de carga, que estaba ganando altitud.

Lentamente, Bittiker bajó del tanque hasta colocarse delante de Race.

—Dame ese maldito teléfono —dijo Race arrebatándole el móvil al terrorista—. ¿Con quién coño estás hablando?

Race se puso el teléfono en el oído sin quitar la vista de Bittiker, a quien seguía apuntando.

—¿Quién eres?—dijo al teléfono.

—¿Que quién soy? —le espetó una desagradable voz—. Quién coño eres tú sería la pregunta más apropiada.

—Mi nombre es William Race. Soy un ciudadano norteamericano al que condujeron hasta Perú para ayudar a un equipo del Ejército a hacerse con una muestra de tirio para introducir en una Supernova.

Se escucharon ruidos al otro lado de la línea.

—Señor Race —dijo de repente otra voz—. Soy el agente especial John-Paul Demonaco del FBI. Estoy investigando el robo de una Supernova de las oficinas centrales de la DARPA...

—No pueden detenerlo —le dijo Bittiker a Race con su acento tejano—. No pueden detenerlo.

—¿Por qué no? —dijo Race.

—Porque ni siquiera yo sé cómo se desactiva —dijo Bittiker—. Me aseguré de que mi gente solo supiera cómo montarla. Así, una vez estuviese lista, nadie podría pararla.

—¿Así que nadie conoce el código de desactivación?

—Nadie —dijo Bittiker—. Excepto, supongo, algún puto científico de Princeton de esos que trabajan para la DARPA, pero eso no va a sernos de mucha ayuda ahora, ¿no cree?

Race se mordió el labio de pura impotencia.

Las sirenas seguían sonando. En cualquier momento llegaría alguno de los terroristas para ver qué estaba ocurriendo...

Disparos.

Impactaron a su alrededor. Comenzaron a saltar chispas de los paneles interiores de la zona de carga. Race se apartó y rodó por el suelo. Se guardó el móvil en el bolsillo trasero de los pantalones y alzó la vista. Troy Copeland estaba en la pasarela de metal con otros dos miembros del Ejército Republicano de Texas. Los tres estaban disparando con Calicos a Race.

Bittiker vio su oportunidad y se escondió tras el tanque, quedando así fuera del campo de visión de Race.

Race se apoyó contra la oruga del tanque, fuera de la línea de fuego, al menos de momento.

Respiraba con dificultad. Su pulso retumbaba con fuerza en el interior de su cabeza.

¿Qué demonios vas a hacer ahora, Will?

Y entonces, de repente, escuchó a alguien gritar su nombre.

—¿Eres tú, profesor Race? —Era Copeland—. Dios, eres un hijo de puta muy insistente.

—Es mejor que ser un completo gilipollas —murmuró para sus adentros Race. Se asomó por el tanque y disparó a Copeland y a los dos terroristas, pero ni siquiera estuvo cerca de alcanzarlos

Maldita sea, pensó. ¿Y ahora qué iba a hacer? No lo había pensado.

La Supernova, le dijo una voz desde sus adentros.

¡Hay que desactivarla! Eso es lo que tienes que hacer.

Después de todo, pensó, *ya había logrado desactivar una Supernova en aquel viaje.*

Race se puso en pie, apretó el gatillo del MP5 y disparó sin cesar a la pasarela mientras subía al tanque. Trepó por la torreta y saltó al interior de la escotilla, a las entrañas de aquella bestia de acero.

Se topó con los rostros estupefactos de los dos técnicos de los Freedom Fighters que estaban a cargo de la Supernova.

—¡Fuera! ¡Ahora! —les gritó apuntando con el MP5 a sus narices.

Los dos técnicos corrieron a la escalerilla y salieron por la escotilla, cerrándola tras de sí. Race subió y la cerró por dentro. De repente se encontró solo en el centro de mando del carro de combate.

Solo él... y la Supernova.

Todo aquello empezaba a parecerle un terrible *déjà vu.*

Notó el bulto del móvil en su bolsillo trasero y lo sacó.

—Agente del FBI, ¿sigue usted ahí? —dijo.

John-Paul Demonaco corrió a responderle.

—Estoy aquí, señor Race —dijo con rapidez.

—¿Cómo dijo que se llamaba? —dijo la voz de Race.

Otro de los agentes dijo:

—Según el equipo de rastreo... Pero, ¿qué demonios...? Dice que la llamada se está haciendo desde Perú... y que están a casi siete mil metros del suelo.

—Mi nombre es Demonaco —dijo Demonaco—. Agente especial John-Paul Demonaco. Ahora escúcheme con atención, señor Race. Quienquiera que sea, tiene que salir de ahí. La gente con la que se encuentra es muy peligrosa.

No me digas, Sherlock.

—Ya... —le respondió la voz de Race.

—Pero me temo que salir de aquí no es una opción —dijo Race por el teléfono.

Mientras hablaba, sin embargo, vio la cuenta atrás de la Supernova.

00.02.01

00.02.00

00.01.59

—Oh, no, debe de tratarse de una broma —dijo—. Esto no es justo.

—Profesor Race, ¡salga ahora mismo del tanque! —retumbó de repente una voz por los altavoces situados en la zona de carga. Era la voz de Copeland.

Race observópor la mira del artillero del gigantesco vehículo y vio a Copeland en la pasarela, al final de la zona de carga, sosteniendo un micrófono.

El viento soplaba con fuerza en el interior. La rampa de carga seguía abierta.

Race observó el interior del tanque.

La Supernova ocupaba toda la parte media del centro de mando. Encima de él, vio la escotilla de entrada. Más adelante estaban los controles para disparar el cañón de ciento cinco milímetros y debajo, medio escondidos en el suelo, en el centro de la parte delantera del tanque, vio un asiento acolchado y la palanca de dirección: los controles de manejo del tanque.

Había algo muy extraño en ellos, sin embargo. La parte superior del asiento del conductor prácticamente tocaba el techo.

Y entonces Race cayó en la cuenta.

En un tanque como este, el conductor conducía asomando la cabeza por una pequeña escotilla situada encima del asiento.

Race sintió cómo un escalofrío le recorría la espalda.

¡Había otra escotilla delante!

Corrió hacia la parte delantera del tanque, al asiento del conductor, y alzó la vista al momento para ver si era verdad. Había otra escotilla. Y estaba abierta.

Y, a horcajadas y apuntando con una Calico a la cabeza de Race, estaba Earl Bittiker.

—¿Quién demonios eres? —preguntó lentamente Bittiker.

—Mi nombre es William Race —dijo Race mirando por la escotilla a Bittiker. Su mente trabajaba a un ritmo frenético para intentar hallar un modo de escapar de allí.

Un segundo, había una posibilidad...

—Soy profesor de lenguas antiguas en la Universidad de Nueva York —dijo rápidamente para que Bittiker siguiera hablando.

—¿Un profesor? —le soltó Bittiker—. ¡Pero qué coño...!

Race se figuró que, desde donde se encontraba, Bittiker no podía ver sus manos, por lo que no podía ver que Race estaba palpando los controles de dirección del tanque.

—Dígame, cerebrito, ¿qué pensaba conseguir viniendo aquí?

—Pensé que podría desactivar la Supernova. Ya sabe, salvar el mundo.

Race seguía toqueteando los controles.

Maldita sea, tiene que estar por aquí.

—¿De verdad creías que podrías desactivar la bomba? Aquí está.

Race alzó la vista y miró a Bittiker con ojos severos.

—Mientras me quede un segundo, voy a intentar desactivar esa bomba.

—¿Hablas en serio?

—Sí —dijo Race—. Porque ya lo he hecho antes.

En ese momento y sin que Bittiker lo viera, Race apretó con el pulgar un botón de goma que había encontrado bajo la columna de dirección del Abrams. Un botón de goma con el que contaban todos los vehículos de campo fabricados en Estados Unidos.

¡Bruuum!

Inmediatamente, el monstruoso motor Avco-Lycoming del tanque cobró vida. La vibración de tan poderoso motor retumbó por toda la zona de carga del avión.

Bittiker perdió el equilibrio. En la pasarela situada delante del tanque, Troy Copeland también contemplaba la escena estupefacto.

Dentro de la escotilla del conductor, Race buscaba algo con lo que pudiera...

Oh, esto valdría.

Encontró una especie de palanca con un pulsador que tenía escritas las palabras «Arma principal».

Race agarró la palanca, apretó el pulsador y rogó a Dios por que el cañón del Abrams estuviera cargado.

Vaya si lo estaba.

El estruendo del cañón de ciento cinco milímetros del tanque en el interior del Antonov fue quizá el más atronador que Race había escuchado en su vida.

Todo el avión se convulsionó con violencia cuando el cañón comenzó a disparar.

El proyectil del cañón impactó en el avión como si de un asteroide se tratara. Primero impactó en la cabeza de Troy Copeland, arrancándola de cuajo en un corte limpio como una bala arrancaría la cabeza de una Barbie. Decapitó a Copeland en un nanosegundo. Su cuerpo, ya sin cabeza, permaneció en pie durante unos instantes.

Pero el proyectil siguió su trayectoria.

Golpeó la pared de acero situada tras el cuerpo de Copeland, alcanzando el compartimiento de pasajeros del Antonov hasta impactar a gran velocidad en las paredes de la cabina de mando, explotando en el pecho del piloto antes de hacer que el parabrisas del avión estallara en mil pedazos.

Con su piloto muerto, y bien muerto, el Antonov comenzó a ladearse y a descender en picado.

El caos se apoderó de la zona de carga. Race vio el daño que había causado y adónde se dirigía el avión.

Mientras me quede un segundo, voy a intentar desactivar esa bomba.

Bittiker seguía en el tanque y todavía tenía la Calico en su poder, pero el disparo del cañón le había hecho perder el equilibrio.

Race hizo chirriar los cambios del tanque, hasta que encontró el que buscaba.

Entonces pisó el acelerador a fondo.

El tanque respondió inmediatamente, sus ruedas con tracción volvieron a la vida y la enorme bestia de acero salió disparada como un coche de carreras. El problema es que salió marcha atrás, por la rampa de carga, cayendo a cielo abierto.

El tanque Abrams cayó.

Rápido. Muy, muy rápido.

Tan pronto como el tanque cayó de la rampa de carga el avión, cuyo interior había quedado totalmente destruido por la explosión del cañón del carro de combate, comenzó a descender en picado y explotó formando una enorme bola de fuego.

El Abrams cayó por los aires, la parte posterior primero, a una velocidad vertiginosa. Era tan grande, tan pesado, que cortaba el aire como un yunque; un yunque de sesenta y siete toneladas.

Dentro del tanque, Race estaba metido en un buen lío.

Todo se inclinó hacia un lado y la fricción con el aire del exterior hizo que el tanque se agitara con violencia.

Por su parte, Race se encontraba tumbado en medio del centro de mandos, lugar al que había sido arrastrado cuando el tanque había caído marcha atrás por la rampa de carga. A su lado se encontraba la Supernova. Estaba en posición horizontal, bien sujeta entre el techo y el suelo.

Race vio el temporizador de la cuenta atrás en la pantalla:

00.00.21

00.00.20

00.00.19

Diecinueve segundos.

Casi el mismo tiempo de que disponía antes de que el tanque se golpeara contra el suelo desde una altura de aproximadamente siete mil metros.

Joder.

O la Supernova estallaba y él moría con el resto del mundo o la desactivaba y moría solo cuando el tanque impactara contra la tierra en unos diecisiete segundos.

En otras palabras, podía sacrificar su propia vida para salvar la del mundo.

Otra vez.

Maldita sea, pensó Race. ¿Cómo podía ocurrirle lo mismo en dos días?

Miró la pantalla del ordenador:

DISPONE DE

00:00:16

PARA INTRODUCIR EL CÓDIGO DE DESACTIVACIÓN

INTRODUZCA EL CÓDIGO DE DESACTIVACIÓN

_ _ _ _ _ _ _ _ _

Dieciséis segundos.

El tanque caía en picado.

Race miró la inexorable cuenta atrás con tristeza.

Y entonces, de repente, Race percibió por el rabillo del ojo que algo se movía. Se volvió para mirar y vio a Bittiker arrastrándose por la escotilla del conductor, en la parte superior del tanque, con una Calico en la mano.

¡Oh, joder!

00.00.15

¡Olvídate de él!

¡Piensa!

¿Pensar? Dios mío, ¿cómo va a pensar un tipo que está dentro de un tanque Abrams que se precipita hacia la tierra a una velocidad aproximada de ciento sesenta kilómetros hora mientras otro hombre armado está entrando por la escotilla del conductor?

00.00.14

Race intentó aclarar sus ideas.

De acuerdo, la última vez sabía que Weber había sido quien había establecido el código de desactivación. Pero esta vez no tenía ni idea de quién había sido, principalmente porque no sabía quién había diseñado el sistema de encendido del dispositivo.

00.00.13

El sistema de encendido...

Esas fueron las últimas palabras de Marty, las palabras que había pronunciado mientras Race lo sostenía moribundo entre sus brazos.

00.00.12

El Abrams alcanzó una velocidad terminal y comenzó a emitir un sonido agudo y estridente, como el de una bomba al caer.

Bittiker había recorrido media escotilla. Vio a Race y disparó su pistola contra él.

Race intentó esquivar el disparo y se guareció tras la Supernova. Cogió el móvil de su bolsillo mientras las balas impactaban en la pared de acero contigua.

—¡Demonaco! —gritó por encima del estruendo del tanque que se precipitaba a la tierra.

—¿Qué ocurre, profesor?

—¡Contésteme rápido! ¿Quién diseñó el sistema de encendido de la Supernova de la Armada?

A casi cinco mil kilómetros de distancia, John-Paul Demonaco cogió una hoja de papel que tenía al lado. Era la lista de los miembros del equipo de la Supernova de la Armada-DARPA.

Sus ojos se posaron en una línea.

RACE, Martin E.	INGENIERO DISEÑO sistema de encendido	DARPA	D/ 3279-97A

¡Un tipo llamado Race! ¡Martin Race! —gritó Demonaco por el teléfono.

Marty, pensó Race.

00.00.11

Marty había diseñado el sistema de encendido. Por eso había intentado decírselo antes de morir.

Por tanto, Marty había establecido el código de desactivación.

00.00.10

Un código numérico de ocho dígitos.

Bittiker ya estaba prácticamente dentro del tanque.

¿Qué código habría usado Marty?

00.00.09

El tanque seguía cayendo, emitiendo un sonido estridente mientras caía al vacío.

Bittiker lo vio y levantó el arma.

¿Qué código era el que siempre usaba Marty?

00.00.08

¿Su cumpleaños? ¿Una fecha importante?

No. Marty, no.

Si tenía algo que necesitara un código numérico, una tarjeta de crédito o el número PIN, siempre usaba el mismo número.

El número de soldado de Elvis Presley en el ejército estadounidense.

00.00.07

Bittiker apuntó con la Calico a Race.

Dios, ¿cuál era?

Lo tenía en la punta de la lengua...

00.00.06

Race se metió otra vez tras la Supernova, pues Bittiker no se atrevería a dispararlo si se guarecía tras ella, y se encontró delante del ordenador de activación del arma.

¿Cuál era el número?

533...

¡Piensa, Will! ¡Piensa!

00.00.05

5331...

...07...

...61...

¡53310761!

¡Ese era!

Race comenzó a teclear en el ordenador. Tecleó la cifra 53310761 y después pulsó la tecla «intro».

La pantalla emitió un *bip*.

CÓDIGO DE DESACTIVACIÓN INTRODUCIDO CUENTA ATRÁS DE LA DETONACIÓN PARADA EN 00:00:04

Pero Race no se paró a contemplar la pantalla.

Al contrario, corrió para alejarse de Bittiker, protegido tras la Supernova ya desactivada, y se dirigió a la escalerilla que conducía a la escotilla de la torreta del tanque.

No sabía por qué se había dirigido allí. Tenía la idea totalmente ilógica de que si se encontraba fuera del tanque cuando este impactara contra el suelo quizá tendría más posibilidades de sobrevivir al impacto.

El impacto debía de estar cerca.

De camino a la ahora horizontal escalerilla, vio el ídolo, que tenía un agujero en la base, y lo cogió.

Agarrándose al techo (ahora vertical) del Abrams, cerró rápidamente la escotilla tras de sí, dejando encerrado a Bittiker dentro del tanque justo cuando la escotilla de acero era acribillada por disparos automáticos procedentes del interior.

Race miró hacia abajo, al viento que le golpeaba en las gafas, y vio la selva verde acercándose a él a una velocidad más que vertiginosa.

El tanque iba a impactar contra la tierra.

Dos segundos para el impacto.

Llegó la hora.

Un segundo.

La tierra se precipitó hacia él.

Y en el segundo antes de que el tanque Abrams se golpeara contra la tierra a gran velocidad, William Race cerró los ojos y rezó una última oración.

Y entonces ocurrió.

El impacto.

El impacto del tanque contra la tierra fue demoledor.

El mundo entero pareció estremecerse cuando las sesenta y siete toneladas del tanque impactaron a una velocidad terminal. Implosionó al contacto con el suelo, achatándose en una milésima de segundo. Los fragmentos del tanque salieron despedidos en todas direcciones.

Earl Bittiker se encontraba dentro del Abrams en el momento del impacto. Cuando esto ocurrió, sus paredes lo aprisionaron al instante; metales afilados penetraron en su cuerpo, perforándolo desde todos los costados un nanosegundo antes de que el tanque quedara aplastado por el impacto.

Una cosa era segura, Earl Bittiker había gritado antes de morir.

William Race, por su parte, no se encontraba cerca del tanque cuando este había explotado.

El segundo antes de que el tanque impactara en el suelo, cuando se encontraba a unos veinticinco metros por encima, Race había experimentado una sensación de lo más extraña.

Había escuchado un sonido no muy diferente al de una bomba sónica desde algún lugar muy cercano y, de repente, había sentido cómo una poderosa fuerza invisible tiraba de él hacia arriba.

Pero el tirón no había sido como un latigazo, sino algo repentino pero suave, como si hubiese quedado conectado con el cielo por alguna correa elástica invisible.

Así que, cuando el tanque y Bittiker chocaron contra el suelo, Race se hallaba suspendido en el aire a unos nueve metros por encima de la explosión, sano y salvo.

Entonces, miró por encima de su hombro y vio lo que había ocurrido.

Vio dos columnas de gas salir de la parte en forma de A que estaba unida a la sección posterior de su peto de kevlar. Las dos columnas gemelas de propergol salían de dos pequeños puertos de escape situados en la base de la A.

Aunque Race no lo sabía, el peto de kevlar que Uli le había dado en el foso de residuos era un J-7, el cinturón cohete de última generación que había sido creado por la DARPA junto con el Ejército de los Estados Unidos y la 82 División Aerotransportada.

A diferencia de los paracaídas actuales del ejército, los MC1-1B, que dejaban a sus portadores suspendidos a la vista de sus enemigos durante al menos varios minutos antes de que aterrizaran, los cinturones cohete permitían una caída libre a veinticinco metros del suelo y, antes de descender en picado, se detenían justo encima de la zona de aterrizaje de una forma muy parecida a la de las aves.

Al igual que los paracaídas, sin embargo, todos los cinturones cohete J-7 iban equipados con mecanismos de seguridad que reaccionaban con la altitud y que activaban los sistemas de propulsión en caso de que la persona que lo llevaba no los pudiera activar antes de caer por debajo de los veinticinco metros. Tal como le había ocurrido a Race.

No había forma de que Race pudiera saber que el 25 de diciembre de 1997, cuando los soldados de asalto sustrajeron cuarenta y ocho cargas isotópicas de cloro de un camión de la DARPA que recorría la autopista de Baltimore, también robaron dieciséis cinturones cohete J-7.

Race fue descendiendo lentamente y con suavidad al suelo.

Suspiró casi sin aliento y dejó que su cuerpo cayera inerte mientras descendía por una zona arbolada de la selva.

Segundos después, sus pies tocaron el suelo y Race se desplomó sobre sus rodillas, exhausto.

Miró la selva que lo rodeaba y en un lugar recóndito de su mente se preguntó cómo demonios iba a salir de allí.

Entonces decidió que eso no importaba. Acababa de desactivar una Supernova mientras caía de una altura de diecinueve mil pies dentro de un carro de combate de sesenta y siete toneladas.

No. Aquello no le importaba lo más mínimo.

Y entonces la solución a sus problemas apareció en forma de un pequeño hidroavión que volaba por encima de los árboles. La mano de un hombre se agitó feliz por la ventanilla del piloto.

Vio a Doogie y el Goose.

Genial.

Treinta minutos después, gracias a un tramo de río convenientemente ubicado en las inmediaciones, Race estaba de nuevo a bordo del Goose con los demás, planeando por el cielo despejado de la tarde por encima de la selva.

Apoyó su cabeza contra la ventanilla de la cabina de mando, mirando a la nada. Estaba totalmente exhausto.

Doogie, a su lado, dijo:

—¿Sabe lo que creo, profesor? Creo que es hora de que salgamos de este maldito país, ¿no le parece?

Race se giró para mirarlo.

—No, Doogie. Aún no. Todavía nos queda una cosa por hacer antes de marcharnos.

Séptima maquinación

Miércoles, 6 de enero, 17.30 horas

El Goose aterrizó en el río contiguo a Vilcafor, poco antes de que se pusiera el sol, el día 6 de enero de 1999.

Tras rociarse de nuevo de orina de mono, Race y Renée se dirigieron una vez más a la aldea situada en las montañas. Dejaron a Doogie y a Gaby en el Goose, para que Gaby se ocupara de las numerosas heridas del boina verde.

Los dos recorrieron Vilcafor con dificultad, pues estaban exhaustos. Race vio que no había ningún cuerpo en la calle.

A pesar de que cerca de doce científicos de la Armada y la DARPA, además de Marty, Lauren y Van Lewen habían sido asesinados en ese lugar hacía apenas unas horas, no había ni rastro de los cuerpos.

Race contempló con tristeza la calle desierta. Tenía una ligera idea de adónde habían ido a parar los cuerpos.

Race y Renée entraron en la aldea justo cuando el anochecer se posaba sobre las estribaciones andinas.

El jefe de los indígenas, Roa, y el antropólogo, Miguel Moros Márquez, salieron a su encuentro en el foso que rodeaba la aldea.

—Creo que esto les pertenece —dijo Race mientras sostenía el ídolo en sus manos.

Roa le sonrió.

—Realmente eres el Elegido —dijo—. Algún día mi gente cantará canciones sobre ti. Gracias, gracias por devolvernos nuestro Espíritu.

Race inclinó la cabeza. No se consideraba para nada un Elegido. Tan solo había hecho lo que consideraba correcto.

—Prométanme una cosa —le dijo a Roa—. Prométanme que, cuando me vaya, dejarán esta aldea y se adentrarán en la selva. Volverán en busca del ídolo, de eso estoy seguro. Llévense este ídolo lejos de aquí, donde nunca sea encontrado.

Roa asintió.

—Lo haremos, Elegido. Lo haremos.

—Si me lo permite, señor —dijo Race—, hay una cosa más que tengo que hacer aquí y, para hacerla, necesito usar el ídolo.

La tribu de indígenas se reunió en el sendero en espiral que rodeaba la torre de piedra.

La noche había caído y todos se habían rociado de orina de mono.

Los *rapas*, dijo Márquez, incapaces de volver a su guarida en el interior del templo, se habían escondido durante el día en las sombras de la base del cráter.

Race se encontraba en el sendero en espiral, mirando al abismo que anteriormente cruzaba el puente de cuerda.

El puente de cuerda seguía pegado a la pared de la torre, en el mismo lugar donde los nazis lo habían dejado cuando lo soltaron de los contrafuertes hacía ya veinticuatro horas.

Uno de los trepadores más hábiles de Roa, que se había rociado a conciencia con la orina de mono, fue enviado a la base del cañón, desde donde comenzó a trepar por la pared casi vertical de la torre.

Tras unos instantes, llegó a una de las cuerdas que colgaban del extremo del puente. La ató a otra cuerda que sostenían los indígenas situados en el sendero en espiral y a continuación estos tiraron de la cuerda hacia sí.

Colocaron de nuevo el puente de cuerda en su sitio.

—¿Estás seguro de que quieres hacer esto? —le dijo Renée a Race mientras este observaba la parte superior de la torre.

—Hay una forma de salir de ese templo —dijo—. Renco la encontró. Yo también lo haré.

A continuación, con el ídolo en una mano, una antorcha en la otra y una cartera de cuero colgada del hombro, Race encabezó la marcha por el puente colgante.

Un grupo de diez de los guerreros más fuertes de Roa lo siguieron, portando cada uno de ellos una antorcha.

Una vez todos estuvieron en la torre de piedra, Race los condujo hasta el claro situado delante del templo. Allí sacó una vejiga de animal llena de agua de su cartera de cuero y mojó el ídolo.

El ídolo comenzó a emitir su zumbido al instante. Un sonido puro e hipnotizador que cortó el aire como si de un cuchillo se tratara.

En cuestión de minutos el primer *rapa* llegó al claro.

Después un segundo, luego un tercero.

Los enormes felinos negros se congregaron alrededor del claro, formando un amplio círculo a su alrededor.

Race contó doce en total.

Volvió a mojar el ídolo y este emitió su tono armónico con energías renovadas.

A continuación dio un paso adelante y entró en el templo.

Diez peldaños y la más absoluta oscuridad lo rodeó.

Los *rapas,* grandes, negros y amenazadores, lo siguieron al interior del templo, bloqueando la luz de la luna que anteriormente penetraba en él.

Una vez todos los felinos estuvieron dentro del templo, los diez guerreros indígenas comenzaron a empujar la roca tal como Race les había dicho que hicieran.

La enorme piedra chirrió con fuerza cuando fue empujada lentamente a su lugar.

Race observó cómo esta se iba moviendo desde el interior del templo. Poco a poco, toda la luz de la luna del exterior fue reemplazada por la sombra de la enorme roca y después, con un ruido sordo final, la roca dejó de moverse.

Ahora tapaba todo el portal, sellándolo por completo y encerrando a William Race dentro del templo con la manada de feroces *rapas.*

Oscuridad.

Una oscuridad total, a excepción del parpadeante destello naranja de la antorcha.

Las paredes del túnel a su alrededor brillaban de la humedad. Race pudo oír un goteo incesante proveniente de algún lugar de las entrañas del templo.

Aquello debería resultarle aterrador, pero, curiosamente, Race no tenía miedo. Después de todo lo que había pasado, había pocas cosas ya que lo pudieran asustar.

Los doce *rapas,* visiones maléficas a la luz de la antorcha, miraban extasiados el ídolo que Race tenía en la mano.

Race alzó la antorcha por encima de la cabeza y bajó por el túnel en espiral situado al final de las escaleras. A la derecha, el túnel giraba formando una curva descendente. Las paredes que lo flanqueaban estaban llenas de pequeños nichos.

Race pasó al lado del nicho que había visto la última vez que había estado dentro del templo y vio el esqueleto destrozado con el cráneo hundido que allí yacía. El esqueleto que él había supuesto que era Renco y que ahora sabía que era el malvado anciano conquistador que había arrebatado a Renco su colgante con la esmeralda.

Llegó al final del pasillo en espiral y vio un largo túnel que se extendía en línea recta ante sus ojos. Era el túnel en el que von Dirksen y sus hombres habían encontrado su espeluznante final.

Los *rapas* surgieron de la rampa tras él, silenciosos, amenazadores, ominosos. Apenas si hacían un sonido mientras bajaban por el pasillo a hurtadillas con sus zarpas acolchadas.

Al final del túnel, Race se encontró con un enorme agujero situado en el suelo. Era cuadrado, medía unos cuatro metros y medio de ancho y ocupaba todo el túnel que se extendía ante él.

De él salía uno de los olores más repugnantes que había olido en mucho, mucho tiempo.

Se estremeció ante ese hedor y contempló el agujero del suelo que tenía delante.

En el extremo más alejado no vio nada más que pared (una pared de piedra sólida) y dentro del agujero tan solo una oscuridad impenetrable.

Justo entonces, sin embargo, vio una serie de manos y pisadas que habían sido talladas en la pared derecha del agujero. Habían sido talladas una sobre otra de forma que conformaban un mecanismo similar al de una escalera que podía utilizarse para descender al agujero.

Tras volver a empapar al ídolo de agua, Race se colocó la llameante antorcha en la boca y, valiéndose de los puntos de apoyo para manos y pies tallados en la pared, comenzó a descender lentamente por el pestilente y oscuro agujero.

Los *rapas* lo siguieron, pero ellos no se molestaron en usar los puntos de apoyo. Usaron sus zarpas, afiladas como guadañas, para descender por las paredes del agujero tras él.

Cerca de quince metros después, los pies de Race volvieron a tocar tierra firme.

El hedor pestilente era más fuerte ahí, hasta el punto de resultar insoportable. Olía como a carne podrida.

Race cogió la antorcha de la boca y se alejó de la pared por la que había descendido.

Lo que vio le dejó sin respiración.

Se encontraba delante de una especie de pasillo, una caverna gigantesca excavada en las entrañas de la torre de piedra.

Era espectacular.

Una catedral. Una catedral enorme con paredes de piedra.

Su techo abovedado se alzaba al menos a quince metros del suelo; desaparecía en la oscuridad. Estaba sujeto por unas columnas de piedra que habían sido esculpidas de la roca. Un suelo de piedra plano se extendía ante Race. Este también desaparecía entre las sombras.

Las paredes de la catedral eran, sin embargo, lo más impactante.

Estaban repletas de tallas primitivas y pictogramas similares a los que adornaban el exterior del portal del templo.

Había dibujos de *rapas*; dibujos de personas; dibujos de *rapas* asesinando a personas, desmembrándolos, arrancándoles la cabeza. En algunas de las tallas, los humanos que gritaban agonizantes por los ataques de los *rapas* seguían saqueando el templo a pesar de estar moribundos.

Avaricia desmedida, incluso a las puertas de la muerte.

Intercalados entre las tallas de las paredes, vio una serie de nichos que habían sido tallados con la forma de las cabezas de los *rapas*.

Gruesas telarañas cubrían cada nicho de forma que parecía que se hubiesen colocado cortinas grises transparentes sobre las fauces de los *rapas* tallados.

Race se acercó a uno de los nichos y retiró la telaraña que tapaba el morro del *rapa*.

Sus ojos se abrieron como platos.
Habían tallado un pequeño podio dentro de las fauces del *rapa*. En él se encontraba una reluciente estatua de oro con la forma de un hombre grueso con una enorme erección.
—Madre mía... —murmuró mientras contemplaba la estatua.
Observó el pasillo a su alrededor. Debía de haber cerca de cuarenta nichos como ese en las paredes. Y si había un objeto en cada uno de semejante valor...
Era el tesoro de Solon.
Race miró el nicho de ornamentación profusa que tenía ante sí y observó la cabeza del *rapa* que gruñía con sus fauces abiertas.
Era como si la persona que construyó ese templo estuviera retando al codicioso aventurero a meter la mano dentro de la boca del felino para coger el tesoro.
Pero Race no quería ningún tesoro.
Quería ir a casa.
Se alejó de tan aterrador nicho y se adentró al centro de la enorme catedral de piedra portando consigo su antorcha.
Fue entonces cuando vio de dónde provenía el hedor que había asaltado su sentido del olfato.
—Dios mío... —murmuró.

Estaba en el lado más alejado de la catedral y era enorme.
Una pila de cuerpos, una enorme y repugnante montaña de cuerpos.
Cuerpos humanos.
Debía de haber al menos un centenar de ellos, y se encontraban en distintas fases de descomposición. La sangre caía por las paredes en cantidades tan ingentes que parecía como si alguien las hubiese pintado con ella.
Algunos de los cuerpos estaban desnudos, otros parcialmente vestidos, a algunos les habían arrancado la cabeza, a otros los brazos, otros tenían el pecho abierto en canal. Había huesos ensangrentados desparramados por el suelo; de algunos de ellos colgaban trozos de carne.
Para mayor horror, Race reconoció algunos de los cuerpos.
El capitán Scott, Chucky Wilson, Tex Reichart, el general alemán, Kolb. Hasta vio el cuerpo de *Buzz* Cochrane boca abajo en la pila. Parecía como si hubieran mordisqueado la mitad inferior de su torso.
Curiosamente, sin embargo, Race vio un gran número de cuerpos de piel aceitunada en la pila.
Indígenas.
Entonces, de repente, vio un pequeño agujero en la pared situada tras la truculenta montaña de cuerpos.

Tenía una forma circular y debía de medir unos setenta y cinco centímetros de diámetro, la anchura de un hombre con unas buenas espaldas.

Race recordó inmediatamente haber visto una piedra similar en la superficie anteriormente, en el sendero que había tras el templo, una extraña piedra redonda entre todas aquellas piedras cuadradas, una piedra que parecía haber sido colocada en una especie de agujero cilíndrico.

Oh no, pensó Race cayendo en la cuenta.

No era un agujero.

Era un conducto.

Un conducto que comenzaba en la superficie y terminaba ahí, en la enorme catedral de piedra.

Y, en un instante, la pregunta de cómo habían sobrevivido los *rapas* durante cuatrocientos años en el interior del templo obtuvo su respuesta.

Race recordó las palabras de Miguel Márquez: «Si no hubiese sobrevivido a su encuentro con el caimán, sus amigos habrían servido de sacrificio a los *rapas*».

Sacrificio a los *rapas.*

Race observó horrorizado el agujero circular de la pared.

Era un pozo de sacrificios.

Un pozo en el que los indígenas de la aldea lanzaban sus ofrendas a los *rapas.*

Ofrendas humanas.

Sacrificios humanos.

Entre los que se incluía también a su propia gente.

Pero probablemente no terminara aquí, pensó Race mientras observaba el exorbitante número de cuerpos de piel aceitunada que yacían en la montaña de cuerpos.

Los indígenas probablemente también tirarían a sus muertos, y a sus enemigos muertos, como otra forma de aplacar a los *rapas.*

Y, en épocas de escasez, se imaginó Race, los *rapas* probablemente se comerían entre sí.

Justo entonces vio a cinco *rapas* más tumbados en el suelo de piedra, detrás de la pila de cuerpos, al lado de un pequeño agujero cuadrado que había en el suelo.

Los cinco *rapas* lo estaban mirando, hipnotizados por el zumbido constante del ídolo empapado en agua.

Delante de ellos había unos diez pequeños felinos (crías, cachorros de *rapas*) del tamaño de un cachorro de tigre. También miraban a Race. Parecía como si todos hubiesen dejado de hacer lo que estaban haciendo tan pronto habían escuchado el hipnotizante zumbido del ídolo.

Dios santo, pensó Race, *aquí abajo hay una auténtica comunidad. Una comunidad de rapas.*

Vamos, Will, sigue adelante.

De acuerdo.

Race sacó entonces algo de la cartera de cuero que colgaba de su hombro.

El ídolo falso.

Race dejó el ídolo falso en el suelo, a los pies del agujero cuadrado que había en la catedral, de forma que cualquiera que entrase en el templo lo viera inmediatamente.

No lo sabía con certeza, pero se imaginaba que eso era exactamente lo que Renco había hecho cuatrocientos años atrás.

De acuerdo, pensó, *es hora de salir de aquí.*

Race vio el agujero más pequeño que había al lado de los cinco *rapas* hembra y sus cachorros y se imaginó que su mejor opción, aparte de trepar hasta el conducto de sacrificios y esperar que alguien lo abriera desde fuera, era seguir bajando.

Y entonces, con el ídolo auténtico (que seguía emitiendo su melodioso zumbido) en sus manos, sorteó con cuidado a los cinco *rapas* hembras y sus cachorros y se dirigió al pequeño agujero cuadrado que había en el suelo junto a ellos.

Miró el agujero.

Debía de medir un metro ochenta por un metro ochenta y desaparecía en vertical bajo el suelo de piedra. Al igual que el agujero más grande por el que había bajado anteriormente, también tenía tallas de manos y pies en sus muros verticales.

Qué demonios, pensó Race.

Con la antorcha firmemente sujeta en la boca una vez más y el ídolo empapado en agua dentro de la cartera, Race descendió por el estrecho hueco.

Tras cerca de un minuto, perdió de vista la abertura del agujero. De ahí en adelante, a excepción de la parpadeante luz naranja que iluminaba a su alrededor, solo lo rodeaba una oscuridad impenetrable.

Un par de *rapas* lo siguieron, bajando por las paredes de aquel hueco y situados al final del círculo de luz de la antorcha, colgando boca abajo por encima de Race, siguiendo su ritmo, observándolo con sus ojos amarillentos y gélidos.

Pero en ningún momento lo atacaron.

Race siguió descendiendo. Más y más abajo. Se sentía como si llevara kilómetros y kilómetros recorridos, pero en realidad no llevaría más de un centenar de metros.

Finalmente, sus pies tocaron tierra de nuevo.

Race cogió su antorcha y la sostuvo en lo alto. Descubrió que se encontraba en una pequeña caverna flanqueada por sólidas paredes de piedra.

En la base de esta, sin embargo, había agua.

Era una especie de charca de considerables dimensiones. Estaba delimitada por tres muros de piedra mientras que en lo que sería la cuarta pared estaba el suelo en el que Race se encontraba en ese momento.

Caminó por el borde del agua y se agachó para tocarla, para ver si era de verdad. Los dos *rapas* salieron lentamente del hueco tras él.

Race metió la mano en el agua.

Y, de repente, sintió algo.

No un objeto ni nada parecido, sino como una ligera ola.

Race frunció el ceño. El agua fluía.

Miró de nuevo a la charca de agua y vio que aquellas diminutas ondas se desplazaban lentamente de derecha a izquierda.

Y, en ese instante, Race cayó en la cuenta de dónde se encontraba.

Estaba en la base de la torre de piedra, en el lugar donde la torre se juntaba con el lago situado en el fondo del cráter. Solo que, de algún modo, el agua fluía dentro y fuera de aquella caverna.

El ídolo seguía zumbando en la cartera.

Los dos *rapas* miraban a Race atentamente.

A continuación, con una confianza que no tenía razón alguna para poseer, Race dejó la antorcha y se adentró en la charca de turbias aguas, vestido y con la cartera, y se sumergió bajo la superficie.

Treinta segundos después, tras recorrer nadando a braza un largo túnel subterráneo, salió a la superficie, en el lago situado en la base del cráter.

Aspiró profundamente y suspiró aliviado.

Estaba fuera de nuevo.

Tras salir de la base de la torre de piedra, Race volvió a la aldea. Pero, antes de hacerlo, se detuvo en la parte superior de la torre, en la entrada del templo. Los guerreros que habían colocado la roca en el portal ya se habían marchado a la aldea. Race contempló la enorme piedra en soledad.

Unos instantes después, agarró una piedra que tenía al lado y se acercó a la roca que tapaba la entrada del portal. Entonces, bajo la inscripción de Alberto Santiago, escribió un mensaje en inglés:

NO ENTRAR BAJO NINGÚN CONCEPTO.

LA MUERTE ACECHA DENTRO.

WILLIAM RACE, 1999

Cuando llegó a la aldea vio a Renée, que estaba esperándole en el borde del foso junto a Miguel Márquez y el jefe de la tribu, Roa.

Race le dio el ídolo a Roa.

—Los *rapas* vuelven a estar dentro del templo —dijo—. Es hora de volver a casa.

—Mi gente te da las gracias por todo lo que has hecho por ellos, Elegido —dijo Roa—. Ojalá hubiese más gente en el mundo como tú.

Race inclinó la cabeza con modestia. En ese momento, Renée le pasó su brazo bueno por el hombro.

—¿Cómo te sientes, héroe? —dijo.

—Creo que he debido de darme otro golpe en la cabeza —dijo—. ¿Cómo se podrían explicar de otra forma todas estas hazañas? Debe de haber sido una subida de adrenalina.

Renée negó con la cabeza y lo miró directamente a los ojos.

—No —dijo—. No creo que fuera la adrenalina.

Entonces lo besó, dulcemente, apretando sus labios contra los de Race. Cuando se retiró, le dijo sonriendo:

—Vamos, héroe, es hora de irse.

Race y Renée abandonaron la aldea entre los vítores de los indígenas.

Cuando desaparecieron por el interior del cráter rumbo a Vilcafor, pudieron escuchar un grito sordo proveniente de algún lugar de la aldea que dejaban atrás.

Provenía de la jaula de bambú.

En la jaula, tumbado en el suelo, encorvado de dolor por las heridas del estómago y con ambas manos cortadas, estaba la desgraciada figura amordazada de Frank Nash.

Los indígenas no lo habían matado en la calle principal de Vilcafor. Le habían cortado sus manos de ladrón y lo habían llevado hasta allí para recibir un trato más acorde a su persona.

Una hora después, la última procesión indígena comenzó su camino al templo de Solon. Los cuerpos fueron trasladados en una especie de lechos ceremoniales, lechos que los indígenas elevaron cuando cruzaron el puente de cuerda y se dirigieron al templo.

Nash se retorcía de dolor en uno de esos lechos, mientras que el resto de los cuerpos (los cuerpos de Van Lewen, Marty, Lauren, Romano y los del equipo de la Armada-DARPA) ocupaban los lechos restantes. Vivos o muertos, cualquier tipo de carne humana serviría para aplacar a los dioses felinos que moraban en el templo.

Toda la aldea se congregó en la parte trasera del templo, cantando al unísono. Dos guerreros levantaron la piedra cilíndrica del sendero, revelando el conducto de los sacrificios.

Los cuerpos inertes fueron los primeros en ser arrojados al agujero. Van Lewen, Marty, Lauren y a continuación la gente de la Armada.

Frank Nash fue conducido el último al pozo de los sacrificios. Había visto lo que habían hecho con los otros cuerpos y sus ojos se abrieron como platos cuando fue consciente de lo que iba a ocurrirle.

Gritó a través de la mordaza cuando los sacerdotes que oficiaban aquel sacrificio le ataron los pies. Se retorció y resistió con todas sus fuerzas mientras dos guerreros indígenas lo llevaban hasta el conducto.

Lo metieron por los pies y, mientras contemplaba el cielo por última vez, a Frank Nash casi se le salieron los ojos de las órbitas ante el horror que le esperaba.

Los dos guerreros lo dejaron caer por el conducto.

Mientras caía, Nash no cesó de gritar.

La piedra cilíndrica fue colocada de nuevo en su lugar y los indígenas abandonaron la parte superior de la torre por última vez para no regresar jamás. Una vez llegaron de nuevo a la aldea, comenzaron los preparativos para un viaje, un largo viaje que los llevaría a las entrañas de la selva, a un lugar donde jamás podrían ser encontrados.

El hidroavión sobrevolaba los Andes en dirección a Lima, de vuelta a casa.

Doogie se encontraba en la cabina de mando, lleno de vendajes pero vivo. Race, Renée, Gaby y Uli estaban en la parte trasera del avión.

Tras cerca de una hora de vuelo, Gaby López se unió a Doogie en la cabina de mando.

—Hola —dijo.

—Hola —respondió Doogie cuando vio quién era. Tragó saliva, nervioso. Todavía pensaba que Gaby López era increíblemente guapa y que era inalcanzable para alguien como él. Había hecho un gran trabajo vendándole las heridas con sumo cuidado y cariño. Doogie no había dejado de contemplarla todo el tiempo.

—Gracias por ayudarme con el caimán en el foso.

—Oh. —Se sonrojó—. No fue nada.

—Bueno, gracias de todas formas.

—No hay de qué.

Se produjo un silencio incómodo.

—Verás, me preguntaba —dijo Gaby nerviosa—, bueno, si nadie te está esperando allí, si te apetecería venir a mi casa. Podría preparar algo para cenar.

A Doogie casi le da un vuelco el corazón. Esbozó una sonrisa radiante de oreja a oreja.

—Me encantaría —dijo.

Unos tres metros detrás, en el compartimiento de pasajeros del avión, Renée dormía con la cabeza recostada en el hombro de Race.

Race, por su parte, hablaba con John-Paul Demonaco por el móvil de Earl Bittiker, gracias a la tecla de rellamada. Le refirió rápidamente a Demonaco todo lo que había ocurrido en Vilcafor. Desde la BKA a los nazis, la Armada y el Ejército y, finalmente, el Ejército Republicano de Texas.

—Espere un segundo —dijo Demonaco—. ¿Tenía usted alguna experiencia militar?

—Ninguna —dijo Race.

—¡Jesús! ¿Qué es usted, una especie de héroe anónimo?

—Algo así.

Siguieron conversando un rato más y Demonaco le dio a Race el número de teléfono y la dirección de la embajada estadounidense en Lima, así como el nombre del contacto del FBI allí. Le dijo que el FBI se encargaría de llevarlos de vuelta a los Estados Unidos.

Cuando colgó, Race contempló por la ventanilla las montañas que se sucedían bajo ellos. Apretó su vieja gorra de los Yankees contra el cristal mientras su mano derecha jugueteaba con el colgante de la esmeralda, que pendía de su cuello.

Tras un rato, pestañeó y sacó algo de su bolsillo.

Era el delgado cuaderno con tapas de cuero que Márquez le había dado aquella mañana durante el banquete.

Race pasó las hojas. No era muy grueso. Solo contenía unas cuantas hojas escritas a mano.

Pero la escritura le era familiar.

Race pasó la primera hoja y comenzó a leer.

Quinta lectura

Al honorable aventurero que encuentre este cuaderno.

Le escribo ahora a la luz de una antorcha en la falda de las espléndidas montañas que dominan Nueva España.

Según los cálculos de un aficionado servidor, me encuentro en el año 1560 de Nuestro Señor, casi veinticinco años después de que llegara a estas costas extranjeras por primera vez.

Aquellos que lean este escrito puede que no comprendan nada, pues lo escribo anticipándome a la redacción de otro escrito más completo de las aventuras más sorprendentes que me acontecieron en Nueva España, un relato que puede que no llegue a escribir.

Pero si lo escribo, y si usted, valeroso aventurero que ha encontrado este cuaderno, que permanecerá bajo los cuidados de los más nobles indígenas, ha leído también el otro relato, entonces lo que sigue a continuación sí que revestirá un significado para usted.

Están a punto de cumplirse veinticinco años desde mi increíble aventura con Renco, y todos mis amigos están muertos.

Bassario, Lena, incluso Renco.

Pero no tema, querido lector, pues no murieron por acciones viles o subterfugios. Murieron mientras dormían, todos ellos, víctimas de un villano del que ningún hombre puede escapar, la vejez.

Soy el único que queda con vida.

Con gran tristeza y pesar, nada me retiene aquí, en estas montañas, por lo que he decidido regresar a Europa. Mi intención es acabar mis días en algún monasterio alejado del mundo, donde la voluntad de Dios permita que pueda escribir mi relato en su totalidad.

Dejo este cuaderno, sin embargo, en las buenas manos de mis amigos indígenas para que se lo transmitan a sus hijos y a los hijos de sus hijos, y para que se lo den solamente a los más honorables aventureros, es decir, solo a aquellos cuya valía sea acorde a la de mi buen amigo Renco.

Una vez dicho esto, y debido al linaje de aquellos que leerán este relato, intentaré disipar en este cuaderno algunos de los hechos ficticios que es mi intención incluir en mi relato de mayor extensión.

Tras la muerte de Hernando en la enorme torre de piedra, Renco entró en el templo con los dos ídolos, pero salió poco después, sano y salvo, por un túnel subterráneo situado en la base de la torre gigante de piedra.

Los habitantes de Vilcafor abandonaron su pueblo a los pies de la meseta y se trasladaron a un nuevo emplazamiento encima del enorme cráter que albergaba el templo.

En ese lugar viviría con ellos los veinticinco años siguientes, disfrutando de la compañía de mi amigo Renco. Incluso el delincuente Bassario, que demostró su valía en nuestro enfrentamiento final con Hernando y sus hombres, se convirtió en un fiel compañero.

Pero, oh, cómo disfruté de mi tiempo con Renco. Jamás tuve un amigo tan bueno y leal. Me siento afortunado de haber podido pasar la mayor parte de mi vida en su compañía.

Oh, y otra pequeña historia le contaré, noble lector, pero una historia que le ruego no cuente a mis hermanos de fe.

Tras un tiempo, me casé.

¿Y con quién?, se estará preguntando. Pues con la hermosa Lena.

¡Sí, lo sé!

A pesar de que me fijé en aquella mujer desde el primer momento en que mis ojos se posaron en ella, desconocía que ella albergaba sentimientos similares hacia mí. Lena pensaba que era un hombre noble y valeroso y, bueno, ¡quién era yo para intentar sacarla del error!

Con su joven hijo Mani, a quien Renco adoró como solo un tío puede hacer, formamos una familia maravillosa. Y pronto Lena y yo ampliamos nuestra prole con dos preciosas hijas que, y lo digo con orgullo, eran la viva imagen de su madre.

Lena y yo estuvimos casados durante veinticuatro años, los veinticuatro años más maravillosos de mi vida. Todo terminó hace unas semanas, cuando ella se quedó dormida a mi lado, dormida para nunca más despertar.

La echo en falta a cada minuto.

Ahora, mientras los guías se preparan para conducirme al norte a través de la selva y las tierras de los aztecas, pienso en mis aventuras, y en Lena, y en Renco.

Pienso en la profecía que nos unió y me pregunto si soy una de las personas que se mencionan en ella.

«Habrá un tiempo en el que él vendrá,
Un hombre, un héroe, con la Marca del Sol.
Poseerá el coraje para luchar con grandes lagartos,

Tendrá el *jinga,*
Contará con la ayuda de hombres valerosos,
Hombres que darán sus vidas por tan noble causa,
Y él caerá del cielo para salvar a nuestro Espíritu.
Él es el Elegido.»

Me preguntó si yo soy un hombre valeroso.

Es extraño, muy extraño, pero ahora, después de todo lo que he pasado, creo que realmente sí lo soy.

Honorable aventurero, este relato toca a su fin.

Espero que cuando estos escritos lleguen a sus manos, usted goce de buena salud. Le deseo toda la felicidad y amor del mundo.

Vaya con Dios.

A. S.

Race estaba sentado en la parte trasera del Goose contemplando la última hoja del cuaderno de Alberto Santiago.

Le alegraba saber que el bondadoso monje había encontrado la felicidad tras su aventura. Se lo merecía.

Race pensó en la transformación de Santiago; su transformación de un monje tímido a un defensor inquebrantable del ídolo.

Race volvió a leer la profecía y pensó en Renco. Y entonces, por una razón que no sabría explicar, comenzó a pensar en las similitudes entre Renco y él.

Los dos tenían la Marca del Sol.

Y los dos habían luchado contra caimanes y habían mostrado la agilidad y destreza de un felino.

Los dos, sin duda alguna, habían contado con la ayuda de hombres valerosos, hombres que habían dado su vida por la causa.

Y, por último, los dos habían caído...

Un momento, pensó Race.

Renco no había caído del cielo...